Jean d'Aillon est né en 1948 et vit à Aix-en-Provence. Docteur d'État en sciences économiques, il a fait une grande partie de sa carrière à l'Université en tant qu'enseignant en histoire économique et en macroéconomie, puis dans l'administration des Finances.

Il a été responsable durant plusieurs années de projets de recherche en économie, en statistique et en intelligence artificielle au sein de la Commission européenne.

Il a publié une vingtaine de romans historiques autour d'intrigues criminelles. Il a démissionné de l'administration des Finances en 2007 pour se consacrer à l'écriture.

Ses romans sont traduits en tchèque, en russe et en espagnol.

Il a reçu en 2011 le Grand Prix littéraire de Provence pour l'ensemble de son œuvre.

# Rouen

# 1203

*Du même auteur*

**Aux Éditions du Grand-Châtelet**
La devineresse

**Aux Éditions du Masque\***
Attentat à Aquae Sextiae
Le complot des Sarmates
L'archiprêtre et la Cité des Tours
Nostradamus et le dragon de Raphaël
Le mystère de la Chambre bleue
La conjuration des Importants
La lettre volée
L'exécuteur de la haute justice
L'énigme du Clos Mazarin
L'enlèvement de Louis XIV
Le dernier secret de Richelieu
Marius Granet et le trésor du Palais Comtal
Le duc d'Otrante et les compagnons du Soleil

**Aux Éditions Jean-Claude Lattès**
La conjecture de Fermat
Le captif au masque de fer
Les ferrets de la reine
Juliette et les Cézanne
L'homme aux rubans noirs

LA GUERRE DES TROIS HENRI
Les rappines du duc de Guise
La guerre des amoureuses
La ville qui n'aimait pas son roi

**Aux Éditions Flammarion**
Le secret de l'enclos du Temple
La malédiction de la Galigaï
Dans les griffes de la ligue

**Aux Éditions J'ai lu**
LES AVENTURES DE GUILHEM D'USSEL, CHEVALIER TROUBADOUR
Marseille, 1198
Paris, 1199
Londres, 1200
Montségur, 1201
Rome, 1202
De taille et d'estoc
Férir ou périr

Récits cruels et sanglants durant la guerre des trois Henri
Le secret de l'enclos du Temple
La malédiction de la Galigaï
La vie de Louis Fronsac et autres nouvelles
La bête des Saints-Innocents

# Jean D'AILLON

# Rouen

# 1203

# Les personnages

Aignan le libraire, *cathare, serviteur de Guilhem d'Ussel*
Alaric, *serviteur de Guilhem d'Ussel*
Alaume, *écuyer de Thomas de Furnais*
Aliénor d'Aquitaine, *duchesse et mère du roi Jean*
Béraire, *fredain au service de Falcaise de Bréauté*
Falcaise de Bréauté, *routier au service du roi Jean*
Édouard de Bréauté, *son frère*
Samuel Botin, *banquier juif*
Hugues de Fer, *chevalier et marchand, viguier de Marseille*
Ferrière, *arbalétrier*
Jean, *roi d'Angleterre, surnommé Lackland*
Jehan le Flamand, *cathare, serviteur de Guilhem d'Ussel*
Flore, *femme libre de l'abbaye de Tiron*
Foulques, *serf de l'abbaye de Tiron*
Dodeo Fornari, *capitaine génois*
Alessandro Fornari, *marchand de reliques*
Thomas de Furnais, *chevalier au service de Philippe Auguste*
Gregorio, *marin et voleur pisan*
Philippe Hamelin, *prévôt de Paris*
Alexandre Le Maçon, *clerc à l'abbaye de Fontevrault*
Gautier Le Normand, *chevalier au service d'Aliénor*
Robert de Locksley, *chevalier anglais, comte de Huntington*

7

Peter Mauluc, *chevalier au service du roi Jean*

Constance Mont Laurier, *négociante marseillaise*

Albéric de Rouen, *médecin*

Ruffec, *neveu de Furnais*

Ali-i Sabbah, *chevalier nizârite, nommé aussi Marc de Saint-Jean*

Sanceline, *épouse cathare de Guilhem d'Ussel*

Thomas, *sergent templier*

Anna Maria Ubaldi, *ancienne jongleuse, épouse de Robert de Locksley, enfant adultérine du cardinal Ubaldi*

Bartolomeo Ubaldi, *son frère, ancien jongleur, chevalier, enfant adultérin du cardinal Ubaldi*

Guilhem d'Ussel, *troubadour et chevalier au service du comte de Toulouse*

Guillaume Vivaud, *négociant et banquier marseillais*

# Chapitre 1

*Janvier 1201*

La vie était rude et courte pour les serfs de l'abbaye de Tiron.

Comme tous les dimanches, Foulques et Flore s'étaient rendus à la messe. Il neigeait et tous deux grelottaient, lui sous sa casaque et elle sous son manteau, même si celui-ci, qui venait de sa mère, était épais et de bonne laine.

Ce dimanche-là ne ressemblait pas aux autres. Quand ils étaient entrés dans la cour de l'abbaye, ils avaient découvert une vingtaine de chevaliers et d'écuyers avec au moins autant de sergents dont plusieurs porteurs de bannières.

La troupe venait d'arriver, car nombre des hommes d'armes se tenaient encore à cheval sur de beaux destriers recouverts de jupes de toile multicolore. Ayant reconnu les croissants des comtes de Châteaudun et la bande d'argent des comtes de Blois sur les bannières et les écus, Foulques s'était approché, attiré par les harnois, les hauberts et les cottes blasonnées.

Plus grand que les autres hommes du pays, bien charpenté, adroit de ses mains et ne rechignant pas à l'effort, Foulques était un garçon vigoureux. Il aurait pu devenir l'un des riches paysans qu'il côtoyait à l'église et qu'il saluait bien bas.

Il aurait pu, s'il n'avait été serf.

Foulques appartenait à l'abbaye. Il était l'un de ses biens, comme les bœufs, les chevaux, les meubles ou les terres. Il pouvait donc être cédé tout comme ses parents, propriétés du comte de Châteaudun, avaient été vendus à l'abbé.

Certes, leur sort s'était ainsi amélioré. Les serfs étaient mieux traités par les moines, l'abbaye ne tenant pas à perdre son placement. Mais, même baptisés, leur vie ne différait guère de celle des animaux.

À quinze ans, le régisseur des tenures[1] de l'abbaye avait enlevé Foulques à sa famille. Son père et sa mère cultivaient un petit jardin mais, malgré cela, ils ne parvenaient pas à nourrir suffisamment le jeune garçon, toujours affamé, ni ses petites sœurs. L'abbé ayant besoin de main-d'œuvre pour défricher de nouvelles terres, en lisière de la forêt, il avait donc envoyé plusieurs convers[2] ainsi que les jeunes serfs qu'il possédait.

Foulques s'était vu confier une tenure sur cette friche. Mais, même si la terre disposait d'une source, c'était un pauvre sol envahi de racines et de cailloux. Pour payer le loyer exigé, Foulques avait dû travailler dur, sans manger souvent à sa faim.

L'abbé l'avait pourtant aidé, car son intérêt était que les serfs produisent autant que des animaux d'élevage. Des convers étaient donc venus l'épauler afin de construire sa maison, minuscule cabane en bois et torchis, pas différente d'une étable.

Trois ans plus tard, Foulques parvenait enfin à payer le cens et même à économiser quelques pièces de cuivre en vendant les œufs de ses poules élevées à partir de poussins qu'on lui avait donnés. C'est alors que le régisseur était venu le voir avec le prieur. Ils lui proposaient de se marier.

---

1. *Terra mansionaria*, bien immobilier concédé par le seigneur en échange d'une redevance (cens) et de droits.
2. Frères chargés du travail manuel dans un monastère.

Flore était une femme libre. Son père, tisserand, s'était fait moine à Tiron, offrant à l'abbaye ses maigres biens. Il avait renoncé à son épouse, laquelle tissait avec sa fille, dans une maison prêtée par l'abbaye. Or, cette dernière venait de mourir d'épuisement et l'abbé ne savait que faire de la fille. Non seulement Flore ne possédait rien mais elle était disgracieuse. Avec un nez trop gros, des cheveux ternes et un menton en galoche, personne ne voudrait d'elle bien qu'elle se montrât aussi vigoureuse qu'une jument. La marier avec l'un de ses serfs représenterait une bonne opération pour l'abbaye, surtout si celui-ci pouvait payer la taxe de formariage[1]. Ensemble, ils auraient des enfants, forcément robustes vu le physique des parents, lesquels travailleraient à leur tour pour l'Église.

N'ayant jamais connu de femme et sans espoir d'en posséder une, Foulques avait accepté. Seulement, le prieur exigeait une pièce d'argent pour le fameux formariage.

Foulques possédait cette précieuse pièce : toute sa fortune. Cependant il espérait un jour en réunir cinq : le prix de son affranchissement. Donc, en la perdant, il repoussait de plusieurs années une éventuelle liberté. Malgré cela, il n'avait pas hésité. Quant à Flore, quel choix avait-elle ? Elle se savait laide et ne détenait rien. Si personne ne voulait d'elle, elle n'aurait d'autre choix que de devenir converse, chargée des besognes les plus pénibles au service des sœurs. Entre un mari et cette forme d'esclavage, elle préférait encore le premier.

En les bénissant, le prieur leur avait rappelé que la servitude était transmise par la mère. Leurs enfants seraient libres, avait-il assuré, leur conseillant d'en faire plusieurs, rapidement. Pourtant, depuis un an, Flore n'avait jamais été grosse, le couple ayant tout

---

1. Somme qu'un serf devait régler pour épouser une femme libre.

fait pour éviter une naissance. Leur vie était trop dure, ils ne voulaient pas que leur progéniture subisse leur condition.

Labourant, attelé au soc de bois que conduisait Flore, coupant du bois avec sa hache, ou moissonnant avec une serpe, Foulques ne songeait qu'à sa liberté. Depuis quelques mois, il espérait être choisi comme champion par l'abbaye dans un jugement de Dieu, pour un procès en cours, sachant que, quel que soit le sort des armes, il y gagnerait la liberté. C'était déjà arrivé à un homme de peine lors d'un précédent duel auquel il avait assisté, même si le champion vaincu avait eu la main tranchée, selon la coutume.

S'approchant des hommes d'armes, Foulques reconnut Payen de Rougemont qui discutait avec le jeune vicomte de Châteaudun. Près d'eux, l'abbé Lambert et le prieur, en robe grise à longs poils, s'adressaient avec déférence à un noble seigneur au riche manteau brodé et galonné. Celui-ci affichait un air hautain et tout le monde semblait le craindre. Foulques ne le connaissait pas mais sa cotte armoriée portait les armes de Blois. Se pouvait-il que ce soit le comte lui-même ?

Le château de Payen de Rougemont était édifié sur une motte non loin de la tenure de Foulques. Plusieurs fois, alors qu'il chassait dans la forêt, le seigneur s'était arrêté chez le serf avec ses gens pour se désaltérer à sa source. Payen et lui avaient à peu près le même âge, et si Rougemont était chevalier, il n'était guère riche, n'ayant qu'une poignée d'hommes d'armes et ne tenant son fief que du vicomte de Châteaudun. Quant à son château, il se résumait à une tour de défense en bois, entourée d'une palissade. Bien que tout les séparât, les deux hommes avaient sympathisé.

Payen interrompit sa conversation pour s'approcher amicalement du couple.

— Je suis content de te voir, Foulques, dit-il. Connais-tu le comte de Blois ?

Il désigna le noble seigneur qui discutait avec l'abbé.

— Non, seigneur, répondit le serf, ôtant humblement son bonnet.

— Le comte va annoncer une nouvelle importante à la fin de la messe. Écoute-la bien et viens ensuite me retrouver dans la salle capitulaire. Je compte sur toi !

Sur ces paroles énigmatiques, il retourna vers le jeune vicomte de Châteaudun. Foulques resta désemparé. Qu'avait voulu dire le seigneur Payen ?

Il remit son bonnet, car la neige recommençait à tomber, et rejoignit sa femme.

— Que se passe-t-il, mon époux ? demanda-t-elle.

— Je l'ignore, ma mie, je ne comprends pas. On va nous parler à la messe.

Foulques avait reçu l'eucharistie et regagnait le fond de l'église où étaient rassemblés serfs et vilains parmi les plus pauvres. Derrière le chœur, il avait vu le comte de Blois et le vicomte de Châteaudun, assis aux places d'honneur en compagnie des chanoines et du prieur. Payen de Rougemont se trouvait au premier rang, devant l'autel, avec les autres chevaliers.

La communion terminée, l'abbé Lambert prit la parole de cette voix grave et convaincante qu'il utilisait lors des sermons et qui portait dans toute l'église.

— Serviteurs, laboureurs, vilains et serfs, voici déjà quatre années, la ville de Jaffa, l'une des plus prospères cités du royaume de Jérusalem, tombait aux mains des infidèles. Plus de vingt mille des nôtres furent alors meurtris, violentés et navrés par les sataniques mahométans.

Un silence d'émotion plana dans l'église. Ce n'était pas la première fois que l'abbé abordait le sujet et il avait déjà longuement décrit les souffrances du peuple de Jaffa.

— Les Maures harcèlent sans cesse les bons chrétiens qui se battent en Judée et sur les rives du Jourdain pour délivrer le tombeau du fils de Notre-Seigneur. Nous avons déjà prié pour demander à Dieu l'extermination des Sarrasins. Or, il ne nous a pas entendus. Pourquoi ? Quand il le veut, le Seigneur peut foudroyer les infidèles, il n'a pas besoin de nos glaives pour délivrer Jérusalem...

L'abbé se tut un instant afin de marquer l'importance de la réponse qu'il allait apporter :

— Dans sa grande bonté, Dieu désire nous offrir une occasion de prouver notre amour envers lui. Ce moyen, c'est de nous battre et de mourir pour lui en exterminant les infidèles.

Dans un bruissement de murmures approbateurs, l'assistance se signa.

— C'est pourquoi, notre vénéré pape Innocent appelle une nouvelle fois à partir vers la Palestine, à secourir ceux qui offrent leur vie pour leur foi. Notre seigneur et maître, le comte de Blois, a décidé de les rejoindre.

Cette fois, un frémissement de surprise parcourut le public.

— Mais une telle expédition est longue à préparer. Pendant ce temps, chaque jour, le nombre de combattants décline en Terre sainte. Aussi, plusieurs de nos plus vaillants chevaliers ont-ils choisi de cheminer sans tarder vers Saint-Jean-d'Acre. Parmi eux les valeureux Payen de Rougemont et Geoffroy d'Aveline, que vous connaissez tous.

Les deux chevaliers se retournèrent pour faire face à l'assistance.

— Ces preux ont besoin d'hommes d'armes chargés de combattre à leurs côtés. Seulement, chacun ici a sa

14

place, vous êtes tous utiles à la vie du monastère. Cependant, les serfs peuvent être plus facilement remplacés que d'autres. Aussi, d'un commun accord avec notre seigneur comte, j'ai accepté que ceux qui prendront la croix soient libérés du servage et n'aient pas à payer la dîme saladine[1]. De plus, notre noble seigneur offrira à chacun une once d'or.

Levant les deux mains, il invoqua :

— Seigneur Jésus, rendez-nous votre sainte Croix !

L'abbé fit signe alors à Payen de Rougemont de prendre la parole. Celui-ci fut bref et demanda seulement aux serfs volontaires de le rejoindre dans la salle capitulaire.

Foulques était resté stupéfait aux derniers propos de l'abbé. La liberté. On lui offrait la liberté ! Certes, il devrait tout quitter, mais rien ne le retenait ici où il connaissait juste le froid, la faim et l'épuisement. De plus, il était certain de devenir un bon combattant... Mais Flore ? Que deviendrait-elle ?

Il se tourna vers elle et vit qu'elle avait deviné ses pensées. Son visage aux traits épais marquait son désespoir.

Il baissa les yeux et comprit qu'il devait renoncer. Il lui prit la main en murmurant :

— Je ne partirai pas, Flore. Je te le jure !

L'église se vidait. Les deux époux rejoignirent les autres serfs. Plusieurs étaient prêts à suivre Payen, mais Foulques ne dit mot. Il vit alors les chevaliers gagner la salle capitulaire.

---

1. Les serfs volontaires pour se croiser, et autorisés par leur seigneur à partir, devenaient libres mais devaient payer cette dîme à l'Église.

— Je dois aller dire au seigneur de Rougemont que je ne peux l'accompagner, murmura Foulques à Flore. Il faut que je lui explique, sinon, il sera fâché contre moi.

— Je viens aussi, décida-t-elle, craignant qu'il ne change d'avis.

Dans la salle en croisée d'ogives, Payen de Rougemont et Geoffroy d'Aveline palabraient avec un clerc de notaire installé devant un pupitre. Quand Foulques entra, d'autres serfs se trouvaient déjà là et attendaient. Le prieur et l'abbé pénétrèrent à leur tour.

— Ah, Foulques ! Je suis content que tu me rejoignes ! s'exclama Payen en le voyant.

— Merci, seigneur, fit le serf en mettant un genou en terre... Mais je suis marié...

— Et alors ?

— Je ne peux quitter ma femme, les liens sacrés nous empêchent de nous séparer... Que deviendrait-elle sans moi ?

— Qui te demande de te séparer d'elle ? plaisanta le chevalier. Ton épouse t'accompagnera !

— En Terre sainte ? bredouilla-t-elle, s'agenouillant aussi.

— Bien sûr ! Beaucoup d'hommes d'armes et de chevaliers voyagent avec leur épouse. Vous vous installerez là-bas, comme moi, et nous y ferons fortune ! Le pays est prospère et les familles du Perche y sont nombreuses, depuis cent ans !

Foulques considéra Flore avec une expression interrogative, mais en vérité son regard exprimait le désir de partir.

Elle le comprit et hocha la tête, se forçant à sourire.

Ils quittèrent l'abbaye quelques jours plus tard. La cérémonie d'affranchissement s'était déroulée le dimanche, mais les huit serfs concernés avaient eu besoin de temps pour s'armer. Foulques croyait que Payen de Rougemont lui fournirait son équipement, mais il n'en avait rien été. Après que le seigneur lui eut remis quarante deniers tournois, l'équivalent de l'once d'or, il lui expliqua que le comte de Blois offrait à chacun une masse d'armes et un casque rond. Cela leur suffirait pour se battre. Pour le reste, le Seigneur y pourvoirait.

Foulques l'avait cru, mais pas Flore. Le Seigneur ne s'était guère occupé d'eux jusqu'à présent. Le casque protégerait la tête de son mari, mais les viretons ou les coups de lance et d'épée perceraient à coup sûr son sayon[1]. Bien sûr, il n'avait pas les moyens de posséder un haubert mais le forgeron du village accepta de façonner de gros anneaux qu'elle cousit difficilement sur une cotte de cuir dont elle paya la peau de bœuf bouillie quatre deniers. Le forgeron vendit aussi à Foulques une belle lame qu'il emmancha sur une épaisse branche, obtenant une sorte de guisarme redoutable. Avec les solides brodequins qu'ils firent tailler et l'achat de deux pièces de laine pouvant servir de couverture, il ne resta au couple que la moitié de la récompense versée par le comte de Blois.

C'est alors que le clerc de Payen de Rougemont, qui les accompagnerait, rassembla les serfs.

— Le voyage sera long, leur dit-il. En plus de vos armes et de vos bagages, vous aurez à porter eau et provisions. J'ai moi-même à prendre une écritoire, des cornes d'encre, des parchemins et toutes sortes d'affaires pour mon seigneur. Je vous propose que nous achetions un âne tous ensemble. Nous pourrons lui faire transporter ce qui est trop lourd, et les

---

1. Tunique ou longue chemise, avec ou sans manches, que portaient les serfs à cette époque.

femmes le monteront à tour de rôle si elles sont trop fatiguées.

Après un long débat, plusieurs serfs, dont Foulques, étant réticents, la suggestion fut tout de même validée quand le clerc les assura qu'ils revendraient l'âne avant de prendre la mer. L'animal coûtait soixante deniers et chacun paya sa quote-part.

Après ce qu'avait annoncé le clerc, Flore s'attendait à un voyage difficile, mais en aucun cas à ce qu'elle vécut. Ils mirent en effet plus de quatre mois avant d'arriver à Arles.

Leur troupe était constituée des deux chevaliers et de leurs écuyers, tous sur de solides percherons, car ils n'étaient pas assez riches pour posséder des destriers. Deux roussins portaient leurs bagages. Les autres étaient à pied : huit anciens serfs, certains avec leur femme. Deux arbalétriers, trois sergents d'armes et le clerc. L'un des arbalétriers voyageait aussi avec son épouse.

Aucun ne connaissant la route, ils s'égarèrent plusieurs fois, ne bénéficiant que rarement d'un guide. Le froid fut continuel. La neige, la pluie et la grêle ne les épargnèrent pas. Le manteau de Flore apparut vite insuffisant, tout comme la casaque de Foulques, aussi durent-ils acheter de grandes pèlerines, ce qui écorna encore leur pécule. Malgré l'âne, ils portaient beaucoup de choses dans leur besace et les douleurs de la marche devinrent vite insupportables. Les étapes ne les soulageaient guère. Malgré la croix cousue sur leurs vêtements, ils ne recevaient qu'une chiche hospitalité dans les églises et les monastères, ne parvenant à se réchauffer devant une cheminée que de temps en temps. Ils souffraient de la faim, car les deux chevaliers n'étaient pas riches et évitaient de dépenser trop vite la somme remise par le comte de Blois.

Ils perdirent aussi deux hommes : un sergent d'armes noyé en traversant une rivière et un serf tué durant une attaque de capuchonnés.

Les capuchonnés, des miséreux poussés par le désespoir, dépouillaient les voyageurs. Ceux-là s'attaquèrent à la troupe alors qu'elle traversait une sombre forêt sous une neige fine et collante. Le serf fut tué le premier d'un coup d'épieu, mais même si les agresseurs étaient trois grosses douzaines, les deux chevaliers, les écuyers, le sergent et les arbalétriers parvinrent à repousser les plus agressifs. Par chance, bien que ces estropiats possédassent des arcs, ils n'étaient guère adroits et les hauberts de mailles arrêtèrent les traits destinés aux cavaliers. Quant à Foulques et aux autres serfs, passé un bref instant de stupeur, ils se jetèrent sur leurs agresseurs avec leurs marteaux, leurs coutelas et leurs lances. Même Flore combattit avec un bâton que son mari lui avait taillé.

C'est ainsi que Foulques tua son premier homme avant d'aider ses compagnons à achever les blessés, embrochés comme des oisillons afin de servir d'exemple. Il n'y eut pourtant aucun butin à prendre, car les bandits ne possédaient rien, sinon leurs épieux et des couteaux. Trois de leurs lames furent remises à Flore et aux deux autres femmes par Payen.

L'épreuve eut le mérite de solidariser la troupe. Les deux chevaliers parurent satisfaits du comportement de leurs hommes et ces derniers furent rassurés sur leur aptitude à combattre. Finalement, ce n'était pas difficile de tuer.

# Chapitre 2

*Mai 1201*

rrivés à Arles au début du mois de mai, ils y demeurèrent une semaine à soigner leurs plaies et à se reposer pendant que le clerc et Payen de Rougemont négociaient le prix de leur passage dans une nef pisane se rendant à Acre. L'immense bateau transporterait aussi leurs chevaux, car les montures coûtaient fort cher au royaume de Jérusalem, leur avait-on dit. Seul l'âne fut vendu.

Le voyage en mer se révéla extrêmement pénible en raison de la promiscuité et des maladies. Logés sous l'entrepont, dans une partie de la cale aménagée pour le transport de passagers, les croisés ne disposaient pas même de paillasses, chacun dormant à même le plancher, sur sa couverture, dans un espace où personne ne parvenait à tenir debout. Les rats pullulaient, l'endroit empestait les excréments. Les repas n'étaient que des bouillies d'orge coupées avec un vin aigre. Flore tomba malade et crut subir le sort de la femme de l'arbalétrier qui mourut en quelques jours. Plusieurs hommes disparurent en mer un jour de grand vent, dont l'écuyer de Payen.

La nef portait deux cents membres d'équipage, des chevaliers et des valets d'armes, et surtout des marchands. Ces derniers n'en étaient pas à leur premier voyage à Acre, aussi renseignèrent-ils aimablement les passagers. C'est ainsi que les croisés de Tiron apprirent ce qui se passait vraiment en Terre sainte.

Durant le voyage depuis Tiron jusqu'à Arles, ils avaient parlé de ce qui les attendait, de leurs craintes et de leurs espérances. Payen de Rougemont et Geoffroy d'Aveline s'étaient montrés intarissables sur le beau pays où ils allaient s'établir. L'abbé de Tiron, le prieur et l'intendant du comte de Blois n'avaient cessé d'expliquer que la Terre sainte ressemblait à ce que devait être le paradis.

Chacun disposerait là-bas d'innombrables serviteurs, avaient-ils assuré. Les femmes sarrasines, fort belles, acceptaient en masse la grâce du baptême et faisaient des épouses modèles. La confiance et l'amour de Dieu rapprochaient les peuples indigènes qui ne demandaient qu'à se convertir. Les pauvres en leur pays, le Seigneur les enrichissait. D'ailleurs aucun ne revenait en Occident tant le bonheur les gardait captifs dans un Orient pacifié et prospère.

Certes, on se battait aux frontières du royaume de Jérusalem, mais la paix régnait sur le littoral, dans ces plaines fertiles dont les croisés avaient amélioré les cultures. Le commerce était florissant et on s'échangeait tous les produits de l'Orient et de l'Occident. L'opulence des cathédrales, des églises, des couvents et des palais n'avait rien à envier à ce qui se voyait à Toulouse, à Poitiers, à Paris ou à Londres.

Saint-Jean-d'Acre, la capitale du royaume, que les indigènes appelaient Ptolémaïs, était une magnifique ville bâtie sur une riante et fertile plaine surmontant le rivage. Son port, fréquenté par les navires de toute la Chrétienté, mais aussi par les négociants arabes et orientaux, méritait de dominer les mers. La paix régnait sous le gouvernement des seigneurs chrétiens qui, par leur tolérance, supportaient la présence des musulmans. La ville était quasiment imprenable, avec des fossés profonds entourant ses murailles du côté de la terre et des tours formidables surplombant la cité. Une digue de pierre fermait le port pour se terminer par une forteresse bâtie sur une roche isolée au milieu des flots. Des bosquets et des jardins d'arbres fruitiers couvraient les riantes campagnes.

Foulques écoutait avec ravissement ces discours qui se terminaient invariablement par les projets et les promesses de Payen de Rougemont : ils rejoindraient l'armée croisée qui reprendrait Jérusalem ; ils chasseraient les infidèles de Terre sainte et le comte de Blois leur distribuerait les terres des mahométans. Chaque homme aurait alors sa tenure et disposerait d'esclaves sarrasins pour la cultiver. Les plus courageux deviendraient chevaliers et tous seraient enrichis par le butin.

Flore n'intervenait jamais, s'interrogeant tout de même beaucoup, car si les chrétiens étaient si forts, pourquoi les musulmans en avaient-ils massacré vingt mille à Jaffa ?

Un des serfs ayant tout de même posé la question, messire Payen n'avait pas éludé la réponse et leur avait conté l'histoire du royaume franc.

Après les premières croisades ayant permis de délivrer le tombeau du Christ et de choisir Jérusalem comme capitale du royaume latin, un prince sarrasin nommé Saladin était parvenu à rassembler autour de lui les nations musulmanes. Quatorze ans plus tôt[1], à l'occasion d'une sanglante bataille, ce prince avait battu l'armée de Guy de Lusignan, le roi de Jérusalem. En un jour, l'œuvre de près d'un siècle avait été anéantie.

---

1. Le 4 juillet 1187. Il s'agit de la bataille de Hattin ou bataille de Tibériade.

Cela, les croisés de Tiron le savaient. La perte de Jérusalem et de la plupart des villes de Terre sainte avait eu un immense retentissement dans toute la Chrétienté. C'était d'ailleurs après ce désastre que le pape avait appelé les rois et les barons à se croiser pour reprendre le tombeau du Seigneur Christ.

Mais si la croisade avait eu lieu[1], les dissensions entre les peuples et les princes n'avaient pas permis de reconquérir la Ville sainte. Guy de Lusignan, Philippe Auguste[2] et Richard Cœur de Lion étaient juste parvenus à s'emparer d'Acre et de Jaffa et à rétablir un petit royaume franc.

Marqué par les pires infamies, le siège d'Acre avait duré plus de deux années, durant lesquelles les chrétiens avaient tué soixante mille infidèles. De leur côté, les musulmans occupant la ville plaçaient sur les remparts des croix qu'ils battaient à coups de verges et contre lesquelles ils urinaient. En représailles, les croisés faisaient des arcs avec les côtes des infidèles tués, après leur avoir enlevé le foie !

Acre reprise, Richard Cœur de Lion avait poursuivi la reconquête du royaume de Jérusalem tandis que les querelles continuaient à diviser l'armée chrétienne. Guy de Lusignan, soutenu par l'ordre du Temple et le roi Richard, se considérait toujours comme roi légitime, tandis que la plupart des barons chrétiens soutenaient Conrad de Montferrat qui était parvenu à conserver Tyr[3] aux chrétiens.

Admiré pour sa vaillance au combat, Conrad avait souvent changé d'alliés mais il était désormais l'homme lige de Philippe Auguste. En l'absence du roi d'Angleterre, parti guerroyer, il avait revendiqué la royauté et tenté de se saisir d'Acre avec le soutien des

---

1. La IIIe croisade.
2. Philippe Auguste arrive à Acre le 20 avril 1191. La ville d'Acre est reconquise par le roi Richard en juillet.
3. Que les Arabes appelaient Sour.

Génois. Le siège avait cependant échoué à cause de la défense des Pisans.

À son retour, le Cœur de Lion aurait voulu châtier Conrad pour ce coup de force, mais ayant appris que l'Angleterre se trouvait en pleine révolte[1], il avait préféré regagner son royaume.

Avant son départ, il avait cependant tenté d'imposer Guy de Lusignan comme roi. Mais les grands barons de Terre sainte ayant exigé une élection, Conrad avait été élu.

Seulement, convaincu d'être écarté par le roi Richard, Montferrat avait négocié une alliance avec Saladin. Il avait bien sûr rompu cet accord une fois élu, mais ainsi bafoué sa foi donnée au prince arabe. Pour le châtier, ce dernier avait envoyé à Acre deux Sarrasins convertis au christianisme. Devenus proches de Conrad, les deux apostats l'avaient alors assassiné.

Pour lui succéder, les barons chrétiens avaient choisi comme roi Henri de Champagne. Mais, à peine élu, celui-ci avait basculé par une fenêtre sans rambarde en recevant une délégation pisane venue de Jaffa assiégée. Il s'était brisé le cou.

Sa veuve, Isabelle, avait épousé Amaury de Lusignan, l'ancien connétable du royaume de Jérusalem ainsi devenu roi. Entre-temps, Saladin était mort et son frère, Al-Malik, avait pris Jaffa.

— Le royaume de Jérusalem est certes beaucoup plus petit qu'avant, mais il reste puissant, avait poursuivi Payen. Les chrétiens possèdent deux beaux territoires le long de la côte : le comté de Tripoli, qui dépend de la principauté d'Antioche, et Saint-Jean-d'Acre, la capitale du royaume. Bientôt, des milliers de croisés débarqueront et nous rejoindront. Alors, nous reprendrons Jérusalem et chasserons les Sarrasins.

---

1. *Férir ou périr*, du même auteur.

À peine en mer, les désillusions et les inquiétudes se firent jour. Sur le pont de la nef, Payen se lia avec un vieux chevalier retournant à Acre après avoir visité sa famille en France.

Rougemont l'interrogea pour savoir s'il connaissait la maison de Laurent du Plessis, noble chevalier proche de Guy de Lusignan et compagnon de Thibault de Blois, le sénéchal de Philippe Auguste mort de maladie au siège d'Acre une dizaine d'années plus tôt. Louis de Blois, son fils, avait donné à Payen une lettre dans laquelle le comte demandait au compagnon de son père de recevoir ses serviteurs. Il assurait qu'il les rejoindrait dans moins d'un an avec une immense armée, et qu'ensemble, ils reprendraient Jérusalem.

Payen fit part au vieux chevalier du contenu de la missive.

— Reprendre Jérusalem ? Rien que ça ! persifla le vieillard. Vous semblez ignorer ce qu'est la ville d'Acre.

— Je ne demande qu'à apprendre, noble seigneur, répondit courtoisement Rougemont.

Foulques et Flore, pas loin, s'étaient rapprochés.

— Les plaisirs de la paix, l'abondance des vivres, le vin de Chypre et les puterelles venues de France, de Pise et de Gênes ont fait oublier aux chrétiens le but de leur entreprise. La licence et la débauche empêchent toute action contre les musulmans. À Acre sont désormais rassemblés tous les vices de la Chrétienté et de l'Arabie.

— Mais le roi... objecta Payen.

— Le roi est à Chypre. C'est son chancelier qui gouverne Acre, même si les Templiers en sont les véritables maîtres car ils possèdent la plus grande forteresse. De plus, la ville n'en est pas une, elle est partagée en communes.

— Des communes ? demanda Payen, qui ne comprenait pas.

— C'est le nom que l'on donne aux quartiers. Les Vénitiens ont le leur, les Génois et les Pisans de même. Il y a aussi un quartier allemand occupé par les Teutoniques et un autre dirigé par les Hospitaliers. Chaque commune possède son enceinte, sa garnison et ses lois, et il n'est pas rare que les disputes entre elles dégénèrent en bataille, surtout entre Pisans et Génois qui se détestent. Les ordres monastiques ne pensent qu'à leur intérêt et à s'enrichir au lieu de protéger les pèlerins. En vérité, plus personne ne désire poursuivre la guerre contre les Sarrasins.

— Il le faudra bien, quand l'armée des croisés arrivera.

— Nous en reparlerons lorsqu'elle sera là, ironisa le vieil homme.

Contrarié, Payen le salua avant de s'éloigner. Il ne croyait pas un mot de ce qu'avait dit le vieillard aigri.


Après avoir entendu cet inquiétant discours, Foulques interrogea le commis d'un marchand. Hélas, ce dernier confirma les dires du chevalier et lui brossa un tableau encore plus sombre de la vie à Acre.

— La misère règne en ce moment. Une disette sévit depuis un an dans les campagnes et les maladies succèdent à la famine. La peste tue plus que les Sarrasins, et les veuves n'ont d'autres ressources que de se prostituer pour survivre.

Un marin proche intervint alors en riant :

— C'est vrai que les bordaux ne manquent pas à Acre !

Flore avait écouté. Chaque jour, elle se sentait un peu plus désespérée. Que deviendrait-elle si Foulques tombait malade ?

Ils débarquèrent à Acre un matin de juillet. Après qu'ils eurent franchi la grande salle de la douane où ils payèrent une taxe pour les chevaux, un gamin les conduisit à la maison de Laurent du Plessis.

Lorsqu'ils eurent traversé la fonde des Vénitiens, l'un des plus grands quartiers de la ville où palais, églises, belles maisons et entrepôts étaient innombrables, ils pénétrèrent dans un autre secteur, par une porte fortifiée ouvrant sur une enceinte couronnée de créneaux. Flore apprit qu'il s'agissait de la partie génoise de la ville. Ils la traversèrent jusqu'à une autre enceinte qui fermait le quartier des Hospitaliers, dominé par l'hôpital Saint-Jean, qu'on appelait le Manoir des Frères.

Autour d'eux, Flore entendait toutes sortes de dialectes qu'elle ne comprenait pas. Elle avait le cœur serré, regrettant de ne pas être restée à Tiron. Foulques, en revanche, débordait de fougue.

Les voyageurs avaient remarqué que les maisons qui hébergeaient des chevaliers portaient leur écu aux fenêtres. C'est en voyant les trois chevrons rouges accrochés à une baie géminée, non loin du Manoir des Frères, que Payen sut qu'ils étaient arrivés. Laurent du Plessis, noble chevalier proche de Guy de Lusignan et compagnon de Thibault de Blois, sénéchal de France, habitait là.

Le seigneur les reçut avec beaucoup de cordialité. Comme il manquait d'hommes et de chevaliers, ce renfort était le bienvenu. Payen lui expliqua qu'il se mettait sous ses ordres en attendant l'arrivée prochaine de Louis de Blois, le fils du comte Thibault.

Le jour même, Laurent du Plessis obtint des Hospitaliers qu'ils louent aux arrivants une petite maison située non loin de la sienne.

Payen de Rougemont et Geoffroy d'Aveline étaient partis depuis trois jours avec leurs sergents d'armes, dont Foulques, pour ramener du fourrage d'une ferme fortifiée située à quelques lieues, en lisière des terres sarrasines. Sans nouvelles, Flore commençait à s'inquiéter. Pourquoi ne revenaient-ils pas ? Le seigneur Payen avait assuré que l'expédition ne présentait aucun risque puisqu'une trêve avait été négociée avec les musulmans.

Ce soir-là, accompagnée d'une esclave sarrasine que Payen avait achetée, elle rapportait des seaux d'eau de la fontaine quand elle aperçut un sergent d'armes devant la porte de leur maison. Elle le reconnut, l'ayant vu chez le seigneur du Plessis. Sans savoir pourquoi, son cœur se mit à battre le tambour. Le soldat parlait avec le clerc. Elle s'approcha, impatiente.

— Dame Flore, lui dit le clerc en baissant ses yeux embués. Ce gentil sergent vient de m'apprendre une terrible nouvelle. Soyez forte...

Elle blêmit.

— Foulques ? balbutia-t-elle, comme il ne disait rien.

Le soldat aussi baissait les yeux.

— Où est-il ? hurla-t-elle.

— Personne n'est revenu, dame Flore, bredouilla le sergent. Le noble chevalier Payen, le noble seigneur Geoffroy, toute leur escorte...

— Non ! Non ! Ce n'est pas possible !

— Comme ils ne rentraient pas, le seigneur du Plessis a envoyé un Sarrasin à son service découvrir les raisons de ce retard. La ferme avait été prise, Payen et ses gens sont tombés dans un traquenard.

Tout tangua autour d'elle. Son cœur s'arrêta de battre un instant. Elle chancela et perdit connaissance.

Quand Flore reprit ses sens, elle était allongée sur la couche qu'elle partageait avec son mari. Foulques, qu'elle ne reverrait plus. L'esclave sarrasine se tenait accroupie près d'elle.

La maison louée aux Hospitaliers n'était pas grande. La paillasse de Flore se trouvait au dernier niveau, sous les toits, séparée des autres par une cloison de bois. La chaleur y était insupportable, les poux, les puces et les punaises innombrables, les rats féroces. Mais, ce jour-là, ces miasmes ne la perturbaient pas. C'est son âme qui souffrait du pire des maux : l'absence.

Elle s'assit, aidée par l'esclave. Celle-ci lui sourit et ce rictus la rendit encore plus hideuse puisqu'elle avait eu le nez coupé pour avoir copulé avec un chrétien.

— Descendons, Shahrzad, dit Flore, réprimant un sanglot.

En bas, dans la salle, elle trouva l'autre épouse, elle aussi veuve. Mais celle-ci paraissait peu affectée et conversait avec le clerc.

— Flore, dit-il en la voyant. J'étais inquiet pour toi.

— Comment fera-t-on les obsèques ? demanda-t-elle seulement.

— Pas d'obsèques, répondit l'autre veuve. Les corps de nos maris et de nos seigneurs sont restés là-bas. Les Sarrasins les ont décapités et...

— Tais-toi ! cria le clerc.

Flore réalisa que les disparus avaient certainement subi les plus atroces violences. N'en avait-elle pas entendu parler plusieurs fois ? Les Sarrasins tranchaient pieds et mains à leurs prisonniers, les aveuglaient et leur retiraient leur virilité avant de couper leur tête.

Devant de telles visions, la souffrance endurée par son mari et son propre sort de femme seule l'assaillirent. Elle s'effondra en sanglots.

De son côté, la veuve la considérait plutôt froidement. Il est vrai que son mari la battait et Flore comprit qu'elle n'était pas fâchée que son tortionnaire ait disparu.

Troublé seulement par ses pleurs, le silence s'installa dans la salle.

— Il faudra partir, intervint finalement l'autre veuve.

— Partir ? interrogea Flore, terrifiée. Partir où ?

— Le seigneur Payen a laissé quelques pièces, dit le clerc, mais il gardait tout son or avec lui. Je ne pourrais pas payer le prochain loyer aux Hospitaliers.

— Qu'allons-nous devenir ?

— Je ne sais, répondit le clerc, baissant à nouveau les yeux.

Le lendemain, Flore resta seule avec Shahrzad dans la maison. Habituellement, elle faisait la cuisine avec l'autre veuve et s'occupait des corvées d'eau. Le reste du temps, en compagnie de l'esclave, elle brossait les planchers et chassait la vermine. Là, pour s'occuper, elle balaya la salle et s'efforça de tuer le plus de mouches possible pendant que Shahrzad poursuivait les scorpions et les scolopendres. Après quoi, comme les deux femmes avaient faim, n'ayant rien mangé la veille, elles préparèrent une bouillie après avoir moulu trois poignées d'orge. Elles finissaient ce frugal repas quand le clerc revint, seul.

— Dieu te garde, Flore, commença-t-il d'une voix morne.

Il s'assit avec les deux femmes et fouilla dans l'escarcelle attachée à sa robe.

— Je reviens de la maison du seigneur du Plessis. Il m'a pris à son service.

— Et Jeanne ?

— Son intendant lui trouvera un travail à l'auberge Sainte-Croix. C'est la plus grande de la ville et ils recherchent toujours des servantes.

— Et moi ?

— Il parlera autour de lui, pour savoir si quelqu'un a besoin d'une servante. S'il trouve, il te fera chercher. En attendant, il m'a donné ces pièces d'argent pour t'aider.

Il posa cinq mancuses[1] sur la table.

— Je suis aussi allé chez les Hospitaliers. Ils m'ont dit que si on ne pouvait remettre le loyer, il faudrait partir avant dimanche.

— Avec ces pièces, pourrais-je payer le voyage jusqu'à Arles ?

— Non, dame Flore, le voyage pour Marseille ou Pise coûte au moins trois marcs d'argent ; il vous faudrait donc une centaine de ces pièces.

— Je ne les aurai jamais ! Que vais-je devenir ? s'effraya-t-elle.

Personne ne répondit.

— Pourquoi ne puis-je pas travailler moi-même dans une auberge comme Jeanne ?

Le clerc ne broncha pas, mais échangea un regard triste avec Shahrzad.

— Ce n'est pas un travail pour vous, dame Flore, dit la Sarrasine.

— Pourquoi ?

— J'ai été servante dans une auberge. Il est impossible de résister aux désirs des hommes. C'est pour cela qu'on m'a coupé le nez.

---

1. Pièces de Barcelone.

# Chapitre 3

*Décembre 1201, quatre jours après Noël*

uand, accompagnés de la sœur tourière[1], le
chevalier Gautier Le Normand et le clerc
Alexandre Le Maçon pénétrèrent dans la
chambre de la duchesse d'Aquitaine, les servantes et
les sœurs converses qui entouraient la vieille femme
s'écartèrent le plus loin possible pour les laisser seuls.
Ne restèrent près d'Aliénor que l'abbé du Pin et
Mathilde de Flandre, l'abbesse qui dirigeait l'Ordre
et avait autorisé cette visite. Car dans l'abbaye, son
pouvoir était supérieur à celui de l'ancienne reine de
France et d'Angleterre.

Alexandre Le Maçon portait un froc de laine rugueuse,
pieds nus dans ses sandales, et Gautier Le Normand
avait gardé son haubert sous le manteau. Le chevalier
tenait un casque à nasal à la main. Au service d'Aliénor depuis quelques années, comme son père l'avait
été du temps où la duchesse était encore l'épouse du
roi de France, il était parti immédiatement avec son
écuyer et un sergent d'armes quand on était venu le
chercher. Les quatre-vingts lieues séparant Fontevrault de son château d'Appeville, près de Rouen,
une fortification en bois sur une motte ayant appartenu aux Montfort et qu'on appelait encore le manoir

---

1. Gardienne des entrées.

du Vieux Montfort, avaient été franchies en deux jours.

À l'abbaye, l'intendant d'Aliénor l'avait reçu avant de faire chercher Alexandre Le Maçon, le clerc de Saint-Jean-de-l'Habit qui s'occupait des reliques et travaillait dans le *chartularius*[1]. Puis la sœur tourière du Grand-Moûtier avait conduit les deux hommes dans l'appartement de la duchesse.

Si Gautier Le Normand y était déjà entré à plusieurs reprises, ce n'était pas le cas du jeune clerc. Curieux et intimidé, Alexandre balaya la salle des yeux. Un plafond peint, des murs couverts de riches tentures représentant des scènes saintes, des coffres ciselés, une cheminée qui fumait et, surtout, le haut lit, sur une estrade, où était assise, au milieu de coussins, la frêle silhouette de la vieille duchesse, la mère du glorieux Richard Cœur de Lion et du moins glorieux roi Jean sans Terre.

Pierre Milon, abbé de l'abbaye du Pin, fit signe aux deux hommes d'approcher. Chapelain de Richard Cœur de Lion avec qui il était à la croisade, l'abbé avait accompagné la duchesse Aliénor à Châlus[2]. Tous deux se tenaient auprès du roi d'Angleterre au moment de sa mort. Si l'abbé du Pin avait toujours bénéficié de la confiance d'Aliénor, la mort de Richard, qu'ils aimaient tant, les avait encore rapprochés. Depuis ce jour, confesseur et confident, il restait plus souvent à Fontevrault qu'à son monastère.

Cent ans avant notre histoire, le bénédictin Robert d'Arbrissel et deux autres moines parcouraient le pays saumurois en prêchant la simplicité, la pauvreté et en exigeant des réformes au sein de l'Église.

Ayant laissé en route ses compagnons qui avaient fondé les monastères de Tiron et de Savigny, il se

---

1. Pièce où l'on conservait les chartes.
2. *Paris, 1199*, du même auteur.

retrouva un jour seul dans une épaisse forêt. Sans défense, il fut capturé par un féroce voleur nommé Evrault. Or, alors que ce dernier s'apprêtait à le mettre à mort, le bandit reçut la foi divine et l'épargna.

Après ce miracle, Robert d'Arbrissel décida de remercier le Seigneur Dieu par l'élévation d'un monastère près de la source où le fredain se terrait : la fontaine d'Evrault. Ce fut l'abbaye de Fontevrault.

Mais, au fil des ans, les fidèles qui s'attachaient à Robert d'Arbrissel furent si nombreux que le bénédictin dut faire construire quatre couvents : le Grand-Moûtier réservé aux femmes de qualité, la Magdelaine pour les pécheresses repenties, Saint-Lazare pour les malheureux atteints de la lèpre et Saint-Jean-de-l'Habit pour les hommes. Heureusement, les donations des plus riches seigneurs des alentours ne firent jamais défaut et, en quelques années, les bâtiments conventuels sortirent de terre.

Robert d'Arbrissel avait décidé que l'abbaye serait dirigée par une femme, la soumission des religieux à ce sexe devant rappeler celle que les apôtres témoignaient à la Vierge Marie. C'était donc une abbesse qui veillait à ce que les multiples disciples respectent les règles de l'Ordre : prière, abstinence et pauvreté.

Aliénor d'Aquitaine avait toujours généreusement protégé l'abbaye et s'y était retirée, quelques années auparavant, comme simple moniale. Enfin, pas tout à fait semblable à une quelconque religieuse puisqu'elle disposait d'un appartement à côté de ceux de l'abbesse. De plus, elle quittait souvent le couvent pour s'occuper des affaires de son duché et du royaume d'Angleterre.

Des familles entières accouraient à Fontevrault, offrant tout ce qu'elles possédaient au monastère. Parmi celles-ci, le père et la mère d'Alexandre Le Maçon avaient choisi de donner leur vie au Seigneur.

Retirés du monde, ils avaient confié leur fils à Dieu et l'enfant avait été élevé parmi les convers.

Très tôt, le garçon avait fait preuve d'une vive intelligence. Remarqué par un moine copiste, il avait suivi l'enseignement des novices et avait rapidement appris à lire. À dix ans, il écrivait le latin et, à treize, il maîtrisait le grec et la langue hébraïque. Devenu clerc, il avait très vite secondé l'*armarius*[1] de Saint-Jean-de-l'Habit dont il était devenu le meilleur copiste du *scriptorium*, car, contrairement aux autres moines, il comprenait ce qu'il recopiait.

Alexandre aurait été appelé à un bel avenir, comme frère puis comme diacre et prêtre, et certainement à son tour comme bibliothécaire et *armarius*, s'il n'avait eu un caractère entier, une assurance et parfois une violence incompatibles avec le comportement soumis que devait toujours montrer un servant de Dieu.

En se rapprochant de l'âge d'homme, le jeune garçon prit en outre conscience de la science qu'il possédait et de ses capacités. Il devint suffisant et souvent méprisant envers les autres clercs ou les novices. Ainsi, plusieurs fois, il éleva la voix au réfectoire tandis que le lecteur évoquait la vie des saints bénis de Dieu. À plusieurs reprises, il se querella, allant même jusqu'à échanger des coups. Et comme c'était un garçon puissant et musclé, il rossait ses adversaires, leur brisant de temps à autre un membre.

Les punitions suivirent. Elles commencèrent par des centaines d'Ave et de Credo à réciter debout, les bras ouverts devant l'autel de la Vierge, puis ce furent les privations de nourriture et enfin les jours de cellule et le fouet.

Malgré cela, n'étant pas parvenu à le ramener à l'humilité, le prieur songea à le chasser du couvent. Il en parla à l'abbesse, car une si grave décision lui appartenait.

---

1. L'*armarius* était le responsable du *scriptorium*.

Or, l'abbesse hésitait à perdre un clerc si savant. Elle avait finalement proposé d'atteler le jeune garçon à une tâche colossale dont il ne pourrait venir à bout avant plusieurs années : répertorier et cataloguer les actes et les chartes du Grand-Moûtier que la bibliothécaire, malade, laissait dans un vaste désordre. Contraint de travailler d'arrache-pied, seul, sans possibilité de discuter des ordres ou de se lancer dans des controverses stériles, ce labeur exténuant briserait son caractère rétif et le rapprocherait de Dieu, avait-elle assuré.

Même s'il n'en était pas persuadé, le prieur de Saint-Jean-de-l'Habit avait approuvé, jugeant qu'il serait toujours temps de chasser l'insolent une fois sa besogne terminée.

Le *chartularius* du Grand-Moûtier étant autrement plus important que celui de Saint-Jean-de-l'Habit, Alexandre s'était plongé dans le classement des chartes, des actes et des codex avec frénésie et passion, y passant toutes les heures de jour et ne regagnant le couvent des hommes que le soir, pour le souper, complètement épuisé, les yeux rouges et brûlants. Le remède de l'abbesse avait été efficace, car le clerc n'avait plus trouvé le temps de se quereller avec quiconque.

Au bout d'un an, le répertoire avait déjà bien avancé. Alexandre avait entrepris de traiter les chartes et les documents concernant les reliques de Fontevrault. Souvent écrits en grec ou en hébreu, parfois de façon illisible et sur d'antiques papyrus, le jeune clerc les traduisait et les recopiait sur des parchemins, ce qui n'avait jamais été entrepris.

L'abbesse en avait été fort satisfaite et lui avait donc donné la permission, sous l'autorité de la sous-prieure, de consulter et de traduire les documents conservés à l'intérieur des reliquaires.

Si nombre de reliques de Fontevrault avaient été offertes, plusieurs avaient fait l'objet d'un achat, commerce pourtant interdit par l'Église. Mais comment l'abbesse aurait-elle pu résister à l'acquisition d'objets saints et miraculeux entraînant la venue de milliers de pèlerins ? Les pérégrins étaient indispensables aux monastères qu'ils enrichissaient par leurs offrandes et aumônes lorsqu'ils imploraient une grâce ou une guérison.

Toutes les abbayes agissaient ainsi, et cela sans difficulté, tant les vendeurs de reliques se révélaient nombreux. Il s'agissait parfois d'établissements religieux ou de seigneurs appauvris qui se défaisaient de leurs possessions, mais les principaux fournisseurs venaient de Terre sainte. Parmi eux, on trouvait des croisés ramenant des reliques comme autant de pécules, des marchands à l'honnêteté douteuse et surtout des templiers du royaume de Jérusalem ou du comté de Tripoli ayant entrepris sciemment d'acheter des objets saints aux infidèles pour les écouler au prix fort dans toute la Chrétienté afin d'enrichir leur Ordre.

Toutes sortes d'articles étaient proposés à la vente, qu'ils proviennent de Jésus, de sa famille, des apôtres ou de saints. Les plus vénérés étaient des restes corporels comme les os, les dents, les poils, le sang, les cordons ombilicaux, les prépuces ou même les larmes. Mais on recherchait aussi avidement des vêtements : langes, robes, bonnets. Les instruments du supplice de Jésus, tels la sainte Croix, la couronne d'épines, les clous ou la lance étaient particulièrement appréciés. Toutes ces reliques dégageaient de la puissance divine et provoquaient indubitablement des miracles.

Mais l'acheteur exigeait l'assurance que l'objet soit véritablement saint. Pour cela, il devait être certifié. La vraie relique était donc toujours accompagnée d'actes, de lettres, de procès-verbaux, de chartes ou simplement d'un *pittacium*, bande ou feuille de parchemin, qui l'authentifiait et qu'on appelait une *authenticae*.

Les plus anciens de ces documents, écrits en grec ou en hébreu sur papyrus, conféraient une validité certaine. Les plus récents, sur parchemin et en latin, étaient seulement certifiés par des sceaux d'évêques, de princes ou de seigneurs. Parfois leur texte restait bref, commençant seulement par : *Hic sunt reliquiae...* Ils étaient placés avec la relique et parfois complété de procès-verbaux de transferts sur lesquels des personnalités apposaient à leur tour leurs paraphes.

Enchâssées dans des reliquaires somptueux couverts d'or et de gemmes, les reliques de Fontevrault étaient conservées dans une pièce solidement fermée. C'est dans cette salle qu'Alexandre traduisait et copiait en latin les documents d'authentification. Il avait réalisé à peu près la moitié du travail quand, un soir, après sa journée de labeur, il avait expliqué à la sous-prieure son désir de parler à l'abbesse.

Comme elle lui répondait que l'abbesse n'avait pas le temps de recevoir un clerc, il avait insisté et, devant son refus persistant, il s'était emporté, laissant échapper qu'il avait découvert de fausses reliques dans l'abbaye et qu'elles devaient être détruites.

Horrifiée par un tel blasphème, la sous-prieure l'avait aussitôt renvoyé à Saint-Jean-de-l'Habit avant d'aller trouver le prieur.

— Il ne s'est donc pas amendé, avait constaté le prêtre avec fatalité, satisfait malgré tout d'avoir bien jugé le garçon incorrigible.

— J'ai été atterrée en entendant ses blasphèmes, mon père. Nous devons en parler à l'abbesse, avait murmuré la sous-prieure.

— Certainement. Pour ma part, j'ai toujours été persuadé que sa foi était incertaine. Il est temps qu'il quitte Fontevrault.

— Mais comment le remplacer, mon père ? Il a conduit jusqu'à présent un travail prodigieux. Le chasser du couvent laisserait cette tâche inachevée.

Le prieur avait acquiescé après un moment de réflexion.

— Laissons-le terminer sa besogne sur les reliques, car elle est plus importante que lui, mais qu'il ne sorte plus de la pièce et ne rencontre personne. Je le recevrai ici, tout à l'heure, et, en punition de ses blasphèmes, il passera désormais ses nuits au cachot et ne se rendra plus au réfectoire.

Désormais gonflé d'aigreur envers le prieur et la sous-prieure qui ne l'avaient pas écouté, Alexandre avait continué sa tâche à la lueur de chandelles, enfermé dans la salle des reliques, pièce basse et sombre.

Quelques jours plus tard, accompagnée de converses, la sous-prieure vint chercher la fiole contenant le lait de la Vierge, une des reliques les plus précieuses de l'abbaye avec l'épine de la couronne du Christ, un cheveu de Marie et un fragment de la vraie Croix.

La sous-prieure avait déclaré à Alexandre que la duchesse Aliénor voulait prier devant la sainte relique pour supplier la Très Sainte Vierge de lui accorder encore quelques mois de vie afin de terminer sa tâche terrestre.

Seulement, en quittant la salle, elle avait oublié de fermer à clef derrière elle. Devant cette inattention, Alexandre avait hésité. Devait-il la suivre et intervenir ? Son caractère entier le lui ordonnait. Dieu ne l'avait-il pas choisi pour révéler la vérité et dénoncer les mensonges ? Mais si on ne le croyait pas, il savait que les plus effroyables châtiments s'abattraient sur lui.

Persuadé que le Seigneur l'accompagnait, il avait finalement chassé cette crainte et quitté la salle au trésor.

L'abbatiale grouillait de monde. Tous ceux qui détenaient une parcelle d'autorité dans les quatre couvents se trouvaient là avec l'abbesse. La duchesse Aliénor était agenouillée devant le reliquaire que la sous-prieure avait ouvert.

Emporté par sa fougue, Alexandre s'était écrié d'une voix de stentor :

— Arrêtez ! Cette fiole ne contient que tromperie et fausseté !

Dans un grand murmure réprobateur, l'assistance s'était retournée vers le blasphémateur. Tremblant de colère et de honte, le prieur de Saint-Jean-de-l'Habit s'était précipité vers le moine afin de le faire taire.

— Toi ! Toi, ici ! Tu tu tu... vas...

Il bégayait, tant l'émotion le submergeait. Puis, dominé par la fureur, il avait hurlé :

— Qu'on le saisisse ! Qu'on l'emmène !

— Attendez ! avait lancé une voix faible et chevrotante.

C'était Aliénor.

— Qui es-tu, mon garçon ? avait-elle demandé.

— Il s'agit du clerc qui classe les chartes, noble duchesse, avait répondu la sous-prieure, atterrée du scandale. Il recopie les chartes et les actes dans la salle des reliques... J'ignore comment il en est sorti.

— Explique-toi, clerc ! avait juste laissé tomber la duchesse, le visage fermé.

Il s'était jeté à genoux.

— Noble duchesse, cette relique a été vendue à l'abbaye par un Lucquois voici quinze ans pour mille deux cents besants...

— Nous le savons tous ! avait grondé le prieur, approuvé par l'abbesse de Fontevrault. Cet honnête marchand revenait de Terre sainte et nous a remis une attestation de l'archevêque Guillaume de Tyr[1]. Croyez-vous donc être plus savant que ce saint homme ?

— Non, vénéré père, mais l'acte authentique ne provenait pas de Guillaume de Tyr.

— Sottise ! avait lancé l'abbesse. L'acte était authentifié par le sceau de l'évêque.

Chacun dans l'assistance restait médusé par l'outre-cuidance du garçon. Aliénor avait alors sèchement interrogé :

— Qu'en sais-tu ?

— Parce que je l'ai étudié, noble duchesse. La cire de ce sceau me paraissait curieuse, aussi j'ai fait des recherches dans nos chartes et j'ai trouvé un autre acte de Guillaume de Tyr. Le noble comte de Blois l'a laissé ici en dépôt. J'ai comparé le sceau de l'*authenticae* avec celui de l'acte de notre comte. Celui venant du Lucquois est un faux grossier.

Le silence était tombé dans la salle. Ce moine était-il égaré ou avait-il raison ? Chacun savait les faussaires de reliques nombreux et habiles, mais à Fontevrault, on avait toujours pris garde à ce que les preuves d'authenticité des reliques soient indiscutables. Aliénor et l'abbesse y avaient veillé en personne. Elles n'auraient jamais acheté un crâne de saint Jean-Baptiste jeune, sachant pertinemment qu'il s'en trouvait déjà une dizaine en circulation.

La duchesse se tourna vers l'abbé du Pin qui l'avait accompagnée :

— Pierre, vérifie les dires de ce clerc. S'il a raison, la relique sera détruite et brûlée. S'il a tort, c'est lui qui sera brûlé.

---

1. Né à Jérusalem et mort en 1184, l'archevêque de Tyr est l'auteur de l'histoire de la première croisade.

La vérification avait eu lieu peu après en présence du prieur et des plus doctes moines de l'abbaye, elle ne laissa aucune place au doute. Le sceau de l'*authenticae* était faux.

Alexandre Le Maçon n'avait donc pas été chassé. Cependant, s'il avait été affecté sous les ordres de la dépositaire chargée des reliques pour poursuivre son travail de copiste, le prieur avait décidé qu'il ne serait jamais ordonné prêtre, à moins de dompter son impétueux caractère. Souhaitant cependant qu'il y parvienne, il avait obtenu de l'abbesse qu'Alexandre s'attelle deux jours par semaine avec les frères convers au défrichage de la forêt. La besogne la plus dure du monastère.

Mais si le religieux avait cru ainsi soumettre le jeune homme, il avait échoué. La punition n'en avait pas été une pour Alexandre qui, au contraire, y avait gagné de la liberté et trouvé l'occasion de dissiper une partie de la violence et de l'ardeur qui bouillonnaient en lui.

Aliénor, assise dans son lit, gardait les yeux fermés.

— Gautier Le Normand vient d'arriver, noble duchesse, lui dit doucement l'abbé du Pin.

La malade entrouvrit les paupières et murmura :

— Enfin !

Sur un signe de l'abbé, les deux hommes s'approchèrent de celle qui avait été la plus belle dame de la Chrétienté et qui n'était plus qu'une vieille femme amaigrie, à la peau parcheminée et tachée. Ils s'agenouillèrent et embrassèrent un pan de sa robe.

— Pierre, explique-leur ce que j'attends d'eux, souffla-t-elle.

— Il y a de cela deux ans, notre noble duchesse a entendu parler d'un objet sacré unique, inconcevable, même. Depuis, elle n'a eu de cesse de le chercher pour Fontevrault. Mais cette incroyable relique, personne ne savait où elle se trouvait. J'ai donc écrit à Étienne de Mortagne, le commandeur du Temple au port de Saint-Jean-d'Acre. Étienne est un cousin du comte du Perche et je savais pouvoir lui accorder confiance. Vous le savez, en Palestine, le Temple achète les reliques les plus rares pour les faire parvenir aux églises de ses maisons, ou les vendre. Dame Aliénor a proposé cinquante mille marcs d'argent pour ce précieux objet…

— Cinquante mille ? balbutia le chevalier.

— Oui, le tiers de la rançon de mon fils, intervint Aliénor.

— Mais qu'est-ce que cette relique, noble dame ?

— Inutile que vous le sachiez, Gautier, rétorqua-t-elle assez froidement. Moins de gens l'apprendront et plus facilement vous me la ramènerez.

— La ramener ? s'inquiéta le chevalier.

— Poursuivez, vénéré abbé, murmura la duchesse sans répondre.

— À l'annonce de cette récompense, tous les établissements du Temple du comté de Tripoli et du royaume de Jérusalem se sont mis en chasse. Étienne de Mortagne était persuadé que cette relique n'était qu'une légende, pourtant un templier l'a découverte et achetée. Dame Aliénor a reçu une lettre de Philippe du Plessis, grand maître du Temple dans le comté de Tripoli, qui l'a désormais en sa possession. Il faut aller la récupérer et c'est vous qui avez été choisi.

— C'est un immense honneur… fit Le Normand, déconcerté par ce qu'il entendait.

Pourtant, il n'était qu'à moitié surpris. Ce n'était pas la première fois que la duchesse l'envoyait en mission pour plusieurs mois et, quand on était venu le chercher, il s'était douté qu'il allait repartir à nouveau.

Mais en Palestine ! Presque au bout du monde ! Il n'y aurait jamais songé.

— Ce clerc, Alexandre Le Maçon, vous accompagnera, ajouta l'abbé en désignant le jeune homme en robe. Alexandre est le plus savant des copistes de Fontevrault et il vérifiera les documents assurant que la relique est véridique.

Le chevalier lança un regard vers le garçon tonsuré auquel il n'avait jusqu'à présent porté aucun intérêt. Un religieux qui ne connaissait rien au monde allait être une charge, grimaça-t-il.

— Ce sera une rude expédition, mon père.

— Certainement. Nous en parlerons tout à l'heure. Je sais que vous avez chevauché sans interruption depuis Appeville. Vous devez avoir faim. Le réfectoire est vide à cette heure, vous allez vous y rendre pour dîner. Je vous rejoindrai dans un moment.

Ils s'agenouillèrent à nouveau avant de se retirer avec la sœur portière.

Celle-ci les conduisit et les laissa seuls au réfectoire pour se diriger vers la grande cuisine contiguë. Le chevalier s'assit à une table et, voyant qu'Alexandre demeurait debout, il lui fit signe de prendre place en face de lui.

Le clerc obtempéra. Allait-on lui servir à dîner à son tour ? De succulentes odeurs de soupe et de rôtis leur parvenaient. Alexandre, qui avait toujours faim, n'avait jamais rien humé d'aussi bon. Les repas au Grand-Moûtier étaient réputés bien meilleurs que ceux servis à Saint-Jean.

Le jeune clerc chassa pourtant ces pensées matérielles et revint au fabuleux voyage qu'il allait entreprendre : la Palestine ! Il n'avait aucune idée de la distance et du temps que le voyage prendrait. Il savait seulement que ce serait long, qu'il traverserait la mer et que les périls seraient grands. Peut-être même devrait-il se battre. À cette idée, il serra inconsciemment les poings.

Il n'osait parler au seigneur Gautier qui gardait une sombre expression. Plongé dans ses pensées, le chevalier ne paraissait guère satisfait de la décision d'Aliénor.

Une sœur apporta une bassine parfumée et des linges afin qu'ils se lavent les mains. Après son départ, Alexandre examina la grande salle dans laquelle il n'était jamais venu. Située au sud, elle était bien éclairée par de vastes fenêtres. Puis son regard s'égara vers la cuisine qui touchait au réfectoire. Par l'ouverture avec le réfectoire, il observa les arcs des voûtes et les chapiteaux de la pièce octogonale. De nombreuses sœurs converses s'activaient à préparer le souper.

L'une d'elles arriva avec deux écuelles de bois contenant une épaisse tranche de pain, deux hanaps et deux cuillères. Elle les disposa devant eux en silence. Alexandre était embarrassé. Jamais il n'avait mangé dans sa propre écuelle. À Saint-Jean, les moines partageaient tout à deux.

Une seconde sœur, plus âgée, vint avec une marmite. Il reconnut sa mère qu'il apercevait souvent dans l'abbaye. Mais comme lors des précédentes rencontres, elle l'ignora. Seul comptait pour elle l'amour du Seigneur.

La soupe servie, Gautier murmura un rapide bénédicité et commença à manger. Alexandre l'imita et avala sa ration avec gloutonnerie. On leur porta ensuite du poisson et on leur servit du vin, lui aussi bien meilleur que celui des clercs et des novices.

Ils avaient terminé et s'apprêtaient à peler des poires déposées dans un panier d'osier quand Gautier lui adressa la parole.

— Sais-tu monter à cheval, garçon ?

— J'apprendrai, seigneur.

Le chevalier soupira en grimaçant. Qu'allait-il faire de ce frocard ?

Il termina sa poire en silence. Alexandre s'inquiétait. Et si ce chevalier ne voulait pas de lui ? Ce ne devait pas être si dur de monter à cheval. Il était persuadé d'y parvenir.

En même temps, il se tirait le lobe de l'oreille gauche, un travers machinal qu'il avait quand il se sentait embarrassé. Ne devrait-il pas montrer à ce seigneur combien il était fier de partir avec lui ? C'est alors que l'abbé du Pin apparut et s'assit avec eux.

— Je connais ton dévouement et ta fidélité, Gautier, dame Aliénor aussi. C'est pour cela qu'on a fait appel à toi, même si je sais ce que te coûte ce voyage, fit-il.

— Je suis l'homme de dame Aliénor, répondit simplement le chevalier.

— Ta récompense sera à la hauteur de cette mission, sois-en certain. Tu as fait connaissance avec le clerc Alexandre ?

— Pas vraiment.

— Alexandre est le plus savant des clercs de Fontevrault, tu l'as compris. Mais c'est aussi une tête brûlée et l'abbesse pense qu'un pèlerinage en Palestine peut le guérir de son orgueil et le soumettre à la foi véritable.

Gautier jeta un regard intrigué au clerc.

D'une taille légèrement au-dessus de la moyenne, il était bien bâti mais maigre, chose normale avec le régime alimentaire que l'abbaye lui imposait. Il gardait les yeux baissés mais Gautier l'avait vu serrer les poings, aussi était-il convaincu qu'il se contenait. Peut-être pourrait-il être utile, finalement.

— J'aurai besoin d'hommes d'armes afin d'escorter cinq cent mille marcs en Palestine. Il me faut donc du temps pour en engager suffisamment.

— Tu ne transporteras pas cette somme, rassure-toi. Quant aux hommes d'armes, tu les choisiras ici tout à l'heure.

— Ici ? s'étonna Le Normand.

— Connais-tu Falcaise de Bréauté ?

— Je l'ai déjà rencontré. Il commande la troupe protégeant Fontevrault.

— C'est cela. Le sire de Bréauté est normand, fils naturel d'un chambellan de Richard que j'ai connu en Palestine. Il est pauvre mais fidèle à dame Aliénor. C'est elle qui paye sa troupe de Brabançons. À ma demande, il a interrogé ses hommes et une dizaine d'entre eux sont prêts à partir. Aliénor leur offre dix besants d'or. Nous irons les voir et tu choisiras ceux qui te conviennent. Mais je dois te prévenir qu'il n'y aura pas de chevaliers, uniquement des sergents d'armes et des arbalétriers.

Gautier fit la moue.

— Bien sûr, personne ne doit connaître les véritables raisons de ce voyage. Pour tes gens, tu diras que vous vous rendez en Palestine chercher un précieux livre que les Templiers conservent : il s'agit de poèmes et de chants composés par le roi Richard quand il était à la croisade et qu'il aurait écrits et illustrés de sa main. Sa mère veut lire ce livre avant sa mort et l'offrir à Fontevrault. Maintenant, parlons pécunes. Dans son dernier message, le commandeur Philippe du Plessis a donné son accord à la proposition que je lui ai faite.

Il défit de son cou une chaîne à laquelle était attachée la matrice d'un sceau.

— Lors de la remise du reliquaire, les Templiers te présenteront un acte que tu scelleras avec cette matrice. Le Temple fera alors parvenir l'acte à la commanderie d'Angers par ses propres moyens. Quand celle-ci nous le présentera, nous lui remettrons la somme convenue.

— Quel sera exactement le rôle du clerc ? s'enquit Gautier en désignant Alexandre d'un signe de tête.

— Examiner les chartes et les actes joints à la relique. Le reliquaire doit contenir une preuve irréfutable. D'après le message reçu, plusieurs sceaux seraient attachés à l'objet saint. Frère Alexandre est le seul capable de vérifier s'ils sont véridiques. Tu recevras aussi trois cents pièces d'or pour acheter d'autres reliques, si l'occasion se présente. Là encore, Alexandre te sera indispensable.

— Combien de temps devrons-nous attendre à Acre ?

— Quand vous arriverez, tu iras voir Étienne de Mortagne à la forteresse du Temple. C'est un endroit que je connais bien, près du port : on l'appelle la Voûte d'Acre. La forteresse comprend un donjon et des bâtiments conventuels. Vous pourrez loger dans une auberge proche. Le sire de Mortagne enverra un messager à Tripoli où se trouve la relique. Tu ne devrais pas attendre plus de trois ou quatre semaines.

— Pourquoi ne pas avoir demandé que le Temple transporte la relique jusqu'ici, ou jusqu'à la commanderie d'Angers ?

— Tu ne devines pas ? Une fois la relique en France, d'autres auraient appris son existence et été prêts à payer bien plus que notre duchesse. C'est aussi pour cela qu'il faut que tu partes rapidement. Le secret sera bientôt éventé.

— Quand devons-nous nous mettre en route ?

— Demain.

— C'est impossible, je dois prévenir mes gens et ma famille !

— Rassure-toi, j'enverrai quelqu'un à ta place.

— Pourquoi si vite ?

— Afin que le secret ne soit pas divulgué, comme je viens de te le dire, mais aussi pour dame Aliénor. Malade, elle veut voir la relique avant sa mort.

— Cette relique est si importante ?

— Plus que tout.

Fasciné par ce qu'il entendait, Alexandre fut incapable de rester silencieux. Oubliant toute soumission, il intervint :

— Seigneur abbé, j'ai besoin de savoir ce qu'est la relique. Imaginez que l'objet ne soit pas celui que vous attendez.

— Elle sera certainement dans un reliquaire et je fais confiance aux Templiers. Vous aurez seulement à vérifier les sceaux, répliqua sèchement l'abbé.

— Ne pouvez-vous me donner au moins une indication ? insista Gautier. Est-ce un morceau de la sainte Croix, un vase, un clou ? Le reliquaire est-il important ?

L'abbé ne répondit pas tout de suite. Il était partagé entre les ordres d'Aliénor et la légitimité de la demande des deux hommes. Finalement, il soupira avant de révéler :

— Si dame Aliénor tient tant à voir la relique avant de rencontrer le Seigneur, Son fils Jésus et la Très Sainte Vierge Marie, c'est parce que la relique représente... le visage de Dieu.

# Chapitre 4

*Janvier et février 1202*

L e lendemain, à laudes, Alexandre Le Maçon fut appelé par le grand prieur. Il avait peu dormi, ayant demandé à l'*armarius* de pouvoir travailler à la bibliothèque après le souper. Il allait quitter Saint-Jean-de-l'Habit pour se rendre en Palestine, lui avait-il dit, et il souhaitait consulter des parchemins susceptibles de l'instruire sur son voyage.

Il y avait passé une partie de la nuit, à la lueur d'une chandelle de suif. Les paroles de l'abbé du Pin – le visage de Dieu – l'avaient à la fois bouleversé et intrigué. Il désirait en savoir plus. Il ne pouvait s'agir vraiment de Dieu puisque celui-ci avait déclaré à Moïse : « Tu ne peux voir Ma face, car l'homme ne peut me voir et vivre. » C'était donc l'image de Son fils Jésus qu'ils partaient chercher.

Alexandre connaissait l'histoire de Véronique, cette femme de Jérusalem qui, poussée par la compassion lorsque le Nazaréen portait sa croix au Golgotha, lui avait essuyé le visage. Les traits de Notre-Seigneur avaient alors imprégné le tissu. Ce voile, plusieurs monastères assuraient le posséder, mais Alexandre savait que le seul véritable était conservé à Rome. Un des parchemins de Saint-Jean-de-l'Habit représentait d'ailleurs Véronique tenant la précieuse étoffe sur laquelle était inscrit le visage d'un homme barbu, au regard doux et bon.

En fouillant dans les documents de la bibliothèque, Le Maçon avait découvert un autre texte : *Cura Sanitatis Tiberii*[1]. Dans cette copie d'un vieux document, il était dit que Véronique avait peint un portrait de Jésus qu'elle avait montré à l'empereur Tibère, ce qui l'avait guéri. Tibère se serait converti après ce miracle. Mais alors, le portrait serait seulement un dessin, et non le résultat d'un prodige. Ces divergences l'avaient troublé. De plus, le nom même de Véronique le dérangeait. Il signifiait *vera icon* : l'image authentique. Tout ceci ressemblait beaucoup à un conte…

Les yeux brûlant de fatigue et en pleine confusion, Le Maçon avait regagné son dortoir. Et si, tout simplement, un apôtre avait dessiné le visage du Seigneur ? Une telle image pouvait très bien avoir été conservée. Dans ce cas, elle aurait une valeur inimaginable.

Le prieur lui avait demandé de le suivre et ils se rendirent en silence dans sa cellule où il trouva Gautier Le Normand et l'abbé du Pin.

Le chevalier portait un haubergeon avec une cervelière[2]. Son manteau était attaché sur l'épaule par une broche. À sa taille pendaient, à un double baudrier, une large et longue épée ainsi que trois couteaux aux manches sculptés. Le Maçon lui jeta un regard d'envie avant de s'agenouiller humblement devant l'abbé, la tête touchant le sol.

Bras croisés sur la poitrine, lèvres serrées, front plissé, le prieur le considérait sans aménité. Le clerc garda les yeux baissés, en signe de soumission, mais intérieurement son cœur débordait d'allégresse à l'idée d'être libéré de la férule de ce religieux qui le détestait.

1. La guérison de Tibère.
2. Cotte de mailles avec une coiffe.

— Mon fils, regarde-moi ! L'abbesse m'a fait part hier soir de sa décision, commença le prieur. Pour ton attitude insolente, ta foi incertaine et tes blasphèmes, je te jugeais indigne de porter la robe et tu aurais mérité d'être rejeté dans le monde extérieur sans le bénéfice de la cléricature...

— Mon père... protesta Alexandre.

— Silence ! Décidément, tu n'as toujours pas compris que seule la discipline et l'obéissance totale à l'Église t'apporteront le salut ! Tu vas donc quitter Fontevrault pour te rendre en Palestine. Je prierai le Seigneur que ce rude pèlerinage assagisse ton esprit et t'apporte l'Esprit Saint. Quand tu reviendras, je verrai si tu as changé et prendrai une décision à ton égard. Durant ce voyage, le noble chevalier Gautier Le Normand sera ton seigneur et maître. N'oublie jamais qu'il a droit de vie et de mort sur ta misérable carcasse.

Comprenant que le prieur ne dirait plus rien, Alexandre baisa le bas de sa robe. L'abbé lui ordonna alors de sortir et de rester dans le corridor. Il obéit.

L'attente ne fut pas longue. En sortant, Gautier Le Normand lui annonça qu'ils partaient et qu'il pouvait aller chercher ses affaires personnelles. Mais Alexandre ne possédait rien. Ses seuls biens étaient sa robe et ses sandales.

Ils rejoignirent l'écurie. En chemin, l'abbé et le chevalier échangèrent quelques mots. Alexandre comprit qu'ils avaient eu des entretiens à l'hôtellerie de l'abbaye et que Gautier avait déjà choisi ses hommes au camp du sire de Bréauté. Il s'inquiéta de son sort durant le voyage. Il faisait froid et il ne disposait pas même d'un manteau.

À l'écurie, plusieurs destriers sellés attendaient avec deux hommes d'armes. Le Normand les présenta rapidement au clerc. Le plus jeune était son écuyer, Jean d'Heuqueville, le second, un rude gaillard à l'air farouche, son sergent d'armes. Il se nommait Pierre.

L'abbé fit ses adieux à Gautier qui plia un genou, puis le chevalier désigna au clerc une monture, un percheron gris avec une haute selle de bois recouverte de cuir et de grandes sacoches sur les flancs. Sur la selle se trouvait une épaisse casaque de feutre avec un capuchon.

— Voici ton cheval. C'est Pierre qui l'a choisi. Je lui ai dit que tu n'avais jamais monté.

— Tu trouveras des braies et des brodequins dans les sacoches, ajouta le sergent d'armes, d'un ton bourru mais amical. Tu en auras besoin. Le voyage sera long et glacial.

— Merci, seigneur, fit Alexandre, se tournant vers Gautier Le Normand.

— Ne me remercie pas, clerc ! répliqua le chevalier avec indifférence. C'est l'abbé du Pin qui a pris toutes les décisions à ton égard. Maintenant, monte et débrouille-toi !

Alexandre enfila les braies et les souliers, mit la casaque sur ses épaules et en noua les cordons, puis s'agrippa à la selle et parvint à se hisser. Le cheval, placide, lui obéit immédiatement.

La troupe se mit en route. Le Maçon remarqua que le sergent d'armes tenait en longe un roussin affublé de deux gros coffres de bois couverts de cuir ainsi qu'un deuxième cheval. L'écuyer menait aussi un destrier limousin auquel était attaché l'écu de son seigneur. Les trois hommes, casqués, étaient équipés de grandes haches danoises à double lame à leur selle. Pierre transportait aussi une arbalète et une trousse de carreaux.

Sorti de Fontevrault, l'arroir[1] s'éloigna des bâtiments monastiques pour rejoindre une fortification

_____
1. Troupe d'hommes d'armes.

érigée sur une butte déboisée. Alexandre n'y était jamais allé, mais il savait que c'est là que vivaient les hommes d'armes de Falcaise de Bréauté.

Le camp était entouré d'une palissade de pieux que l'on franchissait par un portail encadré de deux tours carrées. À leurs sommets flottaient des bannières représentant le léopard d'or du duché de Guyenne et des gonfanons avec cinq feuilles écarlates : les armes des sires de Bréauté. En s'approchant, ils entendirent les cors sonner, signalant leur venue.

Ils pénétrèrent dans une cour boueuse. Plusieurs baraques en torchis et colombages se dressaient contre la palissade. Quelques-unes au mur pignon en façade, d'autres de simples salles couvertes de chaume. Dans un enclos de branchages treillissés, quatre porcs noirs grognaient en fouillant le sol. Surveillées par d'énormes mastiffs, des poules caquetaient sur un tas de fumier. L'écurie, pleine de chevaux dont plusieurs destriers, confinait à une étable dans laquelle se trouvaient un veau et une vache. À côté, une grange à foin. Une tour de garde surmontait l'ensemble. Une femme en bliaud souillé et rapiécé, tenant un enfantelet dans ses bras, fit sortir une chèvre d'une des maisonnettes. Hommes et bêtes vivaient ensemble afin de se tenir chaud.

Un groupe d'hommes en broigne maclée ou en jaques[1] de cuir de cerf, sales, barbus et hirsutes, était rassemblé près d'un feu, non loin d'une forge. La plupart tête nue, quelques-uns en cervelière de mailles. À une extrémité de la cour, des arbalétriers s'entraînaient, avec force vantardises, en tirant sur un oiseau de bois. Quelques femmes, au regard absent, transportaient des paniers de foin et d'herbe ou des seaux d'eau. En haut de la palissade, sur le chemin de ronde, des sentinelles casquées tenant une lance et un cor, surveillaient les bois et les chemins des alentours.

---

1. Cuirasse, chemise.

Un chevalier en haubert avec un gorgerin de mailles, couvert d'un manteau verdâtre, sortit d'une des longues salles et adressa un signe de bienvenue à Gautier Le Normand.

Haut de taille et musculeux, il n'avait guère plus de vingt ans, un visage ovale à la mâchoire puissante et au nez carré, rasé de près, avec une peau sanguine. Son front était large et ses cheveux courts, tirant sur le roux. Malgré une attitude apparemment bienveillante, son regard gris restait froid comme de la glace. Alexandre reconnut Falcaise qu'il avait croisé plusieurs fois lors de messes à l'abbaye. Deux autres hommes sortirent à leur tour. Même visage allongé et même nez carré. Mais l'un était rond comme un pois tandis que le second, maigre, cheveux plus foncés, très jeune, affichait une expression dédaigneuse et cruelle.

C'étaient les trois frères Bréauté : Falcaise, Guillaume et Édouard.

Gautier descendit de selle.

— Que Dieu te garde, l'ami, fit Falcaise en accolant le féal d'Aliénor, le serrant entre ses mains larges et puissantes. Mes hommes sont prêts... ou plutôt les tiens.

— Dieu te dit bonjour, Falcaise, répondit Gautier en se dégageant, comme s'il n'appréciait pas cette étreinte. Dieu vous salue aussi tous deux, poursuivit-il à l'attention de Guillaume et Édouard. Où sont-ils ?

— Dedans, je viens de leur donner mes ordres. Ils t'obéiront et vont te prêter hommage.

Gautier descendit de selle et, accompagné de son écuyer, entra dans la salle avec Falcaise.

La pièce était sombre, sans aucune décoration sinon des peaux de bêtes et un coffre. Plusieurs lits banquettes se succédaient sur un côté. Devant, sept hommes d'armes attendaient, tête nue. Tous portaient des cuirasses maclées descendant jusqu'aux cuisses, des chausses de mailles et des braies lacées de cuir. Le Normand les avait rencontrés la veille, après avoir dîné au réfectoire du monastère. Ils étaient dix à vouloir partir en Palestine, pour des gages de dix besants. Il avait retenu ses sept-là et espérait avoir fait le bon choix.

Il les passa en revue. L'un d'eux, à la pilosité sombre et pouilleuse lui couvrant le visage, avait une oreille arrachée. Un autre la face couturée, un troisième le nez brisé et la bouche édentée. Le plus grand se distinguait par sa figure rougeaude, aux veinules éclatées par les abus de nourriture et de vin. Tous dégageaient une menaçante impression de brutalité, de méchanceté gratuite.

— Rendez hommage au seigneur Gautier Le Normand ! ordonna Falcaise.

Un moine de l'abbaye sortit de l'ombre, Le Normand ne l'avait pas aperçu avec sa robe sombre. Les hommes s'agenouillèrent. Le chevalier s'approcha et leur demanda s'ils voulaient être à lui. Chacun déclara alors dans une mauvaise langue d'oïl :

— Je suis votre homme, seigneur et je me donne à vous. Je vous serai fidèle et ne vous nuirai point.

Le Normand prit leurs mains. Ils embrassèrent son pouce droit. L'écuyer, le moine et Falcaise furent les seuls témoins de cette allégeance.

Le moine intervint ensuite pour les bénir, après quoi il leur demanda de se lever, détacha une escarcelle de sa ceinture et distribua à chacun une pièce d'or et deux d'argent.

— Vous aurez le reste à votre retour, comme convenu, dit-il.

— Partons, maintenant ! décida le chevalier.

Il n'y eut aucune déclaration d'amitié ou même de souhait de réussite de la part de Falcaise. Lui et ses frères enviaient Gautier de bénéficier de la confiance d'Aliénor, et Le Normand méprisait les Brabançons, leurs pillages et leur cruauté. De plus, son lignage était ancien et noble, sans rapport avec celui des trois bâtards.

Chacun sortit préparer sa monture et ses armes. Alexandre les observait avec envie. Finalement, il osa s'adresser à Gautier :

— Seigneur, ne pourrais-je pas avoir une hache et une cuirasse, moi aussi ?

L'autre le considéra, interloqué :

— Mais tu es un clerc, Alexandre ! Ton devoir est de servir Dieu et de prier. Un clerc ne manie pas les armes et ne fait pas couler le sang.

Ils arrivèrent à Angoulême deux jours plus tard, après avoir chevauché sans interruption, sauf la nuit. Gautier Le Normand et son sergent d'armes connaissaient bien le pays pour avoir déjà conduit nombre de missions pour Aliénor. Ils marchaient donc en tête avec l'écuyer. Les Brabançons suivaient, restant entre eux. Alexandre chevauchait entre les deux groupes, ne se liant avec personne.

Mis à part quelques antiques voies romaines pavées, le chemin était souvent mauvais, embourbé par les pluies. Ils durent traverser de nombreux cours d'eau et rivières à gué, restant ainsi perpétuellement mouillés. L'abbé du Pin leur avait procuré des chevaux de rechange, car il aurait été difficile d'en trouver dans un pays ravagé pendant des années par les gens de Mercadier et de Brandon[1]. Ces montures leur permettaient d'aller à bonne allure mais au prix d'une grande fatigue.

Le premier soir, faisant étape dans la grange d'un couvent, Alexandre souffrit comme un martyr tant son corps glacé était endolori. La chevauchée du lendemain fut plus rude encore. Par chance, Gautier Le

---

1. Capitaines de routiers aux ordres des Plantagenêts. Voir les précédents volumes des aventures de Guilhem d'Ussel.

Normand obtint l'hospitalité d'un château où la troupe fut nourrie avec générosité, passant la nuit devant la cheminée de la grande salle.

Les voyageurs n'avaient pourtant pas lieu de se plaindre. Alexandre observait combien les campagnes étaient ravagées, livrées au diable. Villages brûlés, habitants pendus, enfants cloués sur les arbres ou mort de maladie ou de faim. Des hordes de loups et des bandes de maraudeurs les suivirent même plusieurs fois sans oser cependant s'attaquer à eux.

À Angoulême, Gautier les conduisit à l'hostellerie de la Croix-Blanche. Les Brabançons obtinrent un grand lit et Gautier, l'écuyer, le sergent et Alexandre en partagèrent un autre.

La salle basse n'était pas bien grande, avec deux longues tables et un dressoir supportant pots et cruches. Sur les murs, des torches de joncs et de résine, enfoncées dans des godets, procuraient une lumière vacillante. Entre les flambeaux, les armes des seigneurs d'Angoulême étaient grossièrement peintes.

Avant d'entrer dans l'auberge, ils avaient remarqué le gibet où deux moines pourrissaient, pendus par le col. Lors du dîner, enfin réchauffés par la flambée crépitant dans le foyer, l'un des Brabançons, un nommé Beau-Bec, interrogea une servante à leur sujet.

Sale comme un verrat, ce dernier possédait les yeux vifs et le poil dru de l'animal. Fier-à-bras aux larges épaules, les autres Brabançons le redoutaient. Pierre, le sergent d'armes de Gautier, le gardait à l'œil, mais, jusqu'à présent, Beau-Bec avait toujours exécuté les ordres donnés sans rechigner. C'était aussi un homme profondément religieux qui affichait une grande croix d'argent sur sa broigne : sa part de butin après l'extermination de Cotereaux ayant pillé un monastère cher à Aliénor. Le premier jour, Beau-Bec s'était mépris sur Alexandre, le croyant prêtre à cause de sa tonsure. Il lui avait demandé de célébrer une messe le soir, dans la grange. Le Maçon lui avait répondu que c'était chose impossible. Depuis, le Brabançon n'avait plus adressé la parole au clerc.

— Ils ont médit sur le roi Jean après son mariage avec la fille de notre comte, déclara la servante.

— Comment ça ? Pourquoi ces moines s'intéressaient-ils aux noces du roi ? s'étonna Alexandre.

Ce fut Gautier qui lui répondit :

— L'année dernière, Isabelle, la fille du comte d'Angoulême, le noble Aymar, devait épouser Hugues de Lusignan, le comte de la Marche, bien qu'elle n'ait que douze ans. Or, invité, comme suzerain, le roi d'Angleterre est tombé en pâmoison devant la beauté d'Isabelle. Il s'est opposé à la cérémonie, a enlevé la fiancée, puis l'a épousée en août après avoir fait annuler son propre mariage[1] pour consanguinité. Isabelle est donc devenue reine d'Angleterre. Mais Hugues de Lusignan et son père, vassaux de Philippe Auguste, sont allés se plaindre au roi de France. On dit que Philippe veut convoquer Jean, son vassal, à sa cour pour l'entendre, conformément à l'accord du traité du Goulet[2]. Quoi qu'il en soit, Jean ne veut pas entendre de critiques sur son mariage, et ces moines en ont fait les frais.

— Ce n'est que justice, approuva Alexandre. Il n'appartient pas aux religieux de s'immiscer dans les affaires laïques des rois ou des princes, ou de se mêler du gouvernement.

— Pourquoi ? interrogea Gautier, surpris que le clerc soit aussi affirmatif.

— Le Seigneur n'a donné à l'apôtre Pierre d'autre puissance que celle qui doit s'exercer sur l'Église, répliqua Alexandre[3].

---

1. Avec Isabelle de Gloucester.
2. Par ce traité, le roi Jean reconnaissait être vassal du roi de France pour la Normandie et le Poitou. Voir *Londres, 1200*, du même auteur.
3. Ce sont les propres paroles de Le Maçon, rapportées par Matthieu Paris.

— Et tu te dis homme de Dieu ! gronda Beau-Bec, saisissant le couteau qui lui avait servi à couper sa viande.

— Silence, Beau-Bec ! intima Gautier. Le clerc a raison !

Le Brabançon baissa les yeux, mais Alexandre comprit qu'il s'était fait un ennemi. Cependant, peu lui importait : il avait gagné la confiance de son seigneur en disant ce qu'il pensait de l'Église.

Ils partirent vers Périgueux le lendemain, puis atteignirent Bergerac.

Dans cette dernière ville, on les prévint que le pays qu'ils allaient traverser pour se rendre à Albi se trouvait sous la coupe des pillards et des Cotereaux. Les paysans ruinés s'en prenaient même aux châteaux fortifiés ; les routiers sans solde écumaient les campagnes et des seigneurs sans loi rançonnaient les voyageurs. Le plus redouté de ces chefs de bande était Guy de Peyragas qui avait mis le Quercy en coupe réglée, se réfugiant dans son château du Diable, construit sur la falaise d'une rivière, quand on le poursuivait.

Certes, Gautier Le Normand aurait pu entraîner sa troupe dans le Toulousain, pays calme et aux routes bien entretenues. Mais il aurait dû informer le comte Raymond de son passage et l'abbé du Pin n'y tenait pas. Ils suivirent donc des chemins à peine tracés au sein de profondes forêts, ne trouvant des abris que dans des abbayes que Gautier connaissait.

Afin d'éviter toute surprise, Pierre chevauchait devant avec le jeune écuyer, les Brabançons formant l'arrière-garde. Gautier Le Normand se rapprocha ainsi du clerc. En vérité, depuis leur départ de Fontevrault, le chevalier désirait l'interroger sur la suite du voyage. Gautier n'avait jamais pris la mer en Méditerranée. L'abbé du Pin lui avait seulement conseillé d'embarquer à Marseille ou à Gênes d'où partaient des nefs pour la Terre sainte. Mais c'était la mauvaise saison, lui avait-il dit, et il pouvait avoir à attendre jusqu'au printemps.

L'attitude d'Alexandre donnant raison au roi d'Angleterre contre l'Église, avait dissipé les craintes du chevalier qui redoutait que le clerc soit plus fidèle au Saint-Père qu'à Aliénor. Aussi, quand Le Maçon lui avait suggéré, au cas où il serait impossible d'embarquer dans une nef à Marseille, de faire le voyage en plusieurs étapes, d'abord jusqu'en Italie, puis en Sicile, il l'avait écouté avec attention.

Alexandre lui avait expliqué que le plus important port des Templiers se trouvait dans une ville nommée Brindisi, non loin de la Sicile, mais qu'il ignorait le nombre de jours pour s'y rendre. Il savait aussi que, depuis la perte de Jérusalem, le Temple possédait d'importantes commanderies dans une île nommée Chypre. Se situait-elle loin de Saint-Jean-d'Acre et de la Sicile ? Aucune idée. L'abbé du Pin, qui avait embarqué à Marseille avec le roi Richard, avait assuré que, si le vent était favorable, trois semaines pouvaient suffire à gagner un port nommé Tyr. Mais le serait-il en janvier ? Et où se trouvait Tyr ?

Ils avaient aussi parlé de la relique à ramener. Alexandre avait fait part de sa supposition : une peinture ou une sculpture représentant Jésus, mais Le Normand n'y croyait pas. Il existait déjà nombre de représentations du Christ. En quoi celle-ci aurait-elle plus d'importance ?

Située le long du Célé, l'abbaye de Marcilhac n'était pas très éloignée du château du Diable de Peyragas.

Mais l'abbé n'en avait cure. Entouré d'une solide enceinte, son monastère se montrait imprenable. D'ailleurs plusieurs de ses moines étaient, comme lui, d'anciens croisés, tous maniant habilement marteau et fronde, armes dont le monastère était bien pourvu.

Gautier le savait, ayant déjà reçu l'hospitalité de l'abbaye. Et s'il avait choisi de faire étape ici, c'était surtout parce qu'il espérait que l'abbé lui fournirait de précieux renseignements sur le voyage en Palestine.

Pourtant, à la porte, on ne les laissa pas entrer aisément. C'est que l'abbaye, riche des cens versés par les terres nobles qui lui devaient hommage et les dons généreux des pèlerins venant prier devant le couvre-chef de Jésus-Christ, attirait la convoitise des bandes de routiers.

De fait, le monastère possédait le précieux linge ayant enveloppé les épaules et la tête du Nazaréen avant qu'il ne soit mis dans son tombeau, celui que saint Pierre avait vu après la Résurrection[1]. Cette sainte coiffe venait de l'empereur Charlemagne. Capable de ressusciter les morts, elle était présentée aux fidèles chaque année, lors de la Pentecôte.

Comme pour tous les groupes de voyageurs armés, le frère tourier, un ancien sergent d'armes, ne laissa donc entrer que celui qui conduisait la troupe. Après avoir prouvé qu'il était bien au service de la duchesse Aliénor – le Quercy étant terre anglaise – Gautier parvint à le convaincre de recevoir aussi son écuyer. Quant aux hommes d'armes, ils s'installèrent dans l'hôtellerie destinée aux pèlerins, hors de l'enceinte.

Pour cette raison, Alexandre ne sut pas ce que Gautier entendit de l'abbé, pas plus qu'il ne vit la sainte

_____

1. Évangile de saint Jean : « Alors Simon Pierre vint, le suivant, et entra au sépulcre, et vit les linges mis à côté, et le couvre-chef qui avait été sur sa tête, non point mis avec les linges, mais enveloppé en un lieu à part. »

coiffe. En revanche, il eut le temps de faire le tour de l'abbaye et d'en observer les fortifications.

La troupe fit ensuite route vers Millau en traversant le Causse. De là, elle rejoignit Montpellier et, enfin, Marseille. Bien qu'on fût en janvier, le temps restait clair et le froid supportable, mais les chemins que les hommes parcouraient étaient si rocailleux qu'ils ne purent aller vite. Ce long trajet leur prit donc une douzaine de jours.

Si Alexandre avait beaucoup souffert au début du voyage, il s'était maintenant endurci. Sa robuste constitution et une nourriture abondante l'avaient transformé. Gautier Le Normand en était le premier étonné.

Le moine avait laissé pousser sa barbe, car les religieux laïcs pouvaient ne se raser qu'une fois par mois. Quant à sa tonsure, elle avait quasiment disparu et, bien qu'il ait gardé son froc sous sa casaque, il ressemblait désormais aux autres Brabançons.

Ses compagnons le tenaient désormais comme l'un des leurs. Il faut dire qu'à Montpellier, il en avait défié plusieurs au bâton et les avait tous vaincus. De surcroît, il recherchait leur amitié, tentant même d'apprendre leur dialecte, car plusieurs routiers étaient flamands.

Seul Beau-Bec lui manifestait une indéfectible hostilité.

Ils arrivèrent à Marseille aux premiers jours de février, sous un soleil printanier. Pour loger, on leur conseilla l'auberge du Grand-Puits, dans la rue du même nom, face à l'église de Saint-Martin.

Pendant que les Brabançons se rendaient dans les bordaux de la ville dépenser leur argent avec des puterelles, Le Normand et Alexandre Le Maçon se rendirent au port. Tous les maîtres mariniers des nefs et des galères accostées leur confirmèrent qu'ils ne prendraient pas la mer avant un mois, ou plus, les tempêtes étant trop fréquentes en cette saison. De plus, aucun ne se rendait en Palestine. L'un des capitaines, plus hardi que les autres, proposa cependant de les conduire à Pise. Rassuré par le beau temps, il embarquerait dans quelques jours, comme l'avait fait la semaine précédente un armateur marseillais se rendant à Civitavecchia[1]. De Pise, ses passagers n'auraient qu'à trouver un guide capable de les conduire à Brindisi, le principal port des Templiers, où ils dénicheraient sans peine des bateaux pour Acre.

Hésitant à tenter leur chance à Gênes, Gautier Le Normand s'apprêtait à accepter la proposition quand entra dans le port une de ces nefs ventrues que les Vénitiens appelaient buzo et les Génois panzonus. Très large, avec trois voiles sur chacun des deux mâts, c'était un navire marchand templier qui, arrivant de Sicile, transportait des chevaliers normands ainsi qu'un important chargement de soie.

À peine débarquait-il sa marchandise que Le Normand se rendit à bord. Le maître templier qui commandait le buzo lui expliqua qu'il repartait pour la Sicile charger du froment, de l'orge et des fèves à destination de leurs établissements de Chypre. N'ayant rien à embarquer à Marseille, il pouvait donc accueillir la troupe de Gautier avec ses chevaux. Cependant, après l'étape sicilienne, avec cent cinquante hommes d'équipage et des cales pleines, les passagers devraient se serrer ou attendre un nouveau bateau à Messine.

_____

1. *Rome, 1202*, du même auteur.

Le chevalier d'Aliénor accepta, ne disant cependant mot de sa mission à Saint-Jean-d'Acre. Il demanda seulement au capitaine s'il lui serait facile de rejoindre la capitale du royaume de Jérusalem depuis Chypre, ce que le templier lui assura.

Ils partirent finalement deux jours plus tard, le capitaine templier étant parvenu à acheter une cargaison de peaux et de savons.

Le voyage jusqu'en Sicile se déroula sans histoire, par un temps agréable et un vent du nord permettant de larguer les deux voiles avant et la plus grande du mât arrière.

À Messine, la nef chargea les blés mais aussi une dizaine de templiers, chevaliers et servants ainsi que quelques pèlerins. Elle repartit aussitôt.

C'est seulement au large qu'on découvrit le premier cas de peste.

# Chapitre 5

Si la nef templière était vaste, passagers et équipage s'y entassaient à plus de deux cents, sans compter les chevaux et autres animaux transportés dans les cales : veaux, moutons et volailles. Personne ne bénéficiait donc d'intimité, sinon les maîtres templiers et les chevaliers logés à quatre dans des cabines situées à la poupe. Gautier Le Normand logeait dans l'une d'elles avec son écuyer, son sergent d'armes et l'un des pèlerins qui avait pu se payer le luxe de ce relatif isolement. Alexandre, lui, partageait un coin du pont inférieur en compagnie des Brabançons. À l'étroit, sans aucune hygiène, les innombrables rats s'en prenaient à eux la nuit, sans compter les puces et les punaises.

Lorsque le premier pèlerin souffrit de dysenterie, de fièvre et de vomissements, personne ne s'inquiéta, jugeant qu'il n'avait pas mis assez d'eau dans son vin. Mais quand apparurent des plaques sanglantes sur son visage et ses bras, puis les hémorragies par les yeux et le nez, le chirurgien du bord l'isola à l'infirmerie. Le pauvre homme mourut en deux jours dans d'affreuses souffrances, quand déjà d'autres pèlerins et hommes d'équipage étaient atteints.

Le capitaine avait connu ce mal à plusieurs reprises et savait comment le terrasser. Il rassembla les premiers malades et ceux les ayant approchés, et les enferma dans des cabines, les vouant sans hésiter à la mort.

Quatre jours après le début de l'épidémie, Gautier Le Normand, qui éprouvait des douleurs au ventre mais mettait ses maux sur le compte du mal de mer, fut à son tour pris de vomissements sanglants. Quelques heures plus tard, son écuyer aussi. Sous la menace des arbalétriers du Temple, on les enferma dans leur cabine avec le sergent, qui pourtant n'était pas malade. Le maître templier savait qu'il les condamnait mais y voyait le seul moyen de sauver son navire. Le pèlerin qui partageait leur logement, contraint à la même obligation, s'y refusa, épouvanté à l'idée de rester avec des malades et d'être à son tour frappé par le fléau. Il supplia et se débattit tellement qu'il tomba à la mer et se noya.

Alexandre avait assisté à ces événements avec horreur et inquiétude. Si Gautier Le Normand décédait, que deviendraient ses biens ? Il interrogea le capitaine qui lui répondit que les vêtements des morts seraient jetés à la mer avec leurs corps et que le reste reviendrait au Temple.

Le voyage s'arrêterait donc pour lui. Il devrait rentrer à Saint-Jean-de-l'Habit et retrouver sa misérable existence.

À cela, il se refusait.

Le lendemain, après avoir réfléchi toute la nuit, il lava son froc à l'eau de mer, le fit sécher et alla trouver le maître du navire. Il lui expliqua être clerc au service de la noble duchesse Aliénor et que, par conséquent, il devait parler à son maître pour recueillir ses instructions au cas où le Seigneur le rappellerait.

Le templier lui rétorqua que s'il pénétrait dans la cabine du chevalier, il n'en sortirait pas, sauf s'il survivait au moins trois jours après le dernier décès. Alexandre persistant dans son souhait de rejoindre les pestiférés, il fut conduit à la cabine après avoir obtenu du vinaigre du médecin de bord, dont on disait qu'il protégeait du mal, ainsi que des gants permettant d'éviter de toucher les malades. On lui remit une outre d'eau, une autre de vin et un pain de seigle.

Dans la cabine, Gautier remercia Alexandre, persuadé qu'il était venu par compassion. Sans les toucher, le clerc examina les deux pestiférés et pria pour leur salut. Quant à Pierre, le sergent, il n'avait rien.

La cabine était minuscule avec deux banquettes superposées. Le chevalier et l'écuyer couchaient en bas, le sergent seul en haut. Refusant d'en approcher aucun, Alexandre s'installa sur le plancher, à deux pieds des malades. L'air était irrespirable malgré le sabord ouvert. Dans la soirée, Gautier en vint à vomir du sang. Il ne put se lever pour se soulager. Au matin l'endroit puait la mort et les excréments.

À genoux, Alexandre suppliait la Vierge et les saints de l'épargner.

L'agonie dura quatre jours. Quatre jours d'un effroyable supplice autant pour les malades que pour le sergent et le clerc. Les visages des pestiférés se couvrirent de pustules sanglantes et, quand Le Normand fut sur le point de perdre toute lucidité, Le Maçon le supplia de lui confier les lettres d'Aliénor, le sceau et sa bourse. Mais le chevalier refusa, ayant choisi son fidèle sergent pour devenir le capitaine de l'expédition. Il demanda d'ailleurs à Alexandre de lui jurer fidélité, ce que ce dernier fit.

Gautier Le Normand trépassa dans la nuit, suivi peu après par son écuyer. À l'aube, le sergent tambourina à la porte pour annoncer leurs morts. On vint finalement ouvrir.

Protégé par des arbalétriers, le grand maître autorisa les survivants à sortir afin de jeter les corps à la mer, après qu'on leur eut donné des linceuls. Il y eut une cérémonie où on chanta le Salve Regina. Le médecin du bord annonça à Pierre et à Alexandre que l'épidémie s'était arrêtée. Si eux-mêmes survivaient, ils seraient libres dans trois jours.

De retour dans la cabine qu'ils avaient nettoyée, Pierre demanda à Alexandre des explications sur leur mission. Le clerc de Fontevrault resta évasif. Un nouveau plan se faisait jour dans son esprit pendant que le sergent comptait les centaines de pièces d'or contenues dans la bourse du chevalier et inventoriait lettres, laissez-passer et objets trouvés dans le coffre de son seigneur.

Le soir, ils soupèrent frugalement, puis Pierre s'endormit rapidement, bercé par la houle, tandis qu'Alexandre sommeillait en position assise. Quand il entendit l'homme d'armes ronfler, le clerc saisit la miséricorde posée sur le coffre et s'approcha. Il n'avait jamais tué un homme et ne savait comment s'y prendre. Il ne fallait surtout pas que le sergent crie, car on entendait tout dans les cabines contiguës.

Finalement, Le Maçon décida d'agir comme avec les cochons. Il roula sa casaque et l'appliqua de toutes ses forces sur la bouche du dormeur. En même temps, il l'égorgea de l'autre main.

Pierre gargouilla en tentant un instant de se débattre, puis son corps devint flasque. Alexandre arrêta le flot sanglant en serrant la casaque contre la plaie.

Malgré tout, du sang avait giclé partout. Il l'épongea avec le manteau qu'il jeta ensuite par le sabord, puis enroula la dépouille dans son manteau.

Pour qu'on ne le soupçonne pas, il fallait que l'on entende Pierre agoniser. Il se mit donc à gémir suffisamment fort, appelant le Seigneur à son aide en imitant le ton du sergent. Après quoi il intervint comme s'il consolait un malade et répéta plusieurs fois ce stratagème avant de s'allonger sur le plancher et de s'endormir.

Aux premières lueurs de l'aube, il frappa à la porte jusqu'à ce que quelqu'un vienne.

— Le sergent d'armes est au plus mal. Il a vomi du sang ! cria-t-il, d'une voix terrorisée.

— Je ne peux pas ouvrir, répliqua-t-on. Je vais faire prévenir le maître.

Après une interminable attente, le maître templier et le chirurgien vinrent à leur tour et, à travers la porte, l'interrogèrent sur les symptômes du malade.

Le Maçon décrivit les pustules et les saignements tels qu'il les avait observés sur ceux véritablement atteints et supplia qu'on le laisse sortir, mais les autres restèrent inflexibles, lui demandant seulement de prier.

À nouveau, et à plusieurs reprises, le moine itéra la comédie des faux gémissements mêlés à des paroles de compassion. Le reste du temps, il inventoria le coffre de Gautier Le Normand qui contenait des chemises, des chausses et sa cotte de mailles. Il rassembla aussi les papiers, le sceau et la bourse du chevalier, tout en méditant sur l'attitude à adopter lors de sa sortie.

Il laissa ainsi s'écouler une journée complète, s'efforçant de ne pas regarder le manteau contenant le cadavre. Enfin, le lendemain, après avoir poussé d'effroyables gémissements et invoqué le Seigneur et la Vierge, en imitant toujours la voix de Pierre, il appela, annonçant, dans des sanglots émouvants, la mort du sergent.

Peu après, on lui ouvrit.

Dans la nef, les Brabançons se perdaient en désespoir. C'est l'attrait des dix besants qui les avait convaincus de partir en Palestine avec Gautier Le Normand. Or ils ne devaient recevoir le solde de leur salaire qu'au retour. Leur seigneur mort, ils ne seraient pas payés et allaient se retrouver sans argent, sur une île isolée de la Méditerranée, ne parlant pas même la langue de ses habitants. Une catastrophe.

Tout naturellement Beau-Bec était devenu le chef de la petite troupe. À la mort du seigneur, ce dernier avait été mandaté par ses compagnons : ils voulaient que le capitaine leur remette les gages promis et leur trouve une place sur un bateau les ramenant à Marseille.

Beau-Bec s'était acquitté de sa mission mais avait été éconduit. Le capitaine lui avait seulement rappelé la loi de la mer : les biens d'un homme mort à bord revenaient au capitaine, et sur les navires du Temple, à l'Ordre. Il proposa cependant aux Brabançons de les transporter gratuitement à Acre pour qu'ils rejoignent une garnison du Temple où ils serviraient comme hommes d'armes.

Le Maçon resta un instant dans l'ombre de la chambre, balayant des yeux le pont inférieur devant lui. Illuminé par le soleil, il observa ceux qui s'étaient rassemblés pour attendre sa sortie. Il vit le maître templier – capitaine de la nef –, le médecin, le chapelain et quelques chevaliers, tous en robe avec le manteau à croix rouge. Derrière eux, un groupe d'hommes d'équipage, quelques arbalétriers avec des servants du Temple, et beaucoup plus loin, sur un passavant, les Brabançons, Beau-Bec en première ligne.

Le clerc savait qu'il allait jouer sa vie. Il était prêt. Tenant fermement la masse d'armes de Gautier Le Normand, il s'avança.

Avec stupéfaction, les templiers et l'équipage ne virent pas sortir le clerc en froc auquel ils s'attendaient mais un chevalier en haubert, coiffé d'un casque rond à nasal, tenant une masse d'armes et portant épée à son double baudrier. Alexandre Le Maçon avait revêtu le harnois de Gautier Le Normand.

Troublé seulement par le bruit de la houle et le piaillement des mouettes, un silence de stupéfaction tomba sur l'assistance.

Le Maçon, lui, restait muet, comme s'il défiait les hommes face à lui.

Ayant surmonté sa surprise, le capitaine s'apprêtait à parler quand il fut empêché par l'intervention de Beau-Bec.

— Comment oses-tu, vil pourceau ? hurla ce dernier, bousculant servants et marins pour se précipiter vers le clerc.

À quelques pieds d'Alexandre, un chevalier du Temple l'arrêta d'une main ferme,

— Cet homme a raison, intervint le capitaine templier. De quel droit, clerc, t'es-tu emparé de ce qui ne t'appartient pas ?

La voix était dure et menaçante.

— Du droit de ma duchesse, du droit de la reine d'Angleterre ! répliqua fièrement Le Maçon. Voici un mois, le seigneur Gautier et moi-même avons été convoqués par la noble duchesse Aliénor, mère de notre roi. Nous lui avons tous deux donné notre foi pour conduire la mission qu'elle nous confiait, même au prix de notre vie. Le seigneur Gautier a perdu la sienne, que la Sainte Vierge Marie et Son fils Jésus l'accueillent dans le paradis, car c'était un noble homme. Quant à moi, je dois poursuivre ce à quoi je me suis engagé. Sur son lit de douleur, le seigneur Gautier me l'a rappelé et m'a fait jurer.

— Que la peste t'emporte ! Tu n'es qu'un clerc roturier ! cria Beau-Bec.

Il parvint à se dégager du templier et se précipita vers Le Maçon, mains en avant, décidé à saisir le clerc pour le jeter à la mer.

Mais contre toute attente, Alexandre fit deux pas vers lui, leva la masse d'armes et frappa de toutes ses forces.

Constituée d'un manche de bois avec à son extrémité une lourde pièce de fer dentelée, la masse était une des armes préférées des chevaliers car elle permettait de briser les os d'un adversaire, même protégé d'une cotte de mailles. C'était aussi l'arme favorite des moines combattants parce qu'elle évitait de faire couler le sang, ce qui leur était interdit.

Or Beau-Bec ne portait pas son casque. La masse s'abattit donc sur son crâne, faisant jaillir les yeux de leurs orbites et la cervelle de ses oreilles. Il s'écroula, mort sur le coup, le crâne broyé.

La stupeur pétrifia l'assistance. Sur les nefs templières, on appliquait la loi que Richard avait édictée en partant en croisade :

« Que celui qui aura tué un homme sur le vaisseau soit lié au mort et jeté à la mer ; que celui qui aura tué un homme sur terre soit lié au mort et enterré avec lui. Si quelqu'un a été convaincu d'avoir tiré un couteau pour frapper un autre, ou de l'avoir frappé jusqu'au sang, qu'il ait le poing coupé. Que celui qui aura frappé avec la paume de la main soit plongé trois fois dans la mer. Si quelqu'un prononce contre son compagnon opprobre, insulte ou malédiction de Dieu, qu'il lui paie autant d'onces d'argent qu'il l'aura insulté de fois. Si quelqu'un est dénoncé et convaincu pour vol, qu'on lui verse sur la tête de la poix bouillante et qu'on y secoue de la plume d'oreiller afin de le reconnaître ; qu'il soit ensuite abandonné sur la première terre où le vaisseau touchera. »

Le Maçon reprit alors la parole en défiant tout l'équipage du regard :

— Le Seigneur Dieu a tenu mon bras ! Que ceux qui s'opposent à la vénérée duchesse Aliénor et à son noble fils, le roi d'Angleterre et légitime duc de Normandie, se déclarent. Je les combattrai ici et maintenant, car je suis leur féal champion. Et je sais que si je devais succomber, mes seigneurs et maîtres puniraient sévèrement ceux qui s'en seraient pris à moi.

Le capitaine templier avait posé la main sur son épée. Qu'un clerc voué à l'Église prenne les armes pour sa défense, il n'y avait point de mal. Lui-même était moine et pourtant il avait tué bien des infidèles et même des chrétiens pour la gloire du Temple. Mais ce clerc n'appartenait pas à un ordre de chevalerie. Il s'était attribué les armes de son seigneur, renonçant à son état sans l'accord de son évêque. Ce n'était en rien acceptable. Brûlant de colère, il s'apprêtait donc à donner ordre aux arbalétriers de percer l'insolent quand, aux dernières paroles de Le Maçon, il se retint. N'allait-il pas s'engager dans une mauvaise affaire en le navrant ? Cet homme pouvait-il dire le vrai ? S'il était effectivement aux ordres de la duchesse Aliénor et de son fils, ne risquait-il pas de compromettre l'ordre du Temple en le trucidant ?

— Quelle est cette prétendue mission ? demanda-t-il.

— Je n'ai pas le droit de la dévoiler, noble maître, mais je peux vous montrer la lettre que je dois remettre à Étienne de Mortagne, le commandeur du Temple au port de Saint-Jean-d'Acre, ainsi que celle qui doit être portée à Philippe du Plessis, grand maître du Temple dans le comté de Tripoli. Toutes deux portent le sceau de ma duchesse.

— Cette mission concerne-t-elle le Temple ? interrogea un autre chevalier, intrigué.

— Non seulement elle le concerne, mais elle est considérable pour votre Ordre. Quiconque tenterait de s'y opposer deviendrait un ennemi des Pauvres Chevaliers du Christ[1].

Les templiers s'interrogèrent du regard jusqu'à ce que le capitaine hoche lentement du chef.

— Vous nous montrerez ces lettres, et si elles nous paraissent véridiques, vous recevrez l'aide nécessaire pour vous rendre à Saint-Jean-d'Acre.

Alexandre se détendit. L'épreuve s'achevait et il l'avait surmontée. Il sut dès lors qu'il serait capable de conduire la mission d'Aliénor.

---

1. Véritable nom de l'ordre du Temple.

— Que l'on me donne un linceul. J'y placerai moi-même mon pauvre compagnon.

On exauça sa demande et il porta au passavant le corps du sergent enroulé dans son linceul. Après une courte bénédiction, on jeta la dépouille dans la mer et personne ne vit que le prétendu pestiféré avait eu la gorge percée.

Ensuite, bien que Le Maçon ne présentât aucun stigmate du mal, il fut à nouveau enfermé avec des vivres jusqu'à ce que la nef entre dans le port de Chypre.

Elle arriva devant l'île dans la soirée du surlendemain. Le capitaine templier et ses lieutenants examinèrent alors les documents qu'Alexandre leur montra et reconnurent qu'ils s'adressaient bien au commandeur du port d'Acre et à celui de Tripoli. Les templiers lui promirent donc de lui trouver rapidement un embarquement pour la Palestine.

Alexandre rassembla ensuite les Brabançons.

— Je n'ai plus besoin de vous, leur dit-il. Je trouverai à Acre des gens qui me seront fidèles et m'escorteront quand je ramènerai à Fontevrault ce que m'a demandé la noble duchesse Aliénor.

Les gens de Falcaise affichèrent leur désarroi. Après avoir immergé le corps de Beau-Bec, ils s'étaient concertés et étaient prêts à suivre un chef qui les ramènerait en France, et surtout qui les paierait.

Satisfait de leur désespoir, Le Maçon ajouta :

— Mais je me dois d'être fidèle au noble Gautier Le Normand dont vous étiez les hommes liges. Si vous le souhaitez, je vous garderai à mon service, et aux mêmes conditions. Mais j'exige l'hommage et votre foi.

L'un des rudes routiers mit genou au sol et déclara :

— Je suis votre homme, seigneur.

Le clerc tendit sa main et le Brabançon lui baisa le pouce.

Aussitôt, un autre mercenaire l'imita, puis un troisième, et finalement les six hommes d'armes.

Alexandre sentit l'allégresse le transporter. Finalement, il n'était pas si difficile de se faire respecter, songea-t-il, mais peut-être était-il destiné à devenir chef, lui qui voulait oublier sa vie passée dans l'abbaye à souffrir les ordres mesquins du prieur. Serait-il capable de redevenir clerc ? Pour l'heure, il chassa cette idée et fit signe à ses hommes de se relever.

— Quand rentrerons-nous, seigneur ? s'enquit un arbalétrier.

— Je l'ignore, mais certainement dans quelques semaines. Je dois attendre qu'on me porte l'objet à ramener à Fontevrault.

Personne ne protesta ou ne posa de question.

Sur l'île, ils s'installèrent dans une auberge recommandée par le capitaine templier. Le lendemain, après avoir assisté à la messe et prié pour l'âme de Gautier Le Normand et de ses hommes, les Brabançons prêtèrent à nouveau hommage à leur nouveau maître, cette fois en présence d'un prêtre. Le soir, un templier vint les prévenir qu'ils embarqueraient pour Acre le lendemain sur une galère. Comme le navire était très petit, ils durent se séparer des chevaux.

Capitale de ce qui restait du royaume de Jérusalem, Acre était surtout un grand port commercial où Vénitiens, Pisans, Génois et Marseillais possédaient des comptoirs et des entrepôts.

C'est en tout cas ce qu'un templier expliqua à Alexandre Le Maçon.

— La ville est divisée en quartiers qu'on appelle des communes, tous séparés par des portes et des chaînes. Ces enceintes intérieures compliqueraient la prise de la ville par les infidèles, mais c'est la méfiance qui règne entre les habitants qui a poussé à leur construction, surtout celle des Génois, des Vénitiens et des Pisans. Chaque quartier dispose de son marché, de ses entrepôts, de ses échoppes, de sa forteresse et de ses tours. Les plus importantes citadelles, outre le palais royal, sont celles des Teutoniques, des Hospitaliers et surtout du Temple, véritable ville fortifiée en bordure de la mer. La Voûte d'Acre, comme on l'appelle, comprend un donjon, une église, des tours, de grandes salles et des bâtiments conventuels.

En approchant du port, les passagers aperçurent d'abord les gigantesques murailles. D'énormes tours, rondes et carrées, flanquaient l'enceinte, face à la mer. Comme Alexandre s'extasiait devant ces prodigieuses fortifications, le templier, qui l'avait déjà renseigné, vint le rejoindre, lui indiquant l'emplacement de la Voûte d'Acre, puis les autres tours : celle du Diable, la Maudite, la Saint-Nicolas, celle des Bouchers, celle du Pont, dite aussi du Légat, ou encore celle du Roi-Henri.

— Les chrétiens sont là pour l'éternité ! conclut-il. Nous reprendrons bientôt Jérusalem aux incroyants et notre royaume occupera toute la Terre sainte, du Caire à Damas.

La galère entra dans le port empli de nefs aux bannières en haut des mâts claquant au vent. Les croix rouges indiquaient les génoises, celles à la croix cléchée alaisée d'or venaient de Pise, les léopards ailés révélaient les navires de Venise et les plus nombreuses étaient les croix du Temple.

Quand ils débarquèrent, on les fit passer à la douane, vaste salle aux bancs recouverts de tapis où se tenaient des écrivains devant des tables et des lutrins. Ils disposaient tous d'encriers en ébène dorés et notaient les marchandises transportées par les passagers, leur réclamant les taxes correspondantes.

Comme les gens de Fontevrault ne possédaient pas de marchandises, on examina seulement leurs bagages avant de les laisser aller.

L'aimable templier leur avait conseillé de prendre logis à l'auberge Sainte-Croix, près du quartier des Hospitaliers. Le Maçon et ses Brabançons sortirent de la douane, ne sachant vers où diriger leurs pas. Devant eux s'étendait la fonde des Vénitiens. Comme c'était jour de marché, la place était envahie d'étals et d'échoppes de toile multicolores. Ils interrogèrent des passants sur le chemin à prendre pour se rendre chez les Hospitaliers et on leur indiqua la direction du quartier génois qu'ils devraient traverser. Lequel se situait au-delà du grand palais, de l'église Saint-Marc et du donjon, haute tour couronnée de créneaux et de hourds.

Après quelques errances, ils parvinrent enfin à l'auberge Sainte-Croix.

Le lendemain, escorté de ses hommes, l'ancien clerc se rendit au château de Fer, comme on nommait la maison du Temple. Il traversa dans l'autre sens le quartier génois, puis pénétra dans celui des Pisans. Cette partie de la ville était bornée du côté de la mer par la maison du Temple.

La porte de la citadelle s'ouvrait au pied d'une tour carrée cantonnée de tourelles au sommet desquelles se dressaient quatre lions passants[1] en métal doré. Les

---

1. Allongés.

murs mesuraient trois cannes et demie d'épaisseur. Deux autres tours complétaient la fortification : l'une à l'angle de la rue des Pisans et une seconde qui servait de clocher à la chapelle des Chevaliers.

Dans une sombre antichambre, un frère servant écouta le visiteur avant de le conduire auprès du chancelier du Temple auquel le clerc montra la lettre d'Aliénor. Le templier l'accompagna alors chez le commandeur Étienne de Mortagne. Pendant ce temps, les hommes d'armes attendaient dans une cour.

Le Maçon se présenta comme écuyer de Gautier Le Normand, expliqua que son maître, mort de la peste durant le voyage, lui avait transmis ses attributions. Mortagne, ayant lu la missive de la duchesse, qui demandait de faire toute confiance à Gautier Le Normand, n'émit aucune réserve, sinon quant aux capacités qu'aurait Le Maçon à payer la relique.

— Mon maître m'a transmis le sceau qui validera la transaction, seigneur. Je le porterai sur l'acte de vente après avoir vérifié la relique. Mais auparavant, j'ai besoin de m'assurer de son origine...

— Je suppose que vous savez de quoi il s'agit ? interrogea le templier d'un ton solennel.

— Non, seigneur, mon maître ne le savait pas non plus, car dame Aliénor voulait garder le secret. Mais j'ai toutes les connaissances nécessaires pour vérifier la relique.

— Hum... Savez-vous lire ?

— Le grec, l'hébraïque et le latin. C'est pour ces raisons que dame Aliénor m'a choisi.

Le templier haussa les sourcils d'étonnement. Un écuyer sachant l'hébreu et le grec ? Incroyable ! Luimême ne connaissait que le latin.

— Voici donc toute l'histoire, dit-il. Quand la noble duchesse Aliénor m'a écrit au sujet de ce qu'elle recherchait, je n'ai guère cru possible de découvrir cette relique. Certes, j'en avais entendu parler, mais il en existait déjà plusieurs, toutes certainement fausses, dans les églises de la Chrétienté.

— Vous ne m'avez pas dit de quoi il s'agissait. Dame Aliénor m'a parlé du visage de Dieu.

— En effet, j'ai d'ailleurs quelques difficultés à l'évoquer tant j'éprouve du respect et de la vénération envers ce saint objet. Laissez-moi vous dire d'abord d'où il vient. Connaissez-vous le mont Thabor ?

— Il s'agit d'une montagne de Galilée ?

— C'est cela.

— Plus précisément un plateau d'où l'on aperçoit les rives du Jourdain, le lac de Tibériade, la mer de Syrie, et la plupart des lieux où le Seigneur Jésus-Christ réalisa des miracles. Il y avait là une église érigée à la piété de sainte Hélène, et deux monastères à la mémoire d'Ehe et de Moïse. Mais Saladin s'en est emparé. L'église Sainte-Hélène et les monastères ont été démolis, et sur leurs ruines les infidèles ont construit une forteresse. Évidemment, ils avaient pillé toutes les saintes reliques qui y étaient honorées. Parmi celles-ci se trouvait le saint linceul dans lequel le corps de Notre-Seigneur avait été enveloppé.

— Le corps du Seigneur n'a pas été enveloppé dans un linceul, objecta Le Maçon. Saint Jean nous le dit : la tête de Notre-Seigneur était dans un couvre-chef et le reste de son corps dans des linges. Ce couvre-chef est d'ailleurs conservé à l'abbaye de Marcilhac. Je le sais, j'y ai fait étape.

— Je ne l'ignore pas, mais attendez la suite. Personne n'avait vu ce linceul jusqu'à présent, seule une rumeur circulait, celle parvenue jusqu'à la noble dame Aliénor. Mais à sa demande, notre Ordre a fait des recherches, et finalement un Maure, qui avait participé au pillage de l'église Sainte-Hélène, s'est manifesté. Il possédait le saint linceul et l'a vendu au seigneur Philippe du Plessis, notre grand maître dans le comté de Tripoli.

— Mais en quoi ce linge serait-il authentique ?

— Authentique, il l'est, car je l'ai vu quand je me suis rendu à Tripoli. D'abord de nombreuses médailles et des sceaux y sont attachés. Le plus rare est une pièce de plomb représentant Jacques le Juste...

— Le frère de Jésus ? balbutia Le Maçon.

— Lui-même. Mais ce n'est pas le seul, on y voit aussi une marque de Siméon, une autre de l'évêque Julien, un morceau de parchemin du saint martyr Alexandre[1] et un sceau de plomb avec les lettres SB.

— *Signum Baldinii*, le sceau de Baudoin, roi de Jérusalem ?

— Oui, mais ce n'est pas le plus important...

— Qu'y a-t-il d'autre ? demanda Le Maçon, d'une voix émue.

— Par je ne sais quel miracle, le corps et le visage de Notre-Seigneur ont imprégné ce divin tissu. Le linge représente les traits du Christ aussi finement que si un peintre l'avait dessiné. Il a les bras croisés sur la poitrine et on voit distinctement la trace des clous, tout comme celle de la couronne d'épines...

Le Maçon, convaincu, se signa et murmura une prière.

Le silence se fit un moment, interrompu finalement par l'envoyé d'Aliénor.

— J'irai chercher ce saint suaire à Tripoli.

— C'est inutile. Nous avons ici un colombier.

— Un colombier ?

— C'est une chose que nous avons apprise des Arabes. Notre commanderie de Tripoli nous porte des pigeons qu'ils ont élevés, et quand nous les relâchons, ils retournent à leur colombier. Nous attachons un message écrit sur un papyrus à leurs pattes. Je vais les prévenir de votre arrivée. Ils recevront le message demain et, s'ils font partir une caravane tout de suite, elle sera ici dans moins d'une semaine.

---

1. Alexandre de Jérusalem fut évêque de Jérusalem dans la première moitié du IIIe siècle.

# Chapitre 6

*Avril 1202*

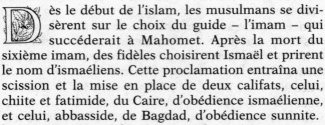ès le début de l'islam, les musulmans se divisèrent sur le choix du guide – l'imam – qui succéderait à Mahomet. Après la mort du sixième imam, des fidèles choisirent Ismaël et prirent le nom d'ismaéliens. Cette proclamation entraîna une scission et la mise en place de deux califats, celui, chiite et fatimide, du Caire, d'obédience ismaélienne, et celui, abbasside, de Bagdad, d'obédience sunnite.

En 1094, le califat du Caire fut marqué par un autre schisme. Un parti minoritaire choisit Nizâr comme imam et prit le nom de nizârites, tandis que les fatimides perdaient Jérusalem devant l'invasion croisée.

Quelques années plus tôt, l'ismaélien Hassan ibn al-Sabbah, après avoir passé plusieurs mois au Caire et rencontré Nizâr, parvint à devenir le maître de la forteresse d'Alamut[1], dans les montagnes de Perse. Le château, fiché sur un rocher, devint alors le refuge des nizârites persécutés par les fatimides. Sabbah prit le titre de Chayr al-Jabal[2] et ses disciples celui d'heyssessini[3].

---

1. Qui signifie : nid d'aigle.
2. Le Vieux de la Montagne.
3. Hassanjuns : les djins de Hassan.

Hassan organisa à Alamut la société idéale dont il rêvait. Au sommet régnait le grand maître, après eux venaient les *daïs* : les savants chargés de répandre la connaissance et la doctrine ismaélienne. Ensuite se trouvaient les militaires, les chevaliers, nommés *rafiq*, puis les *fidaïs* envoyés en mission ou en sacrifice, et enfin les novices.

Revenus en Syrie, les nizârites achetèrent plusieurs châteaux dont celui de Masyaf, immense forteresse sur la route d'Antioche à vingt lieues de Tripoli. Celle-ci devint la capitale d'une principauté dont l'organisation rappelait celle des Templiers, des Hospitaliers ou des chevaliers Teutoniques. Mais avec une différence immense : les nizârites privilégiaient l'instruction et la science, et s'ils étaient aussi valeureux que les chevaliers francs, ils possédaient un avantage considérable : ils n'appréhendaient pas la mort, car l'au-delà, où les attendaient des vierges, ne les effrayait pas.

Les heyssessini étaient craints parce qu'ils se montraient capables de frapper les ennemis des nizârites partout où ils se trouvaient. On appelait Masyaf et ses environs le pays des heyssessini... autrement dit, des assassins. Avec leur présence à Masyaf, proche à la fois des croisés, des musulmans de Saladin et des Turcs, les heyssessini furent encore plus redoutés. Leur nouveau chef, Rachid ad-Din Sinan, tenta même à plusieurs reprises de tuer Saladin dans sa tente. Celui-ci décida alors de réduire Masyaf comme y était parvenu Raymond de Saint-Gilles quelques dizaines d'années plus tôt. Mais finalement Saladin avait conclu un accord avec le Chayr al-Jabal après avoir jugé que cette société religieuse et militaire pouvait devenir une alliée contre les croisés.

Ce jour-là, le jeune *rafiq* Ali-i Sabbah assurait le commandement de la garde à l'entrée de la forteresse. En haut de la tour carrée, face à la barbacane, il observait le village en contrebas où un guetteur lui avait signalé le passage d'une caravane se rendant à Antioche. Quand il entendit des bruits de pas dans son dos, il se retourna. C'était l'un des *fidaïs* du Chayr al-Jabal.

— Le seigneur te demande, noble Ali, fit l'homme, avec une déférence de pure forme.

Les *fidaïs* se considéraient bien supérieurs aux *rafiq*.

Ali-i Sabbah était pourtant le neveu du précédent Chayr al-Jabal : Rachid ad-Din Sinan. Celui qui avait négocié la liberté des nizârites avec Saladin.

Le père d'Ali, un des plus savants et des plus courageux émirs des heyssessini, était mort deux ans auparavant. Ali lui ressemblait tant physiquement que de caractère. Il présentait la même taille élancée et possédait le même amour des armes et de la science. Mais son visage était celui de sa mère, une chrétienne capturée dans une caravane. Flamande, celle-ci lui avait appris le dialecte d'oïl et la langue allemande.

— Je te suis, répondit-il en prenant son manteau blanc, car le Chayr al-Jabal aurait fait mettre à mort tout *rafiq* venu se présenter sans manteau devant lui.

Descendant les marches de la tour, Ali s'interrogeait. Que lui voulait le maître ? Il ne l'avait rencontré que rarement. La dernière fois étant justement la semaine précédente, lors de la visite d'une délégation de Templiers venue de Tripoli. Il ne s'agissait pas d'une visite commerciale – celles-ci étaient pourtant fréquentes – mais d'une démarche du Temple pour consulter la riche bibliothèque de Masyaf.

Ces échanges n'étaient pas rares, car nombre de templiers avaient noué des liens avec les plus savants cheiks musulmans dont la plupart lisaient le grec et l'hébreu bien mieux que les chrétiens.

Les nizârites s'efforçaient de découvrir le sens caché de la Genèse. À Masyaf, disciples et *rafiq* recevaient une formation tant religieuse et scientifique que militaire. À travers l'arithmétique, les correspondances entre chiffres et lettres et l'*al-kimiyah*[1], leurs maîtres, les *daïs*, leur apprenaient que l'univers était gouverné par des lois universelles. Durant leurs années d'études, ils devaient chaque jour travailler des heures dans la bibliothèque de la forteresse qui comptait les plus rares ouvrages persans, grecs, arabes, hébreux et égyptiens.

Lors de leur dernière visite, les chevaliers templiers venus de Tripoli étaient accompagnés d'apothicaires et d'un érudit franc souhaitant consulter les documents de Masyaf traitant des plantes et des philtres. En échange, ils avaient apporté des livres et des documents, dont quelques-uns traitaient des nizârites. Les Templiers n'ignoraient pas que le Vieux de la Montagne était curieux de savoir comment les chrétiens jugeaient leur société.

Comme Ali-i Sabbah parlait plusieurs langues, il avait participé aux entretiens et accompagné les templiers à la bibliothèque afin de les aider dans leurs recherches.

La convocation du Vieux de la Montagne avait-elle un rapport avec cette visite où était-ce pour une tout autre raison ? s'interrogeait-il. Le maître vivait dans le grand donjon où il recevait émissaires et délégations. Seuls les membres de son conseil savaient ce qu'il préparait, ce qu'il décidait. Son père avait été de ceux-là, après avoir accompli, comme *fidaïs*, d'incroyables missions sur ordre de Rachid ad-Din Sinan. Ali espérait de tout cœur qu'un jour viendrait son tour.

Mentalement, il pria Allah le Miséricordieux qu'il lui accorde le droit de donner sa vie pour son maître.

---

1. L'alchimie et la chimie.

La citadelle était entourée d'une enceinte à mâchi-coulis construite sur un éperon rocheux. Au milieu s'élevait un donjon rectangulaire. Le site ayant été occupé depuis des siècles, il était percé d'innom-brables tunnels, de passages voûtés et de salles creu-sées dans la roche.

En bas de la tour de garde, ils gagnèrent le souter-rain conduisant à la tour de défense la plus proche du donjon. Des gardes leur ouvrirent les grilles et d'autres, avec de grands treuils métalliques, baissèrent les ponts qui empêchaient tout accès au cœur de la citadelle. Le long des murs, des torches huilées fai-saient vaciller leurs ombres.

Ali se sentait prêt, ne craignant même pas d'être envoyé chez les chrétiens. En dissimulant un sourire, il songea à ce que les Francs pensaient de son peuple.

Après le départ des Templiers de Tripoli, il avait tra-duit quelques-uns des parchemins offerts, car plu-sieurs étaient écrits en allemand. Depuis la mort de sa mère, il était le seul dans la forteresse à connaître cette langue.

L'un des documents reproduisait une lettre envoyée à l'empereur Frédéric Barberousse. Ali se souvenait de chaque mot tant il avait été fier de la crainte que les nizârites inspiraient :

« Aux confins de Damas, d'Antioche et d'Alep, il existe dans les montagnes une certaine race de Sarra-sins qui, dans leur dialecte, s'appellent heyssessini. Cette race d'hommes vit sans lois ; ils mangent du porc, contre les lois des Sarrasins, et disposent de toutes les femmes, sans distinction, y compris leur mère et sœurs. Ils vivent dans les montagnes et sont presque inexpugnables car ils s'abritent dans des châ-teaux bien fortifiés. Ils ont un maître qui frappe d'une immense terreur tous les princes sarrasins proches ou éloignés, ainsi que les seigneurs chrétiens voisins, car il a coutume de les tuer d'étonnante manière. De leur prime jeunesse jusqu'à l'âge d'homme, on apprend à ces jeunes gens à obéir à tous les ordres et à toutes les paroles du seigneur de leur terre qui leur donnera alors les joies du paradis parce qu'il a pouvoir sur tous les dieux vivants. »

Si la description de son peuple ne manquait pas d'erreurs – ils ne vivaient pas sans lois, bien au contraire, et ne disposaient pas librement de leurs femmes – il n'en restait pas moins qu'ils frappaient le monde turc et arabe d'une immense terreur. Vrai aussi qu'ils apprenaient à tuer dès le plus jeune âge pour gagner facilement le paradis. Et, surtout, véridique encore qu'ils obéissaient sans discuter aux ordres de leur maître : le Vieux de la Montagne.

Désormais, les chrétiens les craignaient donc bien plus que les autres Sarrasins. Ali se souvenait d'ailleurs d'une épître de l'évêque Guillaume de Tyr à leur sujet :

« Le lien de soumission et d'obéissance qui unit ces gens à leur chef est si fort qu'il n'y a pas de tâche si ardue, difficile ou dangereuse que l'un d'entre eux n'accepte d'entreprendre avec le plus grand zèle à peine leur chef l'a-t-il ordonnée. S'il existe, par exemple, un prince que ce peuple hait ou dont il se défie, le chef donne un poignard à un ou plusieurs de ses affidés. Et quiconque a reçu l'ordre d'une mission l'exécute sur-le-champ, sans considérer les conséquences de son acte ou la possibilité d'y échapper. Empressé d'accomplir sa tâche, il peine et s'acharne aussi longtemps qu'il faut jusqu'à ce que la chance lui donne l'occasion d'exécuter les ordres de son chef. Nos gens, comme les Sarrasins, les appellent heyssessini. »

Oui, lui était un heyssessini, un disciple d'Hassan, et cela l'emplissait de fierté.

De la tour, un autre souterrain les conduisit vers une construction fortifiée pentagonale adossée au donjon. Passant par une pièce voûtée servant de barbacane, ils pénétrèrent enfin dans la salle basse de celui-ci. D'antiques colonnes romaines soutenaient la voûte. Là, quantité d'hommes d'armes assuraient la garde.

Un escalier les mena à la pièce supérieure, carrelée et couverte de tapis. Près d'une fenêtre carrée, sur un siège en cèdre ciselé, était assis un individu encore jeune bien que sa barbe fût grise. Il portait une simple tunique de lin, sans broderie ni dorure. C'était le Vieux de la Montagne. Le chef suprême des nizârites, des heyssessini.

Près de lui, debout, se tenait le maître des *daïs*, le bibliothécaire de Masyaf. Un troisième homme attendait à l'écart. Ali le connaissait bien. Mahmoud était un habile artisan qui habitait près de chez son père.

Orfèvre réputé, Mahmoud s'avérait fort instruit dans la science de l'*al-kimiyah* et le Vieux de la Montagne faisait appel à lui pour fabriquer des laissez-passer permettant d'approcher ceux que les *fidaïs* devaient frapper. Il concevait aussi des armes mystérieuses, pointes empoisonnées ou pièges mortels dissimulés dans des bijoux ou des coffrets. Enfin, Mahmoud façonnait parfois de fausses reliques que les *daïs* vendaient fort cher aux croisés crédules. Des contrefaçons devenues l'une des ressources de Masyaf.

S'approchant, Ali s'agenouilla devant le grand maître. Celui-ci sourit froidement, lui faisant signe de se relever. Puis, il se dressa à son tour et se dirigea vers la fenêtre. Celle-ci ouvrait sur une longue cour, au couchant. C'est là que débouchait le grand escalier permettant d'accéder aux salles de réception et à la bibliothèque. L'endroit se situait à l'opposé de la tour où Ali assurait la garde.

— Regarde, dit-il seulement.

Le jeune chevalier s'approcha de l'ouverture. Sur la haute potence à l'extrémité de la cour, un corps était pendu par les pieds. Émasculé, le ventre ouvert, ses boyaux sortaient, couverts de mouches. Soudain le regard du pendu accrocha le sien. L'homme était vivant et, s'il ne gémissait pas, c'est qu'on lui avait coupé la langue et cousu les lèvres. Ali reconnut l'un des cheikhs de la bibliothèque.

— Samir... murmura-t-il, stupéfait.

— Samir le félon, fit le maître. Raconte ! ordonna-t-il au bibliothécaire en chef.

Ce dernier prit la parole, d'une voix émue.

— Tu te souviens de la venue des Templiers, Ali...

Il opina du chef.

— Nous leur avons montré tout ce qu'ils demandaient, nous avons accédé à leurs moindres requêtes, comme avec tous ceux qui s'intéressent aux sciences et aux arts. Seulement, un scélérat se trouvait parmi eux. Un maître apothicaire fort savant, venant d'une ville franque nommée Paris. Il souhaitait consulter nos livres de médecine et de botanique. Hélas, pas seulement. Il est parvenu à soudoyer Samir en lui offrant mille besants d'or...

— Mille !

— Oui ! En échange, Samir l'a fait pénétrer une nuit dans la bibliothèque.

Le visage d'Ali exprima l'horreur. Personne n'avait la permission d'entrer dans ce lieu saint hors de la présence du maître des *daïs*.

— Cet apothicaire – il se nomme Simon de Bernay, retiens son nom, Ali – a volé deux rares parchemins et quelques-uns de nos sceaux et médailles. Ceux parmi les plus rares, cracha le Vieux de la Montagne.

Il fit signe au *daïs* de parler.

— Mahmoud est venu ce matin faire des moulages de sceaux. Quelques-uns de ceux qu'il recherchait manquaient. J'ai aussitôt fait fermer la bibliothèque et prévenu notre maître. Interrogé, Samir a d'abord nié, puis tenté de fuir et enfin tout avoué sous la torture. Maintenant, il faut retrouver nos biens et punir le coupable.

Le Chayr al-Jabal fit quelques pas.

— Nous devons inspirer la terreur. Même Saladin craignait notre puissance, tu ne l'ignores pas, Ali. Introduits dans sa tente, nos *fidaïs* auraient pu le tuer s'il n'avait porté une coiffe de mailles. Comprenant notre force, il a préféré faire la paix avec nous.

Le Vieux de la Montagne se racla la gorge.

— Laisse-moi maintenant te raconter ce qui s'est passé, il y a huit ans. C'est une histoire dont tu as entendu parler, mais dont personne ne connaît les détails. Après avoir repris Saint-Jean-d'Acre, les chrétiens se sont disputés pour choisir leur roi. Ils ont finalement élu Conrad de Montferrat. Or cet homme – ce félon devrais-je dire – préparait une alliance avec Saladin afin de saisir la capitale du royaume des Francs.

» Sitôt élu, ce perfide a abandonné son nouvel allié pour remercier son dieu en déclarant : « Seigneur, vous qui êtes le roi des rois, permettez que je sois couronné si vous m'en trouvez digne. »

» Offensé de cette trahison, Saladin vint alors voir ton oncle Rachid ad-Din Sinan. Il lui offrit dix mille pièces d'or pour faire disparaître le félon.

» Nous avons toujours refusé de servir les chiites ou les sunnites, mais nous estimions Saladin. De plus, ton oncle avait conclu une paix avec le roi Richard d'Angleterre qui n'avait pas tenté de nous soumettre. Enfin, les Templiers, nos amis, ne supportaient pas Conrad. Les nizârites ont donc accepté, appliquant l'adage : les ennemis de nos ennemis sont nos amis.

» Rachid ad-Din Sinan a choisi deux jeunes chevaliers, les meilleurs de Masyaf, et les a envoyés à Tyr où se trouvait Conrad. Ils se sont fait passer pour des esclaves en fuite voulant se convertir. Ils ont reçu le baptême et Conrad, admirant leur foi, car ils ne paraissaient occupés que de prier le dieu des chrétiens, les a gardés près de lui. Cela dura six mois, jusqu'au jour où la ville de Tyr célébra par des réjouissances l'élévation de Conrad. Comme le prince revenait d'un festin, les deux nizârites le blessèrent mortellement. L'un parvint à fuir dans une église voisine où l'on porta justement le roi, tout sanglant. Notre homme traversa alors la foule et frappa à nouveau le félon de plusieurs coups de poignard dont il mourut sur-le-champ[1].

Comme le maître se taisait, Ali demanda :

— Que sont-ils devenus ?

— Ces deux *fidaïs* étaient mes petits-neveux, ils expirèrent dans les pires supplices sans proférer la moindre plainte. Tu vas faire comme eux, noble Ali. Tu te feras passer pour un chrétien, baptiser si nécessaire. Tu parles leur langue. Tu iras à Paris et tu puniras sévèrement Simon de Bernay. Après quoi tu ramèneras ce qu'on nous a volé.

— Je le ferai seigneur, mais si cet apothicaire est à Tripoli ou à Acre...

À peine eut-il posé la question qu'il la regretta, comprenant qu'il venait de dire une sottise. Le maître le tança :

— Tu nous aurais volés, Ali, serais-tu resté à Tripoli ?

— Non, maître, je me serais enfui au bout du monde.

Le Chayr al-Jabal retourna à la fenêtre regarder le corps qui se balançait. Les premiers corbeaux le dévoraient.

— Il se trouve à Paris, j'en suis certain, fit-il.

L'entretien était terminé. Ali consulta du regard le *daïs* et celui-ci lui fit signe qu'il pouvait sortir. Il

---

1. Il existe une autre version de cette histoire, rapportée par Matthieu Paris dans la *Grande Chronique d'Angleterre* : Conrad aurait été assassiné par le Vieux de la Montagne pour avoir volé et dépouillé des ismaéliens.

s'exécuta après avoir salué le Vieux de la Montagne qui ne se retourna pas. Mahmoud l'accompagna.

Ayant quitté le donjon par le grand escalier, les deux hommes se retrouvèrent dans la cour du pendu. Des badauds regardaient le supplicié en échangeant des remarques vindicatives. Les gens venaient d'apprendre sa félonie.

— Mahmoud, j'ai besoin de ton aide. À l'armurerie, je trouverai haubers, casques et armes de chevaliers francs, mais il me faut des habits, une cotte. Je dois posséder un nom respectable, mais peu connu. De plus, il faut que tu me parles de ces sceaux volés, comment les reconnaître ?

— Notre voisin tailleur te coudra des chausses, une chemise de lin et une robe à la mode des Francs pour demain matin. Je vais te montrer des copies de sceaux qui ressemblent à ceux dérobés. Quant au nom que tu pourrais prendre, je vais y réfléchir. Quand veux-tu partir ?

— Dès que possible. Demain, par exemple.

— Tu souhaites embarquer depuis Tripoli ?

— Non. Ce serait trop dangereux. Je pourrais rencontrer des templiers qui me reconnaîtraient. J'irai à Acre.

— C'est loin ! Tu en auras pour une vingtaine de jours. Et tu seras seul, il peut y avoir péril. Prends au moins un cheval de rechange.

— Rassure-toi, je ne crains rien. Je suis un *fidaïs*, désormais.

Ali suivit Mahmoud chez lui. En entrant dans son atelier, il découvrit une tête sculptée peinte en ocre. Elle représentait un homme barbu aux longs cheveux. Ali la reconnut : c'était le haut d'une statue grecque qui s'était longtemps trouvée sur la place, devant le donjon.

Intrigué, il interrogea l'orfèvre :

— Pourquoi as-tu peint cette tête ?

— Elle n'est pas peinte, juste colorée par du fer rouillé. Tu sais que je fabrique des reliques, à l'occasion, plaisanta Mahmoud. Voici un an, a circulé la rumeur que les Templiers recherchaient le suaire dans lequel leur prophète Jésus-Christ a été enseveli.

Ali acquiesça.

— Je ne sais ce qui me déplaît le plus chez les chrétiens : leur crédulité ou leur idolâtrie ! On disait que ce suaire avait conservé les marques du corps de cet homme dont ils font un dieu. Les Templiers offraient trente mille besants à qui le leur porterait. De l'argent facilement gagné. Aussi le maître m'a-t-il demandé de m'attacher à cette besogne. J'ai passé beaucoup de temps en m'aidant de cette tête. Finalement, je suis parvenu à un bon résultat en recouvrant la pierre de limaille de fer et en la mouillant avec du vedriol[1] et du soufre.

Ali approuva, connaissant ce subterfuge.

— Ensuite, j'ai posé dessus un tissu de lin, bien soigneusement pour épouser les formes de la sculpture. Puis, j'ai appliqué de la gélatine afin de fixer la couleur rouge. Après quoi, le tissu a été chauffé dans un four et lavé plusieurs fois.

— Mais tu n'avais pas un linceul... Seulement une tête.

— Le véritable linceul a été fait à partir d'un corps humain. Je voulais un homme grand et maigre, j'en ai trouvé un dans une prison de nos châteaux. Il devait être éventré pour avoir tué plusieurs femmes. Et maigre, il l'était, puisqu'il ne mangeait plus depuis plusieurs jours. Le maître l'a fait fouetter, puis crucifier avec une couronne d'épines et lui a fait percer le

_____
1. Du vitriol, c'est-à-dire de l'acide sulfurique.

flanc. Ensuite, quand le corps est devenu raide, il a été allongé sur la moitié d'un long drap de lin, enduit d'un pigment de poudre de fer, de terre ocre et de sang. J'ai rajouté du pigment sur ses plaies pour les rendre bien visibles, puis j'ai replié le linceul et j'ai fait comme avec la statue. Il fallait appliquer le tissu sur le corps devenu rigide, puis la gélatine. Finalement, une fois séché et lavé, le linceul révélait parfaitement un homme supplicié par crucifixion. J'ai alors écrit quelques bandes de parchemin, car tu sais que les chrétiens exigent des reliques authentifiées par un *pittacium*. J'y ai joint des copies des sceaux et des médailles que nous possédons, en particulier une de plomb représentant soi-disant le visage de Jacques, le frère de Jésus. Ensuite, l'un des nôtres se présentant comme un de ceux ayant pillé l'église de Sainte-Hélène, sur le mont Thabor, s'est rendu à Tripoli avec l'étoffe. Les Templiers n'y ont vu que du feu et ont payé la somme promise.

» L'affaire a si bien réussi que j'ai réalisé d'autres images du visage du prophète Jésus avec cette statue et je pensais les authentifier quand, me rendant ce matin à la bibliothèque pour faire des moulages de sceaux, j'ai découvert leur absence. En particulier la médaille de Jacques.

Ali comprenait mieux maintenant le fil des événements.

— Tu ne peux donc pas me montrer la copie de ces sceaux ?

— Si, pour quelques-uns que je possède. Accompagne-moi.

Quand Ali rentra chez lui, il trouva le *fidaïs* qui était venu le chercher dans la tour en compagnie du chef bibliothécaire de Masyaf.

— Le maître te remet cette bourse pour ton voyage, Ali, lui dit-il en tenant un petit sac, sonnant et trébuchant.

Il montra ensuite une sacoche de toile, une lourde épée et un grand écu triangulaire en bois couvert de cuir peint. Tout cela posé à même le sol.

— Tu t'appelleras désormais Marc de Saint-Jean. Ce croisé avait ton âge et a été tué l'année dernière par un lion près d'Antioche. C'est une de nos caravanes venant d'Alamut qui a trouvé son corps. Nous l'avons mis en terre et, comme il possédait un bel équipement, nous l'avons gardé. Tu trouveras dans ce sac ses couteaux, son ceinturon, ses bijoux, ses chaussures et quelques-uns de ses bagages. Sa robe et sa chemise étant déchirées et sanglantes, on les lui a laissées. L'écu est le sien, avec ses armes peintes.

Décidément, le Vieux de la Montagne avait pensé à tout, songea Ali en le remerciant. Il n'avait plus qu'à se montrer à la hauteur de la confiance que son maître lui accordait.

Le bibliothécaire s'adressa alors à lui.

— Mais ce déguisement ne suffira pas. On dit que Paris est une des plus grandes villes de la Chrétienté. Tu auras du mal à trouver ce Bernay et on s'étonnera peut-être de ta présence, si tu restes longtemps.

— J'inventerai, proposa Ali avec insouciance.

— Tu en es capable... Mais dans une ville comme Damas, tu serais vite repéré et interrogé par les autorités.

— Que me conseilles-tu ?

— Les Francs divisent les arts élémentaires en sept sciences : d'un côté les trois chemins, qu'ils appellent le *trivium*, et qui concernent la grammaire, la dialectique et la rhétorique. De l'autre, ils distinguent les quatre chemins – le *quadrivium* – qui traitent des nombres, c'est-à-dire de l'arithmétique, de la musique, de la géométrie et de l'astronomie. À cela s'ajoutent des disciplines supérieures comme la théologie, le

droit et la médecine. Toutes ces sciences sont enseignées à Paris, une ville que leurs maîtres nomment la
fontaine de la sainte doctrine ou encore la cité des
lettres. Si tu dois rester là-bas quelque temps, fais-toi
disciple et suit un enseignement quelconque. Les Templiers m'ont dit que des chevaliers apprennent la théologie pour entrer dans leur Ordre.

— Ce sera adroit, mon maître. Avec tous vos
conseils, et l'aide d'Allah le Miséricordieux, je ne peux
que réussir la mission que le Chayr al-Jabal m'a
confiée.


Avant de partir, il se rendit une dernière fois chez
Mahmoud lui faire ses adieux. L'orfèvre lui souhaita
bonne chance en l'étreignant avec affection, puis lui
remit un petit rouleau de fer, légèrement aplati, attaché aux deux extrémités par une chaînette.

— Tu auras certainement des difficultés, Ali, il est
même possible que tu manques d'argent. Dans ce cas,
vend le contenu de ce tube à une église ou une abbaye.
Tu en tireras un bon prix.

— Qu'est-ce que c'est ?

— Une épître que j'ai écrite. N'importe quel monastère t'en donnera bien mille besants !

Ali sourit, devinant une énième fausse relique. Il
passa la chaînette à son cou et glissa le rouleau sous
sa cotte.

# Chapitre 7

*Avril 1202*

Épuisé, le pigeon s'affala sur une planche du pigeonnier de la maison du Temple de Tripoli, incapable de gagner les cellules dans les parois. Le frère de garde le saisit délicatement et détacha le petit message noué par un fil à sa patte. Sans le lire, il appela un servant qui porta le pli au sénéchal de la maison, le plus haut dignitaire avant le grand maître. La procédure habituelle.

Tripoli – appelé Triple par les croisés – avait été conquis par Raymond de Saint-Gilles, l'arrière-grand-père du comte de Toulouse. Raymond avait participé à la prise de Jérusalem, mais, évincé dans le partage par les autres barons, il s'était emparé de ce qui était devenu son comté. Bien qu'il ait trépassé pendant le siège de Tripoli, il avait eu le temps de faire construire un formidable château fort qui dominait la ville. Son fils, Bertrand, lui avait succédé et le comté restait la seule terre d'Orient où on parlait la langue d'oc[1]. Ayant adroitement négocié avec Saladin, ce dernier n'avait pas tenté de reprendre Tripoli lors de la reconquête de la Terre sainte. Bertrand avait ensuite légué son fief à Bohémond, le prince d'Antioche.

---

1. Tripoli, conquête de Raymond de Saint-Gilles, sera perdu en 1289, Acre en 1291.

Pour ces raisons, le comté de Tripoli ne faisait pas partie du royaume de Jérusalem. Les Templiers, qui avaient encore beaucoup de commanderies le long de la côte, assuraient les liaisons entre le territoire occitan et le royaume latin d'Acre.

Proche de la vieillesse, revêtu de braies blanches et d'une robe couleur crème liserée de rouge, avec une dague à la taille, debout devant un pupitre, le sénéchal relisait le connaissement[1] d'un buzo devant partir pour Brindisi. Son capitaine templier craignait de ne pouvoir faire entrer toute la marchandise dans la cale. La commanderie avait en effet acheté une grande quantité de soie (Tripoli possédait des centaines de tisserands) et de camelot teinté, cette étoffe de laine mêlée de poils de chèvre ou de chameau si recherchée en Occident. Mais il y avait aussi des ballots de sucre, des caisses d'oranges, de citrons et de dattes. À l'évidence, il fallait donner la préférence aux fruits, même s'ils rapportaient moins que la soie, jugea le sénéchal.

Le Temple manquait de nefs, tant le trafic augmentait. Quelle tristesse que le Saint-Père envisage une nouvelle croisade, songea le templier en soupirant. La guerre prochaine risquait fort de ruiner la prospérité du comté, à moins que le prince d'Antioche ne parvienne à rester à l'écart des hostilités. Mais même dans ce cas, cela mettrait à mal les activités de l'ordre des Pauvres Chevaliers du Christ.

Un servant entra, après avoir écarté la tenture fermant le passage de l'escalier.

— Un message porté par un pigeon, seigneur.

Le sénéchal prit le fin papyrus et s'approcha de la fenêtre par laquelle il apercevait le château du Mont-Pèlerin construit cent ans plus tôt par Raymond de Saint-Gilles.

---

1. Liste de marchandises.

Il délia le papier, le déroula et le lut difficilement tant il était écrit petit. Sa vue baissait, songea-t-il avec dépit. Il allait devoir se procurer ces verres grossissants proposés par les disciples d'Alhazen[1].

Il se retourna vers le servant, lui fit signe de sortir, puis prit l'escalier et monta à l'étage supérieur. De là, il traversa la grande salle du chapitre, éclairée par quelques flambeaux, pour atteindre les appartements du grand maître.

Le chevalier de garde le laissa passer et le sénéchal frappa trois coups à une porte. Quand il pénétra dans la grande chambre de Philippe du Plessis, grand maître du Temple pour le comté de Tripoli, celui-ci, en robe blanche avec croix templière argentée sur la poitrine, consultait un dessin de fortifications.

Du Plessis était jeune pour être commandeur, mais seules sa valeur et la ferveur de sa foi l'avaient conduit à cette charge éminente. Cependant les soucis avaient déjà grisé sa barbe et creusé son front comme ses joues.

— Un message d'Acre, mon frère, dit le sénéchal en langue d'oc.

— De mon cousin Laurent ?

— Non, c'est au sujet de la relique. Quelqu'un vient d'arriver de Fontevrault.

— Enfin ! Je ne serai pas fâché de m'en débarrasser. J'ai reçu tout à l'heure un courrier. À Rome, la croisade a été décidée et tant en Flandre qu'en Champagne et en Poitou, des centaines de chevaliers ont choisi de partir. L'armée arrivera en Terre sainte d'ici moins d'un an.

— Quelle sottise ! Nous étions enfin à peu près en paix. Tout va donc recommencer ! Pourquoi le Saint-Siège ne comprend-il pas que même si des milliers de

---

1. Mathématicien perse musulman, auteur de nombreux ouvrages sur l'optique.

croisés arrivent ici, les musulmans resteront toujours plus nombreux que nous ?

— Tu as raison, mon ami, soupira Philippe du Plessis, mais que pouvons-nous y faire ? Que l'on enferme la relique dans une poche de cuir et que le maréchal[1] rassemble une solide escorte.

— Est-ce nécessaire ? Il n'y a que cinquante lieues jusqu'à Acre, moins même jusqu'à Tyr, objecta le sénéchal. Suivre la côte ne présente aucun risque. D'ailleurs, pourquoi ne pas transporter la relique par barque ?

— Imagines-tu que l'embarcation coule et soit perdue ? Quant au voyage par terre, c'est vrai qu'il est sans péril mais je me refuse à mettre la relique en danger. Je veux quatre chevaliers, autant d'écuyers ou de servants et une douzaine de sergents d'armes. Tous bien armés avec des arbalètes et des lances.

— Cela représentera le tiers de notre garnison, mon frère, objecta le sénéchal.

— Nous sommes en paix, et, tu l'as dit, il s'agit d'un voyage sans péril. Ils seront de retour dans dix jours et en profiteront pour porter quelques lettres que je préparerai, ainsi que des cages de pigeons. Ils nous ramèneront aussi notre courrier.

Réprimant une grimace de désaccord, le sénéchal hocha la tête.

À la demande du sénéchal qui s'inquiétait de dégarnir la garnison de la commanderie, le maréchal du Temple avait choisi de jeunes chevaliers et des sergents venus d'Europe. Arnaud de Moncontour, parent éloigné de du Plessis né à Chypre, commandait la troupe. Le sénéchal avait préféré garder les hommes

1. Dans la commanderie, le maréchal est le responsable militaire.

d'armes les plus expérimentés. Seul le frère sergent Thomas, né à Tripoli, connaissait parfaitement le pays. Il s'était porté volontaire et le maréchal avait accepté de s'en séparer, jugeant indispensable que l'arroir dispose au moins d'un bon guide.

Les chevaliers et les écuyers étaient revêtus d'un haubert de mailles et d'un camail, avec, par-dessus, un simple surcot blanc arborant la croix rouge à huit pointes. Comme il faisait chaud, ils avaient roulé leur manteau derrière leur selle. Quant aux sergents d'armes, ils portaient une cuirasse d'anneaux de fer et une cotte brune. Seuls quelques guerriers gardaient leur casque sur la tête et aucun n'avait de heaume, redoutant de cuire dessous à cause du soleil implacable. Les grands boucliers triangulaires étaient rangés sur les chevaux de bât, avec les arbalètes, les masses turques, les bagages, les paillasses, les couvertures et les tentes. Sur un roussin étaient amarrées plusieurs cages de bois contenant des pigeons pour le pigeonnier d'Acre.

L'escorte partit le 1er avril de Tripoli. Ainsi que le grand maître l'avait décidé, elle comprenait quatre chevaliers, leurs écuyers et une douzaine de sergents avec chevaux de rechange et de bât. De plus, les écuyers menaient en longe un second destrier pour leur maître. C'était beaucoup pour transporter un petit paquet, mais le pays entre Tripoli et Saint-Jean-d'Acre étant terre musulmane, bien que la plupart des habitants y soient pacifiques, on ne pouvait exclure des actes isolés d'hostilité, voire le passage de troupes turques cherchant quelque pillage.

Après avoir franchi l'enceinte extérieure flanquée de massives tours rectangulaires aux terrasses crénelées, ils descendirent une longue rampe couverte de dalles de pierre. Arrivé dans la campagne, au milieu des plantations d'orangers, de citronniers et de dattiers odorants, Moncontour fit mettre la troupe au trot.

Comme à chaque fois qu'il sortait de Tripoli et de ses ruelles puantes, le sergent Thomas éprouva une impression de plénitude, tant ce pays était beau. En même temps, son cœur se serra en songeant qu'il quitterait bientôt et pour toujours ce jardin d'Éden.

Sous un soleil de plomb, au milieu d'une luxuriante végétation d'arbres fruitiers, les templiers suivirent la bande côtière. Ils passèrent la nuit dans une des dernières maisons fortifiées du Temple et, le lendemain, s'engagèrent en pays musulman.

Pourtant, aucun ne s'inquiétait, car le Temple entretenait des relations, sinon cordiales, du moins commerciales avec la plupart des villages et leurs émirs. D'ailleurs, à chaque halte, on leur offrit l'hospitalité et ils purent emplir leurs outres d'eau fraîche.

Sous un ciel sans nuages où régnait un soleil brûlant, la chaleur tourna vite à la fournaise. Midi passé, Arnaud de Moncontour, épuisé, interrogea Thomas :

— Est-on obligé de suivre la côte, mon frère ? Nous avancerions plus vite si nous étions moins accablés par la chaleur. Pourquoi ne pas monter dans ces montagnes traversées de torrents et de sources fraîches ?

Il désigna la forêt d'altitude qui longeait leur route.

— Possible, seigneur, mais le long de la côte, nous n'avons pas d'ennemis. Là-haut, nous pouvons rencontrer des Sarrasins hostiles ou même des Turcs.

— Aurais-tu peur, mon frère ? plaisanta le chevalier.

Il avait assisté aux coulpes[1] de Thomas et il lui plaisait de s'en moquer.

Abaissé, le moine soldat ne répondit pas.

— Qu'en dites-vous, camarades ? s'enquit le chevalier, satisfait de montrer son courage à moindres frais.

— Qui aurait l'audace de s'en prendre à nous ? fanfaronna un de ses compagnons. Avec nos épées à

---

1. Séances collectives où les moines confessaient leurs fautes.

double tranchant, nos masses et nos lances, nous pouvons anéantir n'importe quelle bande de pillards !

— Montre-nous le chemin, Thomas ! ordonna sèchement Arnaud de Moncontour.

Le moine sergent passa en tête, contrarié. Personne ne connaissait son secret mais, depuis des mois, il avait décidé de quitter le Temple. Exactement depuis une rencontre avec une bande de Turcs, lors d'une mission à Antioche.

Ce jour-là, il avait refusé le combat et s'était retiré en raison d'adversaires trop nombreux. On le lui avait reproché et il avait dû se justifier publiquement lors des coulpes du chapitre qui se tenaient chaque semaine. Malgré sa sagesse, il s'était vu infliger une punition, certes légère puisqu'il s'agissait d'un jeûne de deux jours, mais il en avait été ulcéré. Surtout, il avait acquis une réputation de pleutre auprès des jeunes chevaliers inconscients.

Or, Thomas était tout sauf un couard. Simplement, il était d'une grande circonspection, sachant par expérience ce que les Sarrasins faisaient à leurs prisonniers. Devenu un objet de sarcasmes, il avait d'abord longuement prié le Seigneur de l'aider à surmonter cette épreuve, avant de finalement choisir d'abandonner le Temple, sans pour autant renoncer à ses vœux. Son frère était sergent templier à Bordères, une commanderie dans le Toulousain. Il le rejoindrait et ne doutait pas qu'il lui prêterait main-forte pour entrer dans un monastère. Il savait ce pays en paix depuis que son comte avait épousé la sœur du roi d'Angleterre. Là-bas, c'en serait fini des horreurs auxquelles il avait assisté.

Seulement, le voyage coûtait cher et les Templiers n'avaient rien le droit de posséder en propre. D'ailleurs, si après leur mort on découvrait sur eux une somme d'argent, ils ne pouvaient être ensevelis en terre consacrée. Malgré cela, Thomas avait réussi à réunir quelques pièces d'argent en rendant service à des armateurs et des marchands. Il les cachait soigneusement dans ses braies. Restait à trouver un navire, mais impossible de quitter la Terre sainte à partir de Tripoli. Les Templiers ne l'auraient pas laissé faire. Depuis des semaines, il cherchait donc une occasion de rejoindre un port d'où embarquer. Il songeait à gagner Tyr quand le sénéchal lui avait proposé ce voyage à Acre. Il avait immédiatement accepté, persuadé de trouver un bateau durant les quelques jours où ils demeureraient là-bas. Ses pièces d'argent seraient insuffisantes, mais il était certain que le Seigneur ne l'abandonnerait pas et pourvoirait à ses besoins.

Maintenant, ce détour par la montagne, décidé par son officier, lui déplaisait. Il n'ignorait rien des dangers qui les attendaient. Toutes sortes de brigands maraudaient dans la forêt, s'attaquant aux voyageurs comme des essaims de mouches. De surcroît, les chemins étaient coupés par des torrents et, sous un abord paradisiaque, les bois débordaient de bêtes féroces, surtout de hyènes. Enfin, le risque était réel de tomber sur une patrouille des gens d'Al-Malik ou d'heyssessini dont les archers se montraient d'une adresse diabolique.

Il rejetait l'idée de se faire tuer ou blesser à cause de la bêtise d'un jouvenceau qui ne supportait pas la chaleur. Mais craignant qu'on l'accusât une nouvelle fois de couardise, il n'opposa aucun argument justifiant de rester dans la plaine. Il conduisit donc la troupe jusqu'à un sentier s'enfonçant dans le massif.

Arrivé sur un premier plateau, l'arroir se retrouva au milieu de fleurs aux mille couleurs, puis se succédèrent des champs de poiriers et de pruniers sauvages. Les craintes de Thomas s'effacèrent à mesure que la fraîcheur les enveloppait. Ils longèrent plusieurs ruisseaux à l'eau glougloutante, laissant boire leurs montures, avant d'entrer sous les frondaisons de grands cèdres et de sapins.

Ils avancèrent ainsi jusqu'à la tombée du jour sans rencontrer âme qui vive sinon des milliers d'oiseaux les accompagnant de leurs chants. La nuit venue, la troupe monta deux tentes dans une clairière, près d'un ruisseau. Arnaud de Moncontour fit dresser une palissade de branches et de troncs pour se protéger des bêtes sauvages et établit un tour de garde. La nuit fut calme et ils repartirent le lendemain.

Le chemin monta encore et ils durent cette fois franchir plusieurs torrents à gué. La nature devenait plus âpre et ils aperçurent nombre d'animaux sauvages, surtout des sangliers. De nouveau, Thomas s'inquiétait mais il se rassura au début de la descente vers la plaine. Ils venaient de traverser la partie la plus dangereuse de la forêt.

En début d'après-midi, arrivés sur une étendue dégagée d'où ils apercevaient la mer en contrebas, et au loin, la ville et le port de Tyr, Arnaud de Moncontour décida d'une pause.

— Tu vois, tes craintes de vieille femme étaient injustifiées, ironisa-t-il à l'attention de Thomas, après avoir aspiré l'air vivifiant à pleins poumons. Nous aurions dû...

Il n'eut pas la possibilité de préciser sa pensée. Une flèche siffla et perça son haubert sous l'épaule gauche, le faisant chuter. Comme il se trouvait au bord d'un à-pic, il ne put se rattraper et roula d'une vingtaine de pieds dans des rocailles, terminant sa course dans un bosquet de genévriers.

Thomas avait compris le premier.

— On nous attaque ! Aux armes ! hurla-t-il.

# Chapitre 8

Déjà d'autres flèches pleuvaient. Sur les chevaux, les hommes faisaient des cibles faciles. Même si cuirasses et hauberts arrêtaient nombre de traits, plusieurs cavaliers furent touchés, surtout ceux sans casque.

— À terre ! Abritez-vous ! cria un sergent.

Dans un grand désordre, ceux encore indemnes sautèrent au sol, quelques-uns tentant de rejoindre les roussins pour prendre arbalètes et boucliers. Tous n'y parvinrent pas, car à courte distance, les flèches faisaient mouche.

Thomas resta allongé, immobile, comme mort. Les traits provenaient d'un bosquet de chênes verts. Autour de lui, il compta six compagnons agonisant. Les autres avaient réussi à se réfugier derrière des arbres et des fourrés, mais quelle maigre protection quand leurs ennemis chargeraient ! Déjà le parfum de la mort se répandait. Autour de lui montaient les prières et retentissaient les supplications : « Seigneur, secourez-nous ! »

Maudissant Arnaud de Moncontour qui les avait conduits à cette boucherie, se reprochant aussi de ne pas avoir refusé, Thomas cherchait désespérément un moyen de fuir. Brusquement, l'un des chevaliers sortit de son abri, glaive à la main. Pris de folie, il se précipita vers le bosquet en défiant les infidèles. Un javelot l'arrêta dans sa course.

Thomas devina l'assaut proche : il n'en sortirait pas vivant. Dans quelques instants, les Sarrasins, armés de massues hérissées de pointes de fer, se précipiteraient sur eux, montés sur leurs chevaux. Les chrétiens seraient alors déchirés en lambeaux, souillés de poussière et de sang. Les musulmans épargneraient seulement les têtes pour les exposer après les avoir séparées de leur tronc. Quant aux vivants et aux blessés, ils seraient dépecés des plus atroces façons. Il devait fuir, mais comment ?

Il regarda le précipice où avait chuté Arnaud de Moncontour, puis rampa lentement jusqu'à la falaise. Le corps de son seigneur ne se voyait plus dans le bosquet de genévriers. Avait-il dévalé sous un surplomb ? Une idée folle lui vint : pourquoi ne pas se laisser glisser dans les rochers ? La pente était abrupte, mais pas complètement verticale. Sa cuirasse ferrée le protégerait. Lançant un dernier regard vers le bosquet de chênes, il songea qu'il ne pouvait attendre plus longtemps, et qu'un dépeçage par les infidèles se révélerait infiniment plus atroce qu'une chute dans le ravin. Il se retourna sur le dos et, tenant serré le fourreau de son épée pour ne pas le perdre, s'abandonna à la pente.

La glissade fut rapide et douloureuse. Des roches lui heurtèrent violemment le dos et il se crut brisé quand il roula dans les genévriers. Les plantes piquantes lui déchirèrent alors les joues, le reste de son corps étant protégé par sa cuirasse, ses braies et ses gants.

Mais il était vivant !

C'est en tentant de se dissimuler qu'il heurta le corps d'Arnaud de Moncontour.

Celui-ci gémit de douleur et Thomas découvrit que le chevalier n'était pas mort. Il s'écarta aussitôt de lui, s'interrogeant sur ce qu'il devait faire.

— Thomas... souffla la voix du mourant. Que se passe-t-il ?

— Les Turcs, ou les Sarrasins, massacrent nos compagnons.

— Tu fuyais ?

— Non, seigneur. Je venais à votre aide.

— Merci, Thomas, je t'ai mal jugé. Mais je sais que la mort m'a pris... C'est le Seigneur Dieu qui t'envoie, Thomas, pour accomplir la mission dont le maître m'a chargé.

Thomas écoutait, le cœur battant, éprouvant surtout le besoin de fuir au plus vite. Les Sarrasins pouvaient arriver d'un instant à l'autre.

— Sous mon haubert, tu trouveras une poche de cuir qui contient une précieuse relique. La plus sainte des reliques qui ait jamais existé. Prends-la et va la remettre au maître de la Voûte, à Acre. Il l'attend.

Thomas obéit. Il souleva le lourd haubert par la taille et aperçut la poche. Avec l'un de ses couteaux – les sergents en avaient toujours trois à leur ceinture –, il sectionna la lanière.

— Prend mon escarcelle Thomas, souffla encore le templier. S'y trouvent quelques pièces d'or qui te seront utiles pour arriver à Acre.

Soudain, des clameurs retentirent ainsi que le martèlement et le hennissement des chevaux. En haut, les Sarrasins s'attaquaient aux templiers.

— Pars ! ordonna Moncontour.

Cela faisait dix jours que le pigeon s'était envolé de la Voûte d'Acre pour Tripoli.

Si Alexandre Le Maçon passait une partie de ses journées à jouer aux dés et ses nuits avec des garces – des plaisirs jamais connus auparavant –, il s'était aussi préoccupé de son retour à Fontevrault. En ramenant la précieuse relique, il espérait une récompense à la hauteur de son dévouement et recevoir une charge importante au couvent. Celle de clerc procureur l'attirait. Il n'était pas nécessaire d'avoir prononcé ses vœux pour y accéder et le pouvoir du procureur sur les affaires séculières du couvent se révélait aussi important que celui du prieur sur les moines. À côté du succès qu'il aurait connu en surmontant les dangers du voyage et en ramenant la relique, le fait d'avoir tué Beau-Bec compterait peu, jugeait-il. Il pouvait d'ailleurs faire mieux en ramenant d'autres objets saints. Pour cela, ne disposait-il pas des trois cents pièces d'or de Le Normand ? Il s'était donc intéressé aux marchands de reliques. Mais la vente de ces objets étant interdite par l'archevêque sans son accord, on l'avait envoyé uniquement vers des filous proposant des objets sans valeur, accompagnés de *pittacium* ou d'*authenticae* fantaisistes. Il abandonna donc ses recherches.

Il devait aussi trouver une nef pour le retour ; aussi chaque jour se rendait-il au port examiner celles qui arrivaient. Jusqu'à présent, aucune ne se rendait à Marseille ou à Gênes, la plupart venant du sud de l'Italie ou de Chypre. Or, il souhaitait un voyage le plus court possible.

Un matin, une nef ronde à deux mâts et quatre rames entra dans la rade. Ses voiles portaient la croix génoise. Une fois à quai, alors que les marins avaient commencé à débarquer la marchandise, Le Maçon monta à bord pour interroger le capitaine sur sa prochaine destination.

Celui-ci se nommait Dodeo Fornari. De petite taille, visage sombre et buriné, tout en nerfs et en muscles avec une petite barbiche et de longues moustaches, il parlait parfaitement latin, aussi n'eurent-ils aucun mal à converser. Le Maçon sortit les explications inventées par l'abbé du Pin et se présenta comme un serviteur de la duchesse Aliénor chargé de ramener un recueil de poèmes et de chants composés par le roi Richard. Le livre, conservé par le Temple, arriverait sous peu de Tripoli.

Fornari expliqua qu'il repartirait dans une dizaine de jours. Il devait embarquer du sucre et attendait un chargement de soie. Oui, il pouvait prendre Le Maçon à bord avec ses gens, et les laisser à Marseille avant de se rendre à Gênes.

Ils négocièrent le prix et, l'affaire conclue (Le Maçon ne doutant pas qu'il recevrait la relique avant le départ prévu), Dodeo Fornari proposa à son futur passager de vider avec lui un pichet de vin de Riomaggiore.

À cette occasion, il lui raconta qu'il possédait une maison à Acre où son frère tenait une échoppe d'orfèvrerie.

Le sujet intéressa immédiatement le clerc de Fontevrault.

— Je suppose qu'on doit lui demander des châsses pour des reliques, s'enquit-il.

— Certes ! répliqua Fornari, s'interrogeant sur les raisons d'une telle question.

— Je vous l'ai dit, je suis aux ordres de la noble duchesse Aliénor, maître Fornari, et comme vous me semblez être un honnête homme, je peux vous confier que je désire rapporter à Fontevrault une relique exceptionnelle... Mais, je sais que leur commerce est prohibé et je dois vous avouer que, jusqu'à présent, on ne m'a montré que des fantaisies.

— En y mettant le prix, je peux vous proposer une dent de saint Jean-Baptiste ou un voile de la Vierge Marie, chuchota Fornari en se penchant vers lui.

— Authentiques ? sourit Le Maçon. Je veux des preuves et dois vous prévenir que je lis le grec et l'hébraïque.

— Les véritables reliques sont rares et chères, mon ami, mais vous pouvez toujours passer à la boutique de mon frère Alessandro, devant la cathédrale. J'habite au-dessus et j'y suis en soirée, répliqua l'autre, évasivement.

Le Maçon se renseigna sur Fornari et apprit qu'il s'agissait d'un Ligure enrichi par le recel et la vente de reliques. Avec sa nef, il faisait régulièrement le voyage entre Gênes, Marseille, Acre et Chypre et bénéficiait d'une bonne réputation comme marin. Son frère, Alessandro, possédait une petite boutique, bric-à-brac d'objets précieux où chevaliers et prélats venaient s'approvisionner avant de rentrer en Europe. On y trouvait, dans des châsses splendides, toutes sortes d'ossements de disciples ou de proches de Jésus, et même quelques pièces rares comme des dents, des cheveux et des poils de membres de la sainte famille. La plupart de ces pièces se révélaient fausses, évidemment, mais toutes possédaient les documents assurant leur authenticité. Cela suffisait pour qu'elles deviennent une source de bénéfices pour les monastères les possédant.

Malgré l'interdiction de vente de reliques, surtout de morceaux de corps des saints, des apôtres ou de la sainte famille, nulle autorité n'inquiétait les Fornari tant les deux frères savaient être généreux, que ce soit avec la ville de Gênes, l'évêque d'Acre ou l'archevêque d'Antioche auxquels ils offraient souvent de précieux objets.

Quelques jours plus tard, Le Maçon se rendit chez eux, une petite maison édifiée au fond d'une galerie voûtée, entre une tour crénelée et une chapelle, non loin de la cathédrale. Dans ce passage, plusieurs boutiques vendaient des ampoules d'eau bénite destinées aux pèlerins.

Les Génois montrèrent au clerc leurs deux plus belles pièces : la fameuse dent de lait de saint Jean-Baptiste et le prétendu voile de la Vierge. Les sceaux qui accompagnaient l'étoffe étaient faux mais Alexandre jugea ceux accompagnant la dent, ainsi que le papyrus décrivant l'origine de la relique, véridiques. Il décida donc de l'acheter.

Fornari en voulait trois cents florins. Le Maçon proposa dix fois moins et ils convinrent de se revoir dans quelques jours afin d'en discuter à nouveau, Dodeo partant pour Tyr le lendemain.

À tout moment, l'ancien clerc de Fontevrault s'attendait à apprendre l'arrivée des templiers venus de Tripoli. Aussi commençait-il à trouver le temps long quand, un matin, il apprit une incroyable nouvelle : dans la nuit, une troupe de Sarrasins d'une audace inouïe avait déposé, à quelques centaines de pieds de la porte Saint-Antoine, douze têtes humaines. Parmi elles, le grand maître de la Voûte d'Acre avait reconnu, avec horreur, celles de jeunes chevaliers de la commanderie de Tripoli.

Se pouvait-il que ce fût ceux chargés d'apporter la relique ?

Fou d'inquiétude, Le Maçon se précipita au château de Fer où, après une longue attente, il fut reçu par le grand maître. Celui-ci lui confirma que l'une des têtes était celle d'Arnaud de Moncontour, un templier de Tripoli de ses connaissances.

Le grand maître ne disposait pas d'autres informations et il avait envoyé des patrouilles autour de la ville, tout comme le sénéchal du palais royal.

— Croyez-vous qu'il s'agissait de ceux transportant la relique ?

— Je le crains. J'ai envoyé un pigeon à Tripoli. J'aurai une réponse demain.

Le silence tomba entre eux. Le Maçon songeait qu'il aurait mieux valu se rendre en personne à Tripoli ; mais l'eût-il fait, c'est sa tête qui aurait été rapportée par les Sarrasins.

— Imaginons que les infidèles aient la relique, que peuvent-ils en faire ?

— S'ils se rendent compte de sa valeur, ils la vendront.

— À qui ?

Le commandeur eut un geste vague de la main.

— Il existe toutes sortes d'intermédiaires. Si c'est le cas, nous l'apprendrons et pourrons peut-être la racheter. Seulement son prix aura augmenté...

— Je comprends... Mais cela peut prendre des semaines, s'inquiéta Le Maçon.

— Ou des mois, tant rien ne presse en Orient !

Ils se séparèrent sur cette inquiétante conclusion.

En revenant à l'auberge, Le Maçon décida qu'il retrouverait lui-même le suaire. Après quelques jours, il avait compris qu'Acre n'était pas seulement la capitale du royaume de Jérusalem, mais aussi celle de tous les trafics, surtout avec les musulmans. Or, il connaissait maintenant quelqu'un susceptible de l'aider : le Génois Fornari.

Il se rendit à la boutique d'Alessandro. L'étal de pierre de l'échoppe était vide, mais, à l'intérieur, on apercevait des pièces d'orfèvrerie et des rouleaux de parchemins soigneusement rangés dans des casiers. Alessandro en lisait un avec attention.

— Puis-je vous parler, maître orfèvre ?

Le Génois le considéra un instant avant d'ouvrir la porte ogivale située sur le côté de l'étal.

— Avez-vous pris votre décision ? demanda ce dernier, pensant que son visiteur venait pour la dent.

— Votre frère est-il rentré de Tyr ?

— Il sera de retour ce soir.

— Savez-vous que des Sarrasins s'en sont pris aux Templiers ?

— On ne parle que de ça en ville, mon ami !

— Les templiers apportaient l'objet que j'attendais. Maintenant, ce sont les Sarrasins qui le possèdent.

— C'est malheureux, mais il est perdu pour vous.

— Pourrait-on entrer en relation avec eux ?

— J'en doute ! Il s'agit de pillards, ou de fous qui veulent rompre la trêve. Il ne peut y avoir de dialogue avec ces gens-là.

— Je serai ce soir à l'auberge Sainte-Croix. Si votre frère venait me voir pour en parler, je lui en serais reconnaissant.

— Je le ferai, promit l'orfèvre, en haussant les épaules, sachant que cela ne servirait à rien.

# Chapitre 9

**T**homas détalait comme un forcené sur le sentier descendant vers la plaine. Les branches le fouettaient, les épineux le griffaient, ses poumons le brûlaient, souvent il chutait et se blessait, mais il ignorait la souffrance. Il savait trop ce que les Sarrasins lui infligeraient s'ils le rattrapaient.

Finalement, n'y tenant plus, il s'écroula sous un arbre, près d'un torrent dans lequel il se désaltéra longuement.

Le calme paraissait revenu dans la forêt. Les oiseaux gazouillaient joyeusement, comme s'ils n'avaient rien vu du massacre. Thomas tendit l'oreille avec attention, mais n'entendit aucun bruit de cavalcade. Il se rassura peu à peu.

Le crépuscule approchait. Il devait trouver un abri. Même si les musulmans ne le poursuivaient pas, les hyènes le découvriraient. Et il ne possédait que son épée et ses couteaux pour se défendre.

Il se releva et repartit après avoir glissé la pochette de cuir sous sa cuirasse. Ramassant quelques oranges en chemin, il longea le torrent jusqu'à ce que celui-ci pénètre dans une gorge. Il parvint alors à dénicher un creux de rocher accueillant, à deux toises du sol, où il s'installa pour la nuit.

Son ventre criant de malefaim, il mangea ses fruits puis décida d'examiner le contenu de la pochette. Faisant environ un pied de long sur un autre de large, elle ressemblait à un coussin plat. Souple, elle semblait contenir une pièce d'étoffe.

Soulevant un rabat, il l'ouvrit. Effectivement se trouvait à l'intérieur un grand linge de lin tissé en chevrons, soigneusement plié et taché à plusieurs endroits. Il le sortit et entreprit de le déplier. Il ne disposait pas de beaucoup de place et recourut donc à maintes précautions afin de ne pas accrocher le tissu aux plantes ou aux rochers.

Large de trois pieds et long de plus de deux toises, le tissu était le linceul d'un corps humain maculé de sang. On reconnaissait distinctement les traces d'un corps et d'un visage. Le cœur battant, Thomas s'attarda sur le visage, barbu, à la longue chevelure ondulée. Celui qui avait été enveloppé dans le drap portait une expression de calme, de sérénité, mais c'était celle de la mort. En l'examinant longuement, le templier découvrit sur le front dessiné des coulées de sang jaillissant d'entailles circulaires qui semblaient avoir été provoquées par des piquants acérés. Le souffle court, il replia avec respect cette partie du linge et examina le reste du tissu. Comme il s'y attendait, il découvrit des marques sur les poignets, puis la trace d'une plaie sur la poitrine. Il sut alors qu'il ne s'était pas trompé : ce linceul était celui d'un homme crucifié dont on avait percé le flanc avec une lance et qui avait été coiffé d'une couronne d'épines.

Il avait sous les yeux le corps et le visage de Notre-Seigneur Jésus-Christ qui, par un incroyable miracle, avait laissé son empreinte divine sur ce linceul !

Joignant les mains, le sergent templier se mit à prier et à sangloter, remerciant Dieu de l'avoir choisi pour sauver la plus précieuse relique, qui puisse jamais exister.

Il comprit que Dieu approuvait ainsi son choix de quitter le Temple. Avec la bourse d'Arnaud de Moncontour, il lui avait même offert les moyens de regagner les terres chrétiennes. Dieu ne voulait pas que le saint linceul reste à Acre, dans un pays d'infidèles, mais qu'il soit honoré dans une abbaye de terre chrétienne.

Il comprenait d'ailleurs ce choix. Saint-Jean-d'Acre n'était-elle pas une nouvelle Gomorrhe ? Il savait ce qu'on en disait :

*Dans la ville était tant laidure,*
*Et tant péché et tant luxure*
*Que prudhommes honte avaient*
*De ce que les autres faisaient.*

Il respecterait donc la décision de Dieu.

En repliant le linge, il découvrit sur le revers plusieurs médailles de plomb et de cire qu'il ne put identifier mais qui paraissaient fort anciennes. Il y avait aussi un morceau de parchemin et un papyrus cousu. Il le lut avec difficulté mais reconnut les lettres IN NECEM[1] et surtout le mot grec ΝΑΖΑΡΕΝΟΣ dont il savait qu'il signifiait : le Nazaréen. Enfin il découvrit un sceau avec les lettres SB, celles de Baudouin, le premier roi de Jérusalem.

Toutes ces pièces authentifiaient la relique, pour autant qu'elle en ait eu besoin, car il ne pouvait y avoir aucun doute.

Le cœur en émoi, il rangea le saint suaire, le replaça dans la sacoche qu'il dissimula sur son corps et se remit à prier. Il resta ainsi une grande partie de la nuit.

Le lendemain, il gagna la plaine. Il aurait pu se rendre à Tyr, toute proche, mais il préféra poursuivre jusqu'à Acre où il trouverait plus facilement une nef. Il marcha toute la journée, souffrant de la soif, de la faim, des blessures provoquées par les hautes herbes coupantes et surtout des piqûres de tarentes, ces

---

1. Tu iras à la mort.

insectes qui faisaient enfler le corps, provoquant d'insupportables douleurs.

Thomas entra dans Acre par la porte Saint-Antoine, huit jours après avoir quitté Tripoli. Revêtu de sa cuirasse d'anneaux de fer à même sa chemise de coton, il avait abandonné dans la forêt son surcot brun de templier. Passant après un berger suivi de son troupeau de chèvres, il expliqua au sergent de garde de l'entrée qu'il avait perdu son cheval en venant de Tyr, la pauvre bête ayant été mordue par un serpent. Thomas était blond aux yeux clairs, les sentinelles n'envisageaient donc pas qu'il puisse être un Sarrasin et ne l'interrogèrent pas plus.

Sans hésiter – il connaissait la ville –, il longea le château royal et se dirigea vers le port par les ruelles du quartier des Teutoniques. Dans l'une, où des bouchers exposaient leur viande couverte de mouches, il aperçut des bassins suspendus, enseigne d'un barbier. Il s'y arrêta pour faire panser les douloureuses écorchures dues à sa chute dans les rocailles et raccourcir sa barbe. Bien que personne ne puisse l'identifier à Acre, sinon les templiers de la Voûte, mieux valait changer de physionomie, pensa-t-il.

Arrivé sur le port, il rechercha une nef s'apprêtant à partir, mais les seuls navires sur le point de lever l'ancre étaient des galères à destination de Chypre, ce qui ne lui convenait pas.

Il découvrit pourtant, à l'extrémité du quai, une petite nef génoise dans laquelle on chargeait des ballots de soie, signe d'un départ prochain. Il se renseigna. Le nave partait pour Gênes et appartenait à Dodeo Fornari. Un nom qu'il connaissait. Ce capitaine, venu à Tripoli, lui avait adressé la parole un jour où il assurait la garde d'un transport de marchandises.

Thomas hésita un moment. Fornari se souviendrait-il de lui ? Cela lui parut invraisemblable, aussi décida-t-il, finalement, de monter à bord où on le conduisit à l'écrivain qui se trouvait dans l'entrepont.

Ce dernier lui confirma que le départ aurait lieu dans trois jours. Thomas paya le prix réclamé et l'écrivain lui remit une planchette indiquant l'emplacement qu'il occuperait sur le bateau. L'ancien templier lui demanda ensuite s'il connaissait une hôtellerie convenable. L'autre lui conseilla l'auberge Sainte-Croix. Grande, propre, on y trouvait toujours de la place et elle était tenue par un Génois comme lui, quelqu'un de forcément honnête.

Le templier fugitif s'y rendit. À aucun moment il n'avait remarqué Dodeo Fornari l'observant depuis le château arrière.

Le Génois venait de rentrer de Tyr en sagette[1]. Il s'était immédiatement rendu sur son navire afin de régler quelques affaires avant son départ. À cette occasion, il avait appris le massacre des templiers, ce qui l'avait inquiété car, comme négociant, il appréciait la paix. Ensuite, il était monté sur le château arrière pour inspecter les treuils des ancres. C'est de là qu'il vit un homme d'armes barbu arriver à bord.

Cette silhouette, il la connaissait. Il suivit du regard le nouveau venu qui interrogeait les marins, puis l'écrivain du bord. Il s'attarda sur ses mains, larges, noueuses, velues. La broigne et l'épée étaient quelconques. L'homme était blond et n'avait pas de casque, mais de nombreuses griffures sur son visage à la barbe courte. Dodeo Fornari s'efforça d'écouter ce qu'il disait et, peu à peu, aux sons rauques de la voix

---

1. Petite barque rapide.

qui s'exprimait en langue d'oc, le souvenir lui revint. À un moment, l'homme d'armes leva les yeux vers une mouette et le Génois reconnut ses yeux bleus.

C'était un sergent du Temple. Fornari se souvint l'avoir croisé à Tripoli, quelques mois plus tôt, alors qu'il surveillait l'embarquement d'une cargaison. Ils avaient même parlé ensemble un moment. Que faisait-il ici, sans le manteau et la robe de l'Ordre ? Se trouvait-il en mission, ou avait-il abandonné les Pauvres Chevaliers du Christ ? Fornari n'ignorait pas que les désertions n'étaient pas rares dans l'Ordre.

Il en était là de ses réflexions quand apparut son frère Alessandro. Il cessa dès lors de s'intéresser au templier.

L'auberge disposait d'un vaste dortoir au premier étage où les clients couchaient par huit, dans de grands lits. Mais Thomas, riche de la bourse d'Arnaud de Moncontour, obtint une pièce sous les combles où il serait seul. Il brûlait d'envie de regarder à nouveau le visage de Jésus.

C'est lors du souper à la longue table qu'il apprit la nouvelle. On ne parlait que de ça ! La veille, dans la nuit, une troupe de Sarrasins d'une audace inouïe avait déposé douze têtes humaines à quelques centaines de pieds de la porte Saint-Antoine. Parmi elles, le grand maître de la Voûte d'Acre avait reconnu plusieurs chevaliers du Temple, dont Arnaud de Moncontour.

Thomas murmura une prière pour ses malheureux compagnons, s'interrogeant sur le devenir des autres, puisqu'ils étaient vingt. Soit ils avaient eu le crâne fracassé par les masses d'armes sarrasines, soit on les avait faits prisonniers.

# Chapitre 10

près avoir discuté avec son frère, Dodeo Fornari se rendit à l'auberge Sainte-Croix pour rencontrer Le Maçon.

Dans la salle, il aperçut d'abord le sergent templier qui soupait, puis vit l'homme d'Aliénor. Il s'apprêtait à s'attabler avec lui quand ce dernier lui proposa de monter dans sa chambre, un petit bouge situé à côté de la pièce occupée par ses hommes d'armes.

Assis sur son lit et, ayant laissé une escabelle au Génois, le clerc de Fontevrault exprima ses inquiétudes.

— Les templiers tués apportaient le précieux livre du roi Richard que j'attendais, fit-il.

— Mon frère me l'a dit.

— Vous avez une grande expérience de ce pays, maître Fornari. Connaîtriez-vous un moyen d'approcher ces pillards ? Je suis prêt à y mettre le prix.

Le Génois secoua la tête.

— Sincèrement, mon ami, si les Sarrasins ont votre livre, vous ne le reverrez pas. Peut-être même l'ont-ils brûlé.

Comme Le Maçon grimaçait, il ajouta cependant, en plissant les yeux :

— Mais l'ont-ils ?

— Que voulez-vous dire ?

— Je me demande si un templier n'aurait pas échappé au massacre.

— Comment pouvez-vous imaginer cela ?

— Tout à l'heure, j'ai reconnu un templier de Tripoli en ville. Un sergent d'armes.

— S'il faisait partie de l'escorte que j'attendais, il se serait rendu à la Voûte d'Acre et le grand maître m'aurait averti.

— Ce sergent-là vient d'arriver en ville et ne porte pas la robe du Temple. Il est tailladé d'écorchures et s'est fait raccourcir la barbe, comme pour ne point être reconnu. L'idée m'est venue qu'il aurait pu échapper aux Sarrasins et cherche à se cacher. Peut-être parce qu'il possède votre livre et veut le vendre, connaissant sa valeur.

— Montrez-le-moi, je vais l'interroger, décida Le Maçon riche d'un nouvel espoir.

— Oubliez-vous que je suis marchand ? s'enquit le Génois avec un air matois.

— Combien ? demanda le clerc, comprenant où le marin voulait en venir.

— Cinquante florins d'or.

— Quoi ? Et si vous vous trompez ? Même s'il s'agit d'un templier de Tripoli déserteur, rien ne dit qu'il appartenait à la troupe amenant mon livre !

— C'est un pari ! plaisanta Fornari. Comme marchand et capitaine, j'en fais à chaque voyage, car j'ignore toujours si ma cargaison parviendra à bon port.

Le Maçon se leva, le visage fermé.

— Je vous remercie quand même, capitaine Fornari.

— Je pars dans trois jours, lui rappela le Génois, se levant à son tour. Serez-vous à bord ?

— Je ne sais… Je ne crois pas.

— Je vous le répète, n'ayez aucun espoir de retrouver votre livre, sauf en faisant affaire avec moi. De plus, cet homme embarque sur ma nef.

— Avec vous ?

122

— Oui, s'il possède votre livre, vous resterez à Acre pour rien.

— Pensez-vous sincèrement qu'il le détienne ?

— Je ne sais pas, mais si c'était moi, je gagnerais la France ou l'Angleterre afin de le vendre au meilleur prix.

Le Maçon soupira.

— Me laissez-vous deux jours ?

— Pour quoi faire ?

— Le grand maître de la Voûte d'Acre peut envoyer un pigeon à Tripoli pour savoir combien d'hommes se trouvaient dans l'escorte. S'ils étaient plus de douze, je vous donnerai vos florins.

— Entendu. Demandez aussi leurs noms, je connais celui de mon passager et vous vérifierez ainsi s'il était dans la troupe. Voyez-vous, je suis loyal avec vous. Mais que ferez-vous si j'ai raison ?

— Mes gens le saisiront et prendront le livre.

— Il porte juste une besace bien plate. Il peut avoir caché ce que vous recherchez, et rien ne dit qu'il vous révélera ce qu'il sait. Les Templiers sont des gens endurcis. De plus...

— Quoi d'autre ?

— De quelque façon que je l'examine, je trouve cette affaire déroutante. Aussi, je m'interroge : et si cet homme était en mission, lui aussi, pour le Temple de Tripoli ?

Devant l'expression ahurie de l'ancien clerc, Dodeo Fornari balança de la tête avec la mimique de celui qui sait beaucoup de choses mais ne souhaite pas les révéler.

— Vous semblez ignorer ce qu'est l'ordre des Pauvres Chevaliers du Christ. Ils n'ont de pauvre que le nom ! Des courants antagonistes le traversent et les cabales qui s'y nouent sont nombreuses. Avez-vous imaginé que ces pillards auraient pu attendre ceux qui vous apportaient ce livre ? D'ailleurs, est-ce vraiment un livre ? J'ai seulement vos affirmations pour le croire.

Observant le froncement de sourcils de l'ancien clerc, le Génois ajouta chaleureusement :

— Rassurez-vous, je ne cherche pas à me mêler de vos affaires. Pas plus que de celles du Temple. Ils sont trop puissants.

Le Maçon se sentait désorienté. Certains templiers chercheraient-ils à s'approprier la relique ? Il n'y avait pas songé, mais pourquoi pas ?

— Que me conseillez-vous ?

— D'être plus habile qu'eux. Essayez d'entrer en confiance avec ce voyageur. Ou mieux, envoyez quelqu'un pour le sonder. Pourquoi pas une femme qui le séduirait ? Ces moines font vœu de chasteté mais ne peuvent refréner trop longtemps leurs désirs. Quant aux bagasses, elles sont nombreuses, ici, et plus d'une vous rendra service pour une pièce d'argent.

Le Maçon resta silencieux en se tripotant le lobe de l'oreille gauche. Il avait besoin de connaître l'identité du templier, et cela sans attendre. Et après tout, ces cinquante florins ne venaient pas de sa bourse.

— Vous me semblez de bon conseil, dit-il enfin. Je vous fais confiance et vous porterai vos florins.

— Je vous attends dans la salle. Votre homme s'y trouve et il passera les trois prochains jours dans l'auberge. Sitôt que vous m'aurez remis la somme, je vous le désignerai, décida le Génois qui comprenait que son interlocuteur ne voulait pas montrer où il dissimulait sa fortune dans sa chambre.

» Et pour la dent de saint Jean-Baptiste ? ajouta-t-il.

— Je la prends aussi, pour cinquante autres pièces. Je viendrai chez votre frère la chercher ce soir.

— Entendu, mais pas pour cinquante pièces. Nous étions convenus de cent, non ?

En bas, Le Maçon remit cinquante florins à Dodeo Fornari qui lui désigna Thomas, lequel mangeait à une table, ignorant ses voisins. Le clerc de Fontevrault l'observa discrètement mais rien n'indiquait qu'il s'agît d'un moine templier. Il en fut contrarié. Et si Fornari cherchait à le rouler ?

À un moment, il vit le supposé templier faire signe à une servante pour avoir du vin. Celle-ci lui apporta un pot avec un gentil sourire. L'ancien clerc la connaissait. Ses hommes avaient essayé de s'escambiller avec elle, lui aussi d'ailleurs, car toutes les servantes de l'auberge étaient des puterelles. Mais elle seule avait refusé. Et comme l'aubergiste semblait la protéger et n'aurait pas toléré qu'ils la forcent, personne n'avait insisté. Elle se nommait Flore.

Jugeant inutile de rester plus longtemps dans la salle, Le Maçon appela trois de ses hommes pour qu'ils l'escortent jusqu'au château de Fer.

À la commanderie, ses gens restés dans la cour, on l'introduisit dans la salle voûtée où il avait déjà été reçu. Il patienta près de quatre heures. Enfin, le commandeur Étienne de Mortagne entra. Il ne cachait pas son exaspération :

— Dieu vous garde, seigneur Le Maçon, fit-il avec brusquerie, mais je n'ai aucune nouvelle fraîche depuis hier !

— Ce n'est pas pour cela que je suis venu, noble commandeur, je voulais vous poser une question.

— Laquelle ?

— Si vous aviez commandé cette escorte, qu'auriez-vous fait au moment de l'attaque ?

— Je me serais battu jusqu'à la mort, comme le noble et valeureux Arnaud de Moncontour.

— C'est tout ? Vous n'auriez pas cherché à sauver la relique ?

— En effet, sans doute... reconnut le templier avec embarras.

— Comment auriez-vous agi, alors ?

Mortagne réfléchit un instant avant de dire :

— J'aurais confié l'objet saint à un de mes chevaliers ou à un sergent.

— C'est ce que je me suis dit. Imaginons donc que le sire de Moncontour l'ait fait, peut-être la relique ne se trouve-t-elle pas aux mains des Sarrasins.

— Mais où serait cet homme ?

— Caché quelque part, blessé ou peut-être mort.

— Possible. Mais cette discussion nous avance à quoi ?

— À connaître la vérité. On m'a rapporté que les Sarrasins ont laissé douze têtes, combien y avait-il d'hommes dans l'escorte ?

— Je l'ignore. Douze, sans doute.

— Envoyez un pigeon à Tripoli le vérifier.

— Ce n'est pas possible. Moncontour aurait dû nous apporter d'autres pigeons. Je n'en ai presque plus et je ne tiens pas à les gaspiller.

— Je peux payer un tel courrier.

Le commandeur se sentait ébranlé par la suggestion de son visiteur. Et s'il avait raison ? De plus, quelques besants n'étaient pas à rejeter.

— Ce sera cent besants d'or.

— Cent ! s'exclama l'ancien clerc, effaré.

L'autre approuva du chef.

— C'est d'accord ! grimaça pourtant Le Maçon, qui avait apporté sa bourse. Mais pour ce prix, je veux les noms de tous les membres de l'escorte. D'ailleurs, les avez-vous identifiés ?

Le Maçon revint à l'auberge satisfait, mais la bourse plate. La salle était pleine à craquer, car l'heure du souper approchait. Il s'installa près de ses hommes et mangea de bon appétit, sans se mêler pourtant aux discussions. Tout le dîner, il resta à observer le nommé Thomas. C'était encore Flore qui le servait.

Il ne cessait de penser à ce que lui avait dit le Génois.

Il rejoignit la servante dans la cour de l'auberge où se trouvait le puits.

— Dame Flore, je veux vous parler.

— Je vous ai déjà dit non, seigneur, répliqua-t-elle sèchement.

— Ce n'est pas pour ce que vous croyez. Ne voulez-vous pas au moins m'écouter ?

— Je crois bien que je vous écoute ! fit-elle, les mains sur les hanches, dans une posture agressive. Mais pas longtemps, je dois porter de l'eau.

— Je viens de l'abbaye de Fontevrault. J'y ai été clerc avant d'être écuyer, dit-il afin de la mettre en confiance. Au ton de votre voix, je crois que vous-même n'êtes pas d'ici.

— Je suis de Tiron, en effet.

Bernard de Ponthieu, compagnon de Robert d'Arbrissel, avait fondé l'abbaye de Tiron. Le fait que son interlocuteur soit de Fontevrault la rassura. Le Maçon s'en rendit compte.

— Pourquoi être venue à Acre ? s'enquit-il.

Elle se radoucit, voyant qu'il s'intéressait à elle.

— Mon mari était serf à l'abbaye de Tiron. On lui proposait d'être affranchi s'il devenait un homme d'armes. Son maître et lui ont été navrés dans un guet-apens, il y a neuf mois. Que le Seigneur protège leurs âmes, dit-elle en se signant.

— Vous n'avez pas voulu revenir à Tiron ?

— Avec quel argent ? Je ne possède rien ! répondit-elle, les larmes aux yeux.

— Je pars dans trois jours pour Marseille, je peux vous offrir le voyage de retour.

Elle parut interloquée un instant avant d'éclater de rire.

— Et vous pensez que je vais croire cette sornette ? Quand vous aurez eu ce que vous voulez, vous me laisserez ! Je sais que je ne suis belle qu'à la chandelle !

— Je ne vous approcherai pas. Je veux seulement conclure un marché avec vous.

Cette fois, elle parut intéressée.

— Je vous offre le voyage. Vous quitterez Acre dans trois jours, et je vous donnerai une pièce d'or pour gagner Tiron... En échange...

— En échange...

— Je veux que vous gagniez la confiance d'un homme qui sera sur la nef.

— Comment ça ?

— Vous ferez comme vous voulez. Je veux que vous fouilliez ses affaires, et que vous le voyiez nu. Je veux savoir ce qu'il transporte et ce qu'il a sur lui.

— Pourquoi ?

— Cela me regarde.

— Pourquoi nu ?

— Il peut garder quelque document à même sa peau. Et s'il a une sacoche ou une besace, je veux connaître son contenu.

— Pourquoi pensez-vous que je puisse y parvenir ?

— Vous connaissez cet homme. Il s'intéresse à vous.

— Qui est-ce ?

— D'abord dites-moi si vous acceptez.

Elle réfléchit un instant avant d'acquiescer. Jamais ne se présenterait à nouveau pareille chance. Tant pis si elle devait se prostituer.

— J'accepte.

— C'est Thomas, celui que vous avez servi à table.

Comme elle ne disait rien, Le Maçon ajouta :

— Je vous fais une proposition honnête, dame Flore. J'ai confiance en vous, car vous êtes de Tiron. Mais si vous me trahissez, ou si vous échouez, je vous tuerai. Et auparavant, je vous livrerai à mes hommes.

Elle devint livide en le voyant s'éloigner.

Après avoir quitté la maison louée aux Hospitaliers, Flore avait d'abord vécu dans un bouge, partageant sa paillasse avec Shahrzad. Les deux femmes vivaient chichement, cherchant vainement à travailler comme servantes dans une maison ou à faire des travaux de couture. C'est qu'à Acre les esclaves sarrasines et les veuves d'hommes d'armes ne manquaient pas.

Les pièces d'argent furent rapidement dépensées. Il ne leur restait que quelques monnaies de cuivre quand, un jour, Shahrzad disparut. On retrouva son corps le lendemain. Elle s'était jetée du haut de la tour du Patriarche[1], sur les rochers bordant la mer.

Quelques jours plus tard, le clerc de Payen de Rougemont était venu voir Flore et l'avait trouvée désespérée. Il faisait cette visite tous les mois, lui portant un peu de nourriture ou quelques oboles. Cette fois, il lui annonça que Jeanne, la femme dont le mari avait été tué dans le même engagement que Foulques, était malade. Flore s'était aussitôt rendue à l'auberge.

Dans son bouge, Jeanne l'avait d'abord mal reçue, croyant qu'elle voulait prendre sa place, mais découvrant que Flore venait seulement pour la soulager et la consoler, elle avait fini par attendre ses visites avec impatience. Les deux femmes parlaient de Tiron, de la vie dure qu'elles menaient alors, et du bonheur qu'elles avaient perdu.

Jeanne s'était finalement éteinte et Flore songeait à rejoindre Shahrzad en se jetant à son tour dans la mer quand l'aubergiste de Sainte-Croix la fit quérir.

Ce Génois était un homme dur qui ne s'embarrassait pas d'affections inutiles, mais il était croyant et craignait Dieu. Il avait jugé le comportement de Flore charitable et décidé d'agir de même, espérant que le

---

1. Cette tour d'enceinte se situait en bordure de mer.

Seigneur lui en saurait gré. Il lui avait donc proposé la place de la veuve.

Flore avait accepté à la condition de garder sa vertu et le cabaretier s'était engagé à punir lui-même celui qui oserait lui manquer de respect.

Le surlendemain, un servant du Temple vint à l'auberge de la Sainte-Croix. Il cherchait l'écuyer Le Maçon.

Quand il l'eut trouvé, il lui remit un papyrus avec vingt noms. L'un d'eux était Thomas.

Ce même jour, Ali-i Sabbah, devenu le chevalier Marc de Saint-Jean, entrait dans Acre. Il se rendit immédiatement sur le port pour savoir si une nef partait vers les pays chrétiens. On lui désigna celle de Dodeo Fornari. Un marin génois réputé.

Elle levait l'ancre le lendemain.

# Chapitre 11

*21 juillet 1202*

Le dîner se tenait chez le viguier de Marseille, Hugues de Fer.

À quelques pas de l'église des Accoules, la forteresse du viguier se composait d'une tour carrée à mâchicoulis, dont les seules ouvertures étaient des archères, et d'un corps de logis construit sur des arcades. C'est au premier étage du second bâtiment que se trouvait la grande salle où le viguier rendait la justice et la mesnie prenait ses repas : une longue pièce à trois travées en arcs d'ogives, soutenues par des piliers massifs, et pavée de grandes dalles jonchées de paille. Perpétuellement sombre, malgré d'étroites fenêtres géminées à colonnettes, elle était aussi continuellement enfumée par des flambeaux et des chandelles de suif.

L'ameublement se limitait à de grands bancs à dossier, aux sièges formant coffres, et à la haute chaise du viguier. Un mur était orné d'une tapisserie, les autres supportaient épées, haches, piques, fléaux, arbalètes, écus et rondaches[1]. Des armes que l'on pouvait saisir rapidement en cas de besoin.

Le long de la grande table dressée sur ses tréteaux, de part et d'autre du viguier, se tenaient son épouse et

---

1. Petit bouclier circulaire.

Anna Maria, la comtesse de Huntington, elle-même près de son mari Robert de Locksley. De l'autre côté, se trouvaient le chevalier troubadour Guilhem d'Ussel et Constance Mont Laurier, une des plus riches négociantes de la ville. Ensuite, étaient assis Bartolomeo – le frère d'Anna Maria –, puis le drapier et consul Guillaume Vivaud et son ami le juif Samuel Botin.

Ce repas marquait les retrouvailles de vieux amis.

Quatre années auparavant, le viguier avait réuni Guilhem, Anna Maria, Bartolomeo et le comte de Huntington pour libérer le vicomte de Marseille, enlevé par le seigneur des Baux[1]. Anna Maria et Bartolomeo étaient deux jongleurs, enfants naturels du cardinal Ubaldi, mais aussi, secrètement, des envoyés du Saint-Père Innocent III chargés de proposer au vicomte l'achat de ses droits féodaux sur la ville.

Seulement en acceptant la mission du viguier, Anna Maria et Bartolomeo avaient été considérés comme des félons par le Saint-Père, d'autant plus que Bartolomeo était devenu l'écuyer de Guilhem d'Ussel tandis qu'Anna Maria épousait Robert de Locksley – le comte de Huntington – fou d'amour pour elle.

Huntington, chevalier saxon dans une Angleterre conquise par les Normands, avait été dépouillé de ses biens par Jean sans Terre. Il était alors devenu Robin au capuchon, Robin Hood, un rebelle et un voleur. Cependant, ayant soutenu le roi Richard Cœur de Lion dans sa lutte contre son frère Jean, il avait retrouvé ses titres et ses biens. Puis, sa femme, Marianne, étant morte, il avait pris la croix et c'est en revenant de Terre sainte qu'il avait rencontré Anna Maria à Marseille. Après la mort du roi Richard à Châlus, il avait de nouveau été proscrit par Jean, désormais roi d'Angleterre, pour finalement devenir l'homme lige du roi de France Philippe Auguste, dont il avait sauvé la vie[2].

---

1. *Marseille, 1198*, du même auteur.
2. *Paris, 1199*, du même auteur.

Quant à Guilhem d'Ussel, ses parents étaient ouvriers du père de Constance Mont Laurier, le propriétaire d'une des plus riches tanneries de Marseille. À leur mort, Guilhem s'était enfui après avoir tué un tanneur qui martyrisait sa mère. À treize ans, sur les chemins, il avait volé, massacré, meurtri pour survivre. Il avait appris le métier des armes dans des compagnies de routiers avant d'entrer au service du sinistre Mercadier, le capitaine mercenaire de Richard Cœur de Lion. Ce dernier l'avait adoubé chevalier pour ses exploits, mais Guilhem l'avait quitté, n'acceptant plus la violence gratuite de celui qu'on surnommait l'ennemi du genre humain[1].

Il avait rejoint le crapuleux Lambert de Cadoc, homme de main de Philippe Auguste, puis le comte de Toulouse qui s'inquiétait des prétentions anglaises sur ses domaines. À la mort du comte, Guilhem d'Ussel était resté au service de son fils qui avait épousé la sœur du roi d'Angleterre. Très vite, Raymond de Saint-Gilles, le nouveau comte, avait pris l'ancien routier comme conseiller et capitaine. C'est lui qui l'avait envoyé en Provence pour se renseigner sur les projets des seigneurs des Baux.

À Marseille, Guilhem avait retrouvé Constance Mont Laurier qui était devenue sa maîtresse. S'il était parvenu à délivrer le vicomte de Marseille, avec Robert de Locksley, Anna Maria, Bartolomeo et le viguier Hugues de Fer, il avait aussi découvert qui avait violé et assassiné la sœur de Constance. Dès lors, il aurait pu épouser la riche négociante, mais il ne l'avait pas fait ; Constance, femme féroce et implacable, lui rappelait trop la vie qu'il avait connue.

Car Guilhem avait changé. Au contact des troubadours et des cours d'amour toulousaines, il avait dompté sa violence et son insolence. Il s'était aussi découvert des dons de musicien et de poète, jouant

---

1. *De taille et d'estoc*, du même auteur.

avec talent de la vielle à roue en chantant des chansons de *fin'amor* qu'il composait avec talent.

Pour récompenser sa loyauté, le comte de Toulouse lui avait confié le fief de Lamaguère qu'il avait fait prospérer en gardant près de lui des artisans cathares, bannis de Paris pour crime d'hérésie. Guilhem avait même épousé une cathare, la jolie Sanceline, après une étrange quête où il avait découvert le Graal[1].

Quelques mois plus tôt, le pape Innocent III avait piégé Anna Maria et Bartolomeo en leur offrant la ville de Ninfa, dans le Latium, héritage de leur père, le cardinal Ubaldi. Le frère et la sœur avaient été faits prisonniers et Guilhem était venu à leur secours. À Rome, il avait retrouvé Constance Mont Laurier et son époux l'armateur Ratoneau qui avait perdu la vie dans l'aventure. Parvenu à délivrer ses amis, Guilhem était rentré d'Italie avec un riche butin[2].

Tous étaient arrivés la veille, le jour de la Sainte-Marguerite[3], dans la galère de Ratoneau. Avec eux, deux hommes d'armes de Guilhem les accompagnaient : Alaric et son neveu éloigné, Peyre.

À Marseille, Constance avait aussitôt prévenu ses associés de son retour. En effet, le profit de la vente des armes, une maigre somme, devait être partagé dans la commanda[4] faite entre elle, son mari, le consul Guillaume Vivaud et le juif Samuel Botin.

Pendant ce temps, Guilhem d'Ussel, Robert de Locksley, Anna Maria et son frère étaient allés rendre visite au viguier qui les avait tous invités pour le lendemain.

Pour ce dîner, Hugues de Fer avait revêtu une robe galonnée à manches serrées, avec un chaperon de laine. Il avait laissé son épée sur un coffre et se

---

1. *Montségur, 1201*, du même auteur.
2. *Rome, 1202*, du même auteur.
3. Le 20 juillet.
4. Association commerciale.

contentait d'une dague à sa ceinture à boucle d'argent. De petite taille, sombre de peau avec des cheveux frisés bruns et courts, Hugues de Fer gardait toujours un air sévère, même quand il souriait. Sa moustache noire, qui descendait jusqu'à son menton, renforçait cette impression de rigueur.

Son épouse arborait une robe de soie turquoise boutonnée par-devant, avec des manches également boutonnées. Le haut de sa gorge était dissimulé sous un voile. Un autre voile, festonné d'or, lui couvrait les cheveux. Elle parlait peu, toujours soumise à son mari.

Locksley portait sa cotte vert olive, en drap de Lincoln avec, par-dessus, une tunique blanche brodée du léopard d'Angleterre et de la croix rouge des croisés anglais. Un large baudrier à triple lanière soutenait sa grande épée de taille à double tranchant, une miséricorde et une escarcelle brodée d'argent. Sa femme, Anna Maria, d'une beauté plus insolente que jamais, avait revêtu sur sa robe turquoise un bliaud lacé sous les bras, avec des manches amples, fendues aux entournures. Robe et bliaud ne cachaient pas grand-chose de sa gorge opulente. Un simple ruban serrait sa chevelure flamboyante.

Vivaud avait gardé sa vêture habituelle : un hérigaud vert foncé sur une robe damassée verte, avec un bonnet de drap assorti. Samuel Botin était, comme toujours, en bonnet carré avec une tunique de laine à la couleur passée.

La veille, chez un tailleur, Bartolomeo s'était fait couper une tunique écarlate à manches amples qui mettait en valeur sa stature d'athlète. Cette couleur occultait son teint olivâtre, ses yeux sombres et ses cheveux noirs frisés comme ceux des mahométans. Sur la tunique, il avait passé une chasuble de soie sans manches, brodée d'une scène de chasse. À sa taille, un triple baudrier en peau de cerf à boucle d'argent auquel pendaient une courte épée et un couteau à trancher au manche incrusté de pierres précieuses qu'il s'était approprié chez le cardinal Colonna, lors du pillage de sa maison romaine.

Enfin, Constance Mont Laurier, qui voulait rivaliser de beauté et d'élégance avec Anna Maria, s'était vêtue d'une lourde robe rouge galonnée de fils d'or et d'argent sur laquelle elle avait passé un bliaud de soie bouton-d'or brodé d'un faucon tenant un lapin ensanglanté dans ses serres. Une tapisserie si saisissante de vie qu'elle donnait l'impression d'être réellement tachée de sang.

Les longs cheveux noirs de la négociante étaient rassemblés en deux tresses enroulées sur les tempes, mettant en valeur sa peau ivoirine. Sur ses larges hanches pendait une double ceinture d'argent à laquelle étaient attachés un petit couteau à longue lame et manche d'argent, des forces[1] par une chaînette et une escarcelle de soie.

Quant à Guilhem, il avait simplement gardé son gambison de cuir rouge avec ses heuses assorties et attaché à son baudrier à boucle de fer la belle épée à garde d'argent, surmontée d'un rubis, prise à Censius Frangipani[2].

Durant le dîner, Guilhem raconta les événements de Rome et la mort du mari de Constance, le consul et armateur Ratoneau, sans toutefois révéler la félonie de ce dernier. La faire connaître aurait entraîné des questions gênantes pour son épouse. Il termina en levant son verre pour boire joyeusement à la santé de ses amis.

---

1. Ciseaux.
2. *Rome, 1202*, du même auteur.

— Une fois de plus, le noble Guilhem m'a sauvée, intervint dame Mont Laurier avec émotion.

Elle savait gré à l'ancien routier de n'avoir rien révélé de sa liaison avec le cheikh Baghisain, l'ingénieur ayant conçu les balistes que Ratoneau voulait vendre à Rome, lequel, bien sûr, n'avait pas été invité.

— Votre aide a été déterminante, Constance, intervint poliment Anna Maria.

— Ce voyage n'aura pas été vain, assura Guillaume Vivaud. Dame Constance n'a certes pas vendu les balistes au prix qu'en espérait notre ami Ratoneau – paix à son âme – mais les cinq mille florins obtenus ne sont pas rien !

Le juif Botin approuva du chef.

On apporta des oranges que le viguier faisait venir de Palestine.

— Avez-vous trouvé les hommes d'armes que vous recherchiez, seigneur Ussel ? demanda-t-il quand chacun se fut servi.

— Malheureusement non. Ce matin, j'ai fait le tour des tavernes avec mon écuyer Alaric et son neveu, mais personne ne me convenait. Tous deux sont restés sur le port. Si une nef arrive de Terre sainte, il y aura peut-être quelque sergent, ou même un chevalier qui acceptera un engagement.

Guilhem et Robert de Locksley avaient rapporté un important butin. Or, ils devaient maintenant se séparer. Locksley rentrait à Paris avec Anna Maria, et Guilhem à Lamaguère avec Bartolomeo, son écuyer et son neveu.

C'est surtout Locksley qui avait besoin d'une escorte. Avant le dîner, il s'en était ouvert au viguier qui lui avait proposé deux de ses archers. Ceux-ci avaient accepté moyennant soixante sous de gage. Une forte somme, mais Hugues de Fer assurait de leur fidélité inébranlable. Malgré tout, Locksley jugeait que ces hommes d'armes ne seraient pas suffisants. Il lui

fallait un ou deux guerriers supplémentaires. Pourquoi pas des chevaliers gagnant Paris, la Flandre ou la
Normandie ? Quant à Guilhem, maintenant riche, il
souhaitait disposer de gardes plus nombreux pour son
château, en particulier de bons arbalétriers. Seulement, jusqu'à présent, il n'avait rencontré à Marseille
que des estropiats.

— Cher Guilhem, cher comte de Huntington, pour
ma part, je ne souhaite pas que vous trouviez trop vite
vos gens d'armes, car ainsi vous restez mes hôtes.
J'aurai tellement de peine à vous voir partir, ainsi que
vous, mes nobles amis Anna Maria et Bartolomeo,
déclara Constance en levant son verre.

— Nous resterions volontiers à Marseille, dame
Constance, intervint Locksley, mais mon maître le roi
de France a peut-être besoin de moi. Quand je suis
parti, il avait convoqué à sa cour le roi Jean pour qu'il
s'explique sur l'enlèvement d'Isabelle d'Angoulême et
sur la punition qu'il infligeait à Hugues de Lusignan,
à qui il avait volé sa future femme, en ravageant ses
terres. Philippe était persuadé que le Plantagenêt ne
viendrait pas se justifier et il s'apprêtait à lui reprendre
de force ses fiefs dans le royaume.

— La guerre a repris, noble seigneur ! Je viens de
l'apprendre ce matin même par un marchand qui arrivait de Lyon ! s'exclama Vivaud.

— Dieu tout-puissant ! Que savez-vous d'autre ?

Deux ans plus tôt, le 24 août 1200, le roi d'Angleterre, invité au mariage de la jeune Isabelle d'Angoulême avec Hugues de Lusignan, était tombé amoureux
de la fiancée et l'avait enlevée pour finalement l'épouser. Humiliés, les Lusignan avaient pris les armes,
soutenus par le vicomte de Limoges et le vicomte de
Thouars, qui venait d'épouser la duchesse douairière

de Bretagne, Constance, mère d'Arthur de Bretagne, le jeune neveu de Richard Cœur de Lion et de Jean[1]. Par représailles, le roi Jean avait ravagé leurs terres, aussi s'étaient-ils adressés à leur suzerain, le roi de France, afin d'obtenir justice.

Une affaire embarrassante pour Philippe Auguste qui venait de signer un traité de paix avec Jean. Incriminer le roi d'Angleterre, c'était le provoquer en invoquant une mauvaise raison, car Isabelle d'Angoulême était désormais reine. Mais le roi de France ne voulait pas s'aliéner la fidélité des barons de la Marche et du Limousin. De plus, ses conseillers le persuadaient que si Jean était condamné, l'Anjou, la Touraine et le Poitou se soulèveraient contre lui, tant il était détesté.

Le 28 avril 1202, Philippe Auguste avait finalement cité Jean, son vassal pour les domaines possédés dans le royaume de France, afin qu'il se justifie auprès de ses pairs.

— Vous n'ignoriez pas que le roi Jean tergiversait ? demanda Hugues de Fer.

— Non, il avait demandé des délais sous divers prétextes, mais je ne pensais pas que la guerre reprendrait si vite, répondit Locksley.

— Le roi de France a jugé que les explications de Jean se résumaient à des faux-fuyants pour lui éviter de se rendre à Paris. Conformément aux lois féodales, la cour des pairs du royaume de France l'a donc condamné pour forfaiture et la commise[2] de ses domaines dans le royaume a été prononcée, expliqua Hugues de Fer. Nous l'avons appris voici trois semaines.

— Mais la guerre, où en est-elle ?

1. Arthur était fils de Geoffroy, frère de Jean sans Terre et de Richard Cœur de Lion, mort à Paris quelques années plus tôt.
2. Confiscation.

— Des soulèvements ont éclaté en Anjou et dans le Maine et des escarmouches se déroulent en Normandie. Le jeune Arthur de Bretagne a rejoint Philippe qui l'a armé chevalier et lui a promis sa fille comme épouse. Arthur a prêté hommage au roi de France pour l'Anjou, le Maine, la Touraine et le Poitou. En échange, Philippe l'a assuré de son aide. De leur côté, les seigneurs poitevins, dirigés par Hugues de la Marche et Savary de Mauléon, se sont réunis à Tours et ont proclamé Arthur comme leur prince.

Guilhem écoutait en silence. Deux ans auparavant, ayant appris qu'il existait un testament de Richard Cœur de Lion en faveur d'Arthur de Bretagne, Philippe Auguste lui avait demandé de le retrouver. En effet, par ce testament, Arthur devenait non seulement l'héritier du duché de Normandie, mais, surtout pourrait revendiquer le royaume d'Angleterre.

Guilhem et Robert de Locksley, accompagnés d'Anna Maria et Bartolomeo, étaient donc partis à Londres. Ils avaient réussi à s'emparer du précieux document et l'avaient ramené en France. Seulement, entre-temps Philippe Auguste avait signé le traité du Goulet, faisant la paix avec Jean, lequel reconnaissait Arthur comme son vassal et s'engageait à ne pas lui faire de tort[1].

Tous ces engagements avaient donc volé en éclats. Le roi de France allait sans doute utiliser le testament et la guerre s'étendre dans l'Ouest. Une guerre qui durait déjà depuis trente ans et qui laissait villes et châteaux situés sur les frontières du royaume en proie aux fureurs des deux armées.

Heureusement, le Toulousain resterait à l'écart, songeait Guilhem.

— Arthur n'a que quinze ans, observa Robert. Je ne le crois pas capable d'être capitaine.

1. *Londres, 1200*, du même auteur.

— Peut-être avez-vous raison, seigneur de Locksley. Mais mon informateur m'a appris qu'il était quand même parti à la tête d'une armée en vue de se saisir de sa grand-mère Aliénor.

— Comment cela ? intervint Guilhem, stupéfait.

— Après avoir rendu hommage au roi de France, le prince Arthur aurait décidé de faire savoir à la duchesse qu'il était entré en possession des fiefs de Bretagne, Poitou, Anjou, Maine et Touraine. Il savait que sa grand-mère, craignant un coup de main de Philippe Auguste, avait quitté Fontevrault, difficilement défendable, pour le château de Mirebeau. Avec quelques chevaliers donnés par le roi et une centaine de Poitevins, le jeune Arthur aurait investi la ville sans peine. Mais c'était voici deux semaines. J'ignore s'il est parvenu à approcher Aliénor.

— Il faut que je parte dès demain ! décida Robert de Locksley.

À ce moment, un serviteur d'Hugues de Fer fit entrer Alaric trempé et crotté. Il pleuvait à nouveau. À leur arrivée de Rome, on leur avait d'ailleurs dit que la pluie tombait sans cesse, après des mois de sécheresse.

— Seigneur, fit-il, intimidé, s'adressant à Guilhem, vous m'aviez demandé de vous prévenir si une nef entrait dans le port.

— C'est le cas ?

— Oui, seigneur, j'ai vu arriver une grande barque.

— D'où vient-elle ? demanda Hugues de Fer.

— Quelqu'un m'a dit qu'elle était génoise, seigneur. On voit une croix rouge sur les bannières des mâts.

Déjà Robert et Guilhem s'étaient levés.

— Je vous accompagne, décida le viguier, saisissant son épée posée sur un coffre. Gentes dames, et vous mes amis, terminez ce repas sans nous attendre.

Bartolomeo se dressa aussi, mais en soupirant. Il aurait bien mangé les pâtes d'amande que l'on apportait. Il se saisit quand même d'une orange pour le chemin.

Tandis que la nef se rapprochait du goulet de la rade de Marseille, Dodeo Fornari, sur le château de proue, songeait à deux de ses passagers.

L'écuyer nommé Le Maçon ne lui avait pas parlé de Thomas durant la traversée. Bien sûr, ils s'étaient souvent rencontrés sur la nef. Ils avaient même dîné ensemble. Impossible qu'il en fût autrement durant huit semaines de mer, même avec la longue escale à Syracuse durant laquelle les passagers étaient restés à terre. Mais Le Maçon ne lui avait rien révélé.

Cependant, le capitaine génois avait vu la servante de l'auberge Sainte-Croix payer son voyage, chose rare pour une femme seule, puis, une fois en mer, demeurer le plus souvent en compagnie de Thomas. D'ailleurs, ce dernier avait demandé à changer de place dans la cale pour s'installer auprès d'elle. Il l'avait plusieurs fois protégée des agressions salaces que subissaient les femmes sur une nef. Finalement, équipage et passagers avaient compris qu'elle était sous sa protection et on l'avait laissée tranquille.

Donc cette femme devait savoir ce que transportait Thomas, qui d'ailleurs ne gardait aucun bagage, sinon sa besace. En tout cas, il ne possédait pas le moindre livre. Cet homme était-il un apostat ou conduisait-il une mission pour le Temple ? Et surtout, que cachait-il ? Fornari était certain que Le Maçon lui avait menti.

Ces questions obsédaient le Génois. Il regrettait d'avoir averti cet écuyer de la présence de Thomas sur son bateau. En l'absence de témoins, il aurait pu faire fouiller le templier par ses hommes avant de le jeter à la mer, ou le faire pendre pour un motif futile, et ainsi savoir ce qu'il gardait. Maintenant, avec les gens de Le Maçon à bord, un tel choix n'était plus possible... Sauf si...

Le Génois avait finalement élaboré un plan qu'il s'apprêtait à mettre en œuvre à Marseille quand il vit monter un de ses passagers sur le château de proue.

Il s'agissait d'un chevalier arrivé peu avant l'embarquement à Acre. Venant d'Antioche, cet homme avait suffisamment d'argent pour partager une des cabines de poupe. Il avait payé le voyage un prix élevé, car il avait fait embarquer des destriers dont il ne voulait pas se séparer. Il possédait aussi un petit coffre de bagages et un beau harnois dont un grand écu triangulaire. Taciturne, il s'était peu mêlé aux passagers, passant son temps sur des passavants à regarder la mer quand il ne jouait pas aux échecs avec quelque marchand.

— Dieu vous garde, seigneur de Saint-Jean, lui dit-il courtoisement. Vous mettrez pied à terre dans une couple d'heures.

— Je n'en serai pas fâché, maître Fornari.

Le chevalier se tut un moment, regardant les mouettes qui volaient autour d'eux en criaillant.

— Maître Fornari, j'attendais une occasion de vous parler sans oreilles autour de nous.

— Je vous écoute, noble seigneur.

— Je suis d'Antioche, vous le savez. Mon père est mort voici quelques mois, et je me rends en Flandre pour satisfaire sa dernière volonté. Son frère est abbé et je dois lui porter une précieuse relique que mon père avait achetée, voici vingt ans. Néanmoins, depuis sa mort, je m'interroge. Ce document est-il véridique ? Je ne voudrais pas être ridiculisé. Or, j'ai entendu dire, à bord, que vous connaissiez fort bien les reliques, peut-être pouvez-vous m'éclairer...

— Je connais en effet bon nombre de reliques, et peut-être puis-je vous aider... Vous parlez d'un document, un parchemin ?

143

— Non, il s'agit d'un papyrus fragile. Avec ce vent, je préfère le montrer dans votre chambre.

Dodeo Fornari jeta un regard sur la côte qui se rapprochait. Rien n'indiquait un danger. Ils passeraient sous peu entre les deux îlots, face au goulet du port. La brise était faible, le pilote adroit et les deux hommes du timon connaissaient les rochers.

— Entendu, mais je ne peux vous consacrer que peu de temps... Je dois revenir ici pour l'entrée dans la rade.

— Je comprends.

Ils descendirent rapidement l'escalier, traversèrent le pont puis passèrent dans l'entrepont. Fornari ouvrit la porte de sa cabine avec une clef, bien qu'elle fût gardée par l'un de ses hommes.

Dans l'étroite pièce, Saint-Jean sortit le tube attaché à son cou et en tira le bouchon qui le fermait. Il dégagea délicatement le papyrus, le déroula et le montra au Génois, en prenant soin de le garder en main.

Fornari entreprit sa lecture. Le texte était rédigé en latin, d'une belle écriture majuscule, parfaitement lisible.

« Moi, Pompeius Paullus, juif de Tarse en Cilicie, Hébreu né d'Hébreux, irréprochable, à l'égard de la justice de la loi... »

Le Génois leva des yeux stupéfaits vers Saint-Jean.

— Pompeius Paullus ? Paul ?

— Oui, l'apôtre que l'on nomme aussi Saul. Il aurait écrit ce texte en prison, à Rome.

Le capitaine poursuivit, le cœur battant.

L'épître racontait, avec un luxe de détails, comment son auteur avait été aveuglé sur la route de Damas, et comment cette rencontre avait changé sa vie, le conduisant même à Rome pour y être jugé, après deux années passées en prison à Césarée. Comme souvent dans les épîtres de Paul, les digressions étaient nombreuses.

En bas du papyrus avait été coulé un cachet de cire avec l'empreinte d'un anneau sigillaire sur laquelle on distinguait parfaitement les lettres entrelacées PP.

Fornari n'avait jamais vu ce cachet, mais il avait déjà lu des documents provenant de Rome la Grand. Il frotta la cire avec l'index. C'était bien un mélange de résine, de poix et de craie. Il n'y avait donc aucun doute. Il s'agissait de la dernière épître de saint Paul.

— Une relique merveilleuse, balbutia-t-il d'une voix cassée.

— Véridique ?

— Véridique ! À quelle abbaye voulez-vous l'offrir ?

— Je ne peux vous le dire.

— Cette lettre a une immense valeur. Je peux vous en obtenir mille besants, souffla le Génois, en sachant qu'elle en valait cent fois plus.

— Pour moi, elle n'a pas de prix, répliqua simplement Saint-Jean. Je vous remercie, maître Fornari.

Il roula le papyrus et le remit dans le rouleau, le plaçant à son cou.

Il savait maintenant que son ami Mahmoud ne lui avait pas menti. S'il avait besoin d'argent, vendre la fausse relique serait aisé. Mille besants ! Avec ça, il pourrait tendre un joli piège à cet apothicaire félon.

Ignorant ses pensées, Dodeo Fornari songea un instant à poignarder Saint-Jean pour s'emparer du papyrus. Mais l'homme paraissait vigoureux. Il n'était pas certain de l'emporter.

Puis soudain, il songea au plan qu'il avait élaboré au sujet de Thomas. Pourquoi ne pas le modifier ?

# Chapitre 12

Dehors, ils s'enfoncèrent dans une muraille d'eau. Comme souvent à Marseille, ce déluge s'accompagnait d'un magnifique soleil qui perçait entre les nuages noirs. Les quatre hommes avaient revêtu des mantelets à capuchon en futaine et chaussé des socques en bois pour protéger leurs soliers, précaution indispensable car la rue traversant le sixtain des Accoules[1] ne formait plus qu'un torrent de boue puante.

Hugues de Fer regrettait d'avoir conservé sa robe. Alourdie par la pluie, elle le gênait pour marcher. Ses deux esclaves sarrasins ouvraient la route, l'un d'eux portant la lourde épée de son maître. Alaric et Peyre fermaient le cortège.

Près de l'église des Accoules, un condamné serré dans le pilori paraissait inanimé. Peut-être était-il mort. Non loin, les deux potences restaient vides mais ne tarderaient pas à être regarnies car, dès le lendemain, Hugues de Fer devait juger plusieurs voleurs pris durant la nuit en flagrance, en train de forcer l'un des entrepôts du port. Comme il s'agissait de récidivistes, déjà essorillés, cette fois ils finiraient en gigotant au bout de la hart.

Arrivée près de l'enceinte séparant le port de la ville vicomtale (une autre enceinte entourait la cité épisco-

---

1. La ville était divisée en six quartiers appelés sixtains : Saint-Jean, les Accoules, la Draperie, Saint-Jacques, Saint-Martin et la Calade.

pale), la rue se resserrait ; aussi durent-ils se mettre en file. Les deux esclaves sarrasins faisaient lever les étals détrempés pour qu'ils puissent marcher le plus près possible des façades et éviter les trous puants pleins de déjections. Quelques rats gros comme des lièvres, chassés par la pluie, fuyaient devant eux en couinant leur mauvaise humeur.

La ruelle déboucha sur les lices longeant les murailles contre lesquelles se dressaient des maisons à arcades, des tours carrées et surtout des entrepôts et des magasins protégés par des grilles. C'est là qu'armateurs, capitaines et négociants entreposaient leurs marchandises. On y trouvait de tout : des peaux tannées, des draps colorés, des papyrus d'Égypte, des épices et du sucre, des armes de Damas et des vins de Palestine, des miroirs de Byzance et des soieries de Perse.

Les esclaves sarrasins s'engagèrent dans un étroit corridor voûté passant sous la muraille. Arrivés à l'autre extrémité, sur le port, ils empêcheraient quiconque d'y pénétrer car le couloir, large à peine d'une demi-canne, permettait seulement le passage d'une personne.

Curieusement, alors qu'ils débouchaient de l'autre côté, le vent du nord se fit sentir et la pluie cessa brusquement. Devant eux, le port se dévoilait, envahi d'embarcations dansant dans la brise naissante.

En ce début d'après-midi pluvieux, peu de monde traînait sur la rive. Même les archers et les arbalétriers s'étaient mis à l'abri dans la cabane des écrivains du port qui encaissaient les taxes.

Fustes, galiotes, polacres, barquettes et felouques remplissaient la rade et leurs coques peintes apportaient de joyeuses taches de couleurs. Au milieu d'elles trônait une caraque aux bords hauts d'où partaient quatre longues rames. Elle portait deux mâts et des châteaux de poupe et de proue surélevés. Peintes en rouge, ses voiles étaient ferlées mais un de ses mâts arborait une bannière avec la croix génoise. Au sommet du second mât flottait un pavillon à trois étoiles.

— Fornari ! s'exclama le viguier, sans cacher sa surprise.

— Vous connaissez cette caraque ?

— Elle appartient à Dodeo Fornari, un Génois qui a un comptoir à Saint-Jean-d'Acre. Mais il vient rarement à Marseille.

— Croyez-vous qu'il arrive d'Acre ? demanda Robert de Locksley avec une pointe d'espoir.

S'il venait de Terre sainte, chevaliers, écuyers et guerriers aguerris se trouveraient sans doute à bord. Donc, parmi eux, des gens à engager.

Le long de la grève, des quais de bois dressés sur des poteaux facilitaient le débarquement des bateaux. Plusieurs formaient des pontons s'avançant dans le port, car les grosses nefs devaient rester au milieu de la rade en raison de leur tirant d'eau.

— On ne va pas tarder à le savoir. Les rameurs la font manœuvrer pour qu'elle approche du ponton. Je distingue quelques marchands génois le long des passavants, des pèlerins... Je vois aussi des hommes d'armes !

Effectivement, sur la nef régnait une grande agitation. Des marins étaient descendus sur le ponton pour attacher un escalier que l'on faisait passer sur les bordages. D'autres montaient des ballots depuis les cales ou installaient des mâts de charge avec des haussières, certainement afin de transporter des chevaux.

Entraînée par des rameurs, une gabarre à fond plat s'avançait de la caraque. Robert de Locksley connaissait ce genre de bateau. Il était revenu de Palestine sur une nef identique. Balayant le pont du regard, il distingua plusieurs individus en jaques de cuir maclés de fer et gorgerins de mailles, tous impatients de descendre, ainsi qu'un jeune chevalier en haubert qui observait les quais et la muraille de Marseille avec curiosité. À son regard scrutateur, Locksley devina qu'il n'était jamais venu dans la cité phocéenne. Peut-être allait-il vers le septentrion ? Pourquoi ne pas lui proposer de faire un bout de chemin ?

Pendant ce temps, Guilhem avait abandonné Hugues de Fer et Locksley pour s'avancer sur le ponton. Il souhaitait voir de près les passagers qui débarquaient.

Les premiers s'engageaient sur l'escalier qu'on venait d'arrimer. C'étaient les hommes en broigne. Visages farouches, sales comme des verrats, ils parlaient bruyamment et tout en eux exprimait la rudesse, la brutalité et l'arrogance.

Guilhem les ignora quand ils passèrent devant lui. Il avait connu ce genre d'hommes chez Mercadier et Cadoc et n'en voulait pas.

Derrière suivait un chevalier ou un écuyer, en haubert. Celui-là paraissait être le chef de la bande. Jeune, vigoureux, rasé de près, un front large avec une expression sourcilleuse et subtile, il regardait alentour avec dédain, comme se jugeant au-dessus des autres.

Entendant Hugues de Fer interpeller la bande avec autorité, Guilhem se retourna.

— D'où venez-vous, compères ? venait de dire le viguier.

L'un des hommes d'armes, dont les cheveux noirs et luisants de transpiration sortaient par touffes de l'ovale de son camail, faillit répondre agressivement. Mais celui en haubert l'écarta et parla à sa place :

— De Saint-Jean-d'Acre, seigneur.

— Vous transportez des marchandises ?

— Pourquoi, messire ?

— Ignores-tu qu'il faut payer des taxes, compère ? intervint un arbalétrier de la ville ayant rejoint le viguier pour lui prêter main-forte.

— Pas de marchandises, seigneur, déclara l'homme en haubert, avec un sourire figé.

— Où allez-vous ? interrogea Guilhem.

— À Poitiers, seigneur.

Le viguier leur fit signe de passer mais ils ne s'éloignèrent pas, restant sur la grève du port, comme s'ils attendaient des compagnons.

Un autre individu descendait de la nef génoise. En broigne maclée et cervelière, avec une lourde épée et des couteaux à la taille, comme en portaient les Templiers, il affichait une expression de bonhomie assurée, se déplaçant lentement en posant des regards curieux autour de lui. Il était suivi par une jeune femme à l'air perdu.

Guilhem interpella l'homme dont le comportement le satisfaisait.

— Dieu te dit bonjour, l'ami. J'engage des sergents d'armes.

— Que Dieu vous conserve en Sa sainte et digne garde, noble chevalier, répondit l'inconnu, après avoir rapidement détaillé son interlocuteur, s'attardant un instant sur ses éperons de chevalier. Mais je ne suis pas libre. Je rejoins mon frère templier.

— Où ça ? s'enquit Guilhem, par pure curiosité.

— À Bordères, seigneur. Une commanderie dans le Toulousain, mais j'ignore exactement où.

— Mon fief de Lamaguère longe un moulin qui appartient aux Templiers de Bordères. Je les connais bien.

— Vraiment, seigneur ? Dans ce cas... J'ignore la route pour me rendre là-bas... Peut-être pourrais-je la faire avec vous...

Guilhem n'hésita pas. Celui-là lui plaisait. Il paraissait franc, fidèle, robuste. En chemin, il parviendrait bien à le convaincre d'entrer à son service.

— D'accord, je te prends dans mon escorte et te donnerai le gîte et le couvert. Tu t'appelles comment ?

— Thomas, seigneur.

Le sergent templier se tourna vers la femme derrière lui, qui attendait.

— Flore, ne veux-tu pas venir avec moi ?

— Non, Thomas. Je te l'ai dit, je veux rentrer à Tiron.

D'autres hommes d'armes passèrent. Comme ils ressemblaient aux estropiats descendus les premiers, Guilhem ne s'intéressa pas à eux. Puis ce furent des pèlerins accompagnés de trois arbalétriers portant balestra[1] sur l'épaule et trousse de carreaux à la taille.

— Dieu vous dit bonjour, compères. J'engage des arbalétriers pour mon fief, dit Guilhem.

— Impossible, seigneur, répondit l'un d'eux. Nous sommes retenus par ces gentils pèlerins que nous conduisons à Rouen.

Guilhem n'insista pas, d'autant que celui qui voulait se rendre à Bordères l'interpellait.

— Seigneur, dame Flore, qui a fait le voyage avec moi, souhaite vous poser une question.

Guilhem se tourna vers la femme. Des cheveux déjà gris, un nez trop gros, maigre malgré une forte ossature, un visage triste et des yeux sombres. Elle n'était pas belle, mais semblait posséder un caractère bien trempé, sans doute à la suite des épreuves qu'elle avait dû connaître.

— Je vous écoute, gentille dame.

— Dame Flore souhaite se rendre au monastère de Tiron, c'est dans le Perche...

— Je connais Tiron, le coupa Guilhem.

— Le voyage est dangereux pour une femme. Je lui ai proposé de venir avec moi dans le Toulousain. Elle ne me croit pas quand je lui dis que cela la rapprochera de Tiron.

— Cela vous rapprochera en effet, dame Flore. Et je doute que vous arriviez à Tiron si vous voyagez seule. En revanche, une fois dans mon fief de Lamaguère, votre ami Thomas pourra vous conduire à Auch. De là partent des pèlerins venant de Compostelle qui se

_____

1. Grosse arbalète.

151

rendent en Normandie. Vous n'aurez qu'à voyager avec eux.

Elle parut indécise, examinant Guilhem puis Thomas avant de demander :

— Me laisserez-vous venir avec vous, seigneur ? Je n'ai pas d'argent et ne sais rien faire sinon coudre et tenir une maison.

Guilhem se rendit compte qu'il s'était maladroitement engagé. Il voulait de Thomas, mais pas de cette femme. Or, si Alaric ou Peyre pouvait prendre le sergent en croupe, c'était différent avec un second voyageur. Et il n'avait pas envie d'acheter un cheval supplémentaire. Il en possédait suffisamment à Lamaguère.

— Nous voyagerons à cheval, dame Flore, fit-il. Des gens à pied nous retarderont...

— Je suis à pied, seigneur, observa Thomas.

— Tu monteras derrière un de mes hommes.

Alaric s'était approché quand il avait vu le couple descendre de la nef. Il intervint :

— Peyre peut prendre le sire Thomas avec lui et moi dame Flore, suggéra-t-il.

Guilhem le considéra, interloqué. De quoi se mêlait-il ?

Thomas laissa alors tomber :

— Je n'abandonnerai pas dame Flore, seigneur. Si vous ne voulez pas d'elle, j'irai seul à Bordères.

Guilhem maîtrisa une montée de colère. Il détestait qu'on lui force la main. Puis il se dit que la femme n'était pas lourde, Alaric avait peut-être raison.

— J'accepte, mais rien d'autre. C'est compris ?

L'homme mit un genou au sol et lui baisa la main. Après une hésitation, Flore fit de même.

Pendant ce temps, Robert de Locksley et Bartolomeo observaient un cheval que des marins soulevaient à l'aide d'un treuil. C'était un destrier arabe, entièrement noir. Terrorisé, l'animal n'arrêtait pas de hennir malgré la présence du jeune chevalier qui le flattait doucement pour le calmer.

La monture fut finalement transportée jusqu'à la gabarre où des manutentionnaires s'occupèrent d'elle. Mais l'opération n'était pas finie car le chevalier restait sur la nef, tandis que le mât de charge revenait vers le milieu du pont. Au bout d'un moment, un second destrier apparut. Identique au premier. Il rejoignit son congénère tandis qu'on faisait aussi passer un coffre de bagages. Cette fois, prenant une échelle, le chevalier descendit dans la barge et les rameurs se rapprochèrent de la rive.

Locksley se dirigea vers leur point d'accostage. Comme un des hommes de la barge tentait difficilement de faire passer l'un des étalons sur le quai de bois, le Saxon lui apporta son aide en saisissant le mors de la bête. Ils parvinrent à conduire le fougueux destrier sur le quai.

— Merci, seigneur, dit Ali-i Sabbah.

— Cela ne me coûtait guère, noble chevalier. Je suis moi-même revenu de Terre sainte, il y a quatre ans, dans ce même port, et j'ai eu quelque difficulté avec mon destrier. Mon nom est Locksley, comte de Huntington.

— Marc de Saint-Jean, déclara Ali-i Sabbah, assez froidement.

— Conduisons vos montures et vos bagages sur la grève, je voudrais vous parler un instant.

Sans attendre la réponse, il guida l'animal sur la rive caillouteuse du port. Le chevalier et Bartolomeo les suivirent.

— Laissez-moi vous présenter mon beau-frère, Bartolomeo Ubaldi, messire. Je ne veux nullement être indiscret, mais j'espérais qu'il y aurait au moins un chevalier sur cette nef. Je pars demain pour Paris avec ma noble épouse et je ne tiens pas à faire la route seul.

En parlant, Robert de Locksley l'observait. Jeune et d'une robuste constitution, le voyageur portait une épée franque, assez ancienne, avec une garde recourbée, et un grand nombre de couteaux – six –, à la taille.

— Paris ? Je pourrais en effet vous accompagner, seigneur. Je ne connais pas le pays, ayant toujours vécu à Antioche.

— Je ne me suis jamais rendu à Antioche. Je ne connais qu'Acre et Sour, dit Locksley.

Hugues de Fer s'approchait d'eux avec Guilhem, Alaric et Peyre. Un peu plus loin suivaient, timidement, Thomas et Flore.

— Le seigneur Hugues de Fer est le viguier de la ville, fit Robert de Locksley à l'attention de Saint-Jean.

Il s'apprêtait à présenter le chevalier venu d'Antioche quand un tumulte et des cris surmontèrent le vacarme habituel du port. Une rixe venait d'éclater sur la nef génoise. Tous les regards se portèrent vers le pont. Un homme se débattait contre trois autres qui le frappaient avec des bâtons. Finalement, il réussit à s'écarter d'eux et se jeta à l'eau.

Le viguier donna aussitôt ordre à un archer de le saisir. Il n'avait pas autorité sur le bateau, mais si ce marin était un maraud, il serait pendu sur l'heure.

L'homme savait nager et parvint rapidement à la rive. L'archer le conduisit aussitôt au viguier. Déjà toute une foule de marchands et de marins s'approchaient pour satisfaire leur curiosité.

— Qui es-tu ? Que s'est-il passé ? demanda Hugues de Fer avec sévérité.

— Rien de grave, seigneur, je vous l'assure, répondit l'autre, contusionné au visage. Un désaccord.

— Explique-toi ou je te fais pendre. Je ne veux pas de rixe dans ma ville.

— Je suis pisan, seigneur, et ils sont génois. C'est tout !

Fer avait compris. Les Pisans et les Génois se détestaient.

— Tu es le neveu du capitaine Dodeo, intervint Thomas qui s'était approché. Tu étais à bord.

L'autre ne se démonta pas.

— Je suis son neveu, c'est vrai. Sa sœur a épousé un Pisan, le seigneur Orlando, et à la mort de mes parents maître Dodeo m'a pris avec lui. Mais il garde aussi les trois fils d'Alessandro, son frère. Ces Génois me haïssent et ne veulent pas d'un Pisan à bord...

— Ça va ! l'interrompit Fer qui n'avait pas envie d'entendre l'histoire de la famille Fornari. Tu peux filer, que vas-tu faire ?

— Je ne sais pas, certainement trouver un autre maître.

— Tu sais te battre ! observa Robert de Locksley.

— Pour ça oui, seigneur, répondit le Pisan en bombant le torse.

— Je vais à Paris, le seigneur de Saint-Jean aussi et je lui ai proposé de faire la route ensemble. Je n'ai pas assez d'hommes d'armes. Viens avec nous, tu recevras soixante sous.

— Soixante sous ? Pour ce prix je vous suivrais en enfer, seigneur !

— Nous n'irons pas si loin, plaisanta Locksley. Nous partirons de la porte d'Aix au lever du soleil. Renseigne-toi. Prends ces deux gros[1] pour manger et dormir quelque part. Trouve-toi un hoqueton, des grèges et des soliers. Je te fournirai des armes.

Gregorio ne portait qu'une tunique de drap.

---

1. Pièce d'argent valant seize deniers.

Le lendemain, Gregorio attendait à la porte d'Aix comme convenu, en compagnie des deux archers d'Hugues de Fer, de Thomas et Flore, et enfin de Marc de Saint-Jean. Mais quand Guilhem, Locksley et les autres arrivèrent avec leurs chevaux et leurs bagages, ils découvrirent un autre homme : l'un des trois arbalétriers à qui Guilhem avait proposé un engagement. Celui-là se nommait Ferrière et expliqua que, durant la soirée, il s'était disputé avec ses compagnons et les pèlerins. Il était donc libre désormais, et si le seigneur d'Ussel voulait encore de lui, il tenait à lui donner sa foi.

Guilhem l'engagea.

# Chapitre 13

Ils avaient traversé les terres des Baux et se rapprochaient d'Arles. Avec leur troupe, ils savaient ne rien craindre tant des gens des Baux que des voleurs de grand chemin. En tête, chevauchaient les quatre hommes de Guilhem, deux sur chaque cheval, et en arrière-garde suivaient les archers d'Hugues de Fer dont l'un portait Gregorio en croupe. Au milieu se tenaient les chevaliers avec les deux femmes – Flore partageant la monture d'Anna Maria – et deux mules avec bagages, armes et butin dans des coffres de bois.

Locksley chantait joyeusement à tue-tête :

*L'arc vient d'Angleterre :*
*En bois loyal, en bois d'if,*
*Le bois des arcs anglais;*
*C'est pourquoi les hommes libres*
*Aiment le vieil if*
*Et la terre où pousse l'if.*
*La corde vient d'Angleterre :*
*Une corde dure, une corde solide,*
*Une corde qu'aiment les archers;*
*C'est pourquoi nous viderons nos gobelets*
*En l'honneur du lin anglais*
*Et du pays où la corde a été tressée.*
*La flèche a été taillée en Angleterre :*
*Une longue flèche, une flèche solide,*
*Barbelée, équilibrée, précise;*

*C'est pourquoi nous boirons tous ensemble*
*À la plume de l'oie grise,*
*Et au pays des oies grises.*

Flore satisfaisait la curiosité d'Anna Maria en racontant sa vie et ses malheurs. Quant à Marc de Saint-Jean, il répondait très brièvement aux innombrables questions de Bartolomeo relatives à la Terre sainte.

Seul Guilhem restait silencieux, songeant à Sanceline, à son fief qui devait reverdir grâce aux pluies, mais aussi à la fin de ses aventures. Avec un pincement de regret, il savait qu'il trouverait de nouveau le temps long à Lamaguère.

Il défit finalement la boîte de sa vielle à roue, attachée à sa selle, et, tournant la manivelle, entreprit d'accompagner Robert dans ses chansons saxonnes.

Après l'enceinte d'Arles, ils traversèrent le bourg de Méjan jusqu'à l'auberge Saint-Blaise que Guilhem connaissait. Ils y obtinrent des chambres pour la nuit et, le lendemain, prirent le bac à trailles pour traverser le Rhône. De là partaient des gabarres halées qui remontaient le fleuve, transportant du sel, des poteries, des cuirs et des draps.

Après les adieux, particulièrement longs entre Bartolomeo et sa sœur car ils ignoraient quand ils se reverraient, Robert de Locksley et ses gens embarquèrent sur une gabarre faisant partie d'un convoi de cinq barques, toutes tirées par des cordes attachées au mât.

Près de quarante chevaux et une cinquantaine d'hommes les manœuvraient. En tête, un conducteur donnait des ordres et un prouvier sondait la hauteur d'eau devant l'embarcation de tête. Le soir, ils installaient un campement sur la rive. Le train de bateau avançait à une allure d'escargot. Des obstacles incessants contraignaient mariniers et voyageurs à passer d'une rive à l'autre, les animaux montant alors sur les barques.

Ils mirent vingt jours pour atteindre Lyon.

Certes, ils auraient pu faire le voyage plus rapidement en prenant le grand chemin, mais avec quels périls ! Les bandes de fredains pullulaient le long du Rhône et Robert de Locksley savait son groupe à leur merci en cas d'attaque. Or, ces estropiats ne s'en prenaient pas aux grands convois halés, trop importants et capables de se défendre.

À Lyon, ils empruntèrent une autre barque jusqu'à Chalon. C'est dans cette ville que Locksley, qui s'inquiétait de la situation poitevine, apprit la défaite d'Arthur de Bretagne.

Comme ils s'étaient fait connaître, la comtesse Béatrice[1] les invita à un banquet en leur honneur. Son époux, le comte Étienne, y assista, chose rare car il vivait habituellement auprès de sa maîtresse, Blanche de Cicon, dans son château d'Auxonne.

Grand batailleur, le comte dégageait hardiesse et énergie. Pressé de questions par Locksley sur Arthur de Bretagne, il raconta les événements de Mirebeau, mimant certains passages en brandissant le couteau qui lui servait à trancher les viandes.

— Après que la cour des pairs de France eut condamné Jean à mort et l'eut déchu de tous ses fiefs dans le royaume, la ville du Mans s'est soulevée. Ses habitants ont chassé la garnison anglaise pour la remplacer par des fidèles d'Arthur et de Philippe Auguste. Aussitôt, Jean y a envoyé ses hordes de Brabançons et de Cotereaux. Il s'apprêtait à prendre la ville et à la

1. Béatrice de Thiers, fille du comte Guillaume de Chalon, épouse d'Étienne de Bourgogne.

punir quand il a reçu un message désespéré de sa mère assiégée dans le château de Mirebeau par son petit-fils Arthur. Le mardi précédent la Saint-Pierre-aux-Liens, Lackland[1] a quitté Le Mans pour lui venir en aide.

À Mirebeau, les gens d'Arthur s'étaient facilement emparés de la ville. Confiant dans le soutien du roi de France, ils n'avaient même pas attendu les cinq cents chevaliers et les quatre mille fantassins qui devaient arriver de Bretagne. Personnellement, j'ai toujours pensé que ce freluquet se montrerait incapable de conduire une guerre ! Le connaissez-vous, seigneur comte ?

— Je l'ai vu près du roi Philippe, répondit évasivement Robert de Locksley qui pensait de même, mais ne tenait pas à afficher ses sentiments.

— Persuadés de ne rien craindre, les gens d'Arthur avaient seulement renforcé les portes d'un contrefort en terre et ne montaient même pas la garde, ignorant que Jean avait gagné à sa cause Guillaume des Roches et une immense armée de Poitevins.

— Des Roches avait pourtant rendu hommage à Arthur, observa Locksley, plissant le front.

— Oui, mais il avait aussi été l'artisan du rapprochement entre Jean et Arthur après le traité du Goulet, intervint la comtesse. En vérité, depuis quelques mois, les magnifiques promesses de Jean lui avaient fait oublier sa foi.

» Le roi d'Angleterre est arrivé durant la nuit du 31 juillet avec des mercenaires, poursuivit le comte Étienne. Sachant que ses ennemis ne pourraient lui échapper, il aurait décrit avec une telle cruauté les châtiments qu'il infligerait à Arthur que Guillaume des Roches lui aurait dit :

« Sire, nous ne soumettrons cette nuit vos ennemis que si vous me jurez que vous n'en ferez mourir et

---

1. Sans Terre, surnom de Jean.

n'en emprisonnerez aucun ; que vous ferez la paix avec votre neveu Arthur ; que vous lui rendrez tout ce que vous lui avez pris sans droit et que vous les détiendrez là où ils auront été pris, en Poitou, jusqu'à ce qu'il y ait eu un accord entre notre armée et la leur. »

» Forcé de dissimuler, le roi Jean, qui avait besoin de Guillaume des Roches, lui aurait répondu :

« Je vous jure, Guillaume, qu'il en sera ainsi que vous le désirez ! J'en prends Dieu à caution, qu'il vous soit témoin. Puissiez-vous, et à bon droit, ne plus m'obéir, ne plus me regarder pour votre roi, et manquer à la soumission que vous me devez, puissé-je enfin devenir pour vous et pour tous un ennemi si je manquais de fait ou en paroles au serment que je vous prête devant tant de nobles seigneurs. »

— Les engagements de Jean sont des bols de sable que l'on remplit d'eau, laissa tomber Locksley avec mépris.

La comtesse émit un maigre sourire mais Étienne approuva bruyamment. Dans la guerre qui faisait rage entre les deux empereurs d'Allemagne, suzerains du duché de Bourgogne, Étienne avait pris parti pour Philippe de Souabe, l'Hohenstaufen, contre Othon et les Guelfes. Il se trouvait donc désormais dans le camp de Philippe Auguste[1].

— À la pique du jour du 1er juillet, les routiers de Jean sont entrés dans Mirebeau. Après un combat acharné, Arthur et ses partisans ont dû se rendre. Le jeune prince a été remis au roi, ainsi que sa sœur Aliénor de Bretagne, qui l'avait accompagné pour être témoin de sa victoire, et qui le fut de sa défaite. Personne n'est parvenu à s'échapper et les chevaliers des

---

1. À la mort de l'empereur d'Allemagne, les grands électeurs de la Diète, incapables de se mettre d'accord, avaient élu deux empereurs : Othon de Brunswick et Philippe de Souabe. Ce dernier était soutenu par le roi de France Philippe Auguste, tandis que dans l'autre camp Othon de Brunswick recevait l'appui de son demi-frère Richard Cœur de Lion.

plus grandes familles du Poitou et de Bretagne se sont retrouvés prisonniers.

— Ensuite ? demanda Robert de Locksley, voyant que le comte Étienne hésitait à poursuivre.

— Au mépris de la foi jurée, le roi Jean a donné libre cours à sa vengeance. Il a envoyé la plupart des prisonniers en Angleterre et a fait enfermer Arthur à Falaise… Là, on dit qu'il l'aurait fait châtrer avant d'exercer sur son corps d'autres infâmes mutilations.

Un silence horrifié tomba dans la salle jusqu'à ce que Robert de Locksley déclare :

— Pauvre garçon. Je prierai le Seigneur afin qu'il lui accorde sa miséricorde et que sa mort ne soit pas trop douloureuse. Quant à Guillaume des Roches, il aura au moins compris quel genre d'allié est Jean.

— Certainement. D'ailleurs, n'ayant plus besoin de lui, Jean voulut se venger de son insolence. Il a tenté de s'emparer de sa personne, mais Guillaume des Roches est parvenu à fuir et s'est mis au service du roi de France. En représailles, Jean vient de lui ôter ses charges de sénéchal d'Anjou et de Touraine.

— C'est peu cher payer sa félonie, observa Robert de Locksley.

Le comte approuva d'un signe de tête.

— Jean est ensuite retourné au Mans, poursuivit la comtesse. Il a repris la ville, l'a incendiée et a emmené tous ses habitants en captivité.

— Philippe n'est pas intervenu ?

— Non. Tandis que Jean entrait dans Mirebeau, le roi de France assiégeait le château d'Arqués. Quand il a appris qu'Arthur était prisonnier, il a fait revenir son armée à Paris. On dit qu'il prépare maintenant une nouvelle offensive.

— Je vais le rejoindre, fit simplement Robert de Locksley, tandis qu'Anna Maria restait silencieuse, retenant ses larmes.

Le désordre et la mort allaient s'étendre dans toute la Normandie et la crainte torturait déjà son esprit.

Ils quittèrent Chalon à l'aurore du lendemain. Après avoir appris la défaite et la capture d'Arthur, Locksley avait hâte de rejoindre l'armée de Philippe Auguste.

Dans l'après-midi, ils rattrapèrent un groupe de pèlerins et de moines. Une trentaine de miséreux qui marchaient pieds nus ou en galoches en chantant la gloire du Seigneur. Le chemin n'étant pas large, ils se retrouvèrent au milieu de cette troupe quand, soudain, avec une parfaite simultanéité, les religieux saisirent les jambes des cavaliers afin de les faire tomber. Le premier précipité à terre fut l'un des archers marseillais qui se trouvait derrière Saint-Marc.

Mais à l'instant même où un moine s'en prenait à lui, Saint-Jean tira un couteau de son baudrier et, d'un rapide coup de lame, trancha la gorge de l'agresseur. Le temps d'un battement de cil, il avait déjà lancé deux autres couteaux, meurtrissant le dos des faux religieux qui soulevaient un pied du comte de Huntington afin de le faire chuter. En un éclair, il envoya ensuite ses autres lames, atteignant chaque fois un estropiat à la gorge. Aussitôt après, il tira son épée et, frappant de taille, ouvrit une tranchée sanglante autour de lui.

Locksley, débarrassé de ses assaillants, avait dégainé à son tour et écarté les moines autour d'Anna Maria. L'autre archer marseillais, celui qui portait Gregorio en croupe, eut ainsi le temps de se dégager à coups de masse.

Terrifiés par ces réactions inattendues, les faux pèlerins s'égaillèrent comme des oiseaux. Saint-Jean en poursuivit plusieurs dont il brisa le crâne du plat de son épée. Cependant, l'un d'eux, plus audacieux, se retourna et s'apprêtait à planter son épieu dans le poitrail de son cheval quand Gregorio l'atteignit d'une pierre lancée de sa fronde.

La bataille prit ainsi fin. Une douzaine de corps sanglants couvraient le chemin rougi d'un flot de sang.

— Marius ! cria soudain l'archer marseillais.

Il venait de découvrir son camarade, le premier
agressé, gisant au sol, lardé de coups de lame et le
crâne brisé par des pierres.

Immédiatement, il sauta par terre. Pris d'une folie
de vengeance, il planta son épée au hasard sur les
corps encore gémissants.

De son côté, Saint-Jean s'était approché de Gregorio.

— Merci, mon ami. Ce cheval compte plus que tout
pour moi.

— J'ai fait ce que je devais, répondit le Pisan en
s'inclinant.

Quant à Locksley, après s'être assuré qu'il n'y avait
plus de danger, il observa Saint-Jean avec perplexité.
Après plusieurs semaines de voyage, il n'en savait
guère sur lui. Peu loquace, le chevalier ne lui avait rien
révélé de sa vie à Antioche et de sa famille sinon
qu'elle était arrivée en Terre sainte avec Godefroi de
Bouillon. Or, ce garçon était tout sauf anodin. Où
avait-il appris à manier ainsi le couteau ? Comment
pouvait-il être aussi rapide ?

Il lui en parla un peu plus tard.

— Je ne vous ai pas remercié, sire de Saint-Jean.
Sans vous, sans votre adresse, nous ne serions plus
que des corps sanglants sur le chemin.

— Ce n'était que de la chance, seigneur.

— Vous maniez bien le couteau. Qui vous a appris ?

— Un maître d'armes sarrasin au service de mon
père.

— Je comprends mieux... Voulez-vous rester avec
moi ? Vous avez compris que le roi de France a besoin
de chevaliers. Il saurait récompenser vos talents.

— Plus tard, peut-être. Pour l'instant je dois me
rendre en Flandre remettre un objet à mon oncle,
abbé. Je réalise la dernière volonté de mon père.

164

— Nous nous quitterons donc à Paris ?

— Oui, seigneur, et je le regrette. J'ai beaucoup apprécié votre compagnie, et celle de votre dame.

— Je suppose que vous ne connaissez aucune auberge là-bas ?

— Hélas, non, mais ce ne doit pas être difficile d'en trouver.

— Certainement ! Mais toutes ne se valent pas. Je peux vous conseiller la Corne-de-Fer. La meilleure hôtellerie de la rive droite, dans le Monceau-Saint-Gervais[1], près de l'église Saint-Merri. Vous y bénéficierez d'une bonne écurie pour vos chevaux et si vous dites à l'aubergiste venir de ma part, il vous logera royalement.

— Encore merci, seigneur, je suivrai votre conseil.

Derrière eux, Gregorio avait tout entendu.

Ils se séparèrent en vue de Paris. Gregorio quitta Robert de Locksley après avoir reçu son dû, tandis que le Marseillais choisissait de rester au service du Saxon.

---

1. La rive droite de la Seine, à Paris. Actuellement le quartier de l'Hôtel-de-Ville.

# Chapitre 14

Passé Arles, le voyage de Guilhem et de ses gens devait durer une dizaine de jours, peut-être plus car plusieurs d'entre eux allaient à pied. Ils auraient pu avancer plus vite en achetant des montures, mais Guilhem ne jugeait en rien nécessaire de le faire. En vérité, il ne voulait pas se l'avouer, mais il n'était aucunement désireux de retrouver la vie monotone de maître d'un domaine. Ce n'était pas le cas de Bartolomeo qui avait hâte de retrouver son épouse pour étaler sa fortune rapportée d'Italie. Peyre aussi aurait voulu marcher plus vite, pressé de revenir à Lamaguère la tête haute, alors qu'il avait failli en être chassé.

Comme son parent Alaric, qui transportait parfois Thomas, Peyre chevauchait un robuste destrier acheté à Marseille et portait de temps en temps derrière lui l'arbalétrier Ferrière. Quant à Flore, soit elle marchait, soit elle montait avec Bartolomeo. La mule croulait sous leurs bagages et le lourd butin ramené d'Italie : quelques milliers de florins provenant de la banque Piccolomini destinés à Bartolomeo, ainsi que les coffrets du cardinal Colonna emplis de pièces d'or, de bijoux et de gemmes précieuses.

La route jusqu'à Toulouse ne présentait aucun péril. Les larrons y étaient rares et les routiers absents. Malgré cela, tous gardaient les armes à portée de main. Ferrière ne quittait pas son arbalète et Peyre l'arc que Robert de Locksley lui avait acheté à Rome.

Lors des étapes, les deux hommes faisaient même des concours de tir que Ferrière remportait à chaque fois, à la grande contrariété de Peyre. L'arbalétrier battait son adversaire en précision et en puissance. À l'aide du crochet qu'il gardait à la taille, avec sa trousse de carreaux, il tendait l'arc de fer avec une force inouïe, lançant son trait toujours plus loin que celui de Peyre.

À plusieurs reprises, Guilhem questionna ses nouvelles recrues afin de mieux connaître leur histoire. Ferrière expliqua venir de Rouen. D'abord sergent d'armes pour l'évêque, il avait été engagé par une confrérie qui se rendait en Terre sainte. Avec quatre compagnons, dont un ancien croisé, ils s'étaient rendus à Saint-Jean-d'Acre et dans des monastères environnants. Malgré sa foi religieuse, c'était un homme d'un naturel enjoué qui chantait souvent et aimait raconter des farces grivoises. Il faisait même parfois sourire Flore qui restait pourtant distante avec chacun, sans doute parce que seule femme.

Quant à Thomas, il mentit en confiant à Guilhem avoir été servant d'un seigneur de Tripoli, et quitté la ville à sa mort afin de ne point servir un autre maître. Il lui parla peu de son demi-frère templier, qu'il n'avait jamais connu.

Ayant fait quelques assauts courtois à la masse et à l'épée contre Alaric, Guilhem lui proposa une nouvelle fois de s'installer à Lamaguère. Thomas répondit que sa décision dépendait de Flore. Si elle retournait à Tiron, il rejoindrait un ordre monastique.

Or, Flore s'était éloignée de lui, bien qu'il veillât à satisfaire ses moindres désirs, la laissant même manger la première dans l'écuelle qu'ils partageaient.

Ferrière n'adressait que rarement la parole à la jeune femme, se moquant seulement d'elle et de Thomas en déclarant à leur sujet : « Le four est chaud mais la pâte n'est pas levée. »

Seul Alaric s'était attaché à Flore, l'appelant poliment dame Flore et lui ayant même acheté des soliers à Montpellier. Ce cadeau avait contrarié Thomas quand il avait entendu Ferrière dire à Alaric avec un clin d'œil : « Femme qui prend, femme se vend ! »

En chemin, Guilhem expliqua à l'arbalétrier que son fief de Lamaguère se situait à seize lieues au-delà de Toulouse. Ils ne s'arrêteraient pas dans la capitale du comté, dit-il, sauf si le comte Raymond s'y trouvait. Ferrière fit part de sa déception, car il aurait aimé connaître la ville, mais Guilhem lui promit d'autres occasions.

S'adressant à Flore qui écoutait leur conversation, marchant auprès d'eux, il lui expliqua qu'elle rencontrerait à Toulouse des groupes de pèlerins se rendant en Touraine ou en Flandre, mais que, pour sa part, il déconseillait un tel voyage. Maintenant que la guerre avait repris entre Jean et le roi de France, le Poitou et la Touraine seraient sous peu à feu à sang. Les pèlerins deviendraient les premières victimes des bandes de Brabançons et de Cotereaux. Et dans ce cas, les femmes voyageant seules connaissaient un sort peu enviable.

Il lui renouvela donc l'offre de s'installer à Lamaguère, espérant ainsi que Thomas resterait. Elle l'écouta les larmes aux yeux, mais ne répondit ni oui ni non.

Si le comte Raymond[1] n'était pas à Toulouse, poursuivit Guilhem, ils iraient à Saint-Gilles, au château comtal. Ensuite, en deux jours, ils atteindraient Lamaguère. Son fief était petit, mais prospère, expliqua-t-il, tout au moins jusqu'à la sécheresse ayant sévi durant des mois, mais qui semblait terminée avec les pluies abondantes de juin et de juillet.

1. Raymond de Saint-Gilles est appelé indifféremment Raymond de Toulouse dans ce roman.

Plus de dix ans auparavant, son fief avait été disputé entre le comte d'Armagnac et son beau-frère, l'archevêque d'Auch, raconta-t-il. Le comte avait fini par incendier le château après que le prélat y eut installé ses gens. Pour éviter une guerre, Raymond de Saint-Gilles, suzerain des belligérants, avait proposé son arbitrage, suggérant de laisser le château et le fief en apanage à un de ses chevaliers, ce qui lui permettrait aussi de disposer d'un poste avancé sur le flanc aquitain de son comté.

Armagnac et Auch avaient accepté contre mille sous d'or et un bénéfice de dix marcs d'argent chaque année pour l'évêque. Possédant cette somme, Guilhem était entré en possession du fief. Enfin, pas tout à fait, car à son arrivée, accompagné d'un groupe de bannis venant de Paris, il avait trouvé les Templiers de Bordères installés dans son château.

À ces dernières explications, Thomas s'était raidi.

— La commanderie de Bordères possède le moulin et l'église le long de l'Arrats, la rivière qui traverse mes terres. Comme les Templiers ne voulaient pas partir, j'ai rassemblé les gens de mes menses, et avec mes propres hommes d'armes et serviteurs nous les avons chassés.

— Y a-t-il eu bataille, seigneur ?

C'est Alaric, qui répondit en s'esclaffant :

— Avant même qu'elle ne soit livrée, les Templiers ont vidé les lieux, n'ayant plus de pitance ! Il faut dire que le noble seigneur d'Ussel avait menacé de les pendre.

— Parmi les gens des menses, Alaric et son cousin ont été les premiers à me rejoindre, observa Guilhem en désignant le Toulousain. Peyre était trop jeune à ce moment-là.

— Les Templiers sont revenus, plus nombreux, et nous craignions tous la bataille, continua Alaric, mais le seigneur d'Ussel a su les convaincre de conclure une paix honorable. Depuis, les Templiers de Bordères sont nos amis.

Thomas parut rassuré.

— Je dois vous dire autre chose, compagnons (Guilhem s'adressait surtout à Ferrière). Dans le Toulousain se trouvent beaucoup de bons chrétiens qui suivent un dogme différent de celui de l'Église de Rome.

— Je le sais, seigneur : des bogomiles.

— Des cathares, plutôt. Et parmi les gens à mon service, et qui me sont chers car grâce à eux Lamaguère est prospère, il y en a moult.

Ferrière ne parut pas gêné devant cette annonce, Thomas non plus. Quant à Flore, elle resta indifférente.

Le lendemain, Thomas se trouvait en croupe derrière Alaric, lequel chevauchait en tête de la troupe, quand il le questionna :

— Le seigneur d'Ussel me fait l'effet d'être un bon maître, mais je m'inquiète des cathares dont il a parlé. À Tripoli, les hérésies étaient nombreuses et je les ai toujours évitées comme la peste, tant je crains pour mon âme.

Alaric ne répondit pas tout de suite. Il n'éprouvait aucune affinité envers Thomas et aurait donné cher pour qu'il ne demeure pas à Lamaguère. Mais il avait aussi compris que s'il partait, Flore, ne resterait pas. Pour la garder, il devait convaincre le sergent de s'installer dans le fief, en espérant qu'il ne l'épouse pas.

— Voici un an, j'ai suivi mon maître à la recherche d'une pierre ayant appartenu aux anges[1], dit-il.

— Comment cela ? Aux anges ? s'exclama Thomas.

---

1. *Montségur, 1201*, du même auteur.

— Oui, aux anges. Et aux démons aussi. Le seigneur d'Ussel a risqué sa vie pour la découvrir. Cette pierre était à la fois maléfique, car Satan l'avait possédée, mais pouvait aussi rendre la vie aux âmes pures.

— Comment affirmer cela ?

— Parce que je l'ai vue, répondit gravement Alaric. L'épouse de mon maître a été tuée, durant cette entreprise. Alors, il a appliqué sur son cœur cette pierre venant des anges, et elle a retrouvé la vie. Vous la verrez à Lamaguère, ressuscitée comme Lazare.

Thomas fut troublé. Après lui avoir montré son visage, le Seigneur Dieu l'aurait-il envoyé vers celui qu'il avait élu ? Auquel cas, il devait demeurer à Lamaguère.

Il décida de convaincre Flore de rester avec lui et de l'épouser.

Le comte Raymond ne se trouvait ni à Toulouse ni à Saint-Gilles. Ils passèrent la nuit dans l'hôtellerie du château et firent le lendemain une longue étape jusqu'à l'abbaye de Planselve[1] où les moines leur offrirent l'hospitalité.

Le jour suivant – il restait encore huit lieues à parcourir avant d'atteindre Lamaguère – Alaric partit avant le lever du jour afin de prévenir les gens du fief de leur arrivée. Et dans l'après-midi, alors qu'ils avançaient sous un soleil écrasant, ils virent une grande troupe à cheval venir vers eux. En tête se trouvaient Sanceline, Aignan, Alaric et son cousin Ferrand.

1. Abbaye cistercienne bâtie en 1142 au lieu-dit « Plana Sylva » près de la rivière Gimone dont il ne reste que la porte et quelques bâtiments conventuels.

Guilhem avait connu Sanceline à Paris. Fille de tisserand cathare, c'est elle qui avait caché Robert de Locksley poursuivi par le prévôt de la capitale. Arrêtée ensuite avec d'autres hérétiques, Guilhem l'avait sauvée du bûcher et c'est par amour pour elle qu'il s'était engagé auprès de Philippe Auguste à conduire les cathares dans le comté de Toulouse. Pourtant, elle l'avait quitté dans le dessein de devenir « parfaite », c'est-à-dire de recevoir l'Esprit Saint afin de pouvoir conduire les disciples dans la voie du salut.

Mais après que Guilhem eut perdu la belle Amicie de Villemur, elle était revenue vers lui afin qu'il sauve son père, le « parfait » Enguerrand qui recherchait le Graal. Sanceline était morte, en effet, durant cette quête, mais Guilhem l'avait ramenée de l'au-delà. Alaric en était persuadé... mais personne ne connaîtrait jamais la vérité.

Quant à Aignan le libraire, ancien vendeur de parchemins dans le Monceau-Saint-Gervais – cathare lui aussi – il était désormais tout à la fois l'intendant, le notaire, le procureur et le sénéchal de Lamaguère, s'occupant des chartes et des droits.

Les gens du château avaient apporté boissons et nourriture à profusion. Ils firent donc un grand banquet, à l'ombre d'un petit bois, avant de repartir.

La pluie, qui avait commencé à tomber à la fin de juin, avait sauvé Lamaguère mais pas les récoltes, expliquèrent Aignan et Sanceline. Aussi les blés étaient-ils hors de prix. Guilhem les rassura. Il ramenait de Rome de quoi faire vivre tous les gens du fief, même si la disette durait des années.

Ayant entendu ensuite les aventures de son maître et découvert la présence de Peyre, Aignan se trouva embarrassé. Il avait demandé que l'on chasse ce garçon du domaine pour sa mauvaise conduite, et il apprenait que c'est lui qui avait sauvé son seigneur. Jusqu'à présent, il était persuadé que Peyre avait quitté le Toulousain et fini pendu quelque part.

Cependant, homme droit et juste, Aignan reconnut ses torts et complimenta le jeune garçon pour sa conduite, lui assurant qu'il n'aurait désormais pas de meilleur défenseur. Peyre, ému plus qu'il ne l'aurait voulu, tomba dans ses bras.

Parmi les serviteurs venus avec Aignan et Sanceline se trouvait Geoffroi, qui avait possédé un cabaret, rue des Deux-Portes, dans le Monceau-Saint-Gervais, et devenu depuis cellérier du château. Il y avait aussi Thomas, l'ancien cordonnier qui assurait l'entretien du domaine et s'occupait de toutes les activités mécaniques et artisanales. Seul Jehan le Flamand, tisserand changé en homme d'armes et désormais écuyer de Guilhem, était resté au château, suivant en cela les ordres de son maître qui lui avait enjoint de ne jamais s'en éloigner.

Ils approchaient de Lamaguère quand ils entendirent sonner les cors des guetteurs. La troupe longea un moment l'Arrats, dont le cours était redevenu abondant, puis atteignit les premières constructions, au pied de la colline où se dressait la forteresse.

La sœur d'Alaric l'attendait devant leur maison, unique salle partagée en deux, étable d'un côté et logis de l'autre. Les fumées du foyer s'évacuaient par un trou dans le toit. Un temps, le logis avait appartenu à Jehan qui y vivait alors avec sa femme, ses filles et son nourrisson. Désormais, il avait chambre au château.

Godefroi le Saxon, avec son épouse Jeanne – une ancienne servante de Jehan –, occupait la deuxième maison et Martin, un serf affranchi devenu homme d'armes, habitait la troisième.

Tous les habitants du fief s'étaient rassemblés là pour acclamer leur maître qu'ils voyaient bien gaillard, accompagné du seigneur Bartolomeo richement vêtu, signe de l'obtention du bel héritage qu'il briguait. Quant aux nouveaux venus, chacun avait hâte de les connaître. Enfin beaucoup se posaient des questions sur la présence de Peyre, qu'ils croyaient pendu mais revenait équipé comme un chevalier.

La forteresse, rectangle encadré d'une haute muraille blanche, se dressait fièrement sur une éminence rocheuse. Le château faisait à peine cinquante pieds sur cent de long. Sa seule entrée était une ouverture voûtée à près de deux toises du sol, avec une fosse devant. Pour la franchir, on devait emprunter une estacade en bois avec un escalier et une échelle.

L'intérieur comprenait une grande salle surmontée de quatre pièces cloisonnées. Aignan avec sa femme et ses deux grands garçons occupaient la première ; Thomas et sa sœur la deuxième ; Geoffroi le tavernier, le plus à l'aise puisqu'il vivait seul, la troisième ; enfin, Jehan, son épouse et ses filles se serraient dans la dernière.

Les appartements de Guilhem se situaient, eux, dans une tour d'angle où il avait sa chambre et Sanceline la sienne.

Les autres habitants, gardes et serviteurs, logeaient dans des baraques construites dans la basse-cour extérieure où se dressaient aussi le four, les écuries et des granges. Tous ces bâtiments en bois et en torchis, aux toits de pierres plates, étaient protégés par une haute palissade de bois, un fossé, une barbacane et un pont dormant.

Jehan le Flamand attendait devant la barbacane, entouré d'hommes d'armes porteurs de lances et d'arbalètes. Prévenus la veille, ils avaient tous rasé leur barbe, coupé leurs cheveux trop longs, revêtu une chemise propre et nettoyé leur broigne. Sur ordre de dame Sanceline, Jehan avait fait dresser le long de l'enceinte des bannières et des gonfanons aux armes du seigneur : une vielle à roue.

Si Sanceline était la châtelaine – chacun lui obéissait en l'absence du maître – c'est Jehan qui remplaçait le seigneur pour la défense du fief. L'ancien tisserand savait lire, certes, pas aussi bien que son épouse ou qu'Aignan, mais suffisamment pour comprendre des chartes. Fidèle et bon combattant, tout en conservant sa foi cathare, il avait été ordonné écuyer par Guilhem et s'il se montrait digne de sa charge, peut-être serait-il un jour adoubé chevalier et deviendrait-il noble homme.

Avec les autres serviteurs, il mit genou au sol quand le maître passa le portail, remerciant le Seigneur de son retour.

Le soir, ce fut la fête.

Le lendemain, il fallut décider du logement des arrivants. En attendant de construire de nouvelles maisons, il fut convenu que Ferrière habiterait dans le solier de la maison de Martin, l'ancien serf. Quant à Thomas et Flore, leur situation était plus délicate.

Guilhem interrogea la jeune femme, qui accepta de rester à Lamaguère avec Thomas et de l'épouser. Aucune passion ne se fit sentir dans sa décision, mais Flore craignait trop de repartir sur les chemins en quête d'un avenir incertain. La vie que Thomas lui proposait ici lui convenait, même si elle ne lui apportait aucun bonheur.

Le couple rencontra le prêtre de l'église du Temple située de l'autre côté de l'Arrats, les noces furent décidées pour la fin de l'année. Aussi, rien ne s'opposait désormais à ce qu'ils vivent ensemble. Godefroi et Jeanne acceptèrent donc de leur laisser le solier de leur maison.

Dans les jours qui suivirent, Thomas et Flore défrichèrent quelques arpents de la forêt. Les arbres coupés seraient transformés en poteaux d'angle, poutres et colombes, et leur logis terminé avant le printemps.

Bartolomeo ne demeura qu'une nuit à Lamaguère. Il avait hâte de retrouver son épouse Alazaïs de Lasseube, et de lui montrer le riche butin qu'il ramenait, avec lequel il pourrait transformer leur château et engager hommes d'armes et domestiques.

De son côté, Guilhem dut passer beaucoup de temps avec Aignan et Sanceline, à qui il remit une broche sertie de diamants venant du cardinal Colonna. L'intendant avait préparé des comptes précis sur l'état des finances du fief. Il les lui expliqua avec des jetons colorés, comme il en avait l'habitude. Presque une année de récolte avait été perdue, mais les ventes d'étoffes, de miel et de vin au marché d'Auch, meilleures que prévu, avaient permis l'achat de fourrage et blé, même si Sanceline avait dû puiser dans le trésor de son mari ; l'or provenait du coffre ayant contenu le Graal.

Les prises que ramenait Guilhem compensaient largement ces pertes, aussi décida-t-il d'entreprendre des travaux afin de rendre le château plus agréable à sa chère épouse. Le corps de logis de la forteresse était formé d'une grande salle, à la charpente de chêne, construite sur des caves et surmontée de chambres. Les murs étaient simplement blanchis à la chaux et Guilhem voulait qu'ils soient désormais peints, comme il en avait vu à Rome au palais des Orsini, chez le cardinal Colonna ou Giovanni Capocci.

Il se rendit donc à Auch, où il avait déjà admiré les peintures de l'évêché. Il rencontra l'évêque pour lui raconter son voyage à Rome et Bernard de Montaut accepta de lui céder son peintre quelques semaines. Sanceline, ayant accompagné son mari, acheta en ville des étoffes de lin et de soie pour se tailler des chemises, une nouvelle robe, des bliauds et un manteau galonné. Elle se procura aussi des fils d'or et d'argent, une aumônière de soie et plusieurs ceintures à boucles ciselées. Guilhem voulait qu'elle paraisse désormais comme l'une des plus riches châtelaines du pays. De plus il parvint à engager d'autres hommes d'armes destinés à renforcer sa garnison.

De retour à Lamaguère, le peintre proposa un semis d'étoiles sur le plafond afin qu'il ressemble à la voûte céleste. Quant aux murs, il les parsèmerait de tiges vertes et feuillues, imitant les bois, avec une frise de grappes de raisin. Les chambres de la tour seraient simplement peintes, une en jaune et l'autre en blanc avec un décor de losanges. Guilhem ayant agréé, il se mit aussitôt au travail.

Parmi les autres embellissements, Ussel fit agrandir ses écuries afin d'y recevoir plus de destriers et de palefrois, et creuser des caves supplémentaires dans lesquelles il entreposa les richesses acquises ces dernières années. Il avait en projet de les utiliser pour acheter de nouveaux domaines.

C'est quelques jours après son retour d'Auch qu'Alaric demanda à lui parler. Sans doute au sujet de Peyre, se dit-il.

Et pour cause : dans le but d'éviter de nouvelles disputes entre le jeune garçon et les habitants des manses, il avait décidé que celui-ci serait désormais garde-chasse et surveillerait les forêts entourant le château. Alaric avait suggéré qu'on le laisse construire une tour de défense, mais Guilhem n'avait pas pris de décision à ce sujet.

Seulement, Alaric venait pour une tout autre raison.

— Sire d'Ussel, fit-il après s'être agenouillé, je ne suis qu'un homme d'armes à votre service, mais je sais que vous me jugez bon écuyer.

Ils se trouvaient dans la chambre de la tour.

— C'est vrai.

— J'ai été humilié, seigneur. Voulant préserver mon honneur, j'ai exigé un duel et mon offenseur l'a accepté. Je viens vous supplier de m'autoriser à me battre avec lui dans la basse-cour, devant tout le monde. Je veux que le Seigneur choisisse entre nous.

— Qui est-ce ? s'enquit Guilhem d'un ton brusquement glacial.

— Thomas, seigneur.

— Pourquoi ?

— À cause de Flore, seigneur.

— En quoi Flore te concerne-t-elle ? Elle sera bientôt l'épouse de Thomas.

— Elle ne l'aime pas, seigneur.

— Qu'en sais-tu ? Et quand bien même ce serait vrai, elle a accepté ce mariage ! grinça Ussel, un ton plus haut.

Alaric baissa les yeux et, comme le silence s'alourdissait, balbutia :

— Je lui ai parlé, seigneur.

Guilhem secoua la tête en soupirant. Pourquoi avait-il accepté la venue de cette femme ! Depuis Ève, quel bien était-il venu d'une seule femme ? songea-t-il, avant de se morigéner en pensant à Marion[1], à Sanceline et à Amicie.

---

1. La première épouse de Guilhem. Voir *De taille et d'estoc*, du même auteur.

— Je ne veux pas d'un duel, Alaric. J'ai besoin de toi et de Thomas. Il existe d'autres femmes que Flore. De plus, elle est laide...

— Non, seigneur ! C'est la plus belle des femmes, rugit Alaric.

— Assez ! Le mariage est prévu pour Noël. Il aura lieu. Je parlerai à Thomas et je t'interdis désormais d'approcher Flore !

Alaric baissa la tête. De grosses larmes coulaient sur ses rudes joues.

Quand il eut quitté la chambre, Guilhem se sentit embarrassé et mécontent de lui-même. Jusqu'à présent, Alaric s'était révélé un serviteur affermi. Jusqu'où pouvaient le conduire ses sentiments envers Flore ? Et de songer qu'à sa place, lui n'aurait pas cédé !

À la fin du mois d'août, Pierre de Corona et Pons de Beaufort, deux diacres « parfaits », vinrent prêcher au château. Ils apparaissaient ainsi trois ou quatre fois par an, circulant partout dans le Toulousain pour louer leurs bras ou réparer les chaussures tout en portant « la véridique parole de Dieu ».

Ils arrivaient de Toulouse et expliquèrent à Guilhem que le comte était revenu. Il se trouvait en ville pour discuter avec l'évêque et le chapitre de la cathédrale qui se plaignaient une nouvelle fois des cathares, de plus en plus nombreux.

Guilhem décida donc de partir sur-le-champ. Raymond, son suzerain, devait être informé au plus vite de ce qui était survenu à Rome, car ce qu'il avait fait au pape Innocent III ne manquerait certainement pas d'avoir des répercussions.

À peine eut-il annoncé son prochain départ que Ferrière et Alaric sollicitèrent de l'accompagner. Il accepta, puisqu'il avait promis à Ferrière de le laisser aller à Toulouse. Quant à Alaric, son éloignement ne pouvait qu'être bénéfique.

À Toulouse, tandis qu'Alaric et Ferrière restaient à leur auberge, le comte le reçut dans sa maison de ville. Le lendemain de son arrivée, il l'invita aussi à un banquet avec les capitouls. À cette occasion, Guilhem lui raconta son voyage et les fourberies du pape, ce qui ne surprit pas Raymond de Saint-Gilles qui déclara : « Plus on est près de l'Église, plus on est loin de Dieu. »

Il parla alors, tant à Guilhem qu'aux capitouls, des demandes de plus en plus pressantes du Saint-Père pour éradiquer les cathares. Chose à laquelle il se refusait. C'est à l'occasion de ce repas que Guilhem apprit la capture du jeune duc Arthur de Bretagne. Raymond n'y attachait aucune importance, souhaitant garder de bonnes relations tant avec le roi Jean qu'avec Philippe Auguste. Et puis, la guerre qui allait reprendre entre eux n'était pas une mauvaise chose, jugeait-il cyniquement. Elle affaiblirait les belligérants et entraverait toutes velléités de revendication sur le Toulousain.

Aux questions de Guilhem, il répondit ignorer le sort fait à Arthur, jugeant cependant sa mort certaine après qu'il eut été castré et aveuglé. Il espérait seulement que l'agonie du jeune duc n'avait pas été trop douloureuse.

À ces paroles, un silence pénible s'installa dans la salle du banquet, tout un chacun connaissait la sauvagerie du roi Jean.

# Chapitre 15

'orage avait grondé toute la nuit sans que la pluie tombe et les premières lueurs de l'aube perçaient maintenant l'obscurité. Sanceline dormait toujours, mais Guilhem s'était levé et bouclait ses heuses quand, par l'une des meurtrières de sa chambre, il entendit un vacarme de vociférations. Il reconnut la voix d'Alaric, puis celle de Jehan donnant l'alerte. Presque aussitôt retentirent le son du cor et celui de la cloche d'une tour de l'enceinte.

Sanceline se réveilla.

— Que se passe-t-il ? s'enquit-elle, inquiète.

Guilhem attacha ses soliers, saisit sa lourde épée et, sans même nouer son ceinturon, fila dans l'escalier à vis qu'il dévala à toute allure.

On était la veille de la Saint-Grégoire[1].

Dans la cour intérieure, Thomas le cordonnier et Aignan le libraire, ébahis, écoutaient le récit d'Alaric qui venait d'arriver.

— Seigneur ! sanglota-t-il. Un effroyable malheur ! Godefroi le Saxon est mort !

— Impossible !

— Lâchement trucidé dans la nuit, ainsi que Jeanne et leur nourrisson... Et Thomas !

— Qui ? Qui a fait ça ? gronda Guilhem, les yeux fous.

---

1. 2 septembre.

— Je l'ignore, seigneur. Des vagabonds, des gens sans aveu, forcément.

N'écoutant plus, Guilhem s'était précipité vers l'entrée voûtée du château. Il dévala l'échelle de l'estacade de bois. En bas, Jehan l'attendait avec Ferrière et une poignée d'hommes. Les autres se tenaient déjà sur le chemin de ronde, vigilants et casqués.

— J'ai tout fermé, seigneur. C'est Ferrière qui a découvert...

— Plus tard ! Ferrière, avec moi ! Alaric, viens avec Aignan. Vous autres, les chevaux ! Ouvrez le portail !

Déjà un garçon courait chercher son destrier et lui passait un mors. Il sauta en croupe, sans selle, et fit avancer la bête au portail que deux hommes manœuvraient, tirant les deux pièces de bois qui le bloquaient. Alaric s'était aussi précipité à l'écurie. À peine monté en croupe, sans selle non plus, il tira à lui Aignan qui arrivait, essoufflé.

Les vantaux s'écartèrent et ils franchirent la barbacane. Guilhem galopait, brandissant son épée.

Godefroi tué ! Impossible ! Il ne pouvait le croire ! Godefroi, le dernier des quatre archers saxons de Robert de Locksley ! Peu loquace, bien que parlant la langue d'oc, mais d'une incroyable habileté à l'arc. Pieux et bon époux avec Jeanne, l'ancienne servante de Jehan ! C'était un homme sans histoire, mesuré, mais courageux, bref, irremplaçable. Quant à Jeanne, si douce et si bonne !

Les maisons étaient proches. Avant même que son cheval ne se soit arrêté, Guilhem avait sauté au sol. Martin, l'ancien serf devenu homme d'armes, attendait, tenant sa femme par la main, tous deux désemparés. C'est chez eux que logeait Ferrière. Leurs trois chiens grognaient à leurs pieds. Peyre, prévenu par on ne sait qui, se trouvait là lui aussi.

Guilhem vit que le molosse de Godefroi, attaché la nuit à un arbre, avait été tué par un vireton. La porte étant ouverte, il entra dans la maison. Sombre, l'endroit qui habituellement sentait l'étable puait le sang séché et la mort. L'unique salle était partagée en deux par une barrière de branche tressées. À droite, les moutons attendaient qu'on les sorte et la chèvre bêlait tristement.

Les dépouilles reposaient sur le sol en terre battue, sauf celle de Jeanne, allongée sur sa paillasse la gorge ouverte, tenant son bébé au crâne fracassé.

Godefroi avait été occis d'un coup d'épée ou de couteau en plein ventre. Les boyaux sortaient. Près de lui, au pied de l'échelle permettant de monter au solier, nu-pieds, en chemise ensanglantée, Thomas avait la poitrine fendue par le fer d'une hache. Son épée gisait à deux pas.

Guilhem regarda le sol souillé, piétiné par toutes sortes d'empreintes ensanglantées.

Aignan pénétra avec Alaric et Jehan. Tous se signèrent devant l'horrible spectacle. Guilhem ne l'avait pas fait.

— Ne touchez à rien ! ordonna-t-il.

Il grimpa vivement à l'échelle.

L'étage était fait de traverses de bois à peine équarri sur lesquelles on avait étalé un mélange de paille et de terre, le même torchis que les murs, ce qui constituait un sol à la fois souple et dur. Ne s'y trouvaient qu'une paillasse sur un cadre de bois et une huche en planche. Flore avait disparu.

Ussel s'approcha de la minuscule fenêtre permettant d'aérer le grenier. Le volet était ouvert, car il faisait encore chaud la nuit. Un homme n'aurait pu y passer, ni une femme et encore moins Flore, si large avec ses hanches et ses tétons.

Sur la paillasse traînaient draps et couette, mais aussi le casque et la hache de Thomas.

Guilhem souleva le couvercle du coffre et en vida le contenu : quelques vêtements, des couteaux, un bliaud, une ceinture, une casaque : celle de Thomas. Où se trouvait le manteau de Flore ?

Il tira la couette. Rien, pas d'escarcelle ni de bourse. D'innombrables poux s'agitaient en revanche sur le drap blanc. Il redescendit.

Alaric avait examiné les hommes. Jehan et Aignan la femme et l'enfantelet.

— Flore n'a pu tous les tuer, disait Aignan, désemparé.

Déjà, on l'accusait, songea Guilhem. Mais sa culpabilité semblait tellement évidente.

— Elle a seulement fait entrer des hommes, expliqua Martin. J'ai entendu mes chiens japper. On a hésité à sortir, pas vrai, Ferrière ?

L'arbalétrier approuva en silence. Il paraissait bouleversé.

— Puis les chiens se sont calmés. On a pensé à un sanglier ou un renard. Hein, Ferrière ?

Nouveau hochement de tête.

— Seulement ce matin, en sortant, j'ai pas entendu leur chien. Je suis allé voir ; il était là, mort. La porte était fermée, j'ai frappé, mais la barre intérieure était pas mise... À coup sûr Flore l'avait levée pour les faire entrer.

Guilhem écoutait. Martin avait certainement raison.

— Aignan, regarde si elle a été forcée, demanda-t-il en désignant Jeanne.

Le libraire s'accroupit près de la femme et souleva sa robe. Il ne vit aucune trace de violence ou autre, seulement la rougeur des piqûres de poux.

— Non, seigneur.

Guilhem considéra la scène de crime, essayant de reconstituer le fil des événements. Les traits anguleux de Godefroi étaient encore plus accentués dans la mort. Son visage, mangé par une barbe presque blanche, reflétait toute la surprise du monde. Nul doute qu'il ne s'attendait pas à finir ainsi.

Qui avait ouvert la porte ? Certainement pas Godefroi, bien trop prudent. Thomas ? Mais pourquoi l'aurait-il fait ? Si l'épée du sergent se trouvait par

terre, Godefroi, lui, était sans armes. Il avait été surpris. Il avait entendu un bruit et s'était levé, mais trop
tard. « Ils » étaient déjà dans la maison. On lui avait
enfoncé une lame dans le ventre, vidant ses entrailles.
Impossible alors de lâcher le moindre mot.

Jeanne avait crié en entendant la courte lutte.
L'agresseur de son mari l'avait égorgée aussitôt. Lui
ou un autre avait frappé de son marteau l'enfantelet
qui devait pleurer.

Ces bruits avaient forcément attiré l'attention de
Thomas et de Flore. Lui était descendu avec son épée,
mais, sur l'échelle, on lui avait lancé une hache qui lui
avait ouvert la poitrine. L'épée était tombée à quelques
pas.

Mais Flore, alors ? Son cadavre aurait dû se trouver
en haut. Avait-elle fui par la petite fenêtre ? Impossible, elle n'aurait pu passer.

Guilhem se représenta les événements autrement.
Flore attendait les tueurs. C'était une prostituée, elle
les connaissait, peut-être les avait-elle vus rôder dans
les environs. Elle leur avait révélé que Thomas et
Godefroi possédaient un peu d'argent. Elle ne voulait
plus de cette dure vie de paysanne. Pendant que toute
la maisonnée dormait elle était descendue pour ôter la
barre et les faire entrer. À ce moment, Godefroi s'était
levé, encore ensommeillé. Les visiteurs lui avaient
ouvert les entrailles, puis avaient tué sa femme et son
nourrisson. Thomas, descendu à son tour, avait reçu
le fer d'une hache.

Martin avait raison, c'était forcément elle la coupable. Mais pourquoi tuer ? Flore aurait pu voler Thomas et Godefroi avant de rejoindre ses complices. Il
n'y avait aucune raison à un tel massacre. Aucune raison compréhensible. Les estropiats n'avaient pas
même volé les armes, les haches et les casques... Sauf
si les aboiements des chiens les avaient fait fuir...

Guilhem regarda à nouveau le corps de Thomas et
remarqua pour la première fois sa main droite. Une

main entrouverte comme une serre, les doigts tendus. Intrigué, il avança. Avant de passer de l'autre côté, le sergent d'armes avait tracé des lettres dans la terre avec ses ongles.

— Aignan, approche ! Regarde ! Qu'a-t-il écrit ?

Le libraire se pencha et déchiffra lentement :

— XCS FACIES, seigneur.

Son visage révélait sa surprise.

— Le visage du Christ ? traduit Guilhem. Qu'est-ce que cela signifie ?

Ils s'abîmèrent dans le silence. Tout devenait incompréhensible dans ces meurtres. Pourquoi Flore avait-elle fait venir ces gens ? Pour le visage du Christ ? Aucun sens !

Guilhem éprouva la vague impression d'avoir l'explication des meurtres sous les yeux sans pour autant en déceler le sens. Que signifiaient ces mots ?

Il sortit. Dehors, Peyre était avec les autres.

— Peyre, pars avec ton oncle, cherchez des traces. Ils ont dû venir avec des chevaux.

Il se retourna, car Alaric sortait à son tour, le visage hagard. Ussel ne l'avait jamais vu ainsi, même après avoir découvert les gens empalés par le seigneur Dracul[1]. Cela annonçait de nouvelles préoccupations, mais il n'était pas temps d'y penser.

Guilhem contourna la maison et se rendit sous le fenestron. L'ouverture se trouvait à deux cannes du sol. À son pied s'étendait un jardinet. Il ne constata aucune trace de pas dans la terre meuble. Au demeurant, il restait persuadé qu'on ne pouvait passer par le fenestron.

Il entendit parler vers la rivière. Alaric et Peyre interrogeaient les frères templiers. Inutile ! maugréa-t-il. Les estropiats ne pouvaient être venus par là. Il se dirigea donc vers les bois, du côté opposé, et

---

1. *Montségur, 1201*, du même auteur.

aperçut vite des branches brisées et des fourrés écrasés.

— Alaric ! Peyre ! Par ici !

Il s'engagea dans la forêt. Les traces étant nettes, il les suivit à grandes enjambées, utilisant son épée pour se frayer un passage. Il déboucha assez rapidement dans une petite clairière qu'il connaissait et qui, par un sentier rocailleux, communiquait avec le chemin du prieuré de Sainte-Marie du Bon Lieu[1].

Les traces de chevaux étaient nombreuses. Il s'accroupit, essayant de distinguer les différences entre les sabots, puis entendit ses hommes d'armes accourir.

Il se retourna.

— Peyre, tu es le meilleur pour pister. Trouve combien ils étaient et le chemin qu'ils ont suivi. Ensuite, reviens au château.

Il ne proposa pas à son oncle de rester avec lui.

— Comment Flore les connaissait-elle ? demanda Alaric, d'une voix blanche.

— On lui demandera quand on l'aura trouvée. Nous partons : toi, ton cousin Ferrand, Peyre et Ferrière. Nous prendrons le temps qu'il faut mais nous les retrouverons et les détruirons comme de la vermine. Quant à Flore, je ferai pendre cette pécheresse devant la maison de Godefroi, après lui avoir coupé les mains moi-même. J'en fais le serment.

Laissant Peyre, ils rebroussèrent chemin. Aignan attendait avec les autres. Alaric était livide.

— Aignan, fais-les mettre en terre. Occupe-toi de l'office avec le Temple. Qu'il soit le plus beau possible. Pour Jeanne, pratiquez votre rite. Jehan, tu me remplaceras au château. Je veux une garde sur les remparts jour et nuit. Nous partons avec Alaric. Geoffroi, prépare-nous des provisions pour dix jours.

---

1. Devenu Boulaur.

— Pourquoi ont-ils fait ça, seigneur ? Qui sont-ils ? interrogea Aignan.

Guilhem remonta sur son cheval et, d'une main, tira son intendant afin de le prendre en croupe.

— Je l'ignore, Aignan. Mais ce n'est pas à toi que je vais apprendre que ce monde appartient au Démon. C'est lui qui a envoyé ces hommes voler les vies de mes serviteurs. Il veut me punir pour les noirceurs que je l'ai empêché d'accomplir. Flore n'est que son instrument.

Comme Aignan gardait le silence, car il partageait le sentiment de son maître, Guilhem poursuivit, les yeux vagues et d'un ton monocorde :

— J'ai été comme ces hommes, j'ai commis les mêmes crimes... avant... quand j'étais jeune. Je serai damné pour l'éternité pour ce que j'ai osé. Mais connaissant le Mal dans son étendue, j'étais persuadé que je saurais protéger mes gens. Non seulement, j'ai échoué, mais c'est moi qui ai conduit ce succube ici ! Je ne laisserai pas ces crimes impunis, devrais-je aller en enfer les chercher.

— Vous vous trompez, seigneur, intervint Aignan. Vous n'êtes pas le mauvais homme que vous prétendez. Jadis, le Mal a peut-être tenté de vous séduire, mais vous l'avez rejeté. Depuis, vous l'avez toujours combattu. Dame Sanceline le sait comme nous tous ici, vous êtes un homme bon !

— Non ! Tu ignores tout de mon histoire ! cria Guilhem en se détournant.

Aignan n'insista pas et revint au crime :

— Pourquoi Thomas a-t-il voulu attirer l'attention en écrivant : « Le visage du Christ », seigneur ?

— C'est un autre mystère... Peut-être son tueur avait-il le visage du Christ... persifla-t-il, pour faire disparaître la dissension qui les avait opposés.

— Vous blasphémez, seigneur ! supplia Aignan.

Guilhem n'ajouta rien. Cette question, comme d'autres, resterait sans réponse. Mais des évidences lui crevaient les yeux, et elles lui déplaisaient, car elles l'obligeraient à tuer l'un de ses hommes.

Au château, Alaric fit préparer quatre destriers, deux montures de rechange et un roussin de bât. Ferrière ne cacha pas son étonnement quand on lui annonça qu'il accompagnait son seigneur, mais il prit ses armes sans discuter.

Guilhem délivra d'ultimes instructions à Jehan et à ses serviteurs cathares, puis partit rejoindre Sanceline à qui il fit part de ses décisions. Il lui demanda aussi de prévenir le templier Adhémar, qui avait la garde de l'église du Temple et du moulin sur l'Arrats.

Ils étaient fin prêts quand Peyre revint. Alaric avait préparé les affaires de son neveu et celui-ci n'eut qu'à monter en selle.

— Ils étaient sept, seigneur, expliqua Peyre. Ils n'avaient pas de chevaux de bât. Ils ont pris la direction du prieuré.

— Soit une dizaine d'heures d'avance. Et Flore ?

— Pas de trace d'elle, mais elle se trouve avec eux, c'est certain.

Alaric secoua la tête en réprimant ses larmes.

Ils en eurent en effet confirmation sur le chemin du prieuré. Peyre repéra l'empreinte d'un pied de femme dans une flaque de boue mal séchée. Elle était récente et formait un grand pied, comme ceux de la fugitive. À quelques pas, accroché à un buisson épineux, pendait un minuscule morceau de tissu rouge sombre. La couleur de son bliaud.

189

— Elle est descendue de cheval ici, affirma Peyre, et comme il devait faire nuit, elle n'a pas fait attention à la ronce. Elle se trouve bien avec eux.

Ils poursuivirent jusqu'au prieuré où ils interrogèrent les sentinelles. Si aucun n'avait vu de cavaliers, ils avaient bien entendu des chevaux.

Arrivés à la route entre Toulouse et Auch, Peyre étudia les traces de chaque côté. Il avait repéré des empreintes de fers mal cloués et les retrouva sur le chemin dans la direction d'Auch. Ils prirent donc cette direction.

Plus loin, ils rencontrèrent des pèlerins, mais aucun n'avait vu sept cavaliers et une femme. Ils poursuivirent donc au galop jusqu'à Aubiet d'où partait l'embranchement du chemin vers Montauban. Là, ils interrogèrent un laboureur qui conduisait un bœuf. Oui, très tôt le matin, il avait aperçu une troupe. Il n'avait pas compté, mais ils étaient au moins sept. Il n'avait pas remarqué de femme avec eux, mais il ne pouvait jurer qu'il n'y en avait pas.

Guilhem et ses hommes suivirent le chemin de Montauban. L'après-midi était déjà avancée et ils chevauchèrent jusqu'à la nuit tombée, ayant plusieurs fois confirmation du passage de plusieurs cavaliers. Quand il fit presque nuit, ils installèrent un sommaire campement et se restaurèrent. Peyre prit le premier tour de garde.

# Chapitre 16

En s'y faisant édifier un château[1], le comte de Toulouse, Alphonse Jourdain, arrière-grand-père du comte actuel, avait été à l'origine de l'essor de Montauban. La ville, solidement fortifiée sur un éperon situé dans un méandre du Tarn, se trouvait bien protégée des incursions de routiers, si fréquentes en Limousin et en Quercy. Sous l'égide de ses évêques, Montauban était donc devenue une grande et sûre place de négoce.

Les quatre hommes franchirent le Tarn en barque en soirée et entrèrent par la porte du Moustier. Pour la première fois, ils obtinrent des informations précises sur ceux qu'ils pourchassaient.

En effet, le marinier qui conduisait le bac avait dû faire deux passages avec les meurtriers de Godefroi ; il avait donc eu le temps de les observer et de les entendre. Ils étaient bien sept. Selon lui, aucun n'était chevalier, il s'agissait plutôt de routiers, de Brabançons. D'ailleurs, plusieurs parlaient dans des dialectes qu'il ne comprenait pas. Cependant, l'un d'eux avait nommé, en langue d'oc, un seigneur Falcaise qu'ils avaient hâte de retrouver. Quant à leur chef, ses hommes l'avaient plusieurs fois nommé avec déférence : maître Le Maçon. Enfin, le passeur assurait qu'aucune femme ne se trouvait avec eux.

---

1. En 1144.

— Maître Le Maçon ? répéta Guilhem, intrigué. Pourquoi maître ? S'agissait-il d'un marchand ? D'un homme de loi ? D'un médecin ?

— Je ne sais, noble seigneur. Il n'était pas tonsuré et ne portait point robe, mais un surcot avec épée au baudrier. Il gardait hache et masse d'armes à sa selle, ainsi qu'un haubert attaché à l'arçon. C'était un guerrier, c'est sûr. Tout dans son allure l'indiquait : son ton cassant, son arrogance et son mépris des gens de peu, comme moi.

— Quel âge ?

— La vingtaine. Les autres étaient plus vieux. Des pendards, selon moi.

— Falcaise... Je connais un Falcaise... se souvint Guilhem, fronçant le front. Ont-ils dit où ils se rendaient ?

— Cahors, seigneur. Ils ne sont pas entrés en ville.

Ils dormirent dans une auberge de Montauban et repartirent à l'ouverture des portes. Dans la soirée, autour de la table du souper, ils avaient discuté de Flore. Si elle ne suivait pas les cavaliers, c'est qu'ils l'avaient tuée ou abandonnée maintenant qu'ils n'avaient plus besoin d'elle. Une telle traîtresse, laide de surcroît, constituait une charge inutile, avait conclu Guilhem.

Alaric n'avait pipé mot.

Le lendemain soir, ils arrivèrent à Cahors. L'ancienne Cadurca romaine, construite dans une boucle du Lot, était protégée par un large rempart, principalement du côté opposé à la rivière. Gouvernée par un évêque

192

puissant, c'était une étape importante sur le chemin du pèlerinage de Saint-Jacques-de-Compostelle. Les hostelleries et les hospices pour pèlerins y étant nombreux, Guilhem espérait que, cette fois, ceux qu'ils poursuivaient y auraient fait étape. Au moins pour s'approvisionner, car sinon il deviendrait de plus en plus difficile de les pister.

Dans la journée, un paysan qui labourait les assura avoir vu sept cavaliers passer la veille au soir. Ils avaient sans doute dormi dans des bois et gardaient donc une demi-journée d'avance sur leurs poursuivants.

Ils entrèrent dans Cahors par le vieux pont Notre-Dame qui franchissait le Lot sur d'antiques fondations romaines. Dès le péage, Guilhem interrogea les gardes et le commis qui encaissaient l'octroi. Ceux-ci assurèrent ne pas avoir vu un groupe d'hommes d'armes depuis la veille.

C'était une mauvaise nouvelle. Avaient-ils emprunté un autre chemin ?

— Je suis seigneur du comte de Toulouse, expliqua Guilhem au commis. Nous chevauchons depuis trois jours à la recherche de cette bande qui a tué quatre de mes gens.

À ce propos, les gardes ne montrèrent qu'indifférence. Il est vrai que l'évêque Guillaume était en désaccord avec le comte de Toulouse au sujet de l'hérésie cathare. Peu importait donc pour ceux de Cahors qu'on ait meurtri des gens du comte. D'ailleurs, peut-être ces fuyards avaient-ils tué des hérétiques. Auquel cas, on devrait plutôt les récompenser !

Aux visages butés des hommes d'armes, Guilhem comprit qu'il n'obtiendrait aucune information. Et se quereller n'aurait servi à rien.

— Il y avait un denier d'argent à gagner, fit-il.

D'un coup, le commis devint plus aimable.

— On sait rien, seigneur, mais allez voir l'évêque. Le vicaire ou le prévôt vous aideront à les retrouver. Nous ne voulons pas protéger des meurtriers.

Ussel fouilla son escarcelle et lui envoya une pièce. Après quoi, ils remontèrent la grand'rue jusqu'à la cathédrale. Guilhem connaissait l'auberge Sainte-Catherine, aussi y laissèrent-ils Alaric pour qu'il prenne une chambre fermant à clef et fasse monter leurs bagages. Ensuite il visiterait écuries, maréchaux-ferrants et tavernes pour tenter de découvrir les routiers.

Les autres poursuivirent jusqu'au palais de l'évêque. Malgré l'heure avancée, la populace se pressait encore nombreuse devant les ateliers des artisans et les boutiques installées dans les maisons aux arcades de pierre. Les gens de Lamaguère avançaient très lentement et Guilhem en profitait pour examiner chaque homme en armes qu'ils croisaient ainsi que les femmes en manteau rouge. Aucune ne ressemblait à Flore.

Avec ses baies géminées aux étages, ses échoppes à deux ou trois ouvertures en façade, ses étals bien garnis et le faible nombre de ses mendiants, la ville affichait sa prospérité. Les changeurs y étaient nombreux, car Cahors battait les sols cahorsins.

On pénétrait dans la demeure de l'évêque en franchissant un portail de pierre qui donnait dans une cour entourée de corps de bâtiments et d'une tour à laquelle on accédait par une échelle de bois. Ils laissèrent leurs chevaux sous un auvent et, s'étant fait connaître, apprirent d'un frère lai que l'évêque était absent, résidant dans sa maison forte de Pradines. Mais le vicaire de l'évêché pourrait les recevoir.

Par un grand degré, le moine les guida à l'aula, la grande salle du bâtiment principal, avant de se retirer. La pièce aux murs peints d'un motif de traits rouges sur fond jaune était dépourvue de cheminée. Le plafond de bois était peint, lui aussi, mais Guilhem le trouva moins impressionnant que le ciel étoilé qu'il faisait réaliser à Lamaguère. Deux serviteurs, assis sur les coussièges d'une fenêtre, se levèrent et se retirèrent à leur entrée.

Guilhem s'approcha d'une des embrasures des baies géminées mais n'aperçut pas la rue. Il examina le reste de la pièce : une grande tapisserie représentant la venue des Rois mages, des bancs coffres richement ciselés et le plateau d'une grande table. Des bannières aux armes de l'évêque étaient suspendues près des fenêtres. Les sols étaient en carreaux de terre cuite et des niches contenaient des lampes à huile.

Intimidés, Ferrière et Peyre demeuraient sur le seuil. Visiblement, ils n'étaient jamais entrés dans une si vaste salle, ni dans la demeure d'un évêque.

Une tenture du côté de la tour s'ouvrit en silence et un religieux en robe sombre, brodée cependant d'un liseré de soie rouge, apparut. Un léger embonpoint, visage bienveillant hérissé d'une barbe de quelques jours, mais avec une tonsure parfaite, le prélat tenait un chapelet.

— Que notre saint Jésus vous bénisse, seigneur, dit-il suavement en s'inclinant. Ainsi que vos serviteurs. Mon nom est Pierre de Causse. Je suis le grand vicaire de monseigneur. On vient de me prévenir, vous venez de Toulouse...

— Pas exactement, vénéré père. Je m'appelle Guilhem d'Ussel, chevalier fieffé du comte. Une bande de routiers a massacré plusieurs de mes gens chez moi à Lamaguère. Je les poursuis depuis quatre jours. Ils viennent d'arriver à Cahors.

— Où sont-ils ?

— Je l'ignore. Je viens vous demander l'aide du prévôt.

— Vous l'aurez... Si l'évêque est d'accord. Qu'ont fait ces marauds ?

— Ils ont tué deux de mes hommes d'armes, une femme et son enfantelet. Mais je ne peux attendre que vous préveniez l'évêque. Si ces gens sont ici, il faut les saisir avant qu'ils ne partent.

Le vicaire se raidit à ce ton comminatoire.

— Je ne peux agir sans l'accord de monseigneur. Il est très attentif aux relations avec le comte de Toulouse.

— Qu'imaginez-vous, mon père ? Que nous sommes des hérétiques ? Ce n'est pas le cas ! Un de mes hommes d'armes revient de Terre sainte.

— Je ne peux me prononcer, seigneur, fit le vicaire à mi-voix.

— Je me passerai donc de votre aide, et le comte Raymond saura que vous donnez asile à des meurtriers. S'ils m'échappent, j'en ferai payer le prix aux coupables.

— Vous avez tort de vous emporter, seigneur, observa le vicaire, brusquement conciliant. Vous avez mal interprété mes paroles. Combien sont-ils ?

— Sept, tous à cheval. Leur chef s'appellerait Le Maçon. Ils doivent être faciles à trouver. Peut-être une complice, nommée Flore, les accompagne-t-elle.

Le religieux marmonnait tandis que sa main égrenait le chapelet. Guilhem retenait sa colère devant cette indifférence.

— Je demanderai au prévôt d'interroger les gardes des portes et de faire le tour des hôtelleries, dit enfin le vicaire. S'il trouve ces hommes, il vous préviendra.

— Je loge à l'auberge Sainte-Catherine, lâcha un Guilhem empli de fureur, devinant qu'il n'obtiendrait aucune aide.

Le religieux leva une main pour le bénir. Ussel inclina à peine la tête et se retira avec ses gens.


Dans la cour, il déclara à Ferrière et à Peyre :

— Le frocard ne fera rien. Séparons-nous et essayons de trouver ces truands nous-mêmes. Ferrière, file au septentrion et interroge tout le monde, Peyre, rends-toi du côté du couchant. Moi, je longerai le Lot.

— Et s'ils ne sont pas en ville, ou si nous ne les découvrons pas ? demanda Ferrière. Que ferons-nous demain ?

— On verra. Jusque-là, la Providence m'a toujours aidé, pourquoi m'abandonnerait-elle ?

C'est en circulant au hasard que Guilhem passa devant la commanderie Sainte-Marie du Temple, reconnaissable à ses bannières suspendues aux baies géminées. Les bâtiments monastiques étaient ceints d'une haute et forte muraille flanquée de tours carrées.

Il lui revint alors une conversation qu'il avait eue avec Adhémar, le chevalier templier ayant la garde de l'église du Temple et du moulin sur l'Arrats. Celui-ci lui avait dit que les relations entre les Templiers du Quercy et l'évêque de Cahors n'étaient pas bonnes, bien que celui-ci ait facilité leur installation dans la ville.

Or, les établissements du Temple étaient nombreux dans le pays. Les moines chevaliers pourraient bien se révéler de précieux auxiliaires pour mettre la main sur les sept cavaliers.

Mais pourquoi l'aideraient-ils ? Immobile sur sa selle, il réfléchissait à cette difficulté devant l'entrée de la commanderie, une voûte en brique encadrée de deux tours en moellons de pierre.

C'est alors que deux templiers en sortirent. En robe blanche, épée à la taille et manteau sur les épaules, ils s'approchèrent, l'air interrogatif.

— Le frère de garde m'a signalé votre présence devant notre maison, seigneur. Attendez-vous quelqu'un, ou puis-je vous aider ? s'enquit le plus âgé, qui arborait une épaisse barbe grise. Je suis Grimal de Salviac, le maître de la milice de notre commanderie.

Guilhem comprit qu'il se préoccupait de la présence d'un chevalier inconnu devant la maison de l'Ordre, laquelle, dans une ville frappant monnaie, devait pratiquer le change et disposer d'importantes sommes d'argent.

— Ne vous inquiétez pas, seigneur. Mon nom est Guilhem d'Ussel. Homme lige de Philippe de France, je suis aussi au comte de Toulouse. Je me demandais seulement si vous ne pourriez pas m'apporter de l'aide.

— Une aide ? À quel sujet ?

— Je poursuis des criminels.

Salviac obtint l'approbation silencieuse de son compagnon avant de proposer :

— Entrez, seigneur. Je ne sais si nous vous aiderons mais nous pouvons au moins en parler.

L'entrée de la commanderie se faisait en suivant un passage sombre fermé par plusieurs herses. Ils débouchèrent sur une cour entourée d'une chapelle mortuaire, de l'église et des bâtiments conventuels, dont les écuries. Dans un angle se dressait un donjon et, dans le prolongement de la cour, s'étendait un jardin jouxtant le cloître de l'église.

Le maître de la milice conduisit Guilhem à l'écurie afin qu'il y laisse sa monture, puis dans ce cloître, demandant au frère servant qui l'accompagnait de leur faire porter des rafraîchissements et d'aller quérir le commandeur.

Ussel expliqua alors plus longuement les bonnes relations qu'il avait avec la commanderie de Bordères, mais Grimal de Salviac ne parut pas intéressé.

— Connaissez-vous vraiment le roi de France ? interrogea-t-il.

— Je lui ai rendu hommage dans son palais de l'Île.

— Un templier se trouve près de lui, dit-on.

— Frère Haimard. Je l'ai rencontré au Palais, mais je connais surtout le chevalier hospitalier, frère Guérin.

Le chevalier du Temple hocha plusieurs fois la tête, assortissant son geste d'un fin sourire.

Guilhem comprit qu'il avait réussi sa mise à l'épreuve.

— Parlez-moi donc de ceux que vous poursuivez, demanda le templier.

Guilhem raconta ce qui s'était passé. La félonie de Flore, la mort de Thomas, tous deux arrivant de Palestine. Mais il ne dit mot du visage du Christ.

— Ils sont sept, poursuivit-il. Leur chef se nommerait Le Maçon. À un bac, ils ont parlé d'un nommé Falcaise, et pour ma part je n'en connais qu'un : Falcaise de Bréauté. Un chef brabançon qui garde l'abbaye de Fontevrault. Je dois les retrouver pour les punir, mais j'ai perdu leur trace ici, à Cahors.

— Demandez à l'évêque, suggéra le templier.

— Je viens de rencontrer le vicaire. Je ne crois pas qu'il veuille aider quelqu'un de Toulouse.

Le templier se mit à rire et lui proposa de s'asseoir sur un banc de pierre, devant le cloître. Ils virent arriver le servant avec un serviteur tenant une cruche et des pots. Un autre templier, en robe blanche à liseré rouge, l'accompagnait.

— Notre commandeur, Bernard Fabri, dit le maître de la milice.

Ils se présentèrent mutuellement et, tandis que Grimal de Salviac résumait leur conversation au commandeur, le serviteur versa du vin.

— À cause de l'hérésie, l'évêque n'aime pas Raymond de Toulouse, mais le Temple refuse d'entrer dans ces querelles, intervint Fabri. Notre Ordre souhaite conserver de courtoises relations avec chacun, mais aussi faire œuvre de justice. Ceux que vous poursuivez sont des criminels. Je reconnais votre droit à les châtier.

— Merci, mais je ne sais comment les retrouver, admit Guilhem en écartant les mains.

— S'ils vont vers Fontevrault, ils devront traverser le Quercy. Nous y avons nombre de fermes et commanderies. Je peux leur envoyer des messagers et des pigeons, car nous avons un pigeonnier, comme dans nos établissements de Terre sainte. Je demanderai à nos gens de signaler le passage de sept cavaliers à la commanderie de Durbans. C'est là que se trouve Guillaume de Barsac, notre maître pour le Quercy. Rendez-vous-y et vous devriez retrouver leur trace.

— Le seigneur de Barsac m'aidera-t-il ?

— La maison de Barsac est l'une des plus anciennes du Quercy. Un Barsac avait rejoint la première croisade, avec Raymond de Saint-Gilles. Il possédait des terres autour de l'abbaye de Marcilhac, qui sera sur votre chemin. Arrêtez-vous-y. Je vous délivrerai une lettre pour l'abbé. Il vous renseignera sur vos routiers, si quelqu'un les a vus.

Le prévôt passa à l'auberge durant leur souper. Il annonça que des hommes d'armes s'étaient arrêtés en ville pour se ravitailler mais n'étaient pas restés. Quelques-uns auraient présenté des sauf-conduits de la duchesse d'Aquitaine et d'autres du vicomte de Saint-Cirq. En tout, une vingtaine de personnes. Et, à une question d'Alaric, le prévôt confirma qu'une femme se trouvait parmi eux.

D'après les gardes des portes interrogés, certains avaient pris la route de Figeac et un arroir avait traversé le Lot. Il ignorait le chemin suivi par la femme.

Le lendemain, comme ils quittaient la ville à la pique du jour, on leur rapporta à la porte qu'une femme faisait partie d'une troupe se rendant au château de Cénevières. Était-ce ceux avec le laissez-passer d'Aliénor ? Les gardes l'ignoraient, ne demandant pas de sauf-conduit à ceux qui quittaient Cahors.

Ne sachant qui suivre, Guilhem décida de choisir la troupe dans laquelle se trouvait la femme. Les tueurs de Lamaguère avaient-ils récupéré la drôlesse ?

Il observa qu'Alaric paraissait soulagé.

# Chapitre 17

*Mi-septembre 1202*

près avoir quitté Cahors, Le Maçon et sa bande remontèrent le cours du Célé en direction de Figeac. Ils s'arrêtèrent lorsqu'ils aperçurent la muraille de pierres dressée dans les gorges, contre une falaise.

En chemin, laboureurs et colporteurs les avaient mis en garde. S'ils rencontraient les gens de Peyragas, non seulement ils seraient dépouillés mais ils perdraient la vie dans d'abominables souffrances. La bande s'attaquait aux voyageurs, aux marchands et aux pèlerins, parfois aux hameaux ou aux fermes mal défendues, ou dont les suzerains étaient impuissants. Non seulement ces détrousseurs pillaient, mais ils tuaient, écorchaient, pendaient et violentaient, ne laissant jamais aucun témoin pour les accuser.

Le chef des estropiats avait établi ses quartiers dans une forteresse imprenable construite dans des grottes par un seigneur d'Aquitaine quelques siècles plus tôt. On l'appelait le château du Diable, et Le Maçon comprit pourquoi en le découvrant. Long de vingt toises, protégé par une falaise en encorbellement, sa façade ne présentait aucune ouverture sinon une porte sur une tour ronde à une extrémité, mais ce passage ne pouvait être atteint que par des marches étroites creusées dans la roche et une longue échelle, pour l'instant retirée. Au sommet, hors de portée de flèches, des ouvertures permettaient le guet et la défense. En bas, la roche soutenant la muraille interdisait tous travaux de sape de la courtine.

Le Maçon décida de s'y rendre seul. Le sergent d'armes, qui le secondait, le désapprouva. Après ce qu'il avait entendu sur l'écorcheur, il jugeait le plan de son chef totalement absurde. Non seulement celui-ci serait fait prisonnier, mais Peyragas enverrait ses marauds à leur rencontre pour les massacrer.

— Vous n'aurez qu'à fuir si vous les voyez sortir du château. Il ne faut pas toujours jouer au plus sûr, et je me crois capable de le convaincre.

Sans discuter plus avant, Le Maçon traversa la rivière et s'approcha de la forteresse. À mi-chemin, la brise lui apporta une agressive odeur de charogne. Levant les yeux, il découvrit un corps pendu par les pieds aux hautes branches d'un arbre. Le ventre de l'homme était sanglant, les boyaux sortaient. Sans doute un avertissement laissé par Peyragas pour qu'on n'approche pas plus.

Réprimant sa peur, il s'efforça de ne penser qu'à la difficulté du sentier qui grimpait le long de la falaise. Il y engagea son cheval, ne doutant point que les guetteurs l'aient aperçu. C'est le moment de vérité, songeait-il, le cœur battant le tambour. Un trait d'arbalète et sa vie s'achèverait ici.

Il parvint pourtant sans incident jusqu'à une ouverture : l'entrée étroite d'une grotte. Il en émanait une odeur de crottin et de paille. Une écurie ?

Descendu de cheval, il fit pénétrer sa monture. La salle, une longue grotte au sol couvert d'une épaisse litière de paille, était éclairée par quelques trous dans la muraille. Palefrois, destriers et roncins étaient attachés devant des mangeoires pleines d'avoine, selles et harnais rangés sur des cadres de bois. Nulle protection. N'importe qui aurait pu entrer et voler les animaux.

Mais en examinant plus longuement les lieux, le clerc de Fontevrault observa qu'une paroi n'était pas en roche comme il l'avait cru. Il s'agissait d'un mur de pierres avec de petites ouvertures d'où il ne douta pas que des arbalétriers le surveillaient. La falaise devait ainsi être percée de passages faciles à défendre.

Il attacha son cheval et déclara d'un ton ferme :

— Je veux parler au seigneur Peyragas.

Comme il s'y attendait, une voix étouffée répondit :

— Abandonne tes armes ici, puis sors et grimpe à l'échelle.

Il obtempéra. Une échelle de corde descendit de la falaise et il se hissa jusqu'à une minuscule plateforme d'où partait un escalier qui conduisait à une herse ouverte. Puis il franchit une porte située dans un sombre corridor et il déboucha à l'intérieur d'une salle partiellement creusée dans la roche. S'y tenait une poignée de pendards laids comme les sept péchés capitaux. L'un d'eux, en cotte de laine verte, dépassait les autres d'une tête. Celui-là paraissait être une force de la nature. Fruste, d'une stature herculéenne, il affichait le teint brun des Gascons. Sa mâchoire puissante se prolongeait par un cou très large reposant sur des épaules musculeuses. Ses bras, excessivement longs, se terminaient par des mains puissantes. Nul doute qu'il s'agissait du chef, de Guy de Peyragas.

Le fredain considéra le visiteur avec un mélange de cruauté et de curiosité.

— Par le cul de Dieu, tu es bien audacieux, l'ami ! Ignores-tu ce qui t'attend ? Tu n'as pas vu le pendu ? Sais-tu que je lui ai arraché le foie alors qu'il vivait encore ? On va s'amuser avec toi !

Les autres éclatèrent d'un rire méchant qui glaça Le Maçon.

— Très honoré Guy de Peyragas, je suis venu vous proposer l'abbaye de Marcilhac, parvint-il à déclarer.

Le colosse changea d'expression. Son regard devint brusquement rusé et intéressé.

— Qui t'envoie ?

— Moi ! Mes hommes m'attendent, pas très loin.

— Combien sont-ils ?

— Six.

— Que la peste t'emporte, conchié[1] ! Marcilhac est imprenable ! Je le sais, ce sont mes voisins. Alors tes six hommes, c'est de l'étron de chien !

— Pas si on y pénètre de nuit, seigneur. Par surprise.

— Et tu en serais capable ?

— Oui.

— Comment ?

— Avec des grappins.

Peyragas haussa les épaules, mais il s'était radouci.

— La courtine est trop haute.

— J'ai un moyen. Je vous l'offre, seigneur.

Du regard, le malandrin balaya ses hommes qui écoutaient avec attention.

— Qui es-tu ? demanda-t-il enfin.

— Mon nom est Le Maçon. Je suis clerc.

— Clerc ? Armé comme un Brabançon ? Tu n'es qu'un avaleur de charrettes ferrées !

— J'arrive de Terre sainte, seigneur.

Peyragas grimaça, hésitant à livrer l'audacieux à ses gens. Pouvait-il vraiment pénétrer dans Marcilhac ?

— Pourquoi viens-tu me proposer l'abbaye ? s'enquit-il en plissant les yeux.

— Je veux la sainte coiffe de Jésus-Christ. Je vous laisse la picorée... sauf ce que mes hommes pourront prendre pour eux.

Peyragas commençait à comprendre.

— Cette relique, c'est pour quelqu'un ? Une abbaye ?

— Oui, seigneur.

— Explique-moi comment tu feras, pour les grappins ?

— Avec des carreaux d'arbalète que j'ai imaginés.

---

1. Ordure.

Dès son départ d'Acre, La Maçon avait songé à s'approprier la sainte coiffe de l'abbaye de Marcilhac, au cas où il ne parviendrait pas à mettre la main sur le divin linceul.

Seulement, lors de son passage à l'abbaye avec Le Normand et sa troupe, il avait observé les défenses du monastère et savait qu'on ne pouvait y pénétrer facilement. Il aurait fallu disposer d'une forte troupe pour venir à bout des moines chargés de défendre le lieu.

Il avait donc longuement médité un plan.

Pour disposer de plus d'hommes, il suffisait de conclure une alliance. Il avait naturellement songé à la seule bande de gredins qu'il connaissait : les gens de Peyragas qui terrorisaient le Quercy. Ils accepteraient certainement de piller l'abbaye, s'il parvenait à les faire entrer.

C'est donc à cela qu'il s'était attelé durant le voyage d'Acre à Marseille.

La porte étant impossible à forcer, il faudrait passer par-dessus l'enceinte. Seulement aucune échelle ne serait assez haute. Restaient les grappins.

Mais comment les lancer si haut ? S'en étant ouvert à quelques Brabançons possédant une grande expérience du pillage des châteaux et abbayes, ceux-ci lui avaient assuré la manœuvre impossible.

Mais Le Maçon était opiniâtre. C'est en regardant un tournoi de tir à l'arbalète sur le pont de la nef que la solution lui était apparue. Il s'était souvenu d'un manuscrit arabe de la bibliothèque de Fontevrault. Magnifiquement illustré de dessins, il représentait les différentes formes de carreaux et de dondaines[1] que pouvait lancer une balestre.

On y voyait des arbalètes à flèches incendiaires dont la pointe était troquée par une boule enflammée et la corde remplacée par une chaîne. On y découvrait aussi des carreaux assommoir, pour faire chuter un adversaire sans le

---

1. Flèche de grosse arbalète.

tuer, des arbalètes à jalet, qui lançaient des pierres ou des balles de plomb, et surtout de longs viretons avec, à leur extrémité, un grappin à quatre becs.

Une arbalète assez puissante devait donc pouvoir envoyer un tel vireton de l'autre côté d'une haute enceinte, et si le grappin était enroulé dans de l'étoffe il resterait silencieux en retombant.

Il en était là dans ses desseins quand, un jour, Flore s'était approchée de lui, alors qu'il se trouvait seul, appuyé sur la rambarde du château arrière.

— J'ai fait ce que vous avez exigé, seigneur, lui dit-elle en s'efforçant de surmonter sa honte. J'ai séduit Thomas... ce qui n'a pas été difficile, tant il me poursuivait de ses assiduités.

— Je t'écoute.

— Malgré mon horreur, je lui ai cédé plusieurs fois, et, hier, n'étant plus qu'en chemise, il a, pour la première fois, ôté une sacoche qu'il gardait au cou. Après qu'il s'est ensommeillé près de moi, je l'ai ouverte. Elle contient une pièce d'étoffe, du lin, sans doute d'assez grande taille.

Le Maçon avait ressenti un immense frisson.

— L'as-tu sortie ?

— C'était impossible, seigneur. J'ai fait ce que vous voulez, je me suis conduite comme une puterelle, mais j'ai gagné ma liberté. À vous de respecter votre parole.

— Tu auras ton argent, et une pièce d'or de plus, ma fille. Tu es libre, je n'exigerai rien de plus pour toi.

Malgré ses vilenies, il conservait une forme d'honneur et respecterait sa parole.

— Mais n'as-tu rien observé sur l'étoffe ? ajouta-t-il.

Rassurée, elle lui répondit après une courte réflexion :

— Elle m'a paru peinte par endroits, en rouge et en ocre. Et j'ai vu un sceau de plomb attaché.

C'était le suaire ! songea Le Maçon, soulagé.

Il avait donc décidé de suivre Thomas, quand il débarquerait à Marseille, et de le saisir pour lui prendre le linceul. Mais même persuadé que la chose serait aisée, il n'avait pas cessé de penser à la coiffe de Marcilhac. Après tout, ramener deux linges utilisés lors de la mort de Notre-Seigneur serait un exploit hors du commun, méritant une récompense inouïe.

Mais à Marseille, Le Maçon avait vite découvert que Thomas voyagerait avec une troupe armée, Flore l'accompagnant. Ayant quelqu'un parmi eux, il avait facilement appris où ils se rendaient et les avait devancés, filant directement à Toulouse.

Le Maçon et sa bande étaient restés un mois dans la capitale du Toulousain. Durant ce séjour, l'ancien clerc de Fontevrault avait fait travailler plusieurs forgerons pour qu'ils élaborent un carreau respectant la forme qu'il désirait, avec quatre becs solides à son extrémité. Deux de ses arbalétriers l'avaient aidé en faisant aussi fabriquer une arbalète de grande taille, qu'ils utiliseraient à quatre mains. L'arme possédait une force prodigieuse car elle devait envoyer assez haut un très lourd carreau ainsi qu'une corde de soie avec laquelle grimperait un homme agile.

Ses hommes s'étaient ensuite entraînés hors de la ville, sur une vieille tour de guet sarrasine dont la hauteur était celle des murailles de l'abbaye de Marcilhac. Après plusieurs jours d'essai, ils parvenaient du premier coup à lancer le carreau à grappin à l'intérieur des murs.

C'est deux jours après la venue de Le Maçon au château du Diable que Peyragas décida de donner l'assaut à l'abbaye. Durant ce temps, ses sergents et les hommes de Le Maçon avaient longuement préparé l'attaque en utilisant l'arbalète à grappin sur la falaise. Ils étaient aussi convenus du déroulement de l'entreprise.

La troupe arriva du côté de la rivière. La nuit était profonde et le silence nocturne seulement brisé par les cris des oiseaux de proie et de leurs victimes. Les deux tireurs se placèrent sur la rive, dans une position favorable, et, tenant l'arbalète ensemble, lancèrent le carreau qui retomba de l'autre côté de la courtine avec un bruit assourdi.

Mais à cette heure, juste avant matines, tout le monde dormait dans l'abbaye, les moines étant confiants dans l'inexpugnabilité de leur enceinte.

Ayant vérifié que le grappin tenait solidement, un premier homme grimpa le long de la fine corde. Parvenu en haut, il saisit le bord d'un merlon et se hissa. Il portait une seconde corde autour du torse, avec des nœuds pour faciliter l'ascension. L'ayant attachée au merlon, il la déroula.

Un autre coquin monta, celui-ci avec une échelle de corde, puis suivit un troisième et, très vite, toute la bande.

Empruntant en silence l'échelle des remparts, les assaillants descendirent alors jusqu'aux lices. Le long de la courtine s'étendaient des bâtiments conventuels séparés par des ruelles. Leurs guides les conduisirent au dortoir et les fredains se dissimulèrent dans la voie menant à l'église.

Peu après, matines sonna au clocher. La porte du dortoir s'ouvrit donc dans un grincement et des ombres endormies sortirent nu-pieds. Quelques-unes tenaient des lanternes. Quand les premiers moines atteignirent l'église, les derniers quittaient enfin le dortoir. Alors archers et arbalétriers lâchèrent leurs traits et, immédiatement, retentirent les terrifiants hurlements des agresseurs :

— Mortaille, mort, massacre !

Dans la lumière des lanternes et des torches, les tireurs ne pouvaient rater leurs cibles à si courte distance. En un instant, la nuit s'emplit des cris de douleur et de terreur. La confusion et le fracas s'emparèrent de ce lieu consacré à la prière. Des frères lais tombaient sous le coup des haches, des serviteurs s'écroulaient taillardés à mort, des convers tentaient de fuir dans le noir, poursuivis par les démons massacreurs qui les rattrapaient pour les détrancher en proférant des rires infernaux et des halètements épouvantables. Quand quelques blessés ensanglantés tentaient de se relever, ils retombaient sur-le-champ, atteints de nouveaux coups.

Cette boucherie n'intéressait pas Le Maçon qui avait prévenu ses hommes : ils pouvaient tuer et prêter main-forte, au début de l'estourmie, mais ensuite, ils devraient dénicher le prieur, l'abbé, le trésorier, ou tout autre moine portant un trousseau de clefs. L'un d'eux aurait certainement celles permettant d'ouvrir la pièce aux reliques.

Dans la mêlée, l'ancien clerc repéra vite un religieux tentant d'organiser, sinon une défense, du moins une fuite vers une salle où les frères pourraient s'enfermer et peut-être s'armer. Il se précipita à sa rencontre et abattit l'épée de Le Normand sur sa tête, la tranchant en deux. Puis il le fouilla ; en vain. Il ne possédait pas de clefs.

— Maître ! cria un de ses sergents, je les ai !

L'homme brandissait un gros trousseau poisseux de sang, enlevé de la taille d'un moine dont les tripes fumantes sortaient de la robe. Le Maçon courut à lui, saisit les clefs et, appelant ses hommes pour qu'ils le rejoignent, se précipita vers la salle capitulaire dont on lui avait assuré qu'elle donnait accès à la pièce des reliques.

Une ruelle transversale y conduisait. Un des Brabançons ayant ramassé une torche, ils pénétrèrent dans la pièce par une porte ouverte. À son extrémité, une grille fermait le passage. Le Maçon dut essayer plusieurs clefs avant de parvenir à l'ouvrir. Derrière, un escalier grimpait jusqu'à une petite pièce fermée par une porte de fer. Heureusement, la clef de sa serrure se trouvait aussi au trousseau et ils entrèrent dans un réduit d'une toise de côté, sans aucune ouverture.

Toutes sortes de reliquaires étaient rangés sur un dressoir en merisier avec, en son milieu, un long coffret de vermeil au couvercle ciselé en verre serti. Approchant la torche pour mieux voir, Le Maçon y distingua une étoffe sombre. La coiffe, sans nul doute.

Le coffre était lourd mais pouvait quand même être porté par un seul homme. Aussi s'en saisit-il pendant que les Brabançons brisaient les autres reliquaires à coup de hache afin d'en extraire gemmes et morceaux d'or. Cependant, jugeant le pillage suffisant, Le Maçon ordonna le départ.

Ils traversaient la salle capitulaire quand ils se trouvèrent face à face avec Peyragas et deux de ses scélérats, tout dégoulinants de sang. De vrais démons éclairés par la torche qu'ils brandissaient.

— Par le cul de Dieu, vous pillez mon trésor ! hurla le bandit.

— Non, seigneur. Tout est là-haut, je n'ai pris que ce que j'étais venu chercher.

Ils se toisèrent un instant mais Peyragas n'était pas en force pour livrer bataille et Le Maçon ne lui laissa pas le temps d'appeler ses gens. Entraînant ses hommes, il fila par la porte.

Ils coururent à perdre haleine jusqu'au portail du monastère, fermé par deux grosses traverses de bois. Les Brabançons les soulevèrent et ils furent dehors.

Le Maçon craignait que les gens de l'hôtellerie, ou ceux des maisons serrées autour de l'abbaye, ne se soient assemblés afin de venir en aide aux moines. Mais les habitants, effrayés par l'attaque, s'étaient enfuis pour se cacher.

Donc, rassurés, les Brabançons détalèrent jusqu'à l'endroit où attendaient les chevaux, traversant la rivière avec de l'eau jusqu'aux cuisses. Certes, ils regrettaient de ne pas avoir plus pillé, mais chacun avait pris suffisamment de métaux précieux et de gemmes pour se payer du bon temps durant quelques semaines. Et tous savaient que s'ils étaient restés plus longtemps, Peyragas les aurait exterminés afin de garder à lui seul toute la picorée.

Le Maçon avait confié le coffre à l'un de ses hommes. Vite en selle, ils disparurent dans la nuit, heureux de leur réussite.

# Chapitre 18

*Mi-septembre 1202*

Galopant plusieurs heures d'affilée, Guilhem et ses gens rattrapèrent le groupe qu'ils poursuivaient bien avant le Lot. Ils descendaient un sentier en pente douce, bordé de mousse, quand ils les aperçurent. Ussel devina tout de suite qu'il s'était fourvoyé.

La troupe comprenait deux lances[1] conduites par leurs chevaliers, avec un seigneur et un paysan comme guides. La femme montait une selle très large avec un grand dosseret. On distinguait son bliaud cramoisi sous un manteau vert à capuchon fourré. Sa chevelure d'or, nouée dans un ruban turquoise, était protégée par un voile.

L'un des hommes d'arrière-garde, les ayant entendus, prévint les autres et la troupe s'arrêta afin de se ranger en ordre de bataille.

En un instant, les arbalétriers mirent pied à terre et s'abritèrent derrière leur pavois pour tendre les cordes de leurs armes. Deux archers avaient encoché leurs flèches et les chevaliers abaissé leurs lances, prêts à charger.

---

1. La lance était un groupe de plusieurs hommes d'armes : un chevalier et un ou plusieurs écuyers, avec au moins un archer ou un arbalétrier et des valets ou des sergents combattant à pied.

Un enseigne[1] portait une bannière que Guilhem ne connaissait pas, mais il ne douta pas avoir affaire à un noble seigneur. Cette troupe n'était en rien une bande de pillards. Les chevaliers, en haubert et cervelière, portaient des écus à leurs armes, les arbalétriers et les sergents d'armes des cuirasses maclées et cottes armoriées aux mêmes figures que la bannière. Tous paraissaient preux et hardis.

Ayant ordonné à ses gens de s'arrêter, Guilhem s'avança seul. À cinquante toises, il cria :

— Nobles seigneurs et gente dame, que le Seigneur Dieu vous garde. Si je vous ai inquiétés, pardonnez-moi. Je suis à la poursuite d'une bande de fredains qui ont tué mes gens. Mon nom est Guilhem d'Ussel, féal du comte de Toulouse et du grand, noble et honorable roi de France.

Celui qui commandait la troupe s'avança à son tour dans sa direction. Il chevauchait une jument baie couverte d'un drap à ses armes. Comme il ôtait son casque à nasal, Guilhem distingua un visage de patricien, marqué par les ans et les combats.

— Mon nom est Gaillard de Saint-Cirq. Que le Seigneur vous protège aussi, voyageurs. Pourquoi pensiez-vous que nous puissions êtres vos estropiats ?

— Ils sont passés par Cahors et une femme se trouve avec eux.

La dame au manteau vert rejoignit le seigneur pour lancer d'une voix ironique, avec un sourire à damner un saint :

— Croyez-vous que ce soit moi, gentil sire ?

Sans attendre de réponse, le seigneur demanda :

— Avez-vous rendu hommage au roi Philippe, seigneur d'Ussel ?

— Je l'ai fait, dans son palais de l'Île, devant ses barons, devant le comte de Meulan et devant Louis, son noble fils qui sera roi.

---

1. Porte-drapeau.

La femme glissa quelques mots à Gaillard de Saint-Cirq, à la suite de quoi ce dernier posa une nouvelle question :

— Qu'envisagez-vous, maintenant ?

— Deux groupes ont quitté Cahors : vous et d'autres qui ont pris la route de Figeac. Je vais rejoindre le Lot et le franchir au gué. Si je ne trouve pas leur trace, je me rendrai à la commanderie de Durbans. J'ai une lettre pour sire Guillaume de Barsac, maître du Temple pour le Quercy.

De nouveau, le seigneur, la dame et les chevaliers échangèrent quelques paroles.

— Voulez-vous me montrer cette lettre ?

Guilhem comprenait leur méfiance. Il fit avancer son cheval et, devant le seigneur, sortit la missive que Grimal de Salviac, le maître de la milice du Temple de Cahors, lui avait fait porter à l'auberge. Elle était fermée d'un sceau portant les inscriptions : *sigillum militum de templo xristi*[1] avec en son centre une représentation de l'église du Saint-Sépulcre.

Reconnaissant la marque, Gaillard de Saint-Cirq laissa paraître son premier sourire en proposant :

— Faites route avec nous, seigneur. J'accompagne ma sœur qui visite sa nièce, l'épouse d'Aymeric de la Popie. Le seigneur de Cénevières vous accordera l'hospitalité. Je suis certain que, comme moi, il aimera que vous lui contiez comment vous avez connu le roi Philippe.

Une halte qui nous fera perdre du temps, songea Guilhem. Mais il y avait un bac à Cénevières et ils traverseraient ainsi rapidement le Lot sans faire le détour du gué. Il accepta.

—————————
1. Sceau de la milice du Temple et du Christ.

Le lendemain, ils poursuivirent leur chevauchée à travers les causses. Aymeric de la Popie leur avait indiqué un chemin conduisant au Célé. À l'abbaye de Marcilhac, ils pourraient traverser le cours d'eau et n'auraient plus qu'à remonter au septentrion pour arriver à la commanderie de Durbans.

C'est en approchant de la rivière que la brise du nord leur apporta les puants effluves de la mort. Guilhem reconnut de loin l'aigre odeur des cadavres et de leurs entrailles.

— Prenez garde ! Alaric, Ferrière, armez vos arbalètes, ordonna-t-il. Peyre, tiens ton arc prêt. Plus un bruit !

Ils arrivaient à l'extrémité des causses, et le chemin descendait vers la vallée, quand, un peu plus bas, ils aperçurent les bâtiments conventuels. Aucune trace d'incendie, mais l'odeur, de plus en plus âcre, les prit à la gorge.

Il planait sur les lieux un silence inquiétant.

S'approchant prudemment de la rivière et n'apercevant âme qui vive, ils firent traverser leurs montures, puis contournèrent l'enceinte jusqu'au portail, grand ouvert.

C'est là qu'ils aperçurent les vilains. Une dizaine de manants qui s'enfuirent en les apercevant.

— Revenez ! cria Guilhem, nous sommes des voyageurs ! Que s'est-il passé, ici ? Où sont le prieur et les moines ?

En même temps, protégé par ses hommes, il avança jusqu'au portail d'où partait la ruelle conduisant à l'église. Des cadavres abandonnés jonchaient le sol couvert d'un épais tapis de sang coagulé.

Des fredains étaient passés.

Sans descendre de cheval, Guilhem poursuivit, évitant cependant de piétiner les dépouilles. Près de l'église, les vilains avaient rassemblé trois moines meurtris dont l'un, l'épaule entaillée, gardait les yeux ouverts.

Pansé à temps, il n'était pas mort.

Assuré qu'il n'y ait plus aucun péril et sachant ses gens derrière lui, Guilhem descendit de cheval pour s'approcher du blessé.

— Mon père, que s'est-il passé ?

— Cette nuit... des démons. Ils nous ont assaillis à matines.

— Combien étaient-ils ?

— Je ne sais, mon sire. Vingt, trente au moins !

Donc ce n'était pas Le Maçon, regretta Guilhem. D'ailleurs, comment aurait-il fait, avec six coquins, pour prendre ce monastère si bien fortifié ?

— Revenez, vilains ! cria Alaric.

Un laboureur, plus courageux que les autres, s'avança.

— Que sais-tu ? lui demanda Guilhem.

— Cette nuit, seigneur, il y a eu un grand fracas... On est sortis, mais ça hurlait de partout... On a pris peur.

— Vous n'êtes pas venus défendre votre prieur ? s'étonna rudement Peyre.

— Avec quoi, seigneur ? On ne possède pas d'armes et le portail était fermé.

— Par où sont-ils entrés, alors ?

— Je l'ignore, seigneur, sans doute ont-ils escaladé la muraille.

Possible, songea Guilhem.

— Que l'un de vous aille à Figeac prévenir l'abbé, ordonna-t-il.

Ensuite, il ajouta :

— Qui étaient ces estropiats ?

— Peyragas, forcément ! cracha un autre vilain.

— Qui est Peyragas ?

— Un pillard, seigneur !

— Guy de Peyragas, intervint le blessé. Mais on ne doit pas l'accuser, je ne l'ai pas reconnu.

— Il faisait nuit, mon père, objecta un manant. C'est un damné pourceau capable de tout !

— Ce Peyragas est d'ici ? s'enquit Guilhem.

— Il a son repaire pas très loin, sur une falaise qui domine la rivière, seigneur. Le château du Diable. Lui et ses gens rançonnent les marchands. Mais il ne s'était jamais attaqué au monastère, il vole et pille plus loin que le Quercy, afin que l'évêque de Cahors et ceux de Figeac le laissent tranquille. Il exige seulement un cens des gens d'ici, disant que c'est son fief, ce qui est faux !

— Est-il noble ?

— Qui le sait, seigneur ? Lui se prétend chevalier. Il est arrivé avec une poignée de Cotereaux, voici quelques années, venant de Martel.

Guilhem avait connu bien des hommes comme Peyragas. Des oisillons de proie qui se saisissaient d'un lieu fortifié et s'y cramponnaient pour en faire leur repaire. S'ils se montraient bons capitaines, les barons locaux pouvaient les tolérer comme gardien de l'ordre contre les maraudeurs. Il arrivait même qu'on leur confie un fief, auquel cas ils devenaient même des vassaux respectés.

Mais Peyragas était resté un fredain.

Guilhem s'apprêtait à repartir, car ce pillage ne le concernait pas, quand il s'adressa à nouveau au blessé :

— N'avez-vous reconnu personne ? Retenu un nom ?

— Un nom... Oui, seigneur, je me remémore un nom, maintenant. Un nom que je n'avais jamais entendu. L'un des pendards en a interpellé un autre, il l'appelait : maître Le Maçon.

— Par le diable ! C'est celui que je poursuis ! s'exclama Guilhem. Il aurait donc fait alliance avec ce Peyragas ?

À cet instant deux vilains accoururent, le visage défait !

— Vénéré père... noble père... Ils ont pillé le trésor ! sanglotèrent-ils.

— Dieu tout-puissant ! murmura le religieux en fermant les paupières.

216

Guilhem resta indifférent. Il avait pillé tant de monastères sous les ordres de Malvin le Frocart, d'Aymard, de Mercadier et de Cadoc que ce genre de rapinage lui apparaissait véniel.

— Aidez-moi, murmura le moine... Je veux voir ce qu'ils ont fait.

Ussel décida de les accompagner. Il ressentait la vague impression que ce Le Maçon n'était pas venu à Marcilhac par hasard.

— Qu'y avait-il dans le trésor ?

— Nos reliques... nos saintes et précieuses reliques, répondit le moine tandis que deux vilains le soutenaient.

L'ancien routier qu'il était savait que ce n'était pas les reliques qui intéressaient les pillards, mais les reliquaires en or ou en argent.

Prenant le religieux par les épaules, les vilains marchèrent jusque dans la salle capitulaire, souillée par les entrailles et le sang de deux corps détranchés de frères lais qui avaient dû tenter d'échapper au massacre.

Un des vilains, qui connaissait les lieux, alluma une chandelle de suif posée dans une niche de pierre avec le briquet à amadou placé à côté. Alaric ayant ramassé une torche, il la lui tendit et la lumière se fit.

Empruntant l'escalier derrière la grille ouverte, toujours en maintenant le moine, les vilains atteignirent la petite salle des reliques.

L'endroit était jonché de rogatons ayant appartenu à des saints : morceaux d'os, d'étoffes, de parchemins, un crâne brisé, un gros clou rouillé, une dent jaunie. Partout des traces de pas sanglantes et des débris de châsses.

Devant ce désordre, le moine perdit courage et se mit à geindre. C'en était fini de la réputation de l'abbaye, se lamenta-t-il.

S'attendant au spectacle, Ussel ne fut pas surpris. Les reliquaires avaient été brisés, leurs joyaux arrachés. Mais ces rapines ne le regardaient pas. Il était temps de partir.

— La coiffe... La coiffe ! marmonna le moine en se laissant tomber à genoux.

Ces plaintes incompréhensibles intriguèrent Guilhem.

— Quelle coiffe ?

— La sainte coiffe de Notre-Seigneur Jésus... Le linge sacré qui a enveloppé Sa tête avant qu'Il ne soit mis au tombeau, celui que saint Pierre avait vu, après la Résurrection, dit un vilain.

— Où est-elle ?

— Elle n'est plus là ! glapit le moine d'un ton désespéré.

— Ils l'auraient volée ?

— Forcément !

— Ont-ils pris d'autres reliques ?

Le moine balaya du regard l'obscure pièce, à peine éclairée par les lueurs vacillantes du flambeau. Il reconnut les morceaux de châsses et de reliquaires sur le sol, et les saintes reliques : le crâne de Matthieu, le clou de la Crucifixion... Même la sainte dent était là.

— Je... je ne crois pas... Ils n'ont volé que la coiffe.

Guilhem se figea.

Il n'avait pas voulu accorder trop d'intérêt à ce qu'avait écrit Thomas : le visage de Dieu. Il se rendait compte de son erreur. Il existait forcément un rapport entre le visage de Dieu et la sainte coiffe. Mais lequel ? Que recherchait Le Maçon ? N'était-il qu'un voleur de reliques ? Mais alors, quelle place dans ce mystère pour Ferrière et Alaric ?

Ils repartirent peu après en direction de la commanderie de Durbans où ils arrivèrent dans la nuit. Les Templiers leur accordèrent l'hospitalité et, dès l'aube,

Guilhem fut reçu par Guillaume de Barsac entouré de quelques-uns de ses chevaliers.

Guilhem remit la lettre du Temple de Cahors avant d'expliquer qui il était et pourquoi il chevauchait. Il leur raconta ses pérégrinations à la poursuite de ce mystérieux maître Le Maçon, et ce qui s'était passé à Marcilhac.

— Cette abbaye nous est chère, déclara le maître du Temple, vieil homme à la grande barbe blanche et aux cheveux clairsemés. Nous ignorions ce drame épouvantable. S'attaquer ainsi à un lieu saint pour voler une relique ! Ce Le Maçon est le bras du démon !

— Peut-être, dit Guilhem, mais il ne m'échappera pas pour autant.

— J'ai de bonnes nouvelles pour vous. Avant-hier soir, un message est arrivé du maître de la milice de Cahors. Il nous informait de votre visite et de votre recherche. Aussi, dès hier matin, avons-nous envoyé des gens dans nos fermes. L'un d'eux est rentré dans la nuit. Une troupe de sept hommes d'armes, venant du sud, s'est arrêtée à Reilhac pour se ravitailler. Leur chef a dit être aux ordres de la duchesse Aliénor.

— Ce sont eux ! fit Guilhem.

Il réfléchit un instant. Reilhac se trouvait au nord, à une grosse lieue, et les coquins avaient presque un jour d'avance. Il se faisait de plus en plus difficile de les rattraper.

— Merci pour votre hospitalité, dit-il. Mais il est temps que je reparte.

— Allez-vous les poursuivre ?

— Certainement ! s'enflamma Guilhem.

— S'ils sont vraiment au service d'Aliénor, vous risquez gros. À partir d'ici, ils entrent sur les terres de la duchesse.

— Je ne la crains pas, affirma Ussel.

Ils quittèrent Durbans peu après, mais à peine s'en étaient-ils éloignés que Guilhem annonça à ses hommes :

— Nous rentrons à Lamaguère.

Ferrière ne cacha pas son désaccord et Alaric sa surprise. Seul Peyre hocha la tête. Les décisions de son seigneur et maître s'avéraient sans appel.

— Nous pouvons les rattraper, seigneur, insista Ferrière. Séparons-nous, s'il le faut.

— Je sais qui ils sont et où les trouver. C'est suffisant, répliqua seulement Guilhem.

Ferrière n'insista pas et seul Alaric resta renfrogné. C'est plus tard, lors d'une halte pour faire boire les chevaux à un cours d'eau, que le seigneur s'expliqua.

— Il y a un temps pour tout sous le ciel, répète souvent Jehan le Flamand. Il a raison. L'hiver approche et si nos bandouillers retournent à Fontevrault, je serai impuissant. Je ne peux pas prendre l'abbaye ou les domaines du roi d'Angleterre à moi tout seul. De plus, ils savent peut-être qu'on les pourchasse. Mais au printemps, ils ne se méfieront plus. Alors, nous repartirons. Nous saurons où aller et nous prendrons le temps qu'il faudra pour les faire payer.

# Chapitre 19

*Octobre 1202*

n chemin, Alexandre Le Maçon avait appris avec inquiétude que Mirebeau était tombé aux mains du duc Arthur et que la duchesse d'Aquitaine était assiégée. Quelques jours plus tard, il fut rassuré : le roi Jean avait repris la ville, capturé son neveu et délivré sa mère depuis revenue à Fontevrault. Jean lui avait assuré qu'elle ne risquait plus rien puisque le roi de France était rentré dans ses domaines et que les barons ayant suivi son petit-fils se trouvaient désormais prisonniers ou morts.

Aussi, quand l'ancien clerc arriva à l'abbaye, au début du mois d'octobre, savait-il la duchesse présente. Mais ce qu'il ignorait, c'est que Jean sans Terre avait décidé de prendre à son service Falcaise et ses frères.

Les Bréauté avaient accompagné Aliénor à Mirebeau. Lorsque le château avait été assiégé par Arthur, c'est Falcaise qui avait organisé la défense, avec ses frères et ses Brabançons, l'empêchant d'être pris. C'est lui aussi qui avait envoyé Édouard prévenir le roi Jean, et, quand les troupes du roi d'Angleterre et de son allié Guillaume des Roches étaient arrivées, qui avait effectué une sortie, prenant les hommes d'Arthur à revers et offrant la victoire à son camp.

Après la bataille, le roi d'Angleterre avait été abandonné par Guillaume des Roches qu'il avait voulu punir de son insolence. En raison de son caractère sournois et méchant, Jean ne parvenait jamais à garder de capitaine d'envergure. Il avait fait assassiner Mercadier[1], pourtant le meilleur lieutenant de Richard Cœur de Lion, et Brandin[2] s'était retiré dans le Périgord qu'il mettait en coupe réglée. Certes, il lui restait Louvart[3], mais il redoutait que ce dernier ne le trahisse. Appréciant l'audace de Falcaise, Jean le voulait désormais près de lui.

Contrainte de s'incliner, Aliénor avait cependant demandé à son fils de laisser Falcaise la raccompagner jusqu'à Fontevrault.

Quand Le Maçon arriva à l'abbaye, le capitaine des Brabançons et ses frères étaient partis depuis quelques jours. Des mercenaires navarrais, engagés à prix d'or par l'abbé du Pin, occupaient désormais son camp.

C'est en homme d'armes que l'ancien clerc se présenta au couvent des femmes, se faisant connaître de la prieure et demandant à être reçu par la noble dame Aliénor. La sœur tourière fit appeler l'intendant de la duchesse, lequel exigea que le visiteur abandonne ses armes avant d'être reçu.

Peu avant Fontevrault, Le Maçon avait payé ses hommes et leur avait demandé de raconter une histoire arrangée sur la mise à sac de l'abbaye de Marcilhac. Ils devaient colporter que Guy de Peyragas et sa

---

1. Routier aux ordres de Richard Cœur de Lion, assassiné à Bordeaux en 1200. Voir : *Londres, 1200*, du même auteur.
2. Capitaine de routiers longtemps au service du roi Jean.
3. Sur Louvart, voir *De taille et d'estoc*, du même auteur.

bande avaient pris le monastère et volé sa relique, tandis qu'eux seraient arrivés après le massacre et auraient combattu la troupe du larron, parvenant à reprendre le voile sacré qu'ils rapportaient à Fontevrault. Tous avaient juré de s'en tenir à cette version avant de regagner le camp de Falcaise de Bréauté, croyant y trouver leur seigneur.

La duchesse d'Aquitaine, bien qu'au plus mal après ce qu'elle avait vécu, fit appeler Alexandre dès qu'on la prévint. L'abbé du Pin se tenait près d'elle.

Ils furent tous deux étonnés, et même contrariés, en découvrant Le Maçon en haubert. L'abbé du Pin demanda immédiatement où se trouvait Le Normand.

— Mon seigneur est mort en mer, noble dame, répondit l'ancien clerc, s'agenouillant avec humilité.

Il entreprit le récit du voyage et de sa quête, s'en tenant à une vérité agrémentée de seulement deux mensonges : la mort de Pierre, le sergent d'armes, et la prise de l'abbaye.

— Je n'ai eu d'autre choix que de remplacer mon maître, expliqua-t-il, et si je n'avais pris ses armes, les hommes du seigneur Falcaise ne m'auraient pas plus respecté que Beau-Bec, que j'ai dû châtier. Je l'ai fait pour vous, noble duchesse, et sans ces Sarrasins qui ont massacré les templiers apportant la sainte relique, je vous l'aurais remise. Je crois avoir fait mon devoir dans l'honneur et je vous demande humblement de reprendre ma place dans l'abbaye.

Aliénor ne broncha pas à cette belle tirade. Les yeux fermés, elle paraissait indifférente depuis qu'elle avait appris la mort de Le Normand. Le noble chevalier avait été si souvent à son service qu'elle ressentait sa perte aussi douloureusement que celle d'un fils.

Ce fut l'abbé du Pin qui intervint :

— Frère Alexandre, allez vous installer dans l'hôtellerie de l'abbaye. Nous tiendrons conseil et nous vous ferons part de notre décision.

223

Le Maçon retint sa surprise et son mécontentement. Il avait risqué sa vie moult fois ; il rapportait une précieuse relique et n'entendait aucun remerciement. Il parvint quand même à dompter la colère qui le submergeait, embrassa la robe d'Aliénor, puis celle de l'abbé et se retira le cœur bouillant.

Il soupa et passa la nuit dans l'hôtellerie, s'interrogeant sur son sort. Il ne parvenait pas à imaginer ne pas être récompensé pour son courage et sa fidélité.

Le lendemain, à l'aurore, un frère lai vint le quérir. Le Maçon avait revêtu une simple cotte de toile et s'apprêtait à boucler son baudrier et ses armes quand il se souvint qu'on les lui avait fait retirer la veille. Il attacha donc son seul ceinturon avant de suivre le moine jusqu'au parloir de l'abbaye. Une pièce voûtée, sinistre, à peine éclairée par une torche fumante. Il y trouva l'abbesse, l'abbé du Pin et son ennemi : le prieur de Saint-Jean-de-l'Habit.

Pourquoi le recevait-on dans ce sombre parloir ? Et que faisait là le prieur ? L'inquiétude le gagna.

— Frère Alexandre, commença l'abbé du Pin après qu'il se fut agenouillé, vous nous avez menti.

Le ton était incroyablement dur.

Surpris, Alexandre leva la tête et fit un signe de dénégation.

— N'aggrave pas ton cas ! gronda le prieur.

— J'ai interrogé hier les hommes qui t'ont accompagné. Ils ont confirmé ton récit, mais avec de curieuses différences au sujet de l'abbaye de Marcilhac. Je leur ai donc fait donner le fouet et le capitaine de mes Navarrais, qui remplace Falcaise, a fait couper quelques oreilles et quelques mains, ce qui a rafraîchi leur mémoire.

Le Maçon blêmit. Il ignorait l'absence de Falcaise et avait compté sur lui pour qu'on n'interroge pas trop sévèrement ses hommes.

— C'est toi qui t'es attaqué à l'abbaye ! Toi qui as convaincu le nommé Peyragas de massacrer les moines, l'abbé et le prieur ! rugit le prieur.

— Non... gémit l'ancien clerc.

— Tu mérites la hart pour ces crimes ! cria le prieur avec jubilation.

— Non ! Je n'ai agi que pour la gloire du Seigneur et pour ma duchesse !

— Silence, venimeux scorpion ! aboya le moine.

— Ne mêle pas notre noble duchesse à tes crimes, cracha l'abbesse.

— Nous avions décidé que tu serais pendu ce soir, au début de la nuit, mais... Notre noble duchesse a objecté que ton supplice ferait honte à l'abbaye. Jamais un de ses frères, ou de ses clercs, n'a agi aussi indignement... C'est pourquoi j'ai proposé que ton châtiment soit pire, fit l'abbé du Pin.

Il laissa la parole au prieur.

— Tu seras flagellé de cinquante coups de fouet dans le camp des Navarrais, car le sang ne doit pas couler ici. Ensuite, on te bannira de Fontevrault. Tu partiras sans rien, avec seulement une robe de bure. Nous avons envoyé dès hier soir un messager prévenir le seigneur de Bréauté que tu es l'assassin de Beau-Bec. S'il te retrouve, il décidera de ta punition. Que le Seigneur t'ait alors en Sa sainte miséricorde.

Entendant ce discours, Alexandre se mit à bouillir. Soudain, il ne put plus retenir la haine accumulée depuis des années.

— Croyez-vous que je vais me laisser faire ? Je ne suis plus un mouton ! J'ai risqué ma vie pour vous, et c'est ainsi que vous me récompensez ? Je préfère mourir en combattant ! Allez-vous m'arrêter ? Envoyez donc vos hommes !

Criant ces paroles, il saisit un banc contre un mur du parloir et le brandit comme une énorme masse.

— Frères ! cria l'abbé du Pin, tandis que l'abbesse et le prieur se levaient de leur siège pour se réfugier dans un coin de la pièce.

À cet appel, la porte s'ouvrit et deux moines vigoureux parurent, tenant de solides bâtons.

Sans attendre qu'ils réagissent, Alexandre leur lança le meuble à la face, brisant crâne et os. Le passage étant libre, il se précipita vers la sortie. Bousculant les religieuses sur son chemin, en quelques enjambées il gagna l'entrée du couvent, poursuivi par les glapissements de rage du prieur et de l'abbé. La porte principale était close. Il bouscula sans ménagement les deux nonnes chargées de l'ouverture et tira les verrous. Haletant, furieux, il se retrouva dans la cour où se trouvaient les écuries. Le bâtiment abritait des mules et un cheval, qu'il détacha et enfourcha sans selle, s'accrochant à la crinière. Le pressant des talons, il le mit au galop, renversant en chemin quelques serviteurs qui tentaient une nouvelle fois de l'arrêter.

Presque couché sur la bête pour ne pas tomber, il fila droit devant lui, ne sachant où aller et se dirigeant seulement vers le nord. Seule la fureur qu'il ressentait, l'envie de vengeance qu'il éprouvait, occupaient son esprit. Galopant sans relâche, il franchit ainsi l'épaisse forêt entourant l'abbaye et fut finalement arrêté par un large fleuve impossible à traverser tant le flot était puissant. Était-ce la Loire ou la Vienne ? N'ayant jamais vu ces rivières, il l'ignorait, mais cela importait peu puisqu'il ne pouvait aller plus loin.

En chevauchant, peur et rage s'étaient apaisées et c'est même sereinement qu'il conduisit son cheval au bord de l'eau. Sur la berge, il descendit de selle et le laissa se désaltérer. Ensuite il but à son tour, longuement, avant de s'asseoir sur une souche. Ne voulant pas vivre dans l'amertume, il s'efforça de chasser de son esprit l'ingratitude d'Aliénor et songea à l'avenir.

Que devait-il faire, maintenant ? Que pouvait-il faire, surtout ? Dans combien de temps serait-on à ses trousses ?

Le pays était aux mains du roi Jean. Sa mère le ferait donc rechercher partout. Il lui fallait trouver une protection, or le seul susceptible de lui en accorder était le roi de France. À coup sûr, il fallait gagner ses domaines.

S'il ne possédait aucune arme, le fugitif n'était pas démuni. Sa bourse contenait encore une vingtaine de pièces d'or et autant de deniers d'argent. Il pourrait sans souci acheter ce qui lui manquait : une épée, des brides et une selle.

Restait à ne pas être pris. Il devait être facile de se dissimuler au bord de l'eau, mais ceux qui le poursuivraient connaîtraient le pays mieux que lui. Pour gagner les domaines du roi de France, l'Orléanais, il convenait de remonter la Vienne et de la traverser dès qu'il découvrirait un gué. Chose facile en cette saison où le cours du fleuve était bas. Ensuite il n'aurait qu'à suivre la rivière jusqu'à Tours, qui devait appartenir aux fidèles du roi Philippe.

Mais l'abbé du Pin était un homme perspicace et Alexandre ne le sous-estimait pas. Il aboutirait au même raisonnement que lui et enverrait là-bas ceux chargés de le rattraper. Certainement, étaient-ils déjà en route. Par contre, l'abbé n'imaginerait pas qu'il se dirige vers Saumur pour traverser la Loire par le pont, en vue de remonter vers Le Mans, pays Plantagenêt. Certes, le pont était gardé par un prévôt et il faudrait payer le passage, mais on ne pouvait avoir déjà prévenu les sentinelles. De plus, Saumur se trouvait sous la domination de l'abbaye de Saint-Florent et les relations entre elle et Fontevrault étaient agitées. Les religieux de Saint-Florent avaient vu sans plaisir Robert d'Arbrissel et ses disciples s'installer dans la clairière de Fontevrault. Les contestations entre les deux monastères étaient incessantes, surtout au sujet des dîmes. Fontevrault empiétait de plus en plus sur les droits de Saint-Florent, possédant désormais à Saumur un moulin, un four banal, la maison du pesage et surtout le droit du vingtième des céréales mises en vente. Pour ces raisons, l'abbesse de Fontevrault hésiterait à demander qu'on arrête un fuyard.

Ayant façonné un sommaire harnais avec ses ceintures, Le Maçon remonta à cheval et mit sa monture au galop sur le chemin longeant la rivière vers le couchant.

Moins d'une heure plus tard, il entrait dans Saumur. Passant devant l'abbaye, il songea un instant aux reliques qu'elle possédait : les têtes de l'apôtre Philippe et de saint Martin de Vertou, les bras de saint Serge et de sainte Agnès et surtout un morceau de la Vraie Croix ainsi que des pierres du sépulcre sur lesquelles avait coulé le sang du Christ.

Au sommet de la haute tour de bois érigée sur le porche de la basilique, les cloches se mirent à carillonner à son passage, ce qui le fit sursauter. À quelques pas, il aperçut une écurie. Il s'y rendit pour acheter brides et selle, expliquant qu'on lui avait volé les siennes. Il poursuivit son chemin dans la rue jusqu'à quelques échoppes en tuffeau enserrant un ancien donjon romain.

L'une d'elles proposait des casques cabossés et des gants de mailles, qu'il acheta ainsi qu'une cervelière. À sa demande, on lui indiqua un forgeron qui fabriquait de belles lames. Il s'y rendit et acquit une solide épée, très lourde, mais qu'il se savait capable de manier. Comme elle se trouvait sans fourreau, il l'attacha à sa selle à l'aide de lanières. Il aurait eu besoin d'une cuirasse maclée, mais pas le temps de chercher. Il acheta encore un pain de mauvais seigle à un boulanger, avant de s'approcher de la porte ouvrant sur le pont.

Elle était précédée d'un gibet où pendait la dépouille d'un homme dévoré par les oiseaux.

Le Maçon savait que le pont avait été construit par les bourgeois et les chevaliers du château des Plantagenêts, même si la ville était sous domination de l'abbaye. C'est le prévôt, nommé par le roi Jean, qui veillait sur le pont et exerçait la justice.

Resté un instant à observer les passages, il ne perçut aucune agitation et les deux gardes et le commis de l'octroi paraissaient exercer une surveillance débonnaire. Il vit ainsi un marchand avec un âne auquel on ne demanda rien, sinon le péage. Aussi s'avança-t-il à son tour.

— Vous n'êtes pas d'ici, seigneur, observa l'un des hommes en le dévisageant.

— Je rejoins le sire de Bréauté.

L'autre n'insista pas, exigeant cependant deux deniers pour le voyageur et sa monture.

De l'autre côté, Alexandre franchit les fortifications et prit le chemin du Mans qu'un colporteur lui indiqua.

Il chevaucha jusqu'à épuisement de son cheval et passa la nuit dans la forêt qu'il traversait, près d'un ruisseau. Quand il repartit le matin, il sentit combien sa bête demeurait fatiguée. Certes, elle avait brouté de l'herbe mais elle avait besoin d'avoine. Se dirigeant d'après le soleil, quand il l'apercevait au-dessus des frondaisons, il chevaucha encore plusieurs heures, fort lentement pour ménager sa monture. Il voulait éviter Le Mans et retrouver la direction de Paris, mais n'avait que de vagues idées de la direction à prendre. Son pain était presque terminé et il s'inquiétait de passer une nouvelle nuit dans cette forêt quand se firent entendre des hennissements. Une troupe n'était pas loin.

Il arrêta aussitôt sa monture, mais celle-ci, affamée, se mit à hennir à son tour plusieurs fois. Saisissant sa ceinture, il essaya de la museler, espérant qu'on ne l'avait pas entendue, puis s'engagea dans les fourrés, abandonnant le chemin qu'il suivait.

Au bout d'un moment, il se sentit rassuré. Le silence était revenu, interrompu seulement par quelques treilles d'oiseaux.

Mais à nouveau, retentit un hennissement, cette fois proche, suivi d'un cri :

— Il est là !

Le Maçon détacha son épée, devinant devoir combattre.

Des bruissements jaillirent des fourrés environnants, puis apparurent un cheval et un cavalier. Suivis d'un autre, d'un autre encore et enfin d'une troupe qui l'entoura. Plusieurs en haubert, beaucoup en simple broigne. Certains avec des écus, d'autres des rondaches. Tous en casque à nasal.

Son cœur se mit à battre le tambour quand il vit les léopards d'or sur les bannières et les cinq feuilles écarlates sur l'écu du chevalier s'avançant vers lui. Les armes des sires de Bréauté. C'était les gens de Falcaise.

— Qui es-tu, l'ami ? demanda ce dernier.

Apparemment, il ne l'avait pas reconnu, se rassura Alexandre. Mais s'agissait-il d'un avantage ? Falcaise était une brute pour qui seul comptait le courage. S'il s'inventait un personnage, il doutait de le convaincre, et pour s'amuser, le routier le pendrait ou l'écorcherait.

L'ancien clerc décida de jouer d'audace.

— Je suis Alexandre Le Maçon, le clerc parti en Palestine avec le seigneur Le Normand, il y a six mois.

Vous n'aviez pas fait attention à moi, je n'étais qu'un clerc. Me voici homme d'armes désormais.

— Un homme d'armes ? Voyez-vous ça ! ironisa Falcaise.

Les autres cavaliers éclatèrent d'un rire qui n'annonçait rien de bon.

— Hier, un messager de Fontevrault nous a rejoints. On te cherche pour te pendre, l'ami. Tu es un félon et tu aurais tué mes hommes !

— C'est faux, seigneur, et je peux le prouver.

— Explique-toi. Il ne sera pas dit que j'aurai empêché quelqu'un de se justifier. Ensuite, tu prouveras tes dires.

En quelques mots hachés, Le Maçon raconta leur voyage jusqu'à Marseille, puis la peste sur le bateau.

Personne ne l'interrompit. Les Brabançons paraissaient impressionnés par l'histoire, car aucun n'était allé si loin, et tous craignaient la mer.

— J'ai respecté mon engagement. Mon seigneur m'avait demandé de poursuivre la mission dont il était chargé. Beau-Bec s'est rebellé. Je n'avais pas le choix, je l'ai tué.

— Comment ?

— En combat singulier et honorable, avec les armes de mon seigneur, devant les chevaliers du Temple qui se trouvaient à bord et m'ont donné raison.

— Continue, fit Falcaise, moins féroce.

— J'ai conduit vos hommes à Saint-Jean-d'Acre. Je leur ai assuré que rien n'était changé et ils ont engagé leur foi envers moi.

— À un clerc ! ricana l'un des chevaliers de Falcaise.

— Non, à leur chef ! répliqua fièrement Alexandre. Là-bas, j'ai prévenu le grand maître du Temple que je venais chercher ce que dame Aliénor demandait...

— C'était quoi ? interrogea un autre chevalier.

Le Maçon hésita à répondre, mais il se dit qu'il n'avait plus d'engagement envers Fontevrault. Pourquoi garder le secret ?

— Je ne l'ai appris que plus tard : le saint suaire dans lequel le Seigneur Christ avait été enveloppé.

— Un drap ? Il en existe déjà beaucoup... ironisa l'un de ceux qui avaient parlé.

— Oui, un drap, mais sur lequel, par je ne sais quel miracle, le visage et le corps de Notre-Seigneur avaient laissé leurs traces... Ce drap montrait le visage de Dieu.

Le silence s'abattit. Cette fois, il n'y eut aucun persiflage et quelques hommes d'armes se signèrent.

— Tu l'as vu ? Tu l'as ramené ? demanda Falcaise.

— Serais-je là si j'y étais parvenu, seigneur ? Des templiers devaient l'apporter, mais, en chemin, ils ont été surpris par des Sarrasins. Le suaire a été perdu, et je suis rentré, avec vos hommes. Mais je ne voulais pas revenir les mains vides. En nous rendant à Marseille, nous nous étions arrêtés à l'abbaye de Marcilhac. Elle possède une sainte coiffe qui avait enveloppé les épaules et la tête du Nazaréen avant qu'Il ne soit mis dans son tombeau. J'ai décidé de la prendre pour l'offrir à dame Aliénor.

Un homme murmura : « Sacrilège », mais les autres restèrent muets.

— Seulement l'abbaye était fortifiée, avec plus de trente moines bien armés. J'ai scellé une alliance avec Guy de Peyragas, un seigneur du pays. Ensemble, nous avons pris l'abbaye. Il l'a pillée et j'ai emporté le voile.

— Et les moines ? demanda Falcaise apparemment intéressé par l'histoire.

— Peyragas ne faisait pas de quartier, seigneur. On est revenus à Fontevrault et j'ai offert le saint voile à la duchesse, disant que c'est Peyragas qui l'avait volé et que je le lui avais repris. Il s'agissait d'un mensonge... le seul que j'ai fait.

— Tu es donc un menteur, laissa tomber Falcaise avec mépris.

— J'ai menti pour honorer la duchesse. D'ailleurs, elle ne m'a pas cru. L'abbé du Pin a fait torturer vos hommes, et c'était grande honte, car je les aimais, seigneur Falcaise. Ils ont avoué la vérité et on a voulu me saisir. Je suis parvenu à fuir... et me voilà. Je suis prêt à jurer sur les saints Évangiles que tout ce que je vous ai dit est vrai.

— Pourquoi Aliénor t'a-t-elle choisi ? Un clerc ordinaire...

— Je lis le grec, le latin et la langue hébraïque, seigneur. Des qualités nécessaires pour vérifier l'authenticité de la relique. De plus le prieur de Saint-Jean-de-l'Habit voulait se débarrasser de moi.

— Pourquoi ?

— Il me reprochait d'être querelleur, avoua Le Maçon à mi-voix.

Les routiers n'avaient pas d'autres questions, quêtant la décision de leur chef. Allaient-ils pendre cet homme, ou l'écorcher pour s'amuser un peu ?

Falcaise, lui, réfléchissait.

En route pour rejoindre le roi Jean à Rouen, le reste de ses hommes, leurs femmes et quelques enfants les attendaient non loin de là, avec ses frères. Son clerc, qui s'occupait de ses chartes transportées dans un coffre de fer, se trouvait avec eux. Or, c'était un homme geignard, peureux et mal instruit. Et lui-même lisait à peine quelques mots de latin. Un clerc capable de se battre, audacieux, comme ce Le Maçon, serait autrement utile. Encore fallait-il que ce qu'il ait raconté soit vrai. Facile à vérifier.

— Jacquemart, tue ce félon ! ordonna-t-il.

Un cheval s'avança. L'homme qui le montait portait une cotte de gros maillons de fer rouillés s'arrêtant en haut des cuisses. Plus bas, d'épaisses heuses de cuir serrées par des boucles protégeaient ses jambes. Sa tête était recouverte par un casque pointu.

Il détacha une lourde masse de l'arçon de sa selle et la brandit en s'approchant.

Alexandre tint fermement son épée, s'interrogeant sur sa solidité. L'autre donna un coup de reins, sa monture s'élança et il frappa de sa masse avec toute la force qu'il pouvait donner.

L'épée para le coup mais ébranla Le Maçon qui chancela. L'autre releva sa masse mais déjà Alexandre était tombé.

Jacquemart éclata de rire, prenant les autres à témoin.

Alors Le Maçon enfonça sa lame dans le poitrail du cheval du Brabançon. La bête hennit, tenta de se cabrer et s'effondra, faisant tomber le cavalier. Tenant son épée à deux mains, vif comme un éclair, Alexandre frappa le casque de son adversaire puis, d'un revers, la poitrine couverte de mailles. Le sang sortit par le nez de Jaquemart.

— Arrête ! ordonna Falcaise.

Le Maçon obéit.

Jacquemart était à demi inconscient, mais gémissait, signe de vie. Le cheval se débattait, lui, dans les affres de l'agonie.

Impressionné, Falcaise songea que ce clerc était un rude gaillard.

— À genoux ! commanda-t-il. Que préfères-tu, être pendu ici ou me rendre hommage ?

— Je vous serai fidèle, seigneur. J'en fais serment.

Falcaise descendit de cheval et s'approcha du clerc. Il tendit sa main que Le Maçon embrassa en déclarant :

— Je suis votre homme, seigneur.

Ce pacte devait être le début d'une sanglante complicité. Pendant des années, les deux hommes dépasseraient en cruauté les ordres que leur donnerait le roi Jean. Leurs exactions et leurs persécutions furieuses resteraient inscrites dans l'Histoire.

# Chapitre 20

*Septembre 1202*

**M**arc de Saint-Jean, alias le *rafiq* Ali-i Sabbah, n'avait jamais imaginé que Paris pût être si grand. Se guidant aux clochers d'église, il entra dans la ville par une porte fortifiée en construction, au milieu d'un immense chantier et sous une chaleur étouffante. Dès lors, il ne sut dans quelle direction aller.

Autour de lui s'étendaient vergers, cultures et vignobles entourant des maisonnettes de torchis. Le seul bâtiment imposant était une abbaye reconnaissable à son clocher. Ayant aperçu un cabaret fréquenté par les ouvriers qui travaillaient sur la muraille, il s'y rendit afin de glaner des renseignements. Après avoir laissé ses deux chevaux devant un picotin d'avoine et un abreuvoir de pierre, Ali-i Sabbah s'assit sur un tronc d'arbre faisant office de banc et se fit servir un verre de vin en observant les alentours.

Des charrois de toutes tailles apportaient des pierres et des poutres. Un four à chaux générait une épaisse fumée et, sur des échafaudages, des maçons assemblaient les merlons de la tour rectangulaire sous laquelle il était passé. Comme il était bel homme, et surtout qu'il possédait deux montures de valeur, une servante chercha à l'aguicher. À ses questions, il répondit qu'il arrivait de Terre sainte et qu'il ne connaissait pas Paris. Robert de Locksley lui avait répété que les croisés revenant de Palestine étaient estimés et vénérés partout dans le royaume de France.

De fait, sa déclaration impressionna la servante qui lui raconta que la construction de la muraille avait été décidée par leur roi Philippe Auguste, et que la porte s'appelait la porte Bordelle. Quant à l'abbaye, c'était celle de Sainte-Geneviève, sainte femme qui avait sauvé Paris des Huns.

Ali-i Sabbah ignorait qui étaient les Huns, mais il devina qu'il s'agissait d'ennemis redoutables. Il préféra néanmoins ne poser aucune question à leur sujet, laissant parler la femme, intarissable. Elle lui apprit avec fierté que la bibliothèque, le *scriptorium* et le cloître de l'abbaye étaient réputés pour l'enseignement délivré. Maître Abélard lui-même y avait enseigné ! affirma-t-elle.

Abélard[1] était un nom qu'Ali avait entendu, mais il fut incapable de se souvenir à quelle occasion. Glissant une obole à son aimable serveuse, il lui demanda si elle connaissait l'église Saint-Merri. Il devait s'y rendre à la suite d'un vœu fait en Terre sainte.

Elle répondit que Saint-Merri était une paroisse de Paris située de l'autre côté du fleuve. Un endroit où elle n'était jamais allée. Mais, ajouta-t-elle, il n'avait qu'à suivre le chemin qui descendait – elle le lui désigna. Il conduisait à la Seine, assura-t-elle, et une fois à la rivière, il n'aurait qu'à demander le Petit-Pont. Il traverserait la Cité, puis prendrait le Grand-Pont à l'autre bout et arriverait dans le quartier de Saint-Merri.

Ali-i Sabbah repartit.

---

1. Pierre Abélard, théologien de noble famille, avait créé une école à Sainte-Geneviève qui était devenue la plus renommée de la Chrétienté. Amoureux d'Héloïse, nièce d'un chanoine de Notre-Dame, il l'épousa, mais l'oncle d'Héloïse fit châtrer Abélard par deux truands qui subirent le même châtiment. Héloïse prit le voile et Abélard se fit moine.

Des vergers et des jardins, ainsi que de rares maisons avec étable et grange, longeaient le chemin qui se transforma progressivement en une rue bordée d'échoppes en pierres ou à pans de bois dans lesquelles on voyait marchands et artisans travailler. À Chalon, il avait déjà remarqué ce genre de boutiques bien différentes de celles des villages autour de Masyaf et Tripoli.

En revanche, la rue était aussi sale que chez lui. Porcs, chiens et volatiles y erraient librement. Des tas de crottins et de fumier rendaient l'air irrespirable.

Observant les étals et les enseignes, il constata qu'il s'agissait surtout de tailleurs, de barbiers, de pelletiers, de cordouaniers, de chandeliers et de huchiers. Rien qui ressemblât à des marchands d'épices ou de drogues. Simon de Bernay ne devait pas habiter par là.

Souvent, les maisons se serraient les unes contre les autres, formant un petit village autour d'une église et de son cimetière.

Il devait s'arrêter sans cesse à cause des chariots et des charrettes qui obstruaient la voie, surtout lors des croisements avec un autre équipage. Il mit ainsi beaucoup de temps pour atteindre la rive du fleuve, mais cela lui permit d'observer tout son saoul.

Les boutiques devinrent plus nombreuses, la plupart surmontées d'une enseigne en bois peint. Il eut vite fait de reconnaître les serruriers et les enlumineurs, les uns ayant pour signe de grosses clefs et les autres des plumes.

La rive de la Seine était bordée de maisons érigées sur des piliers de chêne entre lesquels on distinguait les flots. En face se dressait une immense église nantie de deux tours d'une hauteur considérable. Ayant repéré un pont, Ali-i Sabbah s'y dirigea. De nombreuses barques accostaient sur la berge, le long d'une ancienne fortification ruinée. La plupart des embarcations transportaient des fustes de bois.

C'est peu avant le pont, protégé par une massive tour fortifiée arrondie, qu'il découvrit une échoppe ayant deux ouvertures en façade. À l'intérieur, on apercevait des bocaux sur des étagères. Il devina qu'il s'agissait d'un épicier ou d'une apothicairerie. Peut-être même était-ce celle de Simon de Bernay !

Avisant une écurie, il laissa ses chevaux à la garde d'un garçon et s'approcha de la boutique avec un soupçon d'inquiétude. S'il était présent, Bernay pouvait-il le reconnaître ?

Un homme en robe pesait une poudre grise. Ali-i Sabbah fut tout de même déçu de constater qu'il n'était pas celui qu'il recherchait.

— Dieu vous garde, vénéré maître. Avez-vous du sucre ? demanda-t-il.

— Évidemment ! Ignorez-vous que vous vous adressez à Pierre d'Angers ?

— Je l'ignorais, vénéré maître, j'arrive d'Antioche.

— De Terre sainte ? s'étonna l'apothicaire, soudain plus aimable.

— Oui.

— Je comprends mieux que vous désiriez du sucre, combien en voulez-vous ? L'once est à quatre sous.

— Une once fera l'affaire.

Il sortit quelques pièces de sa bourse pendant que l'apothicaire plongeait une spatule dans un bocal pour en sortir une poudre grise, avec laquelle il emplit un petit pot de terre cuite.

— On m'avait dit que j'en trouverais chez Simon de Bernay, fit Ali-i Sabbah, alias Saint-Jean.

— Simon de Bernay ? Je ne connais pas cet homme, dit l'apothicaire d'un ton d'indifférence, posant le pot sur une balance à laquelle il avait suspendu une tare.

— Il est apothicaire à Paris.

— Cela m'étonnerait ! Nous ne sommes que trois. Et encore, les autres ne sont que des épiciers. Je suis le seul à venir d'Angers où mon père tenait une pig-mentarie dans la cour du chapitre cathédral. Votre

Bernay doit être un épicier, peut-être même un simple pévrier ou aromator.

Saint-Jean ne répondit pas, s'efforçant de chasser l'inquiétude qui l'avait envahi. Après tout, cet homme ne pouvait pas connaître tous les apothicaires d'une si grande ville.

— Je dois me rendre à Saint-Merri, pouvez-vous m'indiquer le chemin ? demanda-t-il après avoir payé et pris le pot.

— Passez le pont, sous le Châtelet. Traversez l'Île en longeant le palais et prenez le Grand-Pont. Saint-Merri se trouve au septentrion et à votre droite, après le Grand-Châtelet.

Ayant repris ses chevaux, Ali se dirigea vers le Châtelet où il paya deux oboles pour franchir le pont avec ses chevaux. En attendant son tour, car il y avait beaucoup de monde, il observa que les jongleurs et les ménétriers pouvaient payer l'octroi en jouant de leurs instruments, psaltérion, gros bourdon[1] ou vielle, ou en faisant faire des tours à des bêtes dressées. Il s'amusa ainsi d'un cerf dansant et de singes jouant du tambour.

D'étroites maisons en encorbellement se dressaient le long du tablier de bois du pont, le rendant presque aussi sombre que les tunnels de Masyaf. Les échoppes, en bas des demeures, vendaient de la mercerie, de la bonneterie et des chapeaux.

Après avoir à nouveau demandé son chemin, puis suivi moult ruelles, domaines des cochons et des poules, il déboucha sur de hautes fortifications ponctuées de tours rondes en poivrières. Le palais du roi, lui dit-on.

Il le longea jusqu'à un autre pont, le Grand-Pont, sur lequel les maisons abritaient des boutiques de changeurs.

De l'autre côté s'étalait une place grouillante de monde, bordée de boucheries et d'écorcheries. À des

---

1. Cornemuse.

crochets, sur les façades, pendaient des carcasses de moutons, de vaches et de cochons couvertes de mouches. Chiens et pourceaux erraient partout, se battant pour des os et des chairs pourries.

Traversant la place, Ali-i Sabbah s'arrêta un instant devant un bonimenteur déguenillé, nu-pieds et sans chemise sous son sayon en ortie, qui expliquait :

— Bonnes gens, je ne suis pas de ces misérables herbiers qui vont par-devant les monastères, en pauvres chapes mal cousues, et qui portent boîtes d'herbes stériles et impuissantes. Moi, je vous propose les fabuleux et miraculeux sachets de poivre et de cumin de la dame de Salerne, qui utilise une recette si merveilleuse que les juifs de Jérusalem les vendent chacun trente pièces d'argent, alors que je vous les céderai, aujourd'hui seulement, pour une obole de cuivre, car le Seigneur m'interdit de m'enrichir. Avec un seul de ces sachets, vous serez guéri de toutes les maladies et de toutes les fièvres.

Les matrones qui l'écoutaient lui tendirent des pièces en se bousculant, persuadées qu'il n'y aurait pas suffisamment de sachets miraculeux.

Amusé par l'enjôleur, qui tenait le même discours que les camelots de Damas, remplaçant seulement Jérusalem par Rome, Ali-i Sabbah se fit à nouveau indiquer son chemin. Peu après, il arrivait devant une église dont on lui dit qu'il s'agissait de Saint-Merri. La contournant, il trouva aisément l'auberge reconnaissable à une corne de fer pendue à deux chaînes, sous l'encorbellement de la façade.

Ayant laissé ses chevaux à l'écurie proche, et recommandé qu'on en prît soin, il fit porter ses armes et bagages par un garçon.

La salle de l'hôtellerie était séparée en deux parties dont l'une plus basse de quelques marches. Le voyant franchir le seuil, un homme bedonnant, aux sourcils épais et au triple menton, s'avança vers lui en se dandinant. Il portait un grand tablier de toile.

— Le noble seigneur Robert de Locksley, comte de Huntington, m'a recommandé votre auberge. Je veux une pièce avec un lit pour moi seul, lui dit Saint-Jean.

— Huntington... Oui, bien sûr. Je vous conduis à ma meilleure chambre, seigneur.

C'était à l'étage. La pièce paraissait propre et confortable. Murs blancs et colombes peintes en vert, le sol était couvert de gros carreaux de terre émaillés et la seule fenêtre tendue d'une peau de porc huilée.

L'aubergiste allait se retirer quand Saint-Jean lui demanda :

— Où puis-je acheter de la thériaque dans ce quartier ?

— Vous trouverez un espicier près de Saint-Jacques-de-la Boucherie, il se nomme Nicolas. Il pourra vous en faire, seigneur.

— Nicolas ? Je croyais qu'il s'appelait Simon... Simon de Bernay.

— Non, c'est bien Nicolas, seigneur.

— Vous connaissez Simon de Bernay ?

— Non, seigneur.

Comme il était trop tard pour se rendre chez ce Nicolas, qui avait certainement déjà fermé boutique, Saint-Jean dîna dans la grande salle avant de se retirer dans sa chambre.

Le lendemain, il se rendit chez l'espicier Nicolas. Son échoppe, serrée entre celles d'un hameçonneur et d'un fabricant d'aiguilles, avait pour enseigne un mortier et un pilon peints en vert.

Par l'étal ouvert, Saint-Jean le salua et lui réclama un électuaire[1] à la sanicle[2] pour soigner une plaie. L'épicier parut embarrassé.

---

1. Préparation en forme de pâte.
2. Plante opiacée.

— J'ai de la sanicle mais j'ignore les proportions que vous désirez.

— Je croyais que tous les apothicaires les connaissaient. Qui pourrait m'en faire ?

— Si vous me donnez les indications...

— Je les ignore, mentit Ali. Où puis-je aller ?

Comme tous les fidèles de Masyaf, il possédait de solides connaissances en pharmacopée, tant sur les effets des plantes que sur ceux des minéraux, des huiles ou des matières animales. De plus, il n'ignorait rien des usages de l'alambic, de la fabrication de sirops et même de la confection des pilules dorées et argentées telles que les avaient imaginées Avicenne.

— Rue de la Harpe, Jehan de Noion a été mon maître. C'est lui qui m'a appris la façon de faire les préparations... Il les connaît certainement.

— On m'a conseillé d'aller chez Simon de Bernay...

— Je n'en ai jamais entendu parler, seigneur, répondit l'autre avec une moue.

Dans les jours qui suivirent, Saint-Jean fit le tour des boutiques qu'on lui indiqua. Il visita celles de Jehan Hemeri, rue de la Buffeterie[1], de Maciot, place Saint-Michel, de Guillaume derrière Saint-Séverin, ainsi que plusieurs marchands de poivre. Il acheta inutilement de la cannelle, de l'anis, des graines de fenouil et du sirop de réglisse. Tous ces produits s'accumulaient dans sa chambre, mais personne n'avait entendu parler de Simon de Bernay.

C'est un poivrier qui suggéra que ce Bernay pourrait être l'apothecarius[2] d'un couvent. Lui-même achetait ses plantes médicinales à l'abbaye de Saint-Germain.

1. Une partie de la rue des Lombards.
2. Moine à la fois médecin et apothicaire.

L'homme lui donna quelques adresses de monastères où il se rendit. Mais aucun des moines interrogés ne connaissait Bernay. Décidément...

Un soir, après une fatigante visite à l'abbaye Saint-Martin, Ali – alias Saint-Jean – s'était installé dans la plus petite des salles de la Corne-de-Fer pour dîner. Préoccupé par sa vaine quête, il ne fit pas attention à l'aubergiste qui s'approchait de sa table, accompagné d'un homme en jaque de mailles portant épée. Ce dernier s'adressa à lui :

— Que notre saint Dieu soit avec vous, noble seigneur, je me nomme Philippe Hamelin, je suis le prévôt de Paris. On m'a rapporté que vous connaissiez le comte de Huntington.

— En effet, gracieux seigneur, c'est lui qui m'a recommandé cette auberge. Nous avons fait le voyage ensemble depuis Marseille. J'arrive d'Antioche.

Le prévôt s'assit en face de lui.

— Tous les voyageurs doivent payer un droit d'aubain[1], mais je vous en dispense. Le seigneur de Locksley est un proche du roi et un honorable chevalier.

— Mille grâces, noble prévôt.

— Resterez-vous longtemps ?

Saint-Jean perçut la suspicion chez son interlocuteur. Il se souvint de ce que lui avait suggéré le bibliothécaire de Masyaf.

— Je dois me rendre en Flandre, rencontrer un oncle que je ne connais pas, mais je vais séjourner quelque temps à Paris. J'envisage de suivre un

---

1. Les aubains étaient des étrangers. Si un aubain décédait durant son voyage, ses biens revenaient au seigneur du fief où il était mort. À Paris, on leur faisait payer une taxe.

enseignement de théologie pour entrer chez les Hospitaliers de Saint-Jean.

— À Paris, vous aurez le meilleur choix de la Chrétienté pour un tel enseignement. Quelles études avez-vous faites ?

— J'ai suivi le *trivium* et le *quadrivium* à Antioche et je parle arabe et latin.

— Vous pourrez donc vous dispenser d'aller aux écoles du cloître. Que connaissez-vous de l'enseignement ici ?

— J'en ignore tout.

— Le *trivium* et le *quadrivium* ont été longtemps enseignés dans le cloître de Notre-Dame par les chanoines ayant rang de magister. Mais les écoliers sont turbulents et les religieux ont besoin de tranquillité. Même en interdisant les tavernes, les jongleurs et les dresseurs d'animaux dans l'enceinte du cloître, le désordre devenait insupportable.

» Depuis plusieurs années, les cours se délivrent donc près de l'Hôtel-Dieu, bien que quelques classes aient encore lieu dans la domus Sancte Marie[1]. Mais elles sont réservées aux plus érudits. Quelques leçons sont aussi données sur le parvis de la cathédrale, près des boutiques de libraires qui vendent plumes, encre et parchemins. La présence de ces élèves donne d'ailleurs lieu à des affrontements avec le service d'ordre de l'évêque, surtout quand les écoliers sont ivres.

» Mais en ce qui concerne l'enseignement de maîtrise, en décret[2], théologie et médecine, les écoles monastiques concurrencent l'enseignement donné dans la salle du palais épiscopal réservée à la maîtrise de la faculté de Théologie. Chaque école cherche à avoir les maîtres les plus réputés pour attirer les étudiants. À Notre-Dame, nous avons eu l'illustre Albert,

---

1. La maison de la Sainte Vierge.
2. Droit.

archidiacre et chanoine, et plus récemment Pierre le Chantre qui n'hésitait pas à excommunier les étudiants se comportant comme des larrons ou causant des désordres. Du côté des écoles monastiques, les plus réputées sont Saint-Victor, hors de l'enceinte, et surtout Sainte-Geneviève où a enseigné Abélard.

— Que me conseillez-vous ?

— Pour la théologie, l'enseignement de Notre-Dame reste le meilleur. Voulez-vous que je vous introduise auprès de Pierre de Poitiers, le chancelier qui dirige les enseignements ?

— Ce sera avec plaisir, remercia Saint-Jean, qui n'en pensait pas un mot.

# Chapitre 21

**P**lus de deux mois s'étaient écoulés depuis son arrivée à Paris. La froidure et la pluie avaient pris possession de la ville. Ali-i Sabbah avait même été malade et sentait insidieusement le découragement le gagner. Le prévôt n'était pas revenu, mais l'heyssessini avait entendu dire qu'il ne manquait pas de tracas avec les écoliers turbulents et qu'il s'était mis à dos les maîtres de Notre-Dame.

Saint-Jean avait visité toutes les boutiques d'apothicaire de Paris et interrogé chaque épicier. Personne ne connaissait Simon de Bernay. Vers où devait-il se tourner pour poursuivre ses recherches ? Sa seule certitude était qu'il ne pouvait rentrer bredouille à Masyaf. Non seulement le Vieux de la Montagne le ferait pendre à la potence pour avoir échoué, mais il déshonorerait à jamais le nom de sa famille.

Ce soir-là, dans sa chambre glaciale, il se mit donc à prier, demandant une nouvelle fois à Allah le Miséricordieux de l'éclairer.

C'est à la fin de sa prière que la vérité surgit : le voleur s'était douté qu'on partirait à sa poursuite. Il avait donc menti ! Soit il ne s'appelait pas Simon de Bernay, soit il n'était pas apothicaire, soit il ne venait pas de Paris.

Ali examina méthodiquement ces trois propositions.

À Masyaf, il avait conversé avec celui qui se nommait Bernay. Sans nul doute qu'il était un maître en

246

science, car le chrétien lui avait cité les travaux de plusieurs savants arabes réputés comme Khalaf ibn Abbas al-Zahrawi[1], Ibn Sina[2] et Ibn Rushd[3]. Bernay s'exprimait en latin, langue qu'Ali connaissait, mais il l'avait aussi entendu converser en langue d'oïl avec les templiers. Il venait donc bien de France, du Parisis ou de l'Orléanais. Ali se souvenait qu'il avait dit avoir acheté du sucre et de la gomme adragante, une sève obtenue à partir de la racine d'Astragale qui poussait partout autour de Masyaf[4]. Tout en lui révélait le maître apothicaire.

Mais s'il s'agissait d'un subterfuge, que pouvait-il être ?

Pourquoi pas médecin ? réfléchit Ali. Durant ces deux mois, l'heyssessini avait découvert que les médicastres parisiens considéraient l'art de mélanger et de préparer des drogues indigne d'eux. Ils confiaient ce soin à des apprentis ou à des *apothecarii* qui devaient connaître les plantes et les minéraux, mais aussi posséder des notions de latin.

Dès le lendemain, décida-t-il, il se renseignerait sur les médecins de Paris.

Il frissonna. Prenant conscience du froid de la chambre, il descendit dans la grande salle pour se réchauffer un moment près de la cheminée.

Toutes les tables devant le feu étaient occupées, aussi s'installa-t-il là où il trouva une place. Il découvrit alors que son voisin était le prévôt de Paris.

---

1. Abulcasis.
2. Avicenne.
3. Averroès.
4. À l'époque, il s'agissait à la fois d'un remède universel, d'un aphrodisiaque et d'une colle !

Philippe Hamelin mangeait en compagnie d'une personne tonsurée, en robe sombre, qui lui ressemblait beaucoup. Saint-Jean les salua avec considération.

— Mon frère, Robert, annonça le prévôt de Paris en présentant son compagnon, après avoir expliqué à celui-ci qui était Saint-Jean. Robert est prévôt de l'abbaye Saint-Éloy. Il me rend quantité de services.

Philippe Hamelin ayant dit à son frère que Saint-Jean venait de Terre sainte, le prévôt de l'abbaye Saint-Éloy posa toutes sortes de questions sur ces contrées lointaines jusqu'à ce que son frère interroge à son tour.

— Où en sont vos études de théologie, seigneur ?

— Je crains de ne pas être fait pour ça. Jusqu'à présent, j'ai suivi quelques enseignements, mais rien qui ne m'ait passionné.

— C'est regrettable, fit sèchement Robert, lui-même docteur en théologie. La théologie est la reine des sciences.

— L'un de mes compagnons d'étude m'a longuement parlé de l'enseignement de médecine qu'il suivait. J'ai envie d'essayer, ajouta Saint-Jean. Connaissez-vous des maîtres réputés ?

— Ma foi, à Paris il n'y en a que deux à mes yeux : Gilles de Corbeil et Albéric de Rouen, répondit frère Hamelin.

— On m'a dit que les meilleurs médecins étaient ceux qui avaient beaucoup voyagé, qui avaient étudié avec les maîtres arabes.

— C'est souvent vrai. C'est d'ailleurs le cas de Gilles de Corbeil.

— Que savez-vous d'autre sur lui ?

— N'en avez-vous jamais entendu parler ?

— Jamais !

— Il était bénédictin à Corbeil et son couvent l'a envoyé étudier la médecine à Salerne où enseignent les grands maîtres grecs, lombards et arabes. Ensuite, il est allé en Grèce, puis à Montpellier. Il s'y trouvait quand notre vénéré roi est rentré de croisade, atteint de la suette[1]. Philippe ne guérissait pas et avait perdu un œil. Ses proches ont alors fait appel à Gilles de Corbeil qui l'a sauvé. En récompense, notre monarque l'a fait nommer chanoine de Notre-Dame. Il enseigne la médecine deux fois par semaine, à l'abbaye de Saint-Victor[2].

— Est-il allé en Terre sainte ?

— Je l'ignore, mais c'est bien possible. Il a de bonnes relations avec nombre de templiers.

C'est lui ! songea Saint-Jean en maîtrisant son excitation.

— Pour suivre son enseignement, je suppose qu'il faut une recommandation.

— Certainement, mais je pourrais en demander une à frère Guérin, le chancelier du roi, proposa Hamelin avec chaleur.

— Je vous en serais éternellement reconnaissant, fit Saint-Jean, songeant en même temps qu'il serait le premier suspecté par le prévôt, dès qu'il aurait tué Gilles de Corbeil. Il devrait donc quitter Paris sans perdre de temps après le meurtre.

— Vous ne voulez rien savoir d'Albéric de Rouen ? s'enquit alors le prévôt de Saint-Éloy, à la fois amusé et déçu que ce jeune chevalier prenne si promptement sa décision.

— Si, bien sûr... Je vous suis tout ouïe, dit Saint-Jean, qui ne tenait pas à le contrarier.

— Il enseigne à l'abbaye Sainte-Geneviève. Savez-vous où elle se situe ?

— Je suis passé devant en entrant dans Paris.

— Partout les maîtres sont soumis à l'évêque, car l'Église doit veiller au respect des dogmes enseignés.

---

1. Maladie épidémique très courante au Moyen Âge.
2. Il n'y avait alors à Paris ni école de médecine ni Université, et Saint-Victor avait la même réputation que Sainte-Geneviève. Thomas Becket y avait enseigné.

Mais les écoles monastiques cherchent à s'émanciper de cette contrainte pour aborder parfois des sujets contestables. C'est surtout le cas de Sainte-Geneviève et, à un degré moindre, de Saint-Victor et de Saint-Germain-des-Prés. Cet affranchissement provoque des querelles avec l'évêque de Paris qui tient à imposer sa juridiction sur les enseignements des sciences. Le conflit est particulièrement vif avec Sainte-Geneviève, surtout depuis qu'une noble et riche dame, Mathilde de Garland, a cédé ses propriétés à l'abbaye pour la construction d'hospices à étudiants[1], provoquant l'exode des écoliers qui abandonnent les vieilles rues de la Cité.

— Je suppose que l'abbé doit obéir à l'évêque, fit Ali, qui en vérité s'en moquait.

— Non, l'abbaye rétorque qu'elle ne dépend que du Saint-Siège et que l'affluence des clercs tient à la notoriété de ses maîtres. Il faut vous dire que les écoles de Sainte-Geneviève sont très réputées depuis que le grand Abélard y a enseigné, après avoir été refusé comme maître à Notre-Dame. Plus récemment, Étienne de Tournai en a été un magister renommé. Maintenant, c'est la brillante réputation d'Albéric de Rouen qui attire les élèves. Je dois reconnaître que ce maître est un grand savant, dans tous les domaines.

— Mais il est impossible de suivre l'enseignement de deux maîtres, sourit Saint-Jean. Si je suis admis par Gilles de Corbeil, cela me suffira !

— En effet.

Le lendemain, un archer du Châtelet apporta un pli à Saint-Jean. C'était la fameuse recommandation, adressée au maître Egidius Corboliensis. L'archer

---

1. Il en reste la rue Garlande.

ajouta que le chanoine faisait son cours le mardi et le vendredi.

Comme on était jeudi, Ali décida de s'y rendre dès le lendemain.

Ce jour-là, il revêtit son haubert, mit son casque à nasal et prit ses armes, les dissimulant sous un grand manteau à capuchon. Il fit ensuite seller son cheval et se fit indiquer la route vers Saint-Victor.

Il traversa l'Île et, arrivé sur la rive gauche, il suivit un chemin remontant le cours du fleuve. Peu à peu, les maisons se firent plus rares. Il franchit un ruisseau à gué et arriva devant une enceinte ruinée érigée sur un talus. Il en restait un portail ouvert et abandonné. Autour de lui s'étendaient des cultures, quelques masures et des bosquets d'arbres. Plus loin s'élevait une haute muraille de pierre ponctuée de tours, similaire à celle traversée à la porte Bordelle. On lui avait dit que l'abbaye Saint-Victor se situait de l'autre côté de cette courtine.

Les gardes à la porte le laissèrent passer. Ils étaient là pour faire payer un octroi aux troupeaux ou aux marchandises et ne se préoccupaient pas de ceux qui quittaient la ville.

L'abbaye se dressait à peu de distance. Une dizaine de clercs attendaient devant son portail et regardèrent le nouvel arrivant avec surprise. Sans descendre de cheval, Ali les interrogea. Oui, ils venaient pour le cours de maître Gilles de Corbeil, mais celui-ci n'était pas encore là.

Peu après, une mule apparut à la porte de l'enceinte de Paris. L'animal portait un homme tonsuré revêtu de la robe blanche des Bénédictins de Cîteaux avec le scapulaire noir à capuchon. Grand, brun, vigoureux, il affichait un visage carré à l'expression autoritaire.

Les élèves se mirent à chuchoter :

— Le maître ! Le maître !

— Est-ce Gilles de Corbeil ? s'enquit Saint-Jean.

— Bien sûr ! Vous ne l'avez jamais vu ?

— Jamais ! assura le musulman en s'éloignant.

Sous les regards surpris des autres élèves, il rebroussa chemin. Passant à côté de Gilles de Corbeil, il le salua.

Ce n'était pas Simon de Bernay. Mais, contre toute attente, Corbeil s'adressa à lui :

— Que le seigneur Dieu vous garde, gentil sire. Rentrez-vous dans Paris ?

— Oui, maître Corbeil. Que le Seigneur Dieu vous conserve aussi dans sa sainte grâce.

— Vous me connaissez ?

— Vos élèves m'ont donné votre nom.

L'autre le considéra, intrigué, mais ne posa pas d'autre question.

— Soyez prudent, seigneur. J'ai vu des gens de rien, près de l'ancienne porte. Des histrions sans doute, mais peut-être aussi des truands qui préparent un mauvais coup. Ce ne serait pas la première fois à cet endroit-là.

— Il y a les gardes, objecta Saint-Jean.

— Ils ne sont que deux avec le commis et ne peuvent s'éloigner.

— Combien sont ces gens ?

— Une vingtaine, plus peut-être.

— Armés ?

— Des bâtons, mais ils doivent posséder des couteaux.

— Merci du conseil, honorable maître.

Les deux hommes se saluèrent.

Saint-Jean franchit la porte, se demandant s'il devait prendre un autre chemin. Les sentiers étaient nombreux entre les enclos, mais il devrait faire un grand détour pour contourner le talus.

Il décida de poursuivre et sortit deux couteaux de sa ceinture.

À l'approche du talus, il lança son cheval au galop. Comme il passait la vieille porte, deux hommes surgirent avec des bâtons ferrés, tentant de l'arrêter.

Lançant ses couteaux, il les vit s'écrouler. Il tira son épée et se retourna contre les autres, dissimulés le long du talus. Il s'agissait d'une poignée de gueux en saillons et en hardes. Plusieurs avaient emmanché des lames au bout de perches, les transformant en de redoutables épieux. Les autres brandissaient couteaux et tranchoirs, l'un possédait même une masse d'armes. Surpris par cette attaque inattendue, quelques-uns s'enfuirent mais la plupart firent front, se précipitant vers Ali.

Sans état d'âme, il tailla les chairs avec de grands moulinets, tranchant et brisant les membres. En quelques instants, la gueuserie s'enfuit. Il ne poursuivit personne et s'apprêtait à poursuivre son chemin quand un carreau d'arbalète se planta dans sa selle.

Aussitôt, craignant d'autres viretons, il donna un coup d'éperon dans les flancs de son cheval, faisant faire un bond à la bête. Mais il n'y eut pas d'autres traits. Il laissa cependant sa monture au galop, jusqu'aux premières maisons. Puis il se retourna. Les truands avaient disparu. Il ne devait donc y avoir qu'un arbalétrier avec eux.

L'après-midi, Ali-i Sabbah se rendit sur la colline Sainte-Geneviève. Après qu'il eut tiré la chaîne de la porte du monastère, un frère tourier lui ouvrit. Le musulman lui expliqua qu'il souhaitait suivre l'enseignement de médecine d'Albéric de Rouen.

— Le maître ne viendra que lundi, seigneur. Un frère va vous conduire au chancelier de l'abbaye qui décidera de votre admission, expliqua le moine.

Il fit venir un autre moine que le *rafiq* de Masyaf suivit. Ensemble, ils traversèrent un cloître – l'endroit où se tenait l'enseignement du maître, expliqua le frère –, puis s'engagèrent dans une galerie bordée de cellules. Ayant gratté à l'une d'elles, et entendu l'ordre d'entrer, le guide laissa pénétrer Saint-Jean et resta dehors.

— Vénéré père, que Dieu vous bénisse, mentit l'heyssessini. Mon nom est Marc de Saint-Jean. J'arrive de Terre sainte où ma famille est installée depuis un siècle. J'ai suivi le *trivium* et le *quadrivium* à Antioche. Je parle arabe et latin. Avant de rejoindre l'ordre des Hospitaliers, je veux compléter mes études par la science médicale. L'on m'a rapporté que l'enseignement d'Albéric de Rouen est le meilleur de la Chrétienté.

— Hum... C'est exact, approuva le chancelier, flatté par les origines de ce nouvel élève. Le maître Albéric de Rouen est un homme d'une grande capacité et d'une mémoire prodigieuse. Il fait honneur à notre école autant que les vénérés Abélard et Simon de Tournay.

Il se gratta la gorge.

— Il fera son cours lundi. Voulez-vous y assister ?

— J'en serai infiniment honoré, mon père, s'inclina humblement Saint-Jean.

— Je préviendrai le frère tourier. Soyez là à prime.

L'heyssessini revint donc le lundi. Cette fois serait-elle la bonne ? s'interrogeait-il.

À prime, nombre d'élèves patientaient devant la porte, tous munis de tablettes de cire. À l'ouverture, on les conduisit dans le cloître. Peu après arriva un homme en robe, non tonsuré, au visage maigre et sévère. Saint-Jean reconnut immédiatement Simon de Bernay et en ressentit un immense soulagement.

Mais il craignait que le voleur le reconnaisse, bien qu'il eût taillé sa barbe plus court que celle qu'il portait à Masyaf. Ayant remis son capuchon sur sa tête, car il faisait très froid, il prit soin de demeurer derrière les autres élèves, dans l'ombre d'une colonne du cloître.

Le cours de trois heures fut extrêmement brillant. Le maître expliqua avec la plus grande subtilité les mécanismes des humeurs, les assortissant d'exemples divertissants. Il se tirait adroitement de questions fort difficiles où personne ne s'était jusque-là hasardé. Son langage était clair et choisi. Cette aisance expliquait la foule d'auditeurs présents.

À la fin du cours, il prononça ses décisions sur les questions abordées la veille et qui paraissaient insolubles à ses élèves. Il le fit avec tant de clarté et d'élégance que les auditeurs restèrent stupéfaits.

Après la leçon, ceux qui se montraient les plus assidus l'entourèrent et lui demandèrent l'autorisation d'écrire sous sa dictée les solutions qu'il venait de donner, lui disant que ce serait une perte irréparable si le souvenir d'une science si profonde venait à périr. Albéric de Rouen leur donna rendez-vous pour le prochain jeudi.

Saint-Jean s'apprêtait à partir quand arriva le chancelier. Celui-ci le salua et lui fit signe de l'accompagner. Il voulait le présenter au maître.

Ce dernier parlait avec un élève. Apercevant le chancelier, il leva le regard et découvrit Ali-i Sabbah. Aussitôt, son visage perdit toute couleur. Il chancela, comme ivre, et leva des yeux hagards vers le ciel en murmurant : « Jésus, protège-moi ! »

À peine avait-il prononcé ces paroles qu'il resta court et s'effondra comme une poupée de chiffon.

Tout le monde se précipita, sauf le faux Saint-Jean. Bernay l'avait reconnu ! La surprise, la peur même, pouvait-elle avoir provoqué un de ces maux convulsifs que la science n'expliquait pas ? Ou simulait-il ?

Ayant lu Galien, Saint-Jean savait que le siège de la pensée, et de l'âme, était localisé dans les ventricules du cervelet. Allah pouvait-il avoir décidé de frapper le renégat à cet endroit-là ? Son âme s'était-elle enfuie pour toujours, ou reprendrait-il connaissance ?

Personne ne paraissait s'être rendu compte qu'Albéric de Rouen avait perdu connaissance à cause du nouveau disciple. Tandis que tout le monde entourait le maître, l'heyssessini recula, se fondant dans la masse des élèves.

— Éloignez-vous ! Veuillez partir ! cria le chancelier, tandis que des moines, appelés à l'aide, soulevaient le corps flasque et le transportaient.

D'autres arrivèrent et poussèrent les auditeurs vers la sortie. Saint-Jean partit avec eux, content de quitter le couvent mais contrarié de ne pas savoir si le félon était mort. Dans tous les cas, il aurait encore à pénétrer chez lui pour reprendre ce qu'il avait volé. Il devait donc découvrir où il logeait.

Dehors, la plupart des élèves s'éloignèrent en commentant l'incroyable événement, mais Saint-Jean resta avec ceux qui souhaitaient des nouvelles. L'attente dura plusieurs heures. Enfin un moine sortit. Quelques disciples se précipitèrent.

— Le maître est au plus mal, expliqua le religieux. Il a repris conscience mais reste muet et paraît… complètement imbécile. Il ne sait plus parler et ne comprend rien ! On va le transporter chez lui.

Effectivement, peu après, une charrette à bras sortit du couvent, escortée et tirée par des moines. Ils prirent la direction de la Seine.

Saint-Jean les suivit.

La charrette s'arrêta rue de la Harpe, devant une belle maison aux colombages peints en ocre et bleu, avec les extrémités des poutres de soutènement sculptées de têtes d'anges dorées.

Alors que des serviteurs portaient le corps de Bernay à l'intérieur, Saint-Jean le vit bouger. Le félon n'était donc pas décédé.

Restait à entrer chez lui et à reprendre ce qu'il avait volé, avant de l'achever dans de grandes souffrances, pour le punir, se dit l'heyssessini.

Il observa longuement la maison, ses épais volets à l'étage et sa porte ferrée. Ce ne serait pas aisé d'y pénétrer. Il fit ensuite le tour par-derrière, traversant les jardins en sautant les clôtures. De ce côté-là, il repéra une fenêtre sans volet, mais une échelle serait nécessaire, ou une corde avec un crampon.

Ayant élaboré un plan sommaire, il revint rue de la Harpe, songeant que, peut-être, Bernay retrouverait la santé. Il pourrait alors se saisir de lui quand il se rendrait à nouveau à l'abbaye Sainte-Geneviève.

Il aperçut alors un groupe de jouvenceaux aux pieds nus qui clabaudaient sur le mal dont avait été atteint le médecin. Repérant l'un d'eux, plus vif que les autres, il attendit que les gamins se séparent et s'approcha de lui.

— L'ami, veux-tu gagner un denier d'argent ?

L'autre le considéra avec suspicion.

— Contre quoi, seigneur ?

— Je suis un élève de maître Albéric. J'aimerais être tenu informé de son mal.

— Possible...

— Viens me voir dès que tu auras appris quelque chose. Tu auras ton denier si ce que tu me rapportes est intéressant. Je loge à la Corne-de-Fer, près de Saint-Merri.

Le gamin hocha du chef avec un sourire complice.

Le lendemain, l'enfant apparut à l'auberge pendant que Saint-Jean mangeait sa soupe en réfléchissant aux moyens d'entrer dans la maison de la rue de la Harpe. S'il ne s'y trouvait pas trop de domestiques, il pourrait les surprendre et les entraver. Mais dans son for intérieur, il savait que le seul moyen de les réduire au silence revenait à les tuer.

— Seigneur, fit le gamin après que Saint-Jean lui eut dit de s'asseoir, le maître est au plus mal. Il vit, mais ne peut plus parler. C'est sa servante qui me l'a dit à l'abreuvoir Macon[1]. Son fils est près de lui.

— Il a donc un fils ?

— Oui, seigneur, médecin comme lui. Un frère médecin aussi, à Rouen.

— Il doit avoir beaucoup de serviteurs. Et son épouse ?

— Il est veuf, seigneur. Quant aux serviteurs, il en possède une dizaine.

Saint-Jean lui donna la pièce, lui indiquant de revenir dès qu'il en apprendrait plus.

Plus tard dans la journée, le *rafiq* se procura une longue corde et un grappin, puis enveloppa soigneusement le fer dans des morceaux d'étoffe. Le lendemain, il retourna à la maison du médecin et en fit plusieurs fois le tour. La pluie s'étant mise à tomber, il préféra reporter son entreprise au moment où le temps serait sec.

Deux jours plus tard, le gamin revint :

— Seigneur, le maître s'en va !

— Où donc ?

— Je viens de l'apprendre : son fils l'emmène à Rouen. Son état ne s'améliore pas et il pense que son frère médecin sera de bon conseil.

— Quand partent-ils ?

— Je ne sais. Dans quelques jours sans doute. J'ai appris aussi que le fils du maître voulait utiliser une

---

1. Situé au bord de la rivière, à côté du Petit-Châtelet. Il tenait son nom de l'hôtel des comtes de Macon dont les valets conduisaient les chevaux à boire à cet endroit-là.

barque et descendre la Seine, mais que les mariniers le lui ont déconseillé car le fleuve charrie de la glace. Ce sera plus long, mais moins dangereux par la terre. La servante m'a dit qu'ils rassemblaient des chariots pour transporter meubles et bagages.

— Ils vident la maison ?

— Oui, tout le monde s'en va. Le fils du maître doit aussi engager une escorte, car les routes ne sont pas sûres en Normandie. C'est la guerre, depuis que la cour des pairs du royaume a condamné le roi Jean à la commise de ses fiefs.

Saint-Jean jugea n'avoir guère le choix. Il lui fallait les suivre. Sans doute trouverait-il une meilleure opportunité à Rouen. Ce voyage devait être un signe d'Allah le Miséricordieux qui ne voulait pas la mort des domestiques et des proches du félon.

Contre une autre pièce, l'enfant promit de revenir dès qu'il connaîtrait le jour du départ.

Les jours s'écoulèrent. Le temps devint encore plus froid et même un peu de neige tomba. Saint-Jean se renseigna sur Rouen. C'était la ville où vivait le duc de Normandie, le roi Jean d'Angleterre. Pour s'y rendre, il suffisait de suivre la Seine. À cheval, on comptait un à trois jours, lui apprit-on, mais avec des chariots, mieux valait estimer le voyage à deux semaines. Plus peut-être, car passé Vernon, une ville fortifiée sur la Seine, on se battait partout et, sans laissez-passer, le risque était grand de finir écorché ou pendu.

Lors d'une visite du prévôt, Saint-Jean lui fit part de son besoin de se rendre à Rouen où il avait de la famille. Sans doute fut-il convaincant car Hamelin lui promit un passeport valable jusqu'à Gaillon. Au-delà, pays normand, impossible pour lui de faire mieux.

Saint-Jean se rendit aussi plusieurs fois rue de la Harpe où il vit des chariots arriver, tirés par des bœufs et des mules. On les rangea dans une grande écurie.

Pour la Sainte-Cécile, le gamin vint lui annoncer que le départ aurait lieu à la Saint-Nicolas, si le temps redevenait sec. Mais, au contraire, la neige tomba à plusieurs reprises et le départ fut une énième fois reporté. Quant au mal du médecin, il restait stationnaire même s'il parvenait parfois, avait dit la servante, à ânonner quelques mots incompréhensibles.

Les fêtes de Noël passèrent. Saint-Jean bouillait, regrettant de ne pas avoir exécuté son projet initial. Mais c'était désormais impossible. Le fils avait engagé une vingtaine d'hommes d'armes qui logeaient dans la maison.

Enfin, après Noël, la neige disparut et le ciel devint clair. S'il se mit à geler à pierre fendre, les chemins redevinrent praticables.

Le jour des Rois, le gamin vint prévenir Ali que le départ aurait lieu le lendemain.

# Chapitre 22

*D'octobre 1202 à janvier 1203*

Durant l'automne, Guilhem s'efforça de ne s'intéresser qu'à son fief. La facile agression des Brabançons de Le Maçon montrait combien son domaine était vulnérable. Il ordonna à Thomas de fabriquer de nouvelles arbalètes et demanda à Ferrière d'entraîner les hommes, mais surtout fit construire de plus robustes enceintes. En particulier, les maisons proches de l'Arrats furent entourées d'une palissade de bois dans laquelle des oies furent enfermées. Guilhem se souvenait en effet de ce qu'il avait appris à Rome : les oies se montraient plus vigilantes et bruyantes que des chiens pour donner l'alerte quand on tentait de pénétrer dans leur enclos. À coup sûr, si une telle palissade avait existé, Godefroi et sa famille seraient encore vivants.

Guilhem fit aussi ériger une tour de bois derrière le château, sur une hauteur rocheuse. Un poste de guet confié à Peyre, comme il le désirait. Ce dernier reçut sous ses ordres plusieurs garçons, dont un fils d'Aignan. À tour de rôle, la petite troupe monterait la garde afin de repérer l'arrivée d'étrangers et ferait des rondes dans la forêt.

Enfin, Guilhem surveilla la préparation de plusieurs pots de cette poudre noire dont Nedjm Arslan[1], le

---

1. *Marseille, 1198*, du même auteur.

Perse qu'il avait connu quand ils avaient délivré le vicomte de Marseille, connaissait le secret. À plusieurs reprises, Bartolomeo avait entrepris de mélanger soufre, charbon de bois et fleur de roche afin d'obtenir la même puissance que la poudre du Perse. Sans y être parvenu, il était quand même arrivé à un assemblage qui provoquait de brusques incendies, de graves brûlures et une fumée effrayante.

Une autre besogne fut la construction d'une forge près du moulin des Templiers. Cet atelier, confié à un serviteur du Temple, permit de fabriquer des épées, des haches, des lames de lance et des pointes de flèche, mais aussi toutes sortes d'instruments aratoires et agricoles : serpes, cercles de fer pour des roues et des tonneaux, clous et marteaux.

Ces travaux, ainsi que des visites aux seigneurs des environs, occupèrent Guilhem sans pour autant lui faire oublier les crimes qui avaient eu lieu. Seule Sanceline, à qui il s'était confié, savait ce qu'il avait déduit sur l'assassinat de Thomas. En revanche, elle ne partageait pas son opinion sur Flore, mais peu importait puisque la pécheresse était certainement morte.

Sanceline devinait aussi que son époux brûlait de reprendre la recherche de Le Maçon. Elle aurait accepté son départ s'il l'avait décidé durant l'hiver, car elle le savait impossible à retenir. Mais Guilhem s'était raisonné : il avait des gens à charge et tenait à mettre toutes les chances de son côté.

L'automne s'écoula dans la tranquillité. Les vendanges furent meilleures qu'attendues. Les troupeaux de brebis, d'oies et de cochons s'accrurent de façon significative. Les granges se virent à nouveau remplies de foin. Parmi les gens des manses, quelques mères donnèrent naissances et jamais enfants ne furent si nombreux à l'enseignement donné par la femme d'Aignan. Guilhem avait décidé de récompenser d'une pièce d'argent ceux parvenant à lire, sachant que c'est grâce à son instruction qu'il avait eu la vie sauve quand il n'était qu'un misérable larron.

Les labours à l'araire commencèrent après les abondantes pluies d'automne et on pouvait espérer que la prochaine récolte ferait oublier la précédente. Le fief de Lamaguère se transformait en un havre de paix, même si la vie y restait rude.

Noël venait de passer. On fêtait les Rois dans la grande salle du château où tous les serviteurs étaient rassemblés, bien au chaud et la panse pleine après un grand dîner où Guilhem avait joué de la vielle à roue et chanté quelques ballades de *fin'amor* composées aux veillées. Bartolomeo, venu exprès de Lasseube avec son épouse, avait de même montré ses talents de jongleur et de ventriloque.

Les gens du fief se préparaient pour un tournoi de tir à l'arc que Peyre espérait remporter quand le son du cor retentit. C'était la tour de guet.

Immédiatement, chacun se leva de table. Les hommes saisirent épées, arbalètes, arcs et trousseaux posés sur les coffres et se précipitèrent sur les chemins de ronde. Guilhem fut le premier dans la cour, épée déjà bouclée à sa taille et coiffé de son casque à nasal.

Ils attendirent assez longtemps, ce délai leur permettant de s'équiper de haubert et de broigne, avant d'apercevoir trois cavaliers approcher depuis le chemin du prieuré. En cotte de mailles, cervelière ou casque, emmitouflés de chapes de laine, ils transportaient écus et rondaches sur des roussins. Sur la lance que tenait un écuyer flottait une bannière cramoisie aux losanges d'argent : les armes de Thomas de Furnais.

Furnais ! L'ancien gouverneur d'Angers qui avait livré sa ville et le château dont il avait la garde à Arthur de Bretagne, à la mort de Richard Cœur de Lion. Furnais, qui avait découvert où se trouvait le testament du roi en faveur de son neveu Arthur, et qui s'était sacrifié, acceptant de devenir prisonnier dans la Tour de Londres quand Guilhem avait préparé la mainmise sur le précieux document[1] ! Quelle nouvelle apportait-il ? Guilhem devinait que sa visite avait un rapport avec Arthur.

On ouvrit le portail et le jeune chevalier – Furnais avait la trentaine – pénétra dans la cour avec ses gens.

Guilhem et Bartolomeo l'accueillirent chaleureusement, observant cependant avec inquiétude combien le visage du visiteur exprimait le désespoir. Sans le questionner, ils le conduisirent, avec ses hommes d'armes, dans la grande salle du château.

Le seigneur de Lamaguère proposa aux visiteurs un copieux repas, qu'ils acceptèrent, car ils n'avaient pas dîné depuis l'aube.

Tandis qu'une épaisse soupe chauffait dans un chaudron accroché aux landiers et que pigeons et perdrix étaient mis sur les broches, Guilhem présenta Sanceline à Furnais, qui baisa les doigts de la jeune femme. Ensuite le chevalier eut des paroles gracieuses envers Aignan, Thomas, Geoffroi et Alaric. Enfin, il salua avec chaleur Jehan le Flamand qu'il avait connu à Londres.

Mais cette courtoisie ne pouvait masquer la peine qui paraissait occuper son esprit. D'ailleurs, le souper servi, il expliqua sans détour les raisons de sa visite.

---

1. *Londres, 1200*, du même auteur.

— Je viens pour mon duc, pour mon bien-aimé haut et gracieux duc, Arthur de Bretagne.

— J'ai appris qu'il était prisonnier. Où en est la guerre ? Philippe a-t-il proposé une rançon pour sa délivrance ? interrogea Guilhem.

— Philippe... Philippe... Je ne devrais pas dire du mal du roi de France, surtout en ta présence, Guilhem, mais Philippe de France songe avant tout à agrandir son royaume. Tant qu'Arthur lui était utile, il le protégeait. Il lui avait même promis sa fille Marie. Mais maintenant qu'il dispose d'une armée puissante, les tortures que Jean a infligées à mon suzerain servent ses ambitions. Tu sais ce qu'on lui a fait ? s'enquit Furnais la gorge nouée.

— Je l'ai appris. Mais qui pouvait s'attendre à la mansuétude de Jean ?

— Même si le duc est devenu aussi imparfait qu'un eunuque, ma fidélité envers lui reste aussi solide que les racines d'un chêne. Arthur demeure mon seigneur et je donnerais ma vie pour lui.

Guilhem garda le silence, se doutant de ce qui allait suivre, mais Bartolomeo, qui par son naturel prudent faisait partie de ceux qui reprochent facilement aux autres leur témérité, observa :

— Le noble Arthur était trop impatient de s'attaquer aux troupes de sa grand-mère et de Jean. Que n'a-t-il attendu l'armée du roi de France ?

— Tout le monde a blâmé Arthur pour son inconséquence, mais rien n'est plus faux ! Je le sais, car j'étais là.

Après avoir réfuté si fermement la rumeur contre son duc, Furnais poursuivit :

— Après que Philippe l'eut armé chevalier, ses barons l'avaient acclamé au cri de Normandie et Guyenne ! Toute la chevalerie de Touraine et du Poitou s'indignait de la lâche conduite du roi Jean qui avait ravi la fiancée de Lusignan. Les grandes familles voulaient châtier le félon, mais, saignées par les croisades, elles

265

ne purent réunir qu'une centaine de guerriers. Arthur s'en inquiéta et leur dit : « Sires barons, croyez-vous que nous soyons une assez grande chevalerie pour conquérir terres et domaines de Jean ? Attendons quelques jours ; le roi, notre sire supérieur, nous accorde pour auxiliaires tous les barons d'au-delà de la Loire. La Bretagne m'envoie cinq cents chevaliers et quatre mille archers et hommes d'armes. Nous sommes à peine cent ; mais demain nous aurons quinze fois plus de lances. »

» Les barons n'applaudirent point à ce discours raisonnable : « Que ceux qui manquent de courage tremblent ; que les lâches aient peur, les chevaliers du Poitou ne craignent rien ! Que Jean vienne, s'il l'ose ! » cria même l'un d'eux.

» Arthur ne pouvait que les suivre, sauf à passer pour un poltron. De mauvais gré, il partit donc mettre le siège devant Mirebeau, mais il me demanda de prévenir le roi de France pour qu'il accoure au plus vite. C'est ainsi que je fus le seul chevalier du Poitou fidèle à Arthur qui ne participât pas aux combats. Or, si la ville de Mirebeau était mal défendue, le château était imprenable et Aliénor pouvait se moquer des vains efforts de la petite troupe contre ses épaisses murailles.

» Puis Jean arriva une nuit, et, s'étant fait ouvrir une porte par félonie, il saisit tout le monde par surprise, sans même livrer une de ces batailles honorables où les nobles chevaliers brisent leur lance en l'honneur de leur dame.

Sur ce comportement, Guilhem approuvait le roi Jean. Rien n'était plus sot que de combattre quand on pouvait vaincre par ruse et sans perte d'hommes.

— Des Roches se trouvait avec lui, m'a dit le comte Raymond, observa-t-il.

— Oui, et cette trahison marquera ce félon pour l'éternité. Pourtant, avant l'attaque, il avait quand même exigé qu'il ne soit fait aucun mal à mon duc.

— On m'a dit en effet que Jean le lui avait juré, mais qu'il n'avait pas tenu sa promesse. Chose naturelle chez Lackland.

— L'infâme Jean avait même pris Dieu à témoin comme garant de ses engagements et ajouté qu'il permettait à sa noblesse de le rejeter comme suzerain légitime s'il était parjure, dit Furnais.

— Une telle fourberie est incroyable ! s'exclama Bartolomeo en secouant la tête.

Furnais hocha du chef avant de poursuivre :

— Maître des barons du Poitou, Jean a fait enfermer Arthur dans la tour de Falaise. Les autres chevaliers, mes amis et mes proches, furent jetés dans des donjons, sans aucune nourriture ni boisson, succombant ainsi à une mort effroyable.

» Mais la fureur de ce roi fourbe n'était point satisfaite. Le jeune Arthur demeurait un ennemi redoutable, car il répétait à ses geôliers être le légitime roi d'Angleterre. De plus, il restait duc de Bretagne. Aussi Jean vint le voir et lui dit : « Beau neveu, renonce à des couronnes qu'oncques ne porteras, et je te ferai part d'héritage comme ton bon et droit seigneur, et t'accorderai octroi de sincère amitié. »

» Arthur lui répondit qu'il ne pouvait, car sa foi était engagée auprès du roi de France, son parrain de chevalerie qui lui avait baillé sa fille en mariage.

» Jean lui répliqua alors que nul ne résistait jamais à sa volonté.

« Jamais tours ni épées ne me rendront assez couard pour renier droit que je tiens de mon père après Dieu, Geoffroy, votre frère aîné, aujourd'hui devant le Seigneur. Angleterre, Touraine, Anjou, Guyenne, sont miens de son chef, et Bretagne de l'estoc de ma mère. Je n'y renoncerai que par la mort », répondit fièrement Arthur.

« Ainsi sera donc, beau neveu », rétorqua Jean, plein de colère. Quelques jours plus tard, il fit envoyer un de ses hommes de main, lequel aurait tranché les génitoires du jeune duc, le transformant en moine, comme cela fut fait pour Abélard. Il lui aurait aussi fait arracher les yeux, ajouta Furnais, étouffant un sanglot.

Un silence ému tomba dans la salle. Si tout le monde était impressionné par le courage du jeune Arthur, chacun savait cependant sa cause perdue.

— Or, j'ai appris, il y a peu, d'un échevin de Rouen qui m'est fidèle, que mon maître et seigneur Arthur serait maintenant enfermé à Rouen. Jean voulait l'avoir près de lui pour le torturer plus encore, et surtout s'en débarrasser. Mais aucun des fidèles de ce maudit roi n'aurait voulu se charger d'un pareil crime. Pour l'instant, tout au moins. C'est donc mon devoir de le délivrer. Hélas, tous les vaillants chevaliers du Poitou qui auraient pu m'aider sont morts ou prisonniers. J'ai supplié le roi Philippe de me confier une troupe et il m'a répondu que c'était impossible. Or, mon ami échevin m'a écrit que le temps presse. À tout moment Jean peut navrer mon duc. Alors j'ai songé à toi, Guilhem. Toi seul es capable d'un miracle.

Guilhem secoua tristement la tête.

— Tu te trompes, mon ami. Je ne suis qu'un homme et incapable de vaincre un roi. Si Jean garde Arthur dans ses cachots, il sera impossible de le sortir de là. De plus, le duc de Bretagne n'est rien pour moi. Je ne risquerai pas ma vie et celle de mes gens dans une entreprise chimérique.

Furnais resta silencieux un instant. Chacun craignait qu'il ne se fâche, mais il eut finalement un sourire amical.

— Je m'attendais à ta réponse, Guilhem, et je ne t'en veux pas, car je la comprends. Je partirai demain pour Rouen, si tu m'accordes l'hospitalité pour la nuit. Celui qui m'a prévenu m'a fait parvenir un laissez-passer pour entrer dans la ville et m'assure avoir trouvé des gens capables de m'aider. C'est un allié sûr et j'ai moins de pessimisme que toi.

— C'est folie ! bougonna Guilhem, secouant la tête. Comment un chevalier, un combattant avisé comme toi, peut-il imaginer réussir pareille entreprise ?

— C'est mon devoir. J'ai rendu hommage, j'ai fait serment de fidélité. De plus, si je ne sauve pas Arthur, la Bretagne et le Poitou resteront aux mains des Brabançons et des Cotereaux de l'usurpateur qui pillent, meurtrissent et violent sans retenue. Rouen est déjà sous la coupe de ces canailles. Sais-tu que Jean a un nouveau capitaine ? Un bâtard, originaire de Normandie, qui ne possédait que ses armes, son cheval et sa troupe d'estropiats sans aveu quand il est entré à son service. Ce misérable dépasse en cruauté ses prédécesseurs Brandin et Mercadier.

— Qui est-ce ? demanda Guilhem, intrigué.

— Il se nomme Falcaise.

— Falcaise ? Falcaise de Bréauté ?

— Oui, tu le connais ?

— De nom. N'était-il pas à Aliénor ? Et son père à Richard ?

— Ce maudit est le bâtard d'un chambellan de Richard qui l'avait accompagné en Palestine. Tout comme ses frères. Ce sont eux qui défendaient le château de Mirebeau. Séduit par leurs exploits, Jean les a pris à son service. Depuis, ils font régner la terreur à Rouen avec un clerc nommé Le Maçon, qui pressure la bourgeoisie, ne respectant aucun des droits et des chartes de la ville...

— Quel nom as-tu dit ? l'interrompit Guilhem.

— Le Maçon.

— Oui, qui est-ce ?

— Alexandre Le Maçon. Un ancien clerc d'Aliénor, chassé de Fontevrault pour avoir pillé un monastère...

— Marcilhac ?

— C'est ce que l'on dit... Comment le sais-tu ?

— Ce Le Maçon serait donc à Rouen ?

— On affirme qu'il ne quitte pas Falcaise de Bréauté dont il est le conseiller et l'âme damnée.

Pendant que Furnais donnait d'autres nouvelles sur ce qui survenait en Normandie, Guilhem n'écoutait plus. Il n'avait pas envisagé de partir avant le printemps, mais il venait d'entendre des informations capitales. En accompagnant Furnais, pourrait-il punir Le Maçon et empêcher son ami de perdre la vie dans une entreprise utopique et pipée ?

— Qui sont les frères de Falcaise ? demanda Bartolomeo.

— Ses cadets : Guillaume et Édouard. Aussi féroces et cruels que lui.

— Thomas, laisse-moi te parler de ce Le Maçon, intervint Guilhem.

Il raconta ce qui s'était passé à Lamaguère, la poursuite des meurtriers de Godefroi et de sa famille, et le rôle de Flore. Une fois terminé, il conclut à l'attention de ses gens :

— Nous partirons demain pour Rouen.

S'adressant alors à Peyre et à Ferrière, il ajouta :

— Vous deux, soyez prêts. Vous m'accompagnez.

— Seigneur, accordez-moi la grâce de venir avec vous, intervint Alaric.

Guilhem accepta, après une brève hésitation.

# Chapitre 23

La troupe avait quitté Lamaguère depuis une semaine quand elle arriva à Martel, cité fortifiée érigée sur une éminence aux confins du Quercy, du Périgord et du Limousin. Située non loin de la Dordogne, sur la voie gallo-romaine reliant Brive à Cahors, c'était une riche ville marchande.

Ils étaient sept, bien équipés et montés sur de robustes destriers. Guilhem, Alaric, Peyre et Ferrière, pour ceux de Lamaguère. Furnais avait son neveu comme écuyer et un sergent d'armes ayant déjà servi sous les ordres de son père. En chemin, personne ne les avait provoqués. Sept hommes couverts de fer, armés de lourdes épées, de masses, de lances et d'arbalètes, n'incitaient pas les gens sans aveu à la querelle.

À la porte de Martel, Guilhem avait présenté au sergent de garde le sauf-conduit que lui avait remis le roi de France, deux ans plus tôt. L'homme les avait envoyés à la seule hostellerie de la ville, une bâtisse à pans de bois avec une salle basse, une écurie à laquelle on accédait par une cour, un dortoir et quelques souillardes à l'étage. Ils se séparèrent devant la cour, Furnais voulant saluer le bailli, Pierre de Cornil, nommé par Guy de Limoges, fils d'Adhémar, à qui la ville appartenait.

En conflit depuis des années avec Richard Cœur de Lion, son suzerain, Adhémar avait brisé ses liens féodaux. Mais peu après cette rupture, il avait été tué par Philippe de Cognac, un fils illégitime de Richard[1]. L'hostilité régnait donc désormais entre les féaux d'Adhémar et ceux de Richard. Dès lors, Furnais savait que le bailli de Martel leur porterait assistance dans leur entreprise contre les Plantagenêts.

Guilhem, lui, accompagna ses hommes à l'écurie. Peyre l'aida à retirer son haubert, puis il laissa les autres s'occuper des chevaux et se rendit dans la salle de l'auberge, emportant seulement sa vielle à roue.

Sous sa casaque à capuchon, il portait son gambison de cuir rouge et l'épée offerte par le comte de Foix, ainsi que trois couteaux. Vieille habitude.

La pièce, au sol de terre couvert de paille sale, puait un mélange de vin, de sueur, de fumées résineuses et de relents de soupes. Un feu ronflait dans l'âtre et des torches faisaient danser les ombres incertaines des clients assis autour des deux longues tables. Le plafond, bas et noirci par la fumée, était encrassé de toiles d'araignées. Une échelle permettait d'accéder aux chambres et au dortoir.

Devant un dressoir supportant des pots et des cruches, l'aubergiste, en tablier de cuir, tirait un pot de vin d'un fût.

— Nous sommes sept, lui dit Guilhem. Nous partirons demain.

— Ce sera quatorze deniers avec la soupe et le vin. Un denier de plus par cheval ou par mule.

C'était cher, mais Guilhem paya sans barguigner avant de s'approcher des tables.

À l'une se tenaient deux marchands avec leurs commis. Des hommes en robe, sales et hirsutes, à l'aspect fruste et cauteleux. Navarrais ou Gascons d'après leur coiffe et leur teint sombre. Pas armés, sinon d'un côtel posé devant eux. À l'extrémité du banc méditait un moine en robe noire. Le capuchon de son froc ne per-

---

1. À l'automne 1199.

mettait pas de voir son visage. Autour de l'autre table, des pèlerins de Compostelle parlaient à voix basse avec deux colporteurs, un rémouleur et un marchand de pierres à fusil. Eux aussi semblaient sans armes, bien que l'aiguiseur ait plusieurs couteaux et une petite hache qui sortaient d'un sac de cuir entrouvert.

Guilhem s'attarda sur ce dernier. Après avoir quitté Marseille, à l'âge de treize ans, il avait été adopté par Simon l'Adroit, un affûteur qui lui avait tout appris sur les lames. C'est avec ce gagne-petit qu'il avait acquis son extraordinaire adresse dans le maniement des couteaux, et c'est pour venger sa mort qu'il était devenu truand, larron, puis routier. Une vie qu'il cherchait à oublier.

Mais, en souvenir de ce maître si bon, chaque fois qu'il croisait un rémouleur, il le faisait travailler et le payait généreusement.

Il s'adressa donc à l'artisan, montrant les lames attachées à sa taille.

— Compère, peux-tu affûter mes couteaux ?

L'homme gardait sa meule de grès et la manivelle de fer sur le sol.

— Je morfile pas quand je bois, répliqua l'autre rudement.

Surpris, Guilhem regarda les mains du colporteur avant d'examiner son compagnon, le marchand de pierres à fusil. Sa hotte pleine de briquets, de fer, de sachets d'amadou et d'allumettes soufrées était posée près de lui.

— J'ai aussi besoin d'amadou, lui dit Guilhem.

— Viens au marché, demain, l'ami. Je vends pas ici.

Cette fois, Guilhem s'attendait à la réponse. Son regard balaya les pèlerins, qui l'observaient, puis les moines, et, ayant haussé les épaules, il se dirigea vers la table où il restait de la place, celle des marchands.

Attendant que l'aubergiste lui porte un pot de vin, il prit sa vielle sur les genoux et en tira quelques accords lugubres et grinçants. Il savait que ce genre de son exaspérait les gens, et la réaction ne tarda pas.

— Tu nous casses les oreilles, fous le camp ! laissa tomber un des marchands qui dépassait ses compagnons d'une tête.

Guilhem baissa humblement les yeux, se leva et sortit.

À l'écurie, ses gens avaient terminé et rassemblaient les bagages pour les faire porter par deux domestiques de l'auberge.

— Alaric, fit-il en tendant sa vielle à Peyre, il faut regarder ce fer qui blesse ton cheval...

Son homme d'armes resta incertain. Quel fer ?

Il allait questionner quand son maître lui coupa la parole après avoir aperçu le chariot des marchands : une charrette à deux grosses roues de bois gardée par deux valets à l'air patibulaire.

— Prenons ces étrivières pour lui tenir la jambe, tu sais comme il est ombrageux...

Guilhem désigna des courroies suspendues à un poteau de bois, près des deux valets. Il s'en approcha et Alaric, toujours interloqué mais n'osant dire mot, le suivit. Quant à Peyre, plus fin que son oncle, il avait saisi le bras de Ferrière pour le serrer fermement, et porté son autre main sur le manche d'un de ses couteaux.

À une toise des valets, Guilhem bondit. D'un revers d'une rare brutalité, il frappa le visage du plus proche, l'estourbissant. Presque instantanément, il plaça un couteau sous la gorge du second.

— Alaric, occupe-toi de lui ! Ferrière, Peyre, entravez et bâillonnez ces marauds !

Immédiatement, ses hommes s'exécutèrent tandis que Guilhem, ayant abandonné sa victime, s'approchait des serviteurs de l'auberge, pétrifiés et terrorisés.

— Vous deux, vous n'avez rien vu ! Compris ? Et pour être sûr de votre silence, vous nous accompagnerez !

274

— Pitié, seigneur !

Les deux serviteurs tombèrent à genoux.

— Rassurez-vous ! Obéissez et il ne vous arrivera rien. Conduisez-moi à la tour du bailli.

Mains liées dans le dos avec des courroies et bouche immobilisée par une corde, les deux valets des marchands furent conduits par Alaric dans une ruelle qui conduisait à la tour carrée dépassant des toits.

— Qu'ont-ils fait, seigneur ? demanda à mi-voix ce dernier quand il put s'approcher de son maître.

— Je ne sais pas encore, mais rien de bon, crois-moi !

On pénétrait dans la tour par une échelle de deux toises. Sur la placette au pied du donjon se dressait un gibet noir et sinistre. Tout autour, le village somnolait. À quelques toises, dans une écurie, Guilhem aperçut le sergent d'armes de Furnais qui parlait avec des hommes en cuirasse. Tous sortirent en les voyant arriver et Ussel leur demanda de surveiller ses prisonniers avant de grimper à l'échelle.

Il déboucha dans une salle de garde où se tenaient trois hommes d'armes. La pièce était meublée d'un grand lit à rideaux avec des écus accrochés aux murs.

— Je rejoins le seigneur de Furnais qui se trouve avec le bailli, fit-il. Mes gens sont en bas.

Les hommes d'armes l'entourèrent avec méfiance.

— Qui êtes-vous, compère ?

— Va donc plutôt prévenir le bailli et le sire de Furnais. Dis-leur que Guilhem d'Ussel vient d'arriver avec des prisonniers.

— Vous autres, surveillez-le, ordonna un sergent d'armes, après avoir regardé en bas et aperçu les deux valets entravés.

Il emprunta une autre échelle qui montait au palier supérieur. Peu après, Furnais descendit, suivi de son écuyer et de trois chevaliers.

Le premier, Pierre de Cornil, large d'épaules avec un visage en triangle terminé par une épaisse barbe en pointe, portait un surcot rouge aux bandes transversales jaunes. Les armes des seigneurs de Turenne.

— C'est vous, Ussel ? Mon cousin Furnais me parlait justement de vous. Que Dieu vous ait en sa sainte garde ! lança-t-il d'une voix rauque.

— Que Dieu vous protège aussi, seigneur. Je vous prie de laisser monter mes hommes, ils détiennent deux prisonniers qu'il faut faire parler tout de suite. Il en va de votre vie et de celles des gens de Martel.

Fronçant les sourcils, Cornil lança un regard indécis à Furnais qui, par une moue, fit comprendre qu'il ignorait de quoi il s'agissait.

— Guychard, fais monter les prisonniers et les gens d'Ussel.

Le garde, qui était allé chercher son maître, adressa un signe à ceux qui se tenaient en bas de l'échelle. S'approchant de la porte, Guilhem lança à Alaric :

— Viens tout seul. Que Peyre et Ferrière restent avec les gens de l'auberge.

Il se tourna vers le bailli :

— J'ai aussi avec moi deux serviteurs de l'hôtellerie pour qu'ils ne donnent pas l'alerte.

Quand les deux valets des marchands furent en haut, bâillonnés et les yeux pleins de terreur, Guilhem trancha la corde qui immobilisait leur bouche et leur dit :

— Je sais pourquoi vous êtes là. Niez, et je vous jette au pied de cette tour. Ensuite, je vous ferai écorcher. Maintenant, racontez qui vous êtes et ce que vous êtes venus faire à Martel. Si vous êtes francs, je vous laisserai la vie.

Les deux se regardèrent, puis le plus petit, brun et édenté, presque chauve, tomba à genoux :

276

— Seigneur, pardonnez-nous, sanglota-t-il. On a suivi notre maître... On est venu prendre la ville.

— Quoi ! rugit Pierre de Cornil, estomaqué.

— Qui est votre chef ? demanda Ussel.

— Guy de Peyragas, seigneur.

Un murmure de stupéfaction parcourut les gens de Martel. Ils avaient tous entendu parler de ce Peyragas et de sa bande de pillards, mais jusqu'à présent ces derniers opéraient dans le Quercy et s'attaquaient plutôt aux marchands sur les chemins. Jamais ils n'avaient tenté de prendre d'assaut une ville.

Guilhem ne s'attendait pas plus à cette réponse, mais passé l'étonnement, la satisfaction l'envahit.

— Peyragas ! C'est l'occasion de régler un vieux compte ! fit-il.

— Combien êtes-vous ? Comment êtes-vous entrés dans ma ville ? rugit Cornil, envoyant un coup de pied dans la mâchoire de celui à genoux.

L'autre roula sur le plancher puis montra ses deux mains, écartant les doigts :

— Deux fois ça, seigneur... Pitié...

— Vingt !

— Qu'ont fait tes gardes ? cria Cornil à l'attention d'un des chevaliers qui l'accompagnait et qui restait stupéfait.

— Ils ont certainement été vigilants, seigneur, intervint Guilhem en prenant la défense du chevalier. Mais ces marauds sont habiles. Ils sont entrés dans Martel par petits groupes, déguisés en marchands, en pèlerins, en colporteurs inoffensifs. Seulement leurs armes étaient dissimulées dans une charrette de tissu.

— Comment avez-vous découvert tout cela ? demanda l'autre chevalier.

— Parce que je l'ai fait ! J'ai été routier, comme eux.

Le bailli secoua la tête, marquant son incompréhension, et fronça le front :

— Je veux bien l'admettre, seigneur d'Ussel, mais vous arrivez chez nous et vous découvrez que

Peyragas se prépare à prendre notre ville ! Comme ça ? Par hasard ?

— Non, sourit Guilhem. Laissez-moi tout vous dire : jeune, j'étais apprenti chez un aiguiseur colporteur. Il a été tué sous mes yeux et, pour le venger, je suis devenu fredain. Vous le savez, un rémouleur n'est qu'un miséreux mangeant rarement à sa faim, aussi chaque fois que j'en rencontre un, je le fais travailler et lui paye un bon prix pour sa besogne. Il y en avait un à l'auberge. Je lui ai proposé d'aiguiser mes couteaux mais il a refusé. Jamais mon maître n'aurait agi ainsi ! Puis j'ai observé qu'il n'avait aucun cal aux mains. Un autre colporteur se trouvant avec lui, je lui ai demandé de me vendre de l'amadou et il a aussi dit non. J'ai compris que quelque chose n'allait pas et, en considérant tous les gens dans la salle, j'ai eu l'impression qu'ils échangeaient des regards complices. Alors je me suis rendu à l'écurie où j'ai vu le chariot avec ces deux marauds. Tout était clair. Maintenant, assez parlé, il faut saisir ces truands. Combien d'hommes avez-vous ?

— Une vingtaine, répondit le bailli, mais je peux faire sonner le ban et rassembler tous les hommes de Martel.

— Non ! Dans une bataille, ces estropiats pourraient l'emporter, et dans tous les cas vous perdriez trop de monde. Me laissez-vous faire ?

Indécis, Cornil considéra ses chevaliers. L'un d'eux approuva de la tête.

— Que proposez-vous ?

— Vous cernerez l'auberge afin qu'ils ne puissent fuir. Pendant ce temps, je saisirai leurs armes, dans l'écurie.

— Et ceux-là ? demanda Guychard.

— Enfermez-les quelque part, je leur ai promis la liberté.

— Pas moi ! rétorqua le bailli. Pends-les, Guychard !

— Non ! Je tiens toujours mes promesses ! menaça Guilhem, la main sur la garde de son épée.

Cornil le foudroya du regard, mais comprit qu'il ne pouvait se passer de son allié. Il grommela :

— D'accord, jette-les au cachot, Guychard, et rassemble les hommes. Retrouvons-nous à l'auberge.

Quelques instants plus tard, Guilhem et ses gens pénétrèrent dans l'écurie. Rien n'avait changé. Ussel et Alaric s'approchèrent de la charrette et vidèrent les ballots par terre. Le dernier sac paraissait plein d'objets métalliques. Ils l'ouvrirent et en sortirent épées, haches, masses et rondaches.

Ils les dissimulèrent dans la paille et, ayant récupéré leurs propres armes, principalement arcs et arbalètes, Guilhem expliqua son plan.

Peu après, il entrait dans l'auberge, accompagné de Ferrière. Ce dernier tenait négligemment une arbalète au câble tendu, avec un carreau tenu dans le sillon par la fausse corde[1].

Les Cotereaux étaient toujours là, discutant à mi-voix et mangeant rôtis et bouillis dans de grandes écuelles de bois. Guilhem s'avança vers la cheminée, mains en avant pour les réchauffer, vérifiant en même temps qu'il n'y avait pas de nouvel arrivant.

— Sei jalat[2], dit-il, joyeusement.

Quelques instants plus tard apparurent Alaric et Peyre.

— Salut la compagnie ! cria le premier.

D'autorité, ils s'assirent près des moines en lançant :

— Du vin chaud et de la soupe !

---

1. Tendue entre les deux branches de l'arc, elle tenait le carreau pour qu'il ne puisse glisser.
2. Suis gelé.

L'un des frocards grommela qu'ils prenaient trop de place mais Peyre fit celui qui n'avait pas entendu et, sortant son couteau, trancha un morceau de canard rôti posé sur un plat.

Arriva alors Furnais, avec son écuyer et son sergent. Ces deux derniers ne tenaient que leur arbalète, elle aussi prête à tirer.

Guilhem remarqua que le marchand, qui s'était déjà adressé à lui, fronçait le front et saisissait le bras de son voisin d'un air soucieux. Le routier venait de deviner combien ces arrivées soudaines étaient anormales.

Il ne fallait plus attendre, se dit-il.

— Ussel ! cria-t-il, sortant son épée.

C'était le signal. Tandis qu'il abattait sa lourde lame sur le rémouleur, les trois arbalétriers lâchèrent les viretons. Trois pèlerins tombèrent.

Alaric et Peyre avaient poignardé leurs voisins et s'étaient redressés. Tirant leur épée, ils frappèrent de taille, tranchant et meurtrissant les plus proches qui n'eurent pas le temps de se défendre.

À l'autre table, les deux marchands et leurs commis s'étaient cependant levés à temps. Ils avaient sorti de leur robe de longs braquemarts, plus courts cependant que des épées, et tentèrent de fuir. Mais la porte s'ouvrit et le bailli pénétra à son tour accompagné de ses arbalétriers.

Il découvrit un carnage. À part les quatre qui tentaient de fuir, les autres baignaient dans une mare de sang parsemée de morceaux de chair, de cervelle ou de membres épars.

— Demandez merci ! cria le bailli.

Les quatre se retournèrent pour s'échapper, mais la fuite s'avérait impossible de l'autre côté, avec Guilhem et ses gens brandissant leurs lames rouges et sanglantes.

L'un des arbalétriers tira, abattant un commis, aussi les autres laissèrent-ils tomber leurs braquemarts.

— Lequel de vous est Peyragas ? s'enquit Guilhem.

Le plus grand des marchands, un homme brun et musculeux, répondit fièrement :

— C'est moi ! Qui es-tu, toi ?

— Guilhem d'Ussel.

— Pourquoi en as-tu après moi ? Pourquoi massacrer mes gens ?

— Pourquoi ? rugit le bailli. Alors que tu t'apprêtais à navrer les habitants de Martel !

— Peu m'importent les bourgeois de Martel ! Vous êtes riches, donc bons à tondre comme des moutons ! Les villes sont à prendre de vive force ! Et sans ce porc, j'aurais réussi !

Guilhem ne réagit pas à l'injure.

— Tu te souviens de Le Maçon ? s'enquit-il.

— Marcilhac ?

— Oui.

— Je vais passer un marché avec toi.

— Quel marché ? s'enquit le bailli. C'est moi qui décide ici !

— Je vous ai sauvé la vie, seigneur, observa Guilhem.

— Je le reconnais, messire, maugréa l'autre.

— Que comptiez-vous faire avec Peyragas ?

— Exemplaire justice ! Il perturbe le pays depuis trop longtemps. Il fera repentance publique et je demanderai au comte qu'il soit traîné sur une claie, puis qu'on lui tranche pieds et poings avec lesquels il a commis tant de meurtreries, qu'on l'essorille pour ne pas avoir entendu les cris de ses victimes et qu'on l'aveugle pour ne pas avoir vu le mal qu'il commettait. Si Dieu ne lui fait pas grâce en lui prenant la vie, il sera ensuite tenaillé aux mamelles, castré de son membre viril et tranché dans le petit-ventre pour en retirer la tripaille !

À cette effroyable énumération, Peyragas et ses comparses ne purent s'empêcher de pâlir et trembler.

— Ma proposition ne concerne que le chef, dit Guilhem. Je vous laisse les autres à détrancher et éventrer.

Il s'adressa au routier :

— Vous me dites ce que vous savez sur Le Maçon et ses gens, et si vos renseignements me satisfont, le bailli vous pendra… seulement.

— Je refuse ! intervint le bailli. Et d'abord, qui est Le Maçon ?

— Il a tué plusieurs de mes gens, et je suis comme vous, Cornil, je protège ma mesnie. Pour punir Le Maçon, j'ai besoin de Peyragas. Déjà, je vous laisse la gloire de l'avoir pendu. Je serais fâché d'être fâché contre vous.

— Je sais beaucoup de choses sur Le Maçon, gémit l'autre faux marchand.

— Désolé l'ami, mais Peyragas me suffit, sauf s'il refuse de parler.

— Que voulez-vous savoir ? demanda le routier.

— Comment l'avez-vous connu, qui était avec lui, et que voulait-il ?

— Il est venu chez moi, au château du Diable. Avec un certain courage, je dois dire, car il était seul. Je ne le connaissais pas et il m'a proposé de prendre l'abbaye de Marcilhac. Il préparait la chose depuis longtemps car il avait conçu une arme pour grimper sur les murailles, un carreau de fer muni d'un grappin. Il l'a utilisé devant moi, et effectivement le grappin nous a permis de passer l'enceinte de l'abbaye.

— Pourquoi tenait-il à prendre cette abbaye ?

— Il voulait les reliques, une en particulier : le couvre-chef de Jésus-Christ. Il me laissait le reste, et cela me convenait.

À ces paroles, Guilhem songea à nouveau à ce qu'avait écrit Thomas : le visage du Christ. Comment Thomas aurait-il pu savoir que Le Maçon allait voler le couvre-chef ? Voulait-il prévenir ce vol ?

— Pourquoi cette relique ?

— Pour l'offrir à dame Aliénor.

— Elle l'avait demandée ?

— Je l'ignore, je sais seulement que Le Maçon arrivait de Palestine où il s'était rendu pour elle. Il me l'a dit.

282

De Palestine ? Voyageait-il avec Thomas, Ferrière et Flore ? Cela expliquerait bien des choses, pensa Guilhem.

— Quelle sorte d'homme est-il ?

— C'est un clerc, très instruit, il m'a dit connaître la langue hébraïque. C'est aussi un rude combattant. Je l'ai vu agir avec autant de férocité et de bravoure que mes hommes contre les gardes de l'abbaye.

Guilhem garda le silence un moment, tentant de lier ce qu'il venait d'entendre avec ce qu'il savait et ce qu'il avait déduit. La mort de Thomas, de Godefroi et de sa famille prenait une tout autre envergure.

— Y avait-il une meschinete[1] avec lui ? intervint Alaric.

— Non, aucune femme.

Alaric parut brusquement désespéré.

— A-t-il parlé d'une Flore ? demanda-t-il encore.

— Non.

— Vous vous êtes séparés après le pillage ?

— Oui, seigneur. Il retournait à Fontevrault.

— Où il n'est pas allé, intervint Furnais, puisqu'il se trouve désormais avec Falcaise.

— Ses gens appartenaient à un seigneur Falcaise de Bréauté, intervint l'un des hommes de Peyragas, espérant un peu de miséricorde.

— Tu ne m'apprends rien ! répliqua Guilhem avec brusquerie. Bailli, ils sont à vous. Nous, nous partirons à l'aurore demain. J'espère que la salle aura été nettoyée. Ferrière, Alaric, Peyre, venez avec moi.

— Toi l'aubergiste, porte-nous le souper dans la chambre, c'est répugnant, ici, dit Furnais en balayant des yeux la pièce ensanglantée.

---

1. Servante.

Dehors, Guilhem s'adressa à Ferrière.

— Tu connaissais Le Maçon ?

— Non, seigneur, répondit l'arbalétrier, surpris.

— Tu as entendu ce qu'a dit ce larron ? Le Maçon arrivait de Terre sainte. Je crois qu'il se trouvait sur la nef qui t'a ramené d'Acre. Cela explique comment Flore le connaissait.

Alaric écoutait, livide. Flore voyageait-elle vraiment avec ce fredain ? Était-elle une criminelle ? La raison lui disait oui, mais son cœur rejetait cette idée.

— À Marseille, j'ai vu un groupe de bandouillers débarquer, poursuivit Guilhem. Avec eux se tenait un chevalier ou un écuyer, en haubert. Jeune, vigoureux, rasé de près, le front large et l'expression sourcilleuse et subtile, il regardait tout le monde avec dédain. Sans ses armes, il aurait pu être clerc. Je me suis demandé ce qu'il faisait avec ces écorcheurs. Je crois maintenant qu'il s'agissait de Le Maçon. Or, tu as passé deux mois avec lui !

— Je me souviens d'eux seigneur, mais j'ignorais leurs noms. Nous étions plus de deux cents sur la nef. Je restais avec mes pèlerins et mes compagnons. On ne se mélangeait pas. D'ailleurs, je n'ai jamais parlé à Thomas ni à Flore. Elle, je savais son nom, car il n'y avait pas beaucoup de femmes à bord, mais pas celui de Thomas. Souvenez-vous, il vous l'a dit !

Le ton de Ferrière était suppliant, il paraissait outragé de l'accusation de son seigneur.

— Nous étions ensemble, mais nous nous ignorions. Pourquoi aurais-je frayé avec des truands ?

— C'est possible, seigneur, intervint Peyre. Sur la nef que j'ai prise pour Rome, ni mon oncle ni le seigneur de Locksley ne m'ont approché[1].

— C'est vrai, seigneur, reconnut Alaric.

Il s'adressa à Ferrière :

---

1. *Rome, 1202*, du même auteur.

— Flore était-elle amie de cet homme dont vient de parler notre maître ?

— Non... non, elle ne parlait avec personne, ne restant qu'avec Thomas. Je ne l'ai jamais approchée. Je n'avais pas envie d'une querelle. Quant à ce chevalier ou cet écuyer, il méprisait tout un chacun. Je ne connaissais pas plus le seigneur de Saint-Marc. Souvenez-vous, il vous l'a dit. Il n'y avait que Gregorio à qui je parlais parfois. Je peux vous jurer tout cela à l'église, devant la statue de la Très Sainte Vierge Marie. Mais si vous n'avez pas confiance en moi, seigneur, laissez-moi partir.

— Restons-en là, Ferrière, maugréa Guilhem.

# Chapitre 24

*Janvier, février 1203*

L e voyage d'Albéric de Rouen fut interminable. Tirés par des bœufs et des mules, sur des chemins défoncés et embourbés, les chariots avançaient comme des limaces, faisant rarement plus d'une lieue dans la journée. Saint-Jean ne le suivait même plus, car on l'aurait trop aisément repéré. Parfois, il patientait loin derrière le convoi, passant quelques jours dans un bourg s'il trouvait une auberge. Il rattrapait ensuite facilement les chariots et l'escorte. À d'autres moments, s'étant renseigné sur le chemin qu'ils auraient à emprunter, il partait devant eux pour les attendre plus loin.

Cette errance dura près d'un mois, entrecoupée de longues haltes à Mantes et à Vernon. Durant tout ce temps, Saint-Jean s'instruisait sur les raisons du conflit entre le roi de France et le roi Jean. Philippe Auguste menait une guerre d'escarmouches et rassemblait des troupes autour de Vernon, tandis que le roi d'Angleterre avait replié les siennes sur Rouen.

La longueur du périple n'entraînait pas que des inconvénients. Au début de son séjour parisien, l'heyssessini avait connu des difficultés pour comprendre le langage parlé à Paris, car il maîtrisait surtout la langue d'oc. Mais ayant de l'oreille et connaissant bien le latin, il était assez rapidement parvenu à assimiler le parler. Or, en Normandie, les gens usaient d'un autre dialecte, avec des intonations très marquées. Ce long voyage lui donnait le temps de le maîtriser.

À partir de Vernon, ils rencontrèrent toutes sortes de troupes en armes : maraudeurs, petits seigneurs rapineurs, Brabançons et Cotereaux, chevaliers banne-rets et sergents d'armes des baillis royaux. La plupart se contentaient de percevoir quelques pièces d'argent pour les laisser passer. Quand ceux qui les arrêtaient étaient des chevaliers ou des sergents d'armes, le fils d'Albéric disposait de documents suffisants pour qu'on ne les arrête pas, à condition qu'il s'acquitte des octrois imposés. Et son escorte était capable d'écarter les bandes de rôdeurs, d'estropiats et de gens sans aveu.

Ce n'était pas le cas pour Saint-Jean. Il ne pouvait que détaler devant les bandes hostiles ou présumées telles. Heureusement, personne ne parvenait à le rat-traper avec ses deux destriers qu'il chevauchait alter-nativement. Pourtant, à plusieurs reprises, il dut combattre des bandes de gueux. Il s'en débarrassa à chaque fois aisément, laissant les larrons brisés et meurtris sur le bord du chemin.

Mais tout changea en approchant de la Seine.

Le soir tombait. Le lent convoi d'Albéric descendait vers une abbaye et un important pont fortifié sur la rivière. Saint-Jean était loin derrière. Dans la journée, un marchand, qu'il avait croisé, lui avait parlé de Pont-de-l'Arche. On pouvait y passer la nuit dans une auberge accolée à la tour du pont, ou demander l'hospitalité à l'hôtellerie de l'abbaye ; un monastère fondé par Richard Cœur de Lion. Ce concours du destin avait amusé Saint-Jean. N'avait-il pas aperçu le roi Richard quand celui-ci avait conclu une alliance avec le Vieux de la Montagne, alors que lui-même, tout jeune garçon, accompagnait son père ?

Ses souvenirs d'enfance lui revenaient à l'esprit pendant qu'il observait le convoi se diriger vers l'abbaye. Ce fut certainement la raison pour laquelle il fut moins vigilant car il ne remarqua pas ceux qui s'approchaient. Il faut dire que les gueux étaient habiles et silencieux.

— Seigneur, nos arcs sont pointés sur vous ! lança une voix menaçante.

Surpris par ces paroles inattendues, Ali-i Sabbah tira son épée en un éclair.

— Seigneur, nous ne voulons pas vous meurtrir, nous sommes bons chrétiens.

Les silhouettes sortirent lentement des fourrés. Deux grosses douzaines. La plupart gardaient un arc bandé dans sa direction.

Trop nombreux pour qu'il tente de les tailler en pièces, jugea Ali. Peut-être pourrait-il négocier ?

Le chef apparut. Jeune, le visage émacié, marqué par la misère, avec de nombreuses plaies. Lui aussi tenait un arc, flèche engagée.

— Nous sommes adroits, seigneurs, et nous vous ferons passer à trépas si vous résistez.

— Que voulez-vous ?

— Votre bourse et vos destriers.

— Que ça ? s'efforça-t-il d'ironiser.

— Nous vous laisserons la vie et vos armes.

Saint-Jean ne répondit rien. Il jugea pouvoir en tuer quatre ou cinq facilement. Mais les autres le perceraient, indubitablement. Sa cotte de mailles arrêterait plusieurs flèches, mais pas toutes. Il finirait sa vie dans ce bois, et, surtout, n'aurait pas tenu son serment.

Des chevaux ne valaient pas ce prix.

— Jurez sur la Sainte Vierge que vous respecterez votre promesse.

— Je le jure, et mes compagnons aussi. Nous ne tuons pas, si nous pouvons l'éviter, car nous craignons la damnation.

— Je vous laisse ma bourse, mais je garde cinq deniers d'argent pour poursuivre ma route.

— Entendu, seigneur.

Les gueux respectèrent leur serment et Saint-Jean resta seul. Il gagna à pied Pont-de-l'Arche.

C'est à l'auberge qu'il se renseigna auprès d'un fourbisseur ambulant assis à la même table que lui.

— Je suis étranger, l'ami. Y a-t-il à l'abbaye de saintes reliques sur lesquelles je pourrais prier ?

— Certainement, seigneur, mais les plus miraculeuses ne sont pas à Bonport mais à la Sainte-Trinité du Mont.

— Où est-ce ?

— À Rouen, seigneur. Passez le pont et suivez la route sur trois lieues. Le monastère se trouve sur une butte, juste avant la ville, au bord de la Seine. Les pèlerins le nomment aussi Sainte-Catherine, car le vénéré saint Siméon, revenant de Terre sainte, y a laissé le doigt de la sainte. La relique guérit les fièvres, les muets et la stérilité.

— Voilà une abbaye qui doit être prospère, observa Saint-Jean d'un ton admiratif.

— Elle l'est ! Mais elle était déjà riche lors de sa fondation par le vicomte de Rouen.

Le fils d'Albéric et les domestiques du médecin avaient passé la nuit dans l'abbaye de Bonport. Saint-Jean les vit préparer le convoi le matin et, connaissant la distance jusqu'à Rouen, jugea qu'il irait plus vite qu'eux à pied.

Il marcha donc à bonne allure vers le Mont de Rouen où il arriva en fin d'après-midi. Sur place, il obtint rapidement de rencontrer l'abbé et le prieur et fit affaire avec eux. Satisfaits, les religieux lui offrirent l'hospitalité pour la nuit. Le lendemain, il revint sur ses pas, reprenant la route en direction de Pont-de-l'Arche. Vers midi, il aperçut le convoi d'Albéric qui se traînait. Faisant demi-tour, il fila vers Rouen où il l'attendit à la porte de Robec[1].

C'était le jour de la Purification de Marie[2]. Un dimanche. La ville dégorgeait de troupes en armes. Aux sergents de garde, Saint-Jean expliqua arriver de Terre sainte pour rejoindre le roi Jean. L'affirmation fut suffisante pour qu'il puisse entrer, tant le duc de Normandie avait besoin de renforts.

Les chariots d'Albéric apparurent en soirée. Par des rues étroites et encombrées, longeant un moment la rivière du Robec, l'heyssessini les suivit jusqu'à la cathédrale, entourée d'échafaudages, et les vit s'arrêter devant la maison d'une rue transversale au parvis : une bâtisse récente à deux étages, aux colombages en encorbellement peints en vert olive. Observant qu'on entrait le malade à l'intérieur, il s'éloigna à la recherche d'une auberge pas trop proche où on ne le remarquerait pas.

Au parvis, il observa que non seulement l'église était en pleins travaux mais aussi tout le quartier. La plupart des maisons paraissaient récentes, d'autres en construction avec leur charpente de bois de façade posée à plat dans des cours ou des enclos. Quelques

---

1. Petite rivière qui traverse l'est de la ville.
2. Le 2 février.

pignons incendiés se dressaient par endroits ainsi qu'un mur ruiné autour de la cathédrale.

Il reprit le chemin qu'il avait suivi, retrouvant le Robec le long duquel il avait remarqué plusieurs hôtelleries. À proximité d'un moulin à roue, il avisa une vaste auberge à l'enseigne de Saint-Maclou[1].

Ayant pris chambre, qu'il paya d'un denier d'argent, car il voulait loger seul, il retourna examiner plus longuement le corps de logis du frère d'Albéric. Plus petit que celui du maître parisien – sans doute le frère était-il moins fortuné – il offrait de belles facilités d'effraction avec ses encorbellements sur lesquels il serait facile d'agripper un crochet.

Mais les fenêtres possédaient aussi de solides volets intérieurs certainement soigneusement fermés le soir. Réfléchissant aux moyens de les forcer, Saint-Jean fit le tour de la bâtisse, car, comme partout, un enclos s'étendait à l'arrière avec d'étroits couloirs entre les maisons afin d'éviter la propagation des incendies.

Il chercha ensuite une taverne où il pourrait se renseigner sur le frère d'Albéric et sa domesticité. Dans une ruelle proche, il découvrit l'Asne-Royé, une gargote au sol en grosses dalles irrégulières couvertes de paille, avec un simple trou dans le toit pour évacuer les fumées du foyer. Il s'installa à la seule table où se tenait une dizaine de bourgeois et d'artisans, certains en robe épaisse et manteau, d'autres en simple surcot à capuchon et braies. Tous semblaient se connaître et avoir l'habitude de partager, le soir, un pot de cidre ou de cervoise.

Saint-Jean écouta un moment leurs conversations avant d'expliquer qu'il était de passage et cherchait un médecin pour soigner une douleur au petit-ventre.

L'un de ses voisins lui conseilla d'aller à la maison aux colombages peints en vert, s'il pouvait payer, car

---

1. Saint Maclou, ou Malo, évêque d'Aleth en Bretagne, mort vers 565. L'église Saint-Maclou était un peu plus bas et avait donné son nom au quartier qui constituait sa paroisse.

l'homme de l'art qui y logeait était cher. Posant alors quelques questions à ses autres compagnons de table, l'heyssessini apprit beaucoup de choses.

La maison du médecin était neuve, car tout le quartier avait brûlé la nuit de Pâques de l'an de grâce 1200, lui raconta-t-on. L'incendie avait même détruit en partie la cathédrale et la nouvelle nef en pierre que l'archevêque Hugues d'Amiens faisait construire pour remplacer la vieille charpente de bois.

Quant aux ruines autour du parvis, que les Rouennais appelaient l'atrium, cet incendie n'en était pas la cause. Ces décombres résultaient d'une émeute des bourgeois de la ville contre les chanoines. L'insurrection étant encore dans toutes les mémoires, les voisins de table de Saint-Jean la lui racontèrent avec force détails.

Depuis toujours, lui expliqua-t-on, le parvis de la cathédrale jouissait d'une franchise. Les marchands qui s'y installaient ne payaient de redevance qu'au chapitre[1] et les malfaiteurs y trouvaient un asile inviolable. Les maisons capitulaires possédaient les mêmes privilèges et l'ensemble des bâtiments religieux était protégé par une clôture.

Or, une quinzaine d'années plus tôt[2], ce mur d'enceinte et les maisons capitulaires avaient été la proie des flammes. Les chanoines avaient alors fait dresser une courtine avec créneaux et merlons, transformant l'église en forteresse. La commune de Rouen s'y était opposée, surtout parce qu'elle refusait ce quartier franc faisant concurrence aux marchands de la ville.

Il avait fallu l'intervention du roi Henri II pour que les bourgeois laissent terminer la construction de l'enceinte. Mais, après sa mort, et le départ de son fils Richard pour la croisade, la commune avait à nouveau exigé la démolition du mur et des boutiques. Devant

1. Assemblée des chanoines.
2. En 1188.

le refus des chanoines, les bourgeois s'en étaient chargés eux-mêmes.

Le chapitre avait alors jeté l'interdit sur la ville. C'était en 1193.

Durant des mois, les églises étaient restées fermées, les agonisants privés des secours de la religion et les cadavres mis en terre sans consécration. Ne pouvant supporter cette situation pendant la semaine sainte, les bourgeois avaient engagé des prêtres étrangers, ouvert de force les portes des églises et fait célébrer l'office divin.

Les chanoines, indignés d'un pareil sacrilège, avaient lancé de nouveaux anathèmes mais, cette fois, les bourgeois exaspérés, s'étaient attaqués à eux. Ils avaient brûlé les boutiques, dévasté les maisons capitulaires et égorgé plusieurs prêtres, soumettant les autres à d'horribles mutilations.

Richard Cœur de Lion, alors emprisonné en Allemagne, était parvenu à calmer les deux partis et, en janvier 1194, s'étant porté garant pour les bourgeois, avait obtenu la levée de l'interdit. Mais outre des réparations, les chanoines avaient exigé que ceux ayant porté la main sur les prêtres se rendent à Rome implorer l'absolution du pape.

— Le frère du médecin à la maison verte était alors prud'homme de Rouen, ajouta un voisin de tablée qui, d'après son surcot grossier, ne devait pas être bien riche. Ayant fait partie de ceux qui avaient conduit la révolte, il a dû partir implorer le pardon du Saint-Père.

— Et il n'est jamais revenu ! renchérit un bourgeois en robe et chaperon.

— Comment cela ? demanda Saint-Jean.

— Il a jugé plus prudent de s'installer à Paris où sa réputation est devenue si grande qu'il est maintenant maître à l'abbaye Sainte-Geneviève.

— Voilà un homme exceptionnel ! remarqua l'heyssessini, satisfait d'avoir découvert ces bavards.

— Plus que vous ne croyez, gentil seigneur ! intervint l'un des attablés qui n'avait pas encore parlé et tenait à apporter sa contribution à la discussion. Albéric, car il se nomme Albéric, s'est lié à des commandeurs du Temple qui, éblouis par ses connaissances, lui ont même proposé de les accompagner en Palestine !

— Incroyable ! s'exclama Saint-Jean qui comprenait mieux maintenant l'itinéraire du voleur de Masyaf.

Il orienta alors la conversation sur son frère et apprit que celui-ci vivait avec sa femme et une dizaine de domestiques. Il ne put malheureusement en savoir beaucoup plus, car seul un de ses voisins s'était rendu chez le médecin et, malheureusement, celui-là était peu loquace.

Ali-i Sabbah termina donc son cidre et vida les lieux.

Comment pénétrer la nuit chez le médecin ? Et, même en y parvenant, comment trouver la chambre d'Albéric ? Et ensuite où dénicher les sceaux ? Car nul doute qu'ils aient été emportés, puisque la maison de Paris avait été vidée.

Pour fouiller complètement un si vaste logis, il lui faudrait occire tout le monde, ce qu'il ne souhaitait pas.

Il songea alors à soudoyer un serviteur. S'il réussissait, le domestique pourrait lui ouvrir et le conduire à la chambre de sa victime. Mais de quelle manière convaincre un serviteur de trahir ses maîtres ?

Le lendemain, il se rendit dans la rue et sur le marché proche, repérant ceux qui sortaient de la maison. Compte tenu du nombre de gens d'armes et de chevaliers dans la ville, on ne le remarqua pas.

Un des domestiques lui parut correspondre à ce qu'il cherchait. Chargé des travaux les plus grossiers de la maisonnée d'après son sayon reprisé en plusieurs places, l'homme semblait aimer le cidre ou l'ale car,

peu avant vêpres, il se rendit à l'Asne-Royé où il resta
jusqu'au crépuscule.

Au quatrième jour de surveillance, Saint-Jean s'atta-
bla près de lui. Ayant commandé un cruchon de vin,
il lui proposa de partager son pot, ce que l'autre
accepta avec force remerciements.

Par chance, aucun de ceux avec qui Ali avait discuté
quelques jours auparavant n'était présent.

Vite enivré, le serviteur évoqua le frère de son maître,
expliquant que maître Albéric souffrait d'une vengeance divine pour être allé en Palestine et avoir fréquenté des musulmans. Quand Saint-Jean l'interrogea
sur l'état du malade, l'autre lui expliqua que si celui-
ci pouvait boire et manger, il n'arrivait à s'exprimer
que pour balbutier le Pater noster.

C'est durant cet entretien qu'une idée vint à l'heyssessini. Avant de quitter Masyaf, le médecin du Vieux de la
Montagne lui avait remis une sacoche d'herbes dotées
d'effets analgésiques, en cas de blessure. Mais l'avait-il
prévenu, il devrait les utiliser avec une grande modéra-
tion, tant leur usage provoquait une accoutumance.

Les plus efficaces de ces médecines étaient le pavot
et le haschich, mélange de feuilles et de fleurs séchées
d'une couleur vert brun.

Comme on le lui avait appris, l'heyssessini confectionna dans sa chambre un *dawamesk*, c'est-à-dire une
confiture mariant ces deux plantes à un peu de beurre.
Il vida la mixture dans un petit pot de terre qu'il finit
de remplir avec un autre mélange de beurre et de
persil, ce qui unifia la couleur de l'ensemble.

Le lendemain, il s'installa dans la taverne où se
rendait le domestique. Quand ce dernier arriva,

Saint-Jean lui fit signe de le rejoindre, poussant même un voisin pour lui laisser de la place.

Une fois de plus, il lui abandonna sa cruche de vin que l'autre vida en quelques hanaps, terminant le dernier par un grand « Aaah » de satisfaction.

Saint-Jean sortit alors un petit pot de l'aumônière attachée à sa taille et, en ayant ôté le bouchon, y trempa les doigts, prenant soin d'en prendre la couche superficielle qu'il mit dans sa bouche, accompagnant son ingestion d'un « Aaah » tout autant réjoui.

— Qu'est-ce que c'est ? interrogea le domestique en patois normand.

Saint-Jean commençait à maîtriser la langue des habitants.

— Une médecine.

— Pour quoi faire ?

— Elle me permettra de vivre vieux, très vieux, et sans jamais souffrir, lui glissa-t-il à l'oreille.

— Par le sang de Dieu ! Impossible, sauf si c'est une sorcellerie !

— Non, il s'agit d'une formule du frère de votre maître.

— Vous le connaissez donc ?

— Je peux te l'avouer, oui. Mais je ne l'ai vu qu'une fois. À Paris, où un ami m'avait envoyé chez lui pour qu'il prépare cette fameuse composition qu'il aurait ramenée de Terre sainte.

Le domestique se signa, songeant que le contenu du pot pouvait bien être maléfique. Puis il regarda plus longuement son interlocuteur et lut une étrange béatitude sur son visage.

— Pourrais-je en goûter, seigneur ? demanda-t-il.

— Je n'en ai plus beaucoup... Mais Notre-Seigneur Jésus a partagé le pain et les poissons, bien qu'il n'en eût guère, sourit Saint-Jean chaleureusement. Tiens, tu te sentiras mieux, après.

Il trempa ses doigts au fond du pot, en retira une bonne épaisseur qu'il posa sur la main sale du serviteur. Lequel la porta à sa bouche.

— Drôle de goût, on dirait du beurre.

Saint-Jean commanda un autre pichet que le domestique vida presque entièrement. Les effets de la mixture se faisaient déjà sentir. Les yeux dilatés, le serviteur paraissait en extase. Saint-Jean se leva et quitta l'auberge.

Le lendemain, presque à la même heure, le serviteur l'attendait.

— Seigneur, j'ai fait d'étranges rêves, hier soir. Je me trouvais au paradis.

— C'est le cidre. Tu étais ivre, l'ami !

— Non, protesta l'autre en secouant la tête. Le cidre, c'est différent... C'est votre médecine.

— Possible.

Il prit un air songeur.

— Elle m'avait aussi produit cette sensation au début. Tu en prendrais comme moi, tu vivrais jusqu'à plus de deux ou trois cents ans, et sans aucune douleur.

Il baissa la voix.

— Quant aux femmes, si tu savais... Elles sont prêtes à tout pour recevoir l'homme que je suis devenu !

— Seigneur... Pourrais-je en manger encore un peu ? supplia le serviteur, les yeux écarquillés.

— Un peu, c'est tout, je n'en ai plus beaucoup, je te l'ai dit.

Il drogua à nouveau le domestique et le laissa presque inconscient. Comme à la taverne on était habitué aux soûleries du valet, quelqu'un le ramena ensuite chez lui.

La scène se reproduisit le surlendemain. Mais cette fois, Saint-Jean expliqua que le pot était presque vide et qu'il n'en avait pas d'autre. Il devrait en faire préparer par un apothicaire.

— J'en connais un, seigneur, proposa l'autre.

— Mais je n'ai pas la formule, ici. Je l'ai laissée à mon logis à Lyon. J'en ferai faire à mon retour.

— Reviendrez-vous, seigneur ? s'inquiéta le naïf.

— Sans doute pas. J'avais une affaire à régler et je quitterai Rouen dans deux ou trois jours. Mais tu n'as qu'à demander la formule à maître Albéric, tu travailles chez lui ! répondit Saint-Jean avec insouciance. Qu'il te l'écrive et n'importe quel épicier concoctera cette médecine.

— Le frère de mon maître est incapable de parler, et encore moins d'écrire ! Je vous l'ai dit.

Il se passa la main sur le visage et ajouta :

— Je pourrais demander à son frère ou à son fils.

— Malheureux ! Ils te tueraient pour avoir découvert ce secret. Je ne l'ai appris d'Albéric qu'en échange de mille sous d'or et d'une belle pièce de soie, car je suis drapier !

— Mille... Par les cornes de Belzébuth !

— Crois-moi, tu ferais mieux d'oublier tout ça !

Il se tut un instant avant d'ajouter :

— Ou alors, fouille discrètement dans les parchemins de maître Albéric. La formule doit s'y trouver si son fils a apporté ses affaires.

— Tout est là, seigneur ! J'ai vu un gros coffre de documents et de livres dans sa chambre.

— Tu n'as qu'à regarder !

— Mais je ne sais pas lire, pleurnicha le domestique désormais complètement en manque.

Saint-Jean leva une main, fataliste.

— Qu'y puis-je ?

Il se leva et sortit.

Le jour d'après, le domestique se trouvait là avant Saint-Jean, mais celui-ci lui présenta un pot vide. L'autre parut hagard, désespéré avant de balbutier :

— Croyez-vous vraiment que la formule se trouve dans les coffres de maître Albéric, seigneur ?

— C'est certain.

— Si je vous faisais entrer, seriez-vous capable de la découvrir dans ses affaires ? osa le serviteur à voix basse.

— Évidemment ! Je reconnaîtrais cette composition d'un coup d'œil.

— Je... je pourrais vous faire entrer, cette nuit, seigneur. Mais il faudra faire vite, et être silencieux. Tout le monde dormira.

Saint-Jean parut hésiter, mais, finalement, déclara :

— Je veux bien, car tu es un gentil compagnon. Je m'occuperai même de te faire confectionner de cette thériaque par un apothicaire. Tu le mérites !

— Venez cette nuit, seigneur, quand vigile sonnera aux cloches de la cathédrale.

Saint-Jean quitta l'auberge l'esprit enjoué. Il touchait au but. Cette nuit, il aurait repris les sceaux et planté un poignard dans le cœur du félon. À moins qu'il ne songe à un autre moyen pour l'expédier dans l'enfer des djinns où les damnés souffrent éternellement dans une chaudière de poix bouillante. Quant au serviteur, il l'assommerait. Ainsi, aucun innocent ne trouverait la mort et Allah serait satisfait.

Enfiévré par son quasi-succès, Ali fut moins vigilant que d'habitude. De plus, c'était la veille de mardi gras[1] et une populace joyeuse dégorgeait dans les rues. Le lendemain aurait lieu la chevauchée des conards, grande procession entre les moulins du Robec et l'abbaye de Saint-Ouen où toutes les farces seraient les bienvenues.

Entré dans la salle de l'auberge Saint-Maclou, il ne remarqua donc pas la présence d'arbalétriers et de

1. Le 17 février.

sergents d'armes venus en compagnie d'un homme en casaque et capuchon. Celui-ci s'approcha de lui, baissa son capuchon et lui dit d'une voix forte :

— Seigneur de Saint-Jean, les arbalétriers du roi Jean vous entourent. Levez-vous en écartant les mains, ou vous perdrez la vie.

Entendant cette voix, Saint-Jean eut l'impression d'être frappé par la foudre. Il posa quand même ses mains sur ses couteaux, mais, découvrant les arbalètes pointées sur lui, il sut d'emblée qu'il ne gagnerait jamais sur les viretons.

— C'est bien ! ricana l'autre. Maintenant débouclez vos ceintures. Je vous préviens : peu m'importe de vous tuer, donc ne me tentez pas...

La salle était fort sombre mais, en fixant le visage de son interlocuteur, Saint-Jean en reconnut les traits.

— Gregorio ! balbutia-t-il d'une voix sans timbre.

— C'est moi, en effet... Obéissez !

Ali-i Sabbah obtempéra. Immédiatement deux sergents le saisirent et passèrent des anneaux de fer à ses poignets.

Quand il fut solidement immobilisé, Gregorio lui arracha son aumônière et la jeta à un sergent d'armes patibulaire :

— Béraire, c'est pour toi et les compagnons !

L'autre l'attrapa, la soupesa et la montra aux arbalétriers. Bousculant ceux installés à la table la plus proche, et qui avaient assisté à l'incident sans intervenir – les gens d'armes de Jean avaient tous les droits à Rouen – les Brabançons se rassemblèrent pour le partage.

Gregorio resta seul face à face à Saint-Jean.

— Que me veux-tu, Gregorio ?

— Tu parleras au bourreau, espion ! répliqua l'autre d'une voix de stentor afin que tout le monde entende.

Le Pisan saisit alors le col de la cotte de Saint-Jean et le tira, cherchant la chaînette et le tube de fer.

Mais il ne trouva rien.

# Chapitre 25

Le soir du jour où il avait sauté de la nef de son oncle, Gregorio s'était rendu dans une taverne du port fréquentée par les marins. C'est là, dans le minuscule bouge loué au cabaretier, que son oncle était venu lui parler.

Il l'avait complimenté pour la comédie si bien jouée avant de lui remettre une coquette somme et de lui rappeler ses dernières instructions. Ce n'était pas la première fois que Gregorio Orlando travaillait à procurer des reliques à son oncle. Parfois il les achetait, le plus souvent il les volait.

Dodeo Fornari avait surtout insisté :

— Cette épître de Paul, je la vendrai cent mille besants, Gregorio, peut-être le double. Il y en aura dix mille à ton intention, alors débrouille-toi, prends le temps qu'il faut, achète-la s'il le faut, vole, tue, peu importe ! Mais ramène-la-moi !

Après avoir quitté Locksley et son épouse, Gregorio avait suivi à pied le chemin de Paris. Arrivé trop tard pour que les portes soient encore ouvertes, il avait passé la nuit dehors, le long d'une haie.

Le lendemain, il avait traversé la capitale, s'enquérant à plusieurs reprises de son chemin pour se rendre à Saint-Merri. Peu avant la tombée du jour, il avait découvert l'auberge de la Corne-de-Fer.

Mais dans cette affaire, il était conscient que les choses seraient difficiles. Ce Saint-Jean se montrait redoutable, il l'avait vu se battre ! Lui voler l'épître ne serait pas facile. Il la gardait sur lui, donc la lui prendre impliquait de le navrer. Et il ne pourrait y parvenir seul.

Avec les pièces remises par son oncle et les soixante deniers de Robert de Locksley, il n'était pas pauvre. Il prit le temps de se grimer. Au service de son oncle, il avait acquis une grande expérience du déguisement. Il se fit donc couper les cheveux et raser la barbe, se procura du brou de noix chez un épicier et acheta de nouvelles braies, longues et collantes, de couleur sombre, ainsi qu'une cotte verte à porter par-dessus.

Ayant trouvé un cabaret où passer la nuit, dans un lit déjà occupé par des puces, il s'était rendu le lendemain au bord de la Seine pour assombrir ses cheveux et sa peau avec le brou de noix. Ensuite, il était retourné vers Saint-Merri, craignant que Saint-Jean en soit déjà parti, puisqu'il avait dit vouloir se rendre en Flandre.

Mais les destriers du chevalier se trouvaient toujours à l'écurie de la Corne-de-Fer.

Dès lors, Gregorio s'était attaché aux pas de Saint-Jean qui, ne se doutant de rien, ne l'avait pas remarqué. Comment aurait-il pu imaginer avoir quelqu'un sur ses traces dans une ville où il ne connaissait personne ? De plus, Gregorio savait se rendre invisible.

Les jours s'étaient écoulés et le Pisan ne comprenait rien au comportement du croisé. Saint-Jean s'était rendu chez des épiciers acheter diverses drogues, puis dans des couvents et des monastères. Que recherchait-il ?

Ne pouvant se permettre de dépenser toute sa fortune, Gregorio s'était fait engager comme portefaix sur le port de Grève. Payé à la tâche, il n'y allait chaque matin qu'après avoir vérifié la présence des montures de Saint-Jean dans leur écurie.

Ce travail épuisant, qui lui permettait tout juste de se nourrir, l'avait introduit dans le monde des marginaux fréquentant la Grève. D'autres hommes de peine, bien sûr, mais aussi des vagabonds, des bateleurs, des charlatans, des jongleurs, des escamoteurs et des mendiants. En résumé une populace miséreuse qui peuplait les baraques de bois et de torchis érigées sur des pieux, dans les parties marécageuses de la rive.

Parmi ces gueux, il avait vite repéré ceux qui détroussaient les plus faibles et s'était lié à eux. De temps en temps, quelques-uns de ces larrons étaient navrés par de plus violents qu'eux, et l'on retrouvait leurs corps sur la rive ; d'autres se voyaient pendus par le prévôt à un carrefour ; plus rarement, ils revenaient sans leurs oreilles ou une main en moins, ayant été pris en flagrant délit de rapinage.

Comme la plupart des commerçants de reliques, Gregorio ressentait une vraie proximité avec Jésus et les saints. Il avait l'impression d'appartenir à la grande famille divine. Dès lors, il éprouvait une certaine distance envers l'espèce humaine, à ses yeux largement étrangère. Par son caractère, il n'était ni méchant ni bon, ni pieux ni païen, ni cruel ni charitable. En vérité, le sort de ses compatriotes humains l'indifférait.

Aussi, s'il évitait de faire couler inutilement le sang, il n'éprouvait aucun remords à éliminer ceux qui l'auraient empêché de se procurer une sainte relique, somme toute propriété de sa divine famille.

Parmi ses nouveaux amis, Gregorio connaissait quelques ribaudes. Les plus jolies auraient pu tenter de séduire Saint-Jean avant de lui couper la gorge après une nuit d'amour. Mais la fréquentation du croisé avait laissé Gregorio certain que ce moyen échouerait. Saint-Jean lui faisait penser à ces moines qui donnaient leur foi au Christ et préféraient mourir plutôt que de rompre leurs vœux. D'ailleurs, l'ayant suffisamment suivi, il ne l'avait jamais vu fréquenter les maisons de la Cour Robert ou de la rue de Baille-Hoe, toutes proches de Saint-Merri, où puterelles et douces meschinetes se louaient pour deux sols.

Il aurait aussi pu demander à des larrons de pénétrer dans la chambre de Saint-Jean une nuit, pour le voler. Mais outre que le chevalier pouvait se réveiller, le risque était que ses détrousseurs ne lui rapportent pas le cylindre contenant l'épître. Pour éviter ça, il devait être présent le jour où les gueux s'attaqueraient à sa proie.

La seule solution était de l'attaquer à plusieurs et de le dépouiller. Il avait donc convaincu une vingtaine de truands de participer à l'entreprise, leur promettant à chacun un denier d'argent. Mais il ne se présentait aucune opportunité pour mettre son projet à exécution. Le croisé ne sortait pas le soir et il restait dans les limites du Monceau-Saint-Gervais, de la Cité et du bourg Saint-Germain. Des endroits impossibles pour des guets-apens.

Une occasion s'était pourtant présentée quand Saint-Jean s'était rendu à l'abbaye Saint-Victor. Gregorio l'ayant vu harnacher un destrier, il avait prévenu ses gueux, pris une arbalète achetée peu de temps auparavant et préparé le traquenard.

On sait comment l'affaire avait échoué.

Perdant espoir de dépouiller le croisé de cette façon, Gregorio avait fraternisé avec un palefrenier de l'écurie de la Corne-de-Fer qui lui avait obtenu un travail de valet. Chargé de transporter le fumier et de décharger la paille, il ne s'occupait pas des chevaux et n'avait donc pas d'occasion de rencontrer Saint-Jean. Dès lors, il avait décidé d'attendre seulement que sa victime quitte Paris pour la navrer.

En suivant le croisé, Gregorio avait découvert qu'il s'intéressait à un médecin nommé Albéric de Rouen. Un homme frappé d'une commotion à Sainte-Geneviève. C'était donc pour le trouver qu'il avait fait le tour des apothicaires, puis s'était rendu à Saint-Victor et enfin à Sainte-Geneviève, conclut-il.

Maintenant, Saint-Jean rôdait autour du logis du médecin. Quand Gregorio observa que le chevalier faisait plusieurs fois le tour de la maison du malade, il devina qu'il envisageait d'y pénétrer. Voulait-il meurtrir cet homme ? Voulait-il l'interroger ?

Cette singulière relation entre Albéric et le croisé passionna le Pisan. Jugeant désormais inutile de suivre Saint-Jean, puisqu'il venait régulièrement rue de la Harpe, Gregorio décida de rester sur place et de se renseigner sur le médecin malade.

Il devint ainsi l'un des innombrables mendiants qui quêtaient la charité. Au fil des semaines, il avait découvert les préparatifs du départ d'Albéric de Rouen et surtout apprit que ce dernier s'était rendu en Palestine l'année précédente.

Ce voyage expliquait certainement la venue de Saint-Jean à Paris. En Terre sainte, il s'était passé quelque chose entre les deux hommes et Gregorio se demandait même si ce n'était pas en découvrant le visage de Saint-Jean que le médecin était tombé en hébétude et avait perdu les sens.

Puis Albéric était parti pour Rouen, le croisé sur ses talons. En questionnant des voisins de la rue de la Harpe, Gregorio avait découvert que le fils du médecin conduisait son père chez son frère. Dès lors, inutile qu'il les suive. Il se rendrait directement à Rouen et les retrouverait là-bas.

Ayant acheté un cheval robuste, quelques armes, une cuirasse maclée et un casque, il s'était renseigné sur la route à prendre. Jusqu'à Vernon, le voyage avait été difficile à cause des chemins défoncés et inondés, mais il n'avait pas rencontré de pillards. Les baillis de Philippe Auguste faisaient respecter la loi et les seigneuries, tant monastiques que civiles, disposaient de gens d'armes suffisants pour assurer l'ordre.

Les abbayes accordaient facilement l'hospitalité dans leurs hôtelleries, pour autant qu'on puisse payer le prix exigé. Certes la nourriture était insuffisante et le confort inexistant, à huit par lit sur des couches pleines de puces et de vermine, mais au moins on ne risquait pas de se faire voler ou trucider.

Seulement, plus loin, à partir de Gaillon et jusqu'à Pont-de-l'Arche, le pays se trouvait aux mains des Brabançons et des bandes de fredains. Certes les ribauds se disaient au service des capitaines du roi Jean, mais en vérité ils rançonnaient les voyageurs en réclamant des octrois. Gregorio dut s'y soumettre à plusieurs reprises, sous peine de perdre la vie. Il voyait fondre son pécule à vue d'œil et dut encore payer pour franchir la Seine au Pont-de-l'Arche, ayant passé la nuit à l'abbaye de Bonport.

Sur la rive droite du fleuve, les chevaliers de Jean assuraient l'ordre et, n'étant plus mis à l'amende par des routiers, il parvint à rejoindre Rouen avant la nuit, non sans soulagement.

Ayant trouvé place dans un lit à partager dans l'auberge du Grand-Pont, la première sur son chemin, il entreprit de découvrir où habitait le frère d'Albéric de Rouen. Il n'y avait pas beaucoup de médecins à Rouen, aussi apprit-il rapidement où se situait sa maison, près de la cathédrale. Il jugea dès lors qu'il suffisait de s'y rendre chaque jour et d'attendre l'arrivée du médecin. Saint-Jean serait forcément derrière lui.

À cause des escarmouches avec les troupes du roi de France, la ville était engorgée de réfugiés, certains dormant même dans les rues glaciales, sous la moindre voûte. Mais, malgré la guerre proche, les affaires continuaient et les commerces restaient prospères. Beaucoup de négociants venaient d'Angleterre, mais aussi de Flandre, du Poitou, de Bretagne, et bien sûr de Paris. Certains logeaient dans les auberges des faubourgs qui offraient un meilleur confort que celles situées à l'intérieur de l'enceinte.

Quant aux hommes d'armes, ils étaient innombrables dans la journée, rançonnant et maltraitant les habitants au gré de leur humeur. La plupart habitaient aussi hors de l'enceinte, dans un camp fortifié érigé sur le Mont de Rouen, contre le monastère bénédictin de la Très-Sainte-Trinité[1] fondé par Gosselin d'Arques.

Gregorio se trouvait à Rouen depuis deux semaines quand il aperçut Alexandre Le Maçon. Il en resta stupéfait.

Il le connaissait bien, ayant fait le voyage depuis Acre avec lui. De plus, son oncle lui avait raconté ses conversations avec l'écuyer. Avant que Saint-Jean ne vienne montrer l'épître de Paul, c'était Thomas qu'il devait dépouiller. Maître Dodeo avait modifié ses plans au dernier moment, préférant s'approprier l'épître, dont il connaissait la valeur marchande, plutôt qu'une chose dont il ignorait tout.

Mais là, Le Maçon se trouvait avec quelques sergents d'armes et de nobles chevaliers dont les écuyers portaient les armes et l'écu. Que faisait-il à Rouen ? Il avait raconté à Dodeo être au service d'Aliénor. La duchesse l'avait-elle cédé à son fils ? Par curiosité,

_____
1. L'abbaye Sainte-Catherine.

Gregorio le suivit, tandis qu'un plan fugace se faisait jour dans son esprit.

Il le vit pénétrer dans une belle taverne dans laquelle il n'était jamais allé, à côté du palais ducal. Il y entra à son tour. La bande s'installa à une table et, jouant le tout pour le tout, il s'approcha :

— Seigneur, s'inclina-t-il devant Le Maçon qui s'asseyait, me reconnaissez-vous ?

Interloqué, l'ancien clerc de Saint-Jean-de-l'Habit le dévisagea un instant pendant que les autres hommes restaient indifférents à cet inconnu.

— Dodeo ! Tu es le neveu de Dodeo le Génois ! s'exclama finalement l'ancien clerc de Fontevrault.

— Oui, seigneur.

— Que fais-tu ici ? demanda Le Maçon, une ombre de suspicion dans la voix.

— Qui est-ce ? intervint alors un chevalier.

Haut de taille et musculeux, ce dernier n'avait guère plus de vingt ans, un visage ovale à la mâchoire puissante et au nez carré, rasé de près avec une peau sanguine et des yeux gris, froids et cruels. Son front était large et ses cheveux courts, tirant sur le roux.

— Un parent du capitaine de la nef qui m'a ramené de Palestine, avec tes gens. Un Génois.

— Pisan, seigneur. À Marseille, je me suis disputé avec mes cousins, seigneur. J'ai été chassé. J'ai décidé de tenter ma chance en me rendant en Flandre, où les bons marins sont recherchés. Mais je n'ai plus d'argent et je me suis arrêté ici. Je tente de trouver du travail dans le chantier naval. Tout à l'heure, je vous ai vu, avec ce noble seigneur (il s'inclina), et j'ai pensé que vous pourriez m'aider.

— Aider en quoi ? s'enquit hargneusement le chevalier. Demandes-tu la charité ? Si c'est le cas, tu te trompes !

— Je pourrais être un bon homme d'armes, seigneur. Je manie la fronde, l'épée et l'arbalète, et je sais naviguer.

Le Maçon se tourna vers le chevalier.

— Sire de Bréauté, qu'en pensez-vous ?

— Sais-tu lire ?

— Oui, seigneur, le latin aussi, et je sais calculer.

Falcaise de Bréauté, car s'était lui, opina lentement du chef en réfléchissant. Il manquait d'hommes. Le roi de France rassemblait une formidable armée et Jean allait l'envoyer à Andely défendre le château Gaillard. Chaque soldat compterait. Celui-là pourrait faire un bon sergent d'armes. D'autant qu'aucun de ses hommes ne savait lire. Et s'il était parvenu ici depuis Marseille, c'est qu'il avait pour trois sous de vigueur. Restait à le vérifier.

— Connais-tu le monastère de la Très-Sainte-Trinité, sur le Mont de Rouen ?

— Oui, seigneur.

— Viens-y demain, à none. J'y serai. Tu combattras Béraire et s'il ne te tue pas, je t'engagerai.

Il avait désigné une sombre brute aux traits tourmentés, borgne avec une balafre violette sur le front. Son œil unique, de couleur turquoise, profondément enfoncé dans l'orbite, laissait sourdre un regard torve et égaré. Dévoilant ses chicots, le soldat déclara dans un rire bestial :

— Confesse-toi avant de venir, l'ami. Sinon je t'enverrai directement en enfer !

Terrorisé, Gregorio se rendit pourtant au camp des Brabançons.

La veille, il avait vendu son cheval et rassemblé ses maigres possessions dans un sac. Commençait pour lui une autre vie.

Il gagna à pied le Mont de Rouen. En bas du chemin grimpant au camp fortifié et au monastère se trouvait un puits à balancier. Deux femmes fatiguées remontaient de l'eau. Elles le regardèrent passer avec indifférence.

Plus haut, précédée d'une douve peu profonde emplie de boue stagnante, la palissade de bois épousait la forme du terrain. Encadré de deux tours carrées, le portail était ouvert et le Pisan passa le pont dormant puis pénétra dans la basse-cour qui servait d'écurie. Toutes sortes de montures, destriers, roussins et même palefrois étaient attachées dans des étables sans portes. Il vit aussi une forge, un hangar à chariots et quelques animaux de trait : mules et bœufs. Enfin, dans une étable, il aperçut des vaches et une poignée de chèvres.

Mais la cour regorgeait surtout d'hommes en armes. La plupart en cuirasse maclée couverte d'une cotte blasonnée, quelques-uns en broigne et gorgerin, d'autres encore avec camail ou cervelière. Des sentinelles parcouraient les chemins de ronde, balestre sur l'épaule. Dans des abris de planches à peine dégrossies étaient entreposés masses, fléaux, marteaux, haches à deux tranchants et rondaches de bois couvertes de lames de métal et de gros clous.

Trois Brabançons, dont l'un affreusement balafré et auquel il manquait une main, s'approchèrent. Le Pisan leur expliqua venir à la demande du sire de Bréauté.

Par un second portail, le balafré le conduisit dans une deuxième cour entourée d'une autre enceinte. Là se dressaient le grand donjon carré, une tour de bois au dernier étage en encorbellement et deux maisons à pans de bois, dont l'une ornée d'écus et de bannières représentant le léopard d'or de Guyenne et les cinq feuilles écarlates des Bréauté.

Les quelques hommes que Gregorio aperçut dans la cour étaient des chevaliers. Certains s'entraînaient à la masse d'armes, deux jouaient de la viole, les autres discutaient, assis sur des troncs d'arbre, devant des plats de friture et des pots d'ale, de gros mâtins couchés à leurs pieds.

Parmi eux, un écuyer parut surpris de l'arrivée du visiteur. Il se leva, vint vers eux et dit quelques mots en normand au balafré. Puis il fit signe à Gregorio de le suivre dans la salle de la maison aux écus et bannières.

Le sol en terre battue était couvert de paille. Un foyer central, formé d'un cadre de bûche de chênes, chauffait la pièce, les fumées sortant par un trou du toit. Au fond, le long d'un mur, des banquettes de bois formaient les lits.

Falcaise se trouvait à table avec ses frères, Le Maçon et trois de ses chevaliers.

— Te voilà, toi ? lança le capitaine des Brabançons avec ironie.

— Oui, seigneur.

— Tu n'as pas peur de te faire massacrer ? persifla Édouard en rongeant un os.

— J'ai peur, seigneur, mais je sais aussi saisir ma chance.

Falcaise fit une moue approbatrice.

— Sortons ! dit-il.

Dans la cour, des hommes d'armes de la basse-cour arrivaient en nombre, informés du combat qui se préparait et engageant déjà des paris.

Bréauté fit signe à un arbalétrier de donner son arme à Gregorio :

— Tu vois le papegai[1] en haut de la tour ?

Il désigna un oiseau en bois sculpté, peint en vermillon, lié à une perche et qui servait de cible aux arbalétriers.

— Essaie de le toucher.

Gregorio prit l'étrier de fer qu'on lui passa et, ayant fixé le crochet, tendit la corde de chanvre avant de placer une courte flèche de bois à la pointe ébarbée.

L'arbalète était lourde. La portant à l'épaule, il visa longuement, tenant compte du vent comme on le lui avait appris à Pise.

___
1. Cible en bois.

Il abaissa la poignée à bascule. La flèche partit avec un fort recul qui le fit chanceler. Il y eut un bruit sec, puis des exclamations de surprise. Il avait touché le papegai.

— Tu es bon, je le reconnais, dit Falcaise en opinant. Je t'engage, tu recevras quatre sols tournois par mois et huit deniers par jour de campagne. Tu me remettras la moitié de ton butin. Le Maçon, donne-lui un denier d'argent pour qu'il boive à ma santé. Béraire, trouve-lui un lit dans une tente ou une cabane, une broigne, un casque et un marteau d'armes. Tu l'entraîneras.

L'ancien clerc fouilla son escarcelle et donna la pièce d'argent avant de rejoindre Falcaise, déjà rentré finir son dîner. Gregorio resta donc avec les soldats qui le fêtèrent en lui expliquant que la tradition était qu'ils aillent boire sa prime d'engagement à Rouen avec eux.

Gregorio accepta avec soulagement. L'audace avait payé. Son plan marchait à merveille.

Durant les jours qui suivirent, revêtu de sa broigne et d'une cotte de toile aux armes du léopard d'Angleterre, il n'eut rien à faire que de s'entraîner le matin aux armes avec Béraire et d'aller boire à Rouen l'après-midi. On prévoyait une nouvelle campagne au printemps et chacun espérait un butin qui lui permettrait de s'établir et de prendre femme.

Plusieurs fois, Gregorio quitta ses compagnons pour aller voir si le médecin était arrivé et, une dizaine de jours après le début de son engagement chez les Brabançons, découvrit les chariots devant la maison du frère d'Albéric.

Ayant repéré Saint-Jean, qui était à pied, il s'éloigna vers une extrémité de la rue et, appuyé contre la borne du carrefour, entreprit de le surveiller. Après un moment d'observation, il le vit partir et le suivit.

Le chevalier croisé contourna la cathédrale, longea le Robec, passa devant un moulin à roue et entra dans l'auberge à l'enseigne de Saint-Maclou. À bonne distance, le neveu du Génois Dodeo ne l'avait pas perdu de vue. Jugeant en savoir suffisamment, il rejoignit ses compagnons de beuverie.

Une quinzaine s'écoula. Le plan de Gregorio était au point, mais il ne voulait pas courir le risque que l'épître lui échappe. Il s'assura donc que ses compagnons étaient illettrés et prit facilement ascendant sur eux.

C'est trois jours plus tard, après avoir vérifié que Saint-Jean logeait toujours à l'auberge Saint-Maclou, qu'il parla à Béraire.

— L'ami, tu es comme un frère pour moi, tu le sais. J'ai besoin de te confier quelque chose. Je devrais sans doute en parler à maître Le Maçon, mais j'ai pensé que tu étais aussi capable que lui pour me conseiller.

— C'est certain ! répliqua l'autre, vaniteux comme un coq sur un tas de fumier.

— Tu le sais, je me trouvais sur la nef qui a conduit maître Le Maçon de Saint-Jean-d'Acre à Marseille. Nous étions avec les hommes de seigneur Falcaise.

— Tu m'as dit tout ça, et tu as de la chance, compère. Aller en Terre sainte absout les péchés, m'a raconté le curé. Ça me serait utile !

Il s'esclaffa.

— Peut-être. Quoi qu'il en soit, on était nombreux sur cette nef. Et comme le voyage a duré deux mois, j'ai eu le temps de parler avec tout le monde. À bord se trouvait un chevalier croisé. Il disait venir d'Antioche et ne frayait avec personne. Je pensais ne jamais le revoir, mais je l'ai aperçu ici, hier.

— Ici ? répéta l'autre, passablement obtus.

— Oui. Que peut-il faire à Rouen ?

— Je ne sais pas, répondit Béraire, essayant de comprendre le sens des paroles de Gregorio.

— J'y ai bien réfléchi, fit le Pisan, un ton plus bas. Je suis sûr que c'est un espion.

— Quoi ?

— Cet homme n'était pas sur la nef par hasard. Il s'attachait à maître Le Maçon et l'a suivi jusqu'ici.

— Mais pourquoi ?

— Pourquoi maître Le Maçon est-il allé à Acre ? Pour une mission secrète dont il était chargé par dame Aliénor et le roi Jean. Le sire Falcaise lui a donné ses hommes pour ça. Tout est lié.

— Mais alors... Il faut se saisir de cet espion et le faire parler.

— Tu as raison ! Je n'y avais pas pensé ! approuva hypocritement Gregorio.

— Où est-il ?

— À l'auberge Saint-Maclou.

— Allons-y !

— Attends ! Il ne se laissera pas faire. Nous devrons être nombreux, avec des arbalétriers... et je crois qu'il a aussi une belle somme sur lui... C'est justifié, pour un espion.

— Les pécunes seront pour nous ! décida Béraire, avec une expression avide.

— En gardant quand même une part pour le seigneur Falcaise...

— Évidemment !

# Chapitre 26

Depuis Martel, Guilhem, Furnais et leurs gens d'armes firent route vers Limoges. Ensuite, évitant Poitiers – qui appartenait à Aliénor – ils filèrent vers Orléans, cité du roi de France où ils se procurèrent des provisions. Après quoi, ils se dirigèrent vers Évreux.

En cette saison froide, les armées n'étaient pas en campagne et, à part quelques bandes de Brabançons, les troupes de Jean restaient cantonnées dans les châteaux et les villes. Mais les maraudeurs traînaient partout. Parfois, il s'agissait de mercenaires sans solde, Basques, Flamands ou Écossais, d'autres fois de gueux ou de gens sans aveu, d'autres fois encore de petits seigneurs en quête de pillage.

Les voyageurs chevauchaient donc avec la plus grande vigilance, s'étant séparés en deux groupes éloignés de quelques dizaines de toises, pour éviter d'être surpris.

La pluie, la neige, la boue et les rivières en crue compliquaient leur déplacement. Ils devaient souvent faire d'immenses détours afin de dénicher des gués quand il n'y avait pas ou plus de pont sur les cours d'eau.

Autour d'eux, la misère était effroyable. Les taillis sauvages envahissaient les terres de labour abandonnées. L'insuffisance des récoltes et le mauvais temps provoquaient famine et épidémie de peste. Parfois les voyageurs rencontraient des groupes de paysans, de tout âge et des deux sexes, parcourant processionnellement les campagnes, chantant les louanges de Dieu en se flagellant. Ces pénitents allaient d'église en église, s'efforçant par leurs prières et leurs souffrances de fléchir la colère divine qui leur envoyait tant de maux.

La troupe évitait les bourgs, se ravitaillant difficilement dans les rares fermes fortifiées qui acceptaient de leur céder de la nourriture à prix d'or. Avec les provisions faites à Orléans, ils ne souffraient pas de la faim mais les chevaux manquaient d'avoine, ce qui les contraignait à de courtes étapes.

Heureusement, Guilhem, Furnais et son sergent connaissaient le pays. Chaque soir, l'un ou l'autre trouvait quelque maison ruinée ou brûlée où ils passaient la nuit en sûreté, mais aussi dans le froid, car ils ne faisaient jamais de feu pour ne point être découverts.

Malgré leur prudence, ils affrontèrent à plusieurs reprises des bandes de gueux, parfois de vrais truands, plus souvent des laboureurs ayant tout perdu, voulant seulement se nourrir et se venger des seigneurs qui avaient pillé leurs biens et violenté les leurs. Les batailles étaient âpres et sans merci. Guilhem et Furnais en étaient toujours vainqueurs, n'abandonnant que des cadavres derrière eux, mais de telles victoires leur laissaient un goût amer.

Si durant les journées, ils restaient en alerte et ne discutaient guère, à l'étape du soir, Furnais parlait de Rouen. Ferrière, originaire de la ville, complétait parfois ce que disait l'ancien gouverneur d'Angers en assortissant ses explications de plaisanteries et grivoiseries.

Guilhem écoutait attentivement. Il était venu à plusieurs reprises dans la capitale des ducs de Normandie. La première fois après avoir quitté Mercadier, quand il recherchait la Licorne. Il évitait d'y songer tant la détresse habitait encore son cœur.

C'était en 1193, dix ans déjà ! Il était revenu à Rouen en 1196, au service de Raymond de Saint-Gilles, le comte de Toulouse. Il escortait alors son seigneur venant s'y marier avec la sœur de Richard Cœur de Lion. Mais à cette époque, Guilhem avait déjà bien changé. Il avait été reçu à la cour du roi d'Angleterre, dans le château des ducs où il avait montré ses talents de troubadour avec sa vielle à roue.

Seulement, de Rouen, à part la citadelle ducale, il ne connaissait que quelques rues, des auberges et le cabaret d'un ami. Ferrière, lui, était intarissable sur les bordaux à puterelles.

La défiance de Guilhem envers l'arbalétrier avait disparu. Après d'autres discussions avec lui, il avait été convaincu par ses dires. En revanche la culpabilité de Flore ne faisait désormais aucun doute, mais sans doute la bagasse était-elle morte.

Alaric n'en parlait jamais, même s'il demeurait abattu de tristesse. Seul Ferrière le déridait parfois car l'arbalétrier rouennais et le Toulousain étaient devenus une paire d'amis. Ferrière avait promis de lui faire oublier Flore en lui montrant les tétins et mamelettes des garces de Rouen, l'assurant que les bourgeoises avaient semence de cornes et que toutes les femmes de la ville aimaient échanger leurs deux jambons pour une andouille ! Ces expressions imagées les faisaient rire, soulageant les inquiétudes qu'ils éprouvaient jour et nuit.

Furnais parlait aussi fréquemment des bourgeois de la ville.

— Quand Guillaume le Conquérant a fait de Rouen la capitale de son duché, il a voulu assurer la sécurité des marchands et a décidé qu'il serait interdit de les arrêter ou même de les gêner dans leur négoce. Henri Beauclerc, son fils, a confirmé ces droits. Cette entente entre les bourgeois et le duc s'est affirmée durant la guerre entre sa fille Mathilde et Étienne, l'usurpateur. Alors même que les gens d'Étienne tenaient le château de Rouen, les corps de métiers jurés ont livré la ville à Geoffroy Plantagenêt, l'époux de Mathilde.

» Pour les remercier, Geoffroy leur a accordé une charte les exemptant du logement des troupes et, pour les marchands, du paiement des taxes à Londres et dans tous les ports d'Angleterre. Plus tard, le fils de Geoffroy[1] a aussi bénéficié du soutien des marchands, tant dans sa lutte contre le clergé que pendant les guerres contre ses fils et le roi de France. Il a donc autorisé la bourgeoisie à s'organiser en commune. Chaque année, à Noël, les cent plus riches bourgeois, qui se nomment pairs, choisissent parmi eux trois prud'hommes parmi lesquels le duc désigne le maire. Si les cas de meurtres ou de mutilations restent du domaine ducal et de celui du bailli, le maire commande la milice communale et administre les deniers municipaux.

— Quand je suis venu à Rouen, c'était le bailli qui rendait la justice et le seul que le duc écoutait. Le maire s'occupait seulement des affaires entre marchands, objecta Guilhem.

— Il y a toujours des conflits entre les maires, qui représentent les habitants, et les baillis, qui défendent les intérêts du duc. La commune est aussi en querelle avec le vicomte de l'Eau qui juge les procès relatifs à la navigation sur la Seine.

— Le roi Jean a tout de même confirmé les libertés de la commune, intervint Ferrière. En outre, il a accordé une charte où il nous exemptait, nous les Rouennais, de taille, du logement de troupes et de duel judiciaire. Nous sommes moins tondus que les vilains des campagnes qui, comme les chapons, vivent sur du fumier mais finissent à la table des rois.

C'était une des comparaisons préférées du Rouennais, et, une nouvelle fois, elle fit rire les rudes hommes d'armes.

---

1. Henri II.

— C'est vrai, mais le règne de Jean a débuté sous de tristes auspices, grimaça Furnais. Voici trois ans, pendant la nuit de Pâques, un incendie a dévoré la cathédrale et son trésor. Les flammes ont consumé nombre de maisons. Un peu plus tard, un nouveau feu a détruit la partie de la ville au bord de la Seine. Le château a lui-même été entouré par les flammes et une tour s'est consumée. Ce sinistre présage devait annoncer les égarements de Jean. Jamais duc de Normandie ne s'est montré plus prodigue et plus cruel. Son trésor épuisé, il n'a éprouvé aucun scrupule à rançonner les bourgeois, pourtant exemptés de tout impôt. De plus, il laisse les troupes de Falcaise violer les droits des Rouennais. C'est ce que m'a écrit l'ami ayant fourni mon sauf-conduit. Pair et échevin, il préférerait le duc Arthur, ou même le roi de France comme maître.

Furnais n'en dit pas plus, observant que Ferrière avait plissé le front.

Ils discutèrent aussi de la façon dont ils pénétreraient dans Rouen. Quand il cherchait des renseignements sur le testament de Richard Cœur de Lion en faveur d'Arthur, Furnais s'y était rendu plusieurs fois, sous divers déguisements. Il savait qu'un homme seul n'attirait guère l'attention, mais un groupe de six, armés et montés sur des destriers, serait immédiatement signalé à Falcaise ou au bailli.

— Pour ma part, je possède le passeport d'un marchand. Ce laissez-passer (il frappa son torse où le document se trouvait dans une pochette) assure que je suis bourgeois de la ville, expliqua-t-il, un soir. Je vous l'ai dit, les négociants ne sont jamais inquiétés. Mes gens seront mes commis. Mais pour vous, seigneur d'Ussel, il ne faut pas que vous vous présentiez comme chevalier, sinon le bailli vous interrogera.

Il le considéra un instant avec une sorte d'hésitation avant de proposer :

— Le plus facile serait de vous grimer en serf, pour vous fondre parmi ceux qui cherchent à entrer, mais je sais combien ce serait avilissant, car il vous faudrait abandonner vos armes...

— Pourquoi en serf ? s'enquit Alaric.

Ce fut Guilhem qui répondit.

— Une loi de Guillaume le Conquérant, confirmée par Henri Ier, ouvre aux serfs en fuite les portes des villes de Normandie. La charte dit quelque chose comme : « Si un serf reste un an et un jour sans être réclamé, dans nos villes ou dans nos bourgs entourés de murs ou dans nos châteaux, il sera libre et délivré pour toujours du joug de la servitude. »

— Le grand justicier d'Henri II a garanti cette disposition, dit Furnais, et les serfs sont nombreux à chercher refuge en ville. Mais bien sûr, ils n'ont pas le droit de porter une arme.

— N'aie crainte, mon ami, pour punir les meurtriers que je cherche, je deviendrais gueux sans hésitation, plaisanta Guilhem. Comme le chevalier à la Charrette, il n'est pas de mortification que je ne sois prêt à supporter[1]. Mais en vérité, j'ai un autre dessein pour entrer dans Rouen. Je me ferai connaître comme troubadour, comme j'en ai l'habitude. Je garderai mon cheval et prendrai Peyre en croupe avec moi, que je présenterai comme jongleur. Les trouvères portent épée, donc on ne sera pas surpris par mes armes. S'il le faut, je chanterai la chanson de Richard[2]. Aucun garde n'y résistera ! Quant à Alaric et Ferrière, ils n'auront qu'à faire route

---

1. Allusion au roman de Chrétien de Troyes, très populaire à cette époque. Voir *Montségur, 1201*, du même auteur.
2. Emprisonné par l'empereur d'Allemagne, Richard Cœur de Lion avait composé une ballade dans laquelle il se plaignait de l'abandon de ses barons :
*J'ai beaucoup d'amis, mais petits sont leurs dons.*
*La honte sera pour eux si, faute de rançon*
*Je reste ces deux hivers prisonnier...*
Voir *Londres, 1200*, du même auteur.

ensemble sur la même monture, comme des hommes d'armes en quête d'engagement.

— Cela devrait être suffisant, approuva Furnais après un temps de réflexion. Évitons quand même de loger dans la même hôtellerie.

D'autres soirs, Ussel et Furnais conversaient sur leur alliance. Ils savaient poursuivre des desseins différents, mais étaient convenus de s'accorder mutuelle assistance. À Rouen, l'échevin qui aidait Furnais lui donnerait des informations sur le lieu où Arthur était emprisonné. Peut-être pourraient-ils tenter de le faire évader, répétait sans cesse l'ancien gouverneur d'Angers. Chimère ! lui répliquait Guilhem, bien que, par moments, le défi le tentât. Pour sa part, il voulait en premier lieu retrouver Le Maçon. Non seulement afin de le punir de ses crimes à Lamaguère, mais aussi pour l'interroger ; le visage du Christ et le vol du voile à Marcilhac étaient deux mystères qu'il tenait à éclaircir.

Se saisir d'un clerc, même sachant se battre, ne l'inquiétait pas. Ce serait autrement plus facile que de délivrer Arthur. Avec ses trois hommes, et l'aide de Furnais, il y parviendrait sans peine. Seulement, il devrait aussi tenir compte du compagnon qui avait renié sa foi envers lui. Ce voyage avait aussi pour dessein qu'il se découvre, car Guilhem ne doutait pas qu'il trahirait une nouvelle fois.

À Évreux, ville appartenant au royaume de France, ils vendirent quelques-uns de leurs destriers, gardant cependant les roussins. Furnais acheta aussi quelques hardes et une mule bâtée qu'il chargea de chaudronnerie. Sous les marmites, il dissimula son haubert et son casque, ne gardant qu'une épée. Désormais, en robe foncée et balandras[1], il devenait marchand. Son sergent, revêtu d'une aube sombre, d'un bonnet de mouton et d'un pélichon, serait son commis. Il conduisait la mule, tandis que Furnais gardait un roussin.

Quittant la ville, ils se séparèrent en trois groupes, restant tout de même à quelques centaines de toises les uns des autres pour s'entraider en cas de malaventure. Jusqu'à Pont-de-l'Arche, ils traverseraient des bois épais à la mauvaise réputation. Les lois normandes interdisaient d'être armé dans les forêts, mais en ce temps de misère, les plus démunis ne respectaient rien et les prévôts faisaient moins de patrouilles. Furnais avait gardé son épée, arcs et arbalètes étaient prêts à être utilisés, et si des gens sans aveu les observèrent dans les fourrés, aucun n'osa s'en prendre à eux.

Ils entrèrent donc dans Pont-de-l'Arche sans fâcheuse rencontre. Ferrière et Guilhem connaissaient bien le petit bourg, verrou de la Seine vers la Normandie anglaise. Sachant que le passage du pont fortifié, où un péage était exigé, était surveillé par des gens du roi Jean, ils devraient éviter d'y passer ensemble. Mais existait une autre possibilité pour gagner Rouen : emprunter une gabarre, si le fleuve n'était pas trop gonflé par les pluies.

Ce fut le cas. Malgré les orages des dernières semaines, le halage avait repris et, le lendemain de leur arrivée, ils purent embarquer avant le lever du jour sur une de ces barges à fond plat venant de Rouen et qui n'allaient pas plus loin que Pont-de-l'Arche à cause du courant aux piles du pont. Une dizaine de mules et de bœufs en formaient l'attelage, sans fatiguer beaucoup en descendant le fleuve, sauf quand le flux se faisait sentir. Ayant laissé l'écuyer à l'auberge de la ville, avec leurs chevaux et la plus

---

1. Espèce de casaque de voyage.

grande partie de leurs bagages et de leurs armes, Furnais et son sergent se fondirent sans peine au milieu des négociants. La mule et les chevaux de Guilhem et d'Alaric firent la route sur le chemin de halage.

Ussel, en gambison de cuir rouge, portait ostensiblement sa vielle à roue et Peyre, revêtu d'un doublier de pèlerin, laissait dépasser un tambourin de sa gibecière. Certes, ils étaient équipés d'épées et de couteaux, mais c'était le cas de bien des trouvères. Quant à Alaric et Ferrière, le maître de la gabarre n'osa les questionner, comprenant à leur allure d'écorcheurs qu'ils rejoignaient les Brabançons du roi Jean.

Le voyage dura environ huit heures et le débarquement se fit près du pont-levis de la porte du Grand-Pont, un ouvrage fortifié au débouché du pont Mathilde, unique moyen pour franchir la Seine en dehors des bacs.

La gabarre accosta contre des pieux fichés dans la vase, tandis que la marée descendait. La berge était parsemée d'îlots surgissant des prés inondables. Empruntant un ponton branlant, les passagers retrouvèrent les montures qui avaient suivi le train de halage et se dirigèrent vers la porte de la ville.

Devant celle-ci, la garde était formée de miliciens de la commune revêtus d'un surcot peint d'un lion, et de gens du bailli, aux armes du léopard d'Angleterre. Quelques Brabançons traînaient aux alentours, histoire de leur prêter main-forte en cas de besoin. Tous portaient épées, lances ou arbalètes.

Une foule se bousculait pour entrer dans Rouen. Non seulement les passagers des gabarres mais aussi les gens qui arrivaient par le pont Mathilde. Le passage était cependant assez rapide, les gardes connaissant la plupart des entrants et ne s'intéressant qu'à ceux en armes et aux chevaliers.

Les marchands pénétraient sans difficulté, non sans avoir acquitté de fortes taxes pour leurs marchandises. Comme souvent, les ménestrels ne payaient pas d'octroi s'ils chantaient une pastourelle ou déridaient les gardes par quelques tours. Devant Guilhem, un baladin montra que sa chèvre jouait de la harpe et des escamoteurs exécutèrent une gigue en subtilisant ses clefs à un clerc pour faire rire l'assistance. Accompagné de sa vielle, Guilhem interpréta la chanson composée par le roi Richard durant sa détention à Trifels[1]. Après avoir été acclamé, il expliqua aux sergents qu'il séjournerait à Rouen le temps d'être reçu par l'évêque et par le roi en son château. On lui fit alors remarquer, en plaisantant, qu'il devrait chanter autre chose dans ce cas, car Jean pourrait bien lui faire couper la langue tant il haïssait toujours son frère, même mort.

Quand ce fut le tour d'Alaric et Ferrière, ce dernier annonça être rouennais et revenir de Terre sainte avec un compagnon, tous deux désireux de s'engager sous les ordres du noble seigneur Falcaise de Bréauté. On les laissa passer, tant on avait besoin de défenseurs contre le roi de France.

Depuis la porte, ils suivirent un passage entre deux murailles, fermé de place en place par des herses et des ponts dormants. Ce chemin traversait une double enceinte et enjambait trois fossés.

Arrivés de l'autre côté de cette formidable fortification, ils débouchèrent devant la citadelle des ducs.

Entouré d'une haute muraille crénelée, ponctuée de tours rondes, c'était un gros donjon carré, noirci par un incendie, sans ouverture sinon de petites fenêtres percées aux derniers niveaux. Les bannières de la ville et du roi d'Angleterre flottaient au sommet.

La marée descendait, vidant dans un gargouillement les profondes douves ceinturant l'enceinte et abandonnant derrière elle une mare de vase puante dans laquelle les mouettes se précipitaient.

---

1. *L'Évasion de Richard Cœur de Lion*, du même auteur.

Guilhem et Furnais demeurèrent un moment à examiner le château dans lequel se trouvait peut-être enfermé le jeune duc de Bretagne. Le donjon, d'une vingtaine de toises de haut, ressemblait à la Tour de Londres, construite par Guillaume le Conquérant. Mais alors que celle-ci était blanche et majestueuse, la massive tour noire offrait un aspect sinistre, renforcé par les corps pendus aux merlons servant de repas à de gras corbeaux.

Une passerelle de bois, prolongée d'un pont-levis, enjambait le fossé. Derrière une herse baissée, on apercevait la basse-cour emplie d'hommes d'armes et de gens d'Église. Guilhem savait qu'il n'existait aucun moyen de pénétrer dans cette forteresse, que ce soit par ruse ou par force.

En face de la citadelle se dressait une petite gargote, simple salle humide au sol de pierre dont la fumée du foyer s'évacuait par un trou dans le toit de chaume. Comme ils avaient faim, ils entrèrent dans le cabaret et s'installèrent, tous les six à la même table, près de la seule fenêtre au volet coulissant ouvert.

— Seigneur ! lança Furnais à l'attention du cabaretier, nos ventres grondent famine. Peu me chaut le carême[1], prépare-nous ce que tu as de meilleur, avec de l'ale bien épaisse !

— Seigneur ? s'étonna Alaric, en s'asseyant. De quel titre parerez-vous un chevalier de Rouen, sire de Furnais, si vous montrez un tel respect pour les gargotiers !

— C'est la tradition, ici. Les cabaretiers sont nommés seigneurs et leurs épouses : dames ! expliqua Guilhem.

Satisfait de son titre, l'aubergiste leur porta immédiatement un pot d'ale très épaisse et trois hanaps de bois. Ensuite, attendant le dîner, et comme ils

---

1. Le 23 février.

n'avaient pas de voisins pour les écouter, ils parlèrent librement.

— Même au temps de Louvart, je n'ai jamais vu autant de pendus aux fenêtres du donjon, observa Guilhem en désignant le château par la fenêtre. Cela doit puer dans les appartements.

— Cela signifie que Jean est là, fit Furnais avec mépris. Il agit ici comme à Londres, où il accroche les têtes de ceux qu'il veut punir à Drawbridge Gate. Cet homme est le Mal !

— Crois-tu Arthur enfermé dans la citadelle ?

— Certainement. Ces pendus sont des gens à lui, capturés à Mirebeau. On m'a dit que Jean se plaît à les torturer, leur faisant trancher mains, génitoires et crever les yeux. Quand les corps sont trop abîmés, il les pend comme des manants, alors qu'ils appartiennent aux plus grandes familles du Poitou ou de Touraine. Ces supplices ont aussi pour but de briser le courage d'Arthur, de le contraindre à renoncer au duché de Bretagne et au royaume d'Angleterre. De plus, cela effraye les Rouennais qui savent ainsi la sauvagerie du duc sans limites.

— Ce donjon est imprenable, seigneur, observa Alaric.

— Il a été construit par le seigneur Richard, petit-fils de Rollon[1], voilà plus de cent ans, précisa Ferrière. Une époque où on savait bâtir, en bonne et belle pierre !

— Soit réaliste, Thomas, impossible d'entrer dans cette citadelle, grimaça Guilhem. Et même en y parvenant, le cachot d'Arthur resterait inaccessible. Quant à le faire sortir...

---

1. Rollon, jarl viking, reçut de Charles le Simple les terres autour de Rouen en échange d'un arrêt de ses pillages. Le château fut construit vers 970 et détruit par Philippe Auguste, en 1204. Un an après notre histoire.

— Je ne peux me résigner à renoncer, mon ami. Dès aujourd'hui, j'irai voir l'échevin que je connais pour en apprendre plus, dit tristement Furnais. Peut-être Jean quittera-t-il Rouen avec sa cour ? Une évasion serait alors plus facile...

L'aubergiste apporta un plat de perches sorties de la Seine, qu'il venait de retirer de la broche, aussi se turent-ils. La conversation reprit après son départ.

— Il me déplaît que tu ailles seul chez cet homme. Imagine qu'il ait été trahi et que tu tombes dans un traquenard.

— Comment pourrait-on prévoir que j'arrive aujourd'hui ? Il m'a envoyé un messager il y a plus de trois mois.

— S'il ne te reçoit pas, et qu'on te demande de revenir, préviens-moi auparavant. Nous irons ensemble, après avoir préparé une retraite en cas de péril.

— Je le ferai, promis.

— Pourquoi la bourgeoisie ne se révolte-t-elle pas contre la tyrannie de Jean ? interrogea Peyre.

Ferrière intervint, mal à l'aise.

— Les rares fois où les Rouennais ont agi contre leur duc, ils l'ont payé cher.

— Des révoltes ont déjà eu lieu ? demanda le sergent de Furnais en dépouillant son poisson.

— Henri Beauclerc[1] étant duc de Normandie, les bourgeois de Rouen tentèrent de livrer la ville à son frère, Guillaume le Roux, qui l'assiégeait. Un d'eux, Conan, avait fait entrer quelques troupes mais il fut

---

1. Henri Beauclerc (Henri I$^{er}$) est le plus jeune fils de Guillaume le Conquérant. Lettré, il succède sur le trône d'Angleterre à son aîné Guillaume le Roux et s'empare du duché de Normandie. Il laisse ensuite le royaume à sa fille Mathilde, duchesse d'Anjou par son époux Plantagenêt. Mais le cousin de Mathilde, Étienne (Stephen pour les Anglais), fils de la sœur d'Henri Beauclerc, la dépossède du royaume, provoquant une longue guerre civile dont Henri, fils de Mathilde, sortira vainqueur. Ce dernier devient Henri II, premier roi Plantagenêt, et sera le père de Richard Cœur de Lion et de Jean.

pris. Le duc Henri le conduisit au sommet de la grande tour et le précipita lui-même par-dessus les merlons. Après quoi, le corps brisé fut attaché à la queue d'un cheval et traîné ignominieusement dans les rues de Rouen, raconta Ferrière.

— Ce félon l'avait mérité ! observa Guilhem en mâchonnant.

— C'est dans le donjon qu'Henri, devenu roi d'Angleterre, a fait crever les yeux à Geoffroy de Tourville et Odard du Pin, accusés de parjure[1]. Il a prononcé la même sentence pour un trouvère qui chantait des chansons satiriques contre lui et qui, pour échapper au supplice, s'est brisé la tête contre les murailles, poursuivit l'arbalétrier.

— J'ai toujours évité les chansons satiriques ! affirma Guilhem dans un rire.

En vérité, il simulait l'indifférence. Portant un morceau de poisson à sa bouche, il lança un rapide regard à Alaric, mais celui-ci trempait sa soupe et ne paraissait pas s'intéresser à l'histoire de la ville et de sa forteresse.

— Avant toute entreprise dans la citadelle, on a besoin de reconnaître les lieux, poursuivit-il. Quand j'ai accompagné le comte de Toulouse, pour son mariage avec la sœur de Richard, les repas se tenaient dans la grande salle du donjon. C'est la seule partie que je connaisse, car nous logions dans un bâtiment le long de l'enceinte, dans une cour intérieure. Je sais qu'il existe aussi des logements pour les hommes d'armes, mais le roi Richard ne laissait personne y circuler, pas plus que dans les tours.

— Je suis venu plusieurs fois dans la citadelle, dit Furnais, quand j'étais gouverneur. Le bas du donjon est occupé par les réserves et comprend aussi un puits et un four. On accède directement à la grande salle par un escalier de bois extérieur. Encore au-dessus

---

1. En 1124.

sont les appartements du duc et du grand justicier. Enfin, au dernier niveau logent le bailli et ses sergents, avec les armes et tous les projectiles nécessaires en cas de siège.

Il ajouta un ton plus bas :

— Si mon seigneur, le noble Arthur, se trouve là, il ne peut être que dans l'un des cachots des tours. Ce sont des salles humides souvent inondées.

De nouveaux convives s'étant mêlés à eux, ils cessèrent leur conversation et terminèrent leur repas. Furnais se leva alors, imité par son sergent.

— Il est temps de nous séparer, compères. Vous savez où me trouver en cas de besoin.

Il avait prévenu Guilhem qu'il logerait à l'auberge des Trois-Moutons, près de la porte Beauvoisine, au nord de la ville.

Peu après, Guilhem sortit de table à son tour, ainsi que Peyre.

— Content de vous avoir connu, sire Ferrière, dit-il en saluant l'arbalétrier rouennais, comme si ce dernier n'était qu'un compagnon de rencontre fortuite.

Ferrière et Alaric savaient que leur seigneur se rendait à l'hôtellerie à l'enseigne de Saint-Maclou. Jouant la comédie, ils patientèrent encore un moment, plaisantant avec leurs nouveaux voisins avant de se mettre en route.

Ayant repris leur cheval qu'ils avaient laissé à la garde de jeunes garçons, Guilhem et Peyre longèrent l'enceinte de la forteresse sans découvrir la moindre faiblesse de défense. Après avoir atteint le cours d'eau du Robec, ils le remontèrent. La petite rivière était bordée de maisons basses, en torchis et en bois. Quelques-unes, brûlées dans le dernier incendie, étaient rafistolées avec des planches et des solives. Guilhem, dont les parents avaient été ouvriers tanneurs, s'intéressa aux tanneries, constatant combien la misère des humbles était la même qu'à Marseille. Mais pourquoi aurait-elle été différente ?

Plus haut sur le chemin, les maisons possédaient parfois deux étages avec des boutiques en bas. C'était souvent des pelletiers, des mégissiers et des cordonniers. S'approchant de l'abbaye de Saint-Ouen, ils passèrent l'église Saint-Maclou et aperçurent l'auberge du même nom, érigée près d'un moulin à eau.

# Chapitre 27

Ferrière et Alaric partirent dans la direction opposée. La taverne du Lion-d'Argent, que le Rouennais connaissait bien, se situait dans une ruelle boueuse où grouillaient potiers et tonneliers.

Dans ce quartier de la ville, le plus ancien, on accédait aux logis par des échelles et des escaliers sans rampe, le bas des maisons n'étant qu'ateliers aux murs bossués, étables et celliers.

Le cabaret se dressait entre deux tonneliers faisant un vacarme épouvantable. Ouvriers et maîtres, en tunique sale et sabots, enfonçaient les cercles de fer à l'aide de chasses et de maillets, accompagnant leur frappe de bruyantes interjections. L'endroit était enfumé par les braseros allumés dans les tonneaux afin d'assouplir les douelles et empuanti par les boues de la rue, mélange de crottin et de déjections de chiens, de cochons et d'humains.

À un carrefour ouvrait une écurie, simple hangar dans une cour où se vautraient des pourceaux. Ils y laissèrent leur cheval, menaçant le patron des lieux de venir lui couper les oreilles si leur monture était mal traitée. Ensuite, ayant chargé armes et bagages sur leurs épaules, ils se rendirent au cabaret.

Un lion de bois vaguement argenté surmontait la porte protégée par un porchet. La partie basse de la maison était en grosses pierres sur une demi-toise. Au-dessus, des pans de bois vermoulus maintenaient plus ou moins le torchis de plâtre. Un étage en encorbellement surmontait la salle.

— C'est là que je logeais quand j'étais sergent de l'évêque, expliqua Ferrière. Beaucoup de gens d'armes de la citadelle y viennent et on apprendra vite ce que notre seigneur désire savoir.

Humide, la salle au plafond de bois, noircie par la fumée, puait les relents de cuisine et de cervoise. La construction avait sans doute été érigée sur un antique bâtiment, car des fragments de mosaïques apparaissaient entre les brins de paille qui jonchaient le sol. Une échelle et une trappe permettaient d'accéder à l'étage.

Autour d'une grande table se tenaient une dizaine de clients : quelques sergents en broigne et surcot qui avaient posé leur couteau et leur casque à nasal devant eux, et des artisans en sayon couvert d'une aumusse à capuchon. Le foyer se situait à une extrémité de la pièce et la fumée sortait par un trou.

Après avoir repéré le cabaretier dans la cour, Ferrière alla l'interroger. L'homme, en tablier de cuir, lui proposa un grand lit à l'étage. Pour l'instant, deux moines et un clerc y couchaient, mais on pouvait y dormir à huit et même plus en se serrant. Ferrière accepta et paya les trois deniers demandés pour la semaine.

Dans la salle où il était resté, Alaric éprouvait des difficultés à comprendre les conversations des hommes d'armes qui usaient d'un mélange de normand et de patois des Flandres. Rassemblés à une extrémité, les ouvriers et les artisans gardaient le silence. Comme il restait de la place entre eux et les gardes, il s'y installa. Ferrière vint le rejoindre, tandis que le cabaretier portait un pot de cervoise aigre à se partager.

L'arbalétrier rouennais expliqua à son voisin, un sergent dont la cuirasse était couverte d'un surcot à cinq feuilles rouges, qu'il arrivait de Terre sainte, après un an d'absence loin de la Normandie. Il lui demanda les nouvelles du pays.

— La guerre est pour bientôt, l'ami, répliqua l'autre. Le roi de France va encore tenter de s'en prendre à Rouen. Au printemps, il fera route vers Andely où nous l'attendrons pour lui donner une raclée et tirer rançon de ses chevaliers.

— On me l'a dit. On m'a parlé aussi d'un seigneur Falcaise qui recrutait.

L'autre frappa sa poitrine avec fierté.

— Falcaise de Bréauté. Je suis son homme, dit-il. Lui et ses frères sont de vrais Normands ! Si tu veux t'engager, son camp est sur le Mont de Rouen. La paye est de dix deniers.

— J'irai avec mon ami qui vient du Toulousain.

Il ajouta à voix basse :

— Vous êtes en querelle avec eux ?

Du regard, il désigna les artisans.

— À cause de la pendaison de demain, répliqua le sergent, maussade.

Ferrière savait qu'il ne fallait pas trop poser de questions. Il laissa Alaric finir le pot et tous deux se rendirent à l'échelle pour monter dans la chambre.

C'était une salle basse de plafond avec une unique fenêtre à volet coulissant, un grand lit et deux huches. Une autre échelle montait au solier couvert de chaume, sans doute le logis de l'hôtelier. Un des coffres étant vide, ils y rangèrent leurs affaires, leurs arbalètes, les trousses et les rondaches. Ferrière ne craignait pas les voleurs, sachant que les châtiments décrétés par Guillaume le Conquérant, toujours en usage, dissuadaient les plus malhonnêtes : le voleur était pendu après avoir eu les poignets tranchés.

— Je vais te montrer le quartier, proposa Ferrière à Alaric. Tripots et bordaux nous attendent, ce soir ! J'ai quelques pièces d'argent à dépenser.

Alaric l'approuva d'un rire.

En ce vendredi après-midi, la rue regorgeait d'une foule bigarrée mélangeant servantaille, acheteurs, crocheteurs, porteurs de fagots, colporteurs et puterelles. Les gens se pressaient et se bousculaient entre les étals qui s'apprêtaient à fermer, mais s'écartaient rapidement en découvrant les deux guerriers porteurs de lourdes épées. Parfois Alaric et Ferrière s'arrêtaient, plaisantant avec quelque femme qui retroussait sa robe en faisant des propositions, ou pour regarder, dans un enclos de fortune, deux mâtins se disputer le cadavre d'une poule.

Aux carrefours, gibets et piloris n'étaient pas rares et toujours occupés. Le bailli avait la main lourde et les essorillés semblaient nombreux. Entre les maisons à pignon, chaque enclos renfermait au moins une chèvre, voire quelques pourceaux.

Ils s'arrêtèrent dans un bordau que Ferrière connaissait. Alaric ne quitta pas son compagnon, même quand celui-ci paya une jeune garce, lui-même besognant une autre fille dans la même chambre.

Ce furent ces femmes qui leur parlèrent de la pendaison du lendemain. Elle aurait lieu près de l'enceinte, et tout le monde dans le quartier s'y rendrait. Comme elles étaient loquaces, Ferrière les interrogea sur Falcaise, mais elles ne savaient rien de lui. Seul son frère, Édouard, venait dans le quartier dont il était chargé de maintenir l'ordre. Par contre, elles avaient entendu parler de leur clerc, le nommé Le Maçon. Il logeait à Rouen, mais elles ignoraient où.

Ayant terminé leur affaire, ils remontèrent vers la cathédrale. En s'éloignant de la Seine, les rues étaient plus propres et les commerces plus nombreux. Les maisons, pour la plupart neuves, étaient occupées par des drapiers et des aumussiers. À plusieurs reprises, ils assistèrent à des altercations entre les gens de Falcaise, reconnaissables à leur surcot, et des bourgeois. Une fois, la dispute éclata même entre des Brabançons et des gardes de paroisses, comme on nommait ici les quarteniers, mais toujours les Rouennais cédaient devant la violence des gens d'armes.

Les églises étaient innombrables, écrasées parfois par les maisons, mais c'était dans la cathédrale que Ferrière voulait prier la Très Sainte Vierge pour l'avoir protégé durant son long voyage. Y entrant, il vit les travées pleines de fidèles, car le lendemain serait la fête du siège épiscopal de Pierre à Antioche[1] puis viendrait le premier dimanche du carême. De son côté, Alaric pria saint Pierre. Après quoi ils revinrent vers la Seine en passant devant la synagogue.

Les deux hommes ne s'étaient jamais quittés.

Le lendemain samedi, ils se rendirent le long de l'enceinte intérieure. Dans la lice, de sinistres potences de bois étaient dressées le long des hourds du chemin de ronde. Déjà une morne assistance d'hommes, de femmes et d'enfants, s'agglutinait, silencieuse.

Certes les pendaisons étaient nombreuses à Rouen, mais cette fois c'était un tonnelier qu'on allait mettre à la hart. Un honorable bourgeois.

Les puterelles leur avaient raconté que, pour défendre sa femme abusée par un homme de Falcaise, le tonnelier condamné lui avait fendu le dos de sa doloire. L'épouse était là, sanglotante, entourée de ses amis et de sa famille.

Ferrière et Alaric avaient aussi appris que le syndic de la corporation des tonneliers avait demandé au maire, Raoul de Cotevrard, d'intervenir. La supplique était remontée jusqu'au duc, mais Jean s'était montré intraitable. Navrer un de ses hommes méritait la mort et il aurait même ajouté méchamment au sujet de la femme :

— Fille à bouche qui pleure, le con lui rit !

---

1. Le 22 février.

Au bout d'un moment déferla le sourd martèlement d'une cavalcade, puis s'élevèrent des sons de trompe. Arriva une dizaine de chevaliers brabançons équipés de lances et de lourdes épées, suivis d'autant de sergents à cheval brandissant guisarmes et marteaux ainsi que trois douzaines d'arbalétriers à pied. Apparut alors un homme presque nu, attaché à la claie d'infamie tirée par un âne. Il avait été flagellé et battu, et sa bouche ensanglantée révélait qu'on lui avait coupé la langue.

La populace gronda. La loi était claire : seuls les coupables de meurtre, de rapt ou d'arsin[1] devaient être traînés sur la claie avant la pendaison. Traité comme un animal, le condamné était d'emblée exclu de la communauté des hommes. Jamais telle honte n'avait été faite à un honnête Rouennais.

Inquiets de la rumeur sourde et hostile qui déferlait, les gens d'armes se mirent en position. D'autres arrivaient par les murailles, leurs arcs menaçant la badaudaille.

Un prêtre accompagnait le prisonnier, suivi du bailli du duc, à cheval, de quelques nobles chevaliers avec écuyers et bannières, et d'un homme en robe portant épée et casque sur des cheveux courts, peut-être tonsurés.

Les deux exécuteurs de justice sortirent du rang des arbalétriers qui les protégeaient jusque-là. Ceux-ci s'installèrent derrière leurs pavois, balestra prête à tirer de mortels viretons dans la foule en cas de rébellion. Domptée, celle-ci était redevenue silencieuse, même si par instants des grondements roulaient, comme un lointain orage menaçant. Ferrière murmura à Alaric qu'il serait prudent de reculer jusqu'à être hors de portée des carreaux, sentant qu'un rien provoquerait un massacre. Alaric l'approuva et ils se réfugièrent sous une galerie de bois.

---

1. Incendie.

Les gens d'armes en place, le bailli fit sonner les trompes et ordonna au crieur de proclamer le jugement. Celui-ci le fit d'un ton haché et rapide. Rouennais, chacun sentait qu'il réprouvait le jugement et l'exécution.

— Nous, bailli et juge de la cour ducale du noble duc de Normandie et roi d'Angleterre, décidons que Gérald, tonnelier, ayant reconnu avoir donné la mort à Norbert, homme du sire Édouard de Bréauté, meurtri traîtreusement, sera traîné et pendu après avoir fait repentance et été battu et corrigé de verges. Que le Seigneur Dieu lui pardonne et sauve son âme.

Presque aussitôt, le prêtre dit quelques mots au condamné et le bénit. Immédiatement après, dans un silence de mort, les deux bourreaux coupèrent ses liens et saisirent l'homme sans qu'il résiste.

Après quoi, l'un des exécuteurs grimpa à l'échelle posée contre le hourd, tirant le corps meurtri jusqu'à la plateforme. L'autre étant monté à son tour avec une corde préparée, ils l'attachèrent à un crochet et placèrent le cou du tonnelier dans une boucle, puis le poussèrent dans le vide.

Tout le monde entendit le sinistre craquement suivi du long hurlement de l'épouse du supplicié, couvert aussitôt par le *Salve Regina* entamé par la populace.

Le tonnelier ne gigota pas. Pour éviter une émeute, le bailli avait décidé une mort subite et supprimé la danse des pendus, pourtant toujours attendue du public.

Alaric, lui, ne s'intéressait pas à la pendaison. Il observait les chevaliers arrivés en compagnie du bailli. Plusieurs étaient jeunes et l'un d'eux sortait à peine de l'adolescence.

— Maudits soient les Bréauté. Même Mercadier – que Satan le fasse rôtir en enfer – n'aurait pas fait ça, déclara son voisin.

— Qui sont les Bréauté ? demanda Alaric.

L'autre, un potier rond comme une outre, le regarda les yeux écarquillés de surprise :

— T'es d'où, toi ?

— Toulouse, mais j'arrive de Terre sainte.

— Moi aussi, intervint Ferrière en forçant sur l'accent normand pour donner confiance au potier.

— Les Bréauté, ce sont ces trois-là ! Édouard, Guillaume et Falcaise, de maudits bâtards !

— On a entendu parler de Falcaise.

— C'est l'aîné, le plus impitoyable. Mais le jeune, Édouard, est plus cruel que lui. C'est Édouard qui a voulu la mort de mon ami.

Il désigna le pendu.

Les robes des chevaux des frères Bréauté portaient effectivement cinq feuilles rouges. Alaric s'efforça de graver leur visage dans son esprit.

— Et celui en robe ? demanda-t-il encore.

— Leur clerc. Il est chanoine métropolitain depuis un mois ; Le Maçon, qu'il se nomme. Jamais vit-on chanoine plus haï par ses pairs. C'est Jean qui l'a imposé, comme il a décidé qu'il serait juge de l'official métropolitain. Et non seulement il examine les causes civiles et criminelles des clercs, mais aussi celles des laïcs quand le duc y trouve un avantage. C'est aussi lui qui décide désormais de la taille que nous payons. Elle a doublé, pour engager de nouveaux Brabançons, soi-disant nécessaires à défendre la ville contre le roi de France.

Alaric examina ce fameux Le Maçon. Un jeune homme au visage chaleureux même si ses traits étaient marqués par une vie hors du commun. Ce serait donc lui qui aurait tué Godefroi, Thomas, Jeanne et l'enfantelet ? Lui, le complice de Flore ? Il ne ressemblait en rien à un fredain, mais Alaric savait que le vice ne se lit pas toujours sur les visages. Il se tourna vers Ferrière, mais celui-ci, en retrait, ne regardait que le pendu.

Déjà les bourreaux étaient redescendus du hourd. Chevaliers et hommes d'armes se rassemblaient pour le départ. Ayant montré leur force, les gens du duc se retiraient piteusement sans attendre. Accordant donc aux

338

habitants du quartier le droit de reprendre le corps et de l'ensevelir, ce qui ne se faisait jamais pour les criminels qu'on laissait se balancer au gré du vent, après leur avoir passé des cordes sous les aisselles afin d'éviter que leurs bras ne se détachent durant la décomposition.

— Suivons Le Maçon ! souffla Alaric à Ferrière. C'est une chance qu'il soit là. Il faut pas la gâcher.

— On va nous remarquer, objecta le Rouennais, se grattant l'oreille en signe d'hésitation, à moins que ce fût une piqûre de puce.

— Nous remarquer ? Mais personne ne nous connaît ! Viens !

— Séparons-nous, alors, pour ne pas attirer l'attention...

— Non, trop dangereux ! On peut avoir besoin de s'entraider. Et tu sais que je comprends mal le dialecte d'ici.

Comme il voyait que Ferrière n'avait pas envie de s'exécuter, il ajouta, plus durement :

— Je suis le maître, ne l'oublie pas, car je sers notre seigneur comme écuyer.

L'autre approuva du chef.

Le cortège se dirigea vers la forteresse. Au pont-levis, le bailli pénétra dans le château accompagné de plusieurs chevaliers et des arbalétriers. Les autres remontèrent vers la porte du Robec. Alaric et Ferrière suivaient à pied, à bonne distance.

En vue de l'abbaye de Saint-Ouen, les frères Bréauté sortirent de la ville avec leurs hommes d'armes, laissant Le Maçon en compagnie de quatre sergents à cheval. Ceux-là prirent le chemin longeant l'enceinte de l'abbaye puis filèrent vers le nord. Malgré leurs montures, ils n'avançaient pas vite, évitant de faire état de leur autorité. En cette fin de matinée, et bien qu'on soit un samedi avec de nombreuses boutiques déjà fermées, la badaudaille emplissait les rues.

Ils passèrent devant un pilori où une pécheresse vivant en concubinage avec un juif était exposée, après avoir été fustigée. Elle ressemblait à Flore et Alaric eut un serrement de cœur en se demandant ce qu'était devenue celle qu'il aimait.

— Où allons-nous, par là ? interrogea-t-il.

— Cette rue conduit à la porte Beauvoisine. Au-delà s'étend le faubourg de Rougemare où le duc Richard de Normandie a livré une telle bataille que le sol en est resté rouge.

Le Maçon et ses hommes continuèrent leur chemin jusqu'à la porte fortifiée qu'ils franchirent. Quand il vit qu'ils quittaient la ville, Ferrière s'immobilisa.

— Pourquoi tu t'arrêtes ? s'enquit Alaric.

— Il va nous voir, s'il se retourne.

— Et alors ? Il ignore qui nous sommes ! Continuons !

— Et si on nous questionne à la porte ?

— Tu es d'ici ! Débrouille-toi !

Ils poursuivirent donc mais n'eurent pas à sortir de l'enceinte car, du porche de la porte fortifiée, ils virent Le Maçon et ses gens pénétrer dans une maison forte isolée. Un logis à pans de bois avec une écurie en bas, dans laquelle on entrait par un étroit passage. Au-dessus se trouvaient un étage en encorbellement aux minuscules fenêtres et une tour d'angle qui devait contenir un escalier. Comme les montures restèrent dans l'écurie, Alaric en déduisit que c'était là que Le Maçon habitait.

En revenant, il décida de s'arrêter à l'auberge de Saint-Maclou pour prévenir son maître, mais celui-ci était absent et l'hôtelier qu'il interrogea lui indiqua même que ni ménestrel ni jongleur ne logeaient chez lui. Alaric n'insista pas pour ne pas attirer l'attention, se promettant de revenir le lendemain.

Les deux hommes allèrent donc manger dans une taverne et finirent l'après-midi dans un tripot.

# Chapitre 28

près avoir laissé son sergent d'armes aux Trois-Moutons, Thomas de Furnais se rendit chez le bourgeois qui l'avait prévenu de l'emprisonnement d'Arthur et lui avait fait parvenir un passeport.

Cet homme, drapier et échevin de la ville, faisait partie des pairs, ces cent riches notables élisant les prud'hommes parmi lesquels le duc choisissait le maire. Il se nommait Raoul Le Gros, et son cousin, Matthieu, avait été maire de Rouen sous le règne de Richard.

Par un messager envoyé à la cour du roi Philippe, Raoul Le Gros avait assuré à Furnais avoir rassemblé autour de lui nombre de marchands ne supportant plus la tyrannie et les exactions de Jean. Mais ils étaient juste des bourgeois, incapables de prendre les armes. S'ils s'en prenaient aux Bréauté, ils seraient écrasés et finiraient comme Conan, jetés du haut du donjon. Ils se contentaient donc de réunir des renseignements visant à la délivrance d'Arthur, et si celle-ci se réalisait, s'engageaient à le soutenir pour qu'il devienne le nouveau duc de Normandie.

Devant le prieuré Saint-Lô, Raoul Le Gros habitait une maison aux pans de bois de couleur ocre. Les sculptures des fermes débordantes représentaient des têtes d'anges dorées, soulignées de rose, qui contrastaient gracieusement avec les plâtres entre les allèges,

341

peints en bleu et décorés de fleurettes. Quant au faîte du pignon, il était rehaussé d'un épi doré. À coup sûr la plus riche maison du quartier !

Furnais fut reçu dans la salle basse par l'intendant, un clerc âgé qui lui expliqua qu'en ce vendredi de début de carême, son maître, comme les autres bourgeois, faisait procession entre les monastères, nu-pieds. Le serviteur lui conseilla donc de revenir le lendemain.

Non seulement Guilhem avait recommandé à son ami de le prévenir si l'échevin ne pouvait le recevoir, mais lui avait demandé de ne pas accepter de nouvel entretien avant le dimanche, de manière à être prévenu. De plus, le dimanche, aucune violence n'était tolérée, et encore moins lors du carême. Furnais suivit donc son conseil.

— Vous direz à maître Le Gros que je reviendrai dimanche, au lever du soleil.

Guilhem lui avait aussi rappelé qu'une rencontre à la pique du jour permettrait de vérifier l'absence de traquenard.

— Quel est votre nom, seigneur ? s'enquit le serviteur.

— Il est inutile que vous le connaissiez, vous lui répéterez seulement ceci : Richard et Geoffroy.

C'étaient les mots de reconnaissance.

À ces paroles énigmatiques, l'intendant parut troublé.

— Je dois vous apprendre que la guilde des drapiers se réunit pour la messe de carême dimanche matin, dans sa chapelle, à la cathédrale. Maître Le Gros ne pourra donc vous recevoir. Tandis que demain matin, vous le trouverez ici.

Furnais hésita un instant. Mais comme il savait que le temps pressait pour son duc, il balaya les conseils de prudence et accepta de revenir le lendemain.

Il quitta la maison de l'échevin sur son cheval et se dirigea vers l'abbaye de Saint-Ouen. Au monastère de

Saint-Amant, il prit la ruelle que lui avait indiquée Guilhem, jusqu'à l'enseigne de La Hure.

Hélas, contre toute attente, le cabaret était fermé. Comment allait-il retrouver son ami ? Embarrassé, il envisagea d'interroger des passants ou des voisins, mais c'était courir le risque de se faire repérer. Il préféra se rendre aux étuves du Grédil, proches des Trois-Moutons. Là, il se fit tailler la barbe et couper les cheveux. Ensuite, pendant qu'il se baignait, il réfléchit à ce qu'il allait faire. Au bout du compte, il conclut n'avoir besoin de personne pour rencontrer un bourgeois.

À la grande surprise de Peyre, son seigneur ne s'arrêta pas à l'auberge Saint-Maclou quand ils passèrent devant.

— Nous allons ailleurs, le seigneur de Furnais sait où me trouver, fit Guilhem.

— Mais, mon oncle et Ferrière...

— Je t'expliquerai...

— Vous vous méfiez d'eux, seigneur ? s'enquit Peyre, un ton plus bas.

Guilhem savait que cette discussion viendrait tôt ou tard. Autant en finir tout de suite. Il connaissait une écurie et s'y rendit. Ayant laissé le cheval et donné des ordres pour qu'on s'occupe bien de lui, il conduisit Peyre dans une courette déserte et lui fit signe de s'asseoir sur une souche servant à couper des bûches. Il s'installa à côté de lui.

— Peyre, si tu veux vivre longtemps, n'aie confiance en personne.

— Vous vous méfiez aussi de moi, seigneur ?

— Pas de toi. Tu m'as prouvé ta fidélité en me suivant à Rome. Je confierais aussi ma vie à Furnais.

Mais vous êtes les seuls dans notre troupe en qui j'ai fiance.

— Mais mon oncle vous a donné sa foi...

— Je le sais, seulement Alaric était fou de Flore, il me l'avait dit, donc la mort de Thomas l'arrangeait.

— Croyez-vous que ce soit lui ? Impossible ! Jamais il n'aurait meurtri Jeanne et Godefroi.

— Tu l'ignores ! répliqua Guilhem d'un ton sec.

Par expérience, il savait qu'on pouvait tuer n'importe qui, même un proche. Même un être aimé. Il chassa l'image d'Egelina de Camville.

— Je ne peux y croire, seigneur.

— Peu me chaut, Peyre ! Mais quand tu verras Alaric, tu ne lui révéleras rien, as-tu compris ? Il en va de nos vies.

— Oui, seigneur... Et Ferrière ?

— Qui est-il ? D'où vient-il ? Il assure ne pas avoir connu Le Maçon, mais doit-on croire ses affirmations ?

Guilhem se leva, ayant dit ce qu'il avait à dire. Ils empruntèrent une ruelle sombre, étroite et boueuse, véritable tunnel où le soleil ne pénétrait jamais à cause des encorbellements se rejoignant de part et d'autre. Ils s'arrêtèrent devant une masure avec une enseigne représentant une hure de sanglier.

L'endroit puait la charogne et la friture.

— C'est le cabaret de Médard La Hure, un compagnon d'armes, du temps où j'étais avec Mercadier. Il m'a beaucoup appris.

Ils pénétrèrent dans une salle basse dont la seule table était formée de planches posées sur deux tonneaux. Trois gueux se trouvaient installés autour. Un quatrième homme, accroupi, remuait les braises d'un foyer bas avec une barre de fer qu'il tenait de sa main unique. Les entendant, il se retourna et lâcha son outil de saisissement.

— C'est bien moi, Médard, dit Guilhem, souriant dans son épaisse barbe.

Il déboucla son baudrier et le posa sur la table, faisant signe aux gueux de s'en aller.

— Guilhem ! Toi ! s'exclama le manchot, toujours interloqué.

Il s'était mis debout. Presque chauve, sinon une touffe de mèches grises serrées par une étoffe, des épaules larges sur un torse couvert par un sayon de laine verte, il tendit une main, la gauche, pour accoler Ussel. Avec sa moustache et sa barbe en désordre, ses crocs jaunis, son nez comme un groin, sa face avait tout de celle d'un vieux sanglier.

— Voici Peyre. Tu peux nous loger ? s'enquit simplement Guilhem.

— La maison est à toi. Tu le sais. Je suis à toi, aussi.

Le vieil homme ne posa aucune question.

Guilhem s'assit et expliqua à Peyre :

— Du temps où j'étais avec Mercadier, voici plus de dix ans, Médard entraînait les nouveaux. Il m'a appris toutes sortes de ruses à la masse à pointe, au marteau et à la hache. Il m'a aussi entraîné pour un tournoi qui m'a permis de devenir chevalier[1].

» Puis j'ai quitté Mercadier. Quelques mois plus tard, en Normandie où je recherchais une femme, j'ai retrouvé Médard. Au service de Louvart, il avait été blessé par des vilains qui s'en prenaient aux routiers[2].

— Guilhem a été comme un fils pour moi, intervint l'ancien routier, avec un sourire dévoilant ses crocs. Il m'a fait soigner par un médecin juif. J'ai perdu ma main (il montra son moignon) et j'aurais fini comme un mendiant s'il n'avait acheté ce cabaret à l'abbaye de Saint-Ouen. Il me l'a offert. Je lui dois tout : la vie et ma vieillesse.

Guilhem tira son escarcelle et sortit une poignée de florins d'or.

---

1. *De taille et d'estoc*, du même auteur.
2. *Férir ou périr*, du même auteur.

— Garde-les, Médard. Ça paiera notre séjour et ce que je te dois. Si tu savais combien de fois tu m'as sauvé la vie par les ruses que tu m'as enseignées.

— Je ne veux rien, Guilhem.

— Prends ! Je suis seigneur, désormais. J'ai un fief et je suis riche.

— Tu as un fief ? s'enquit le vieux mercenaire, sidéré.

— Un fief, un château et des serviteurs : Peyre, qui est avec moi, deux autres qui sont aussi à Rouen. Mon cheval se trouve à l'écurie de Fraimbaut.

— Je le ferai bien soigner, assura Médard.

Guilhem hocha du chef.

— Maintenant, parlons rond. As-tu entendu clabauder au sujet d'un clerc nommé Le Maçon ? Il serait au service de Falcaise.

— Qui ne le connaît ici !

— J'espère qu'il n'est rien pour toi. Je suis venu du Toulousain pour le tuer.

Le silence plana un long moment, au point que Guilhem s'en inquiéta. Et si Médard La Hure avait donné sa foi à Falcaise ?

— Chez Mercadier et Louvart, on était mauvais, dit enfin le vieil homme qui, en vérité, cherchait ses mots. Pourtant, à notre façon, je crois qu'on était moins malfaisant que Le Maçon. Il est arrivé avec Falcaise à l'automne et il a vite eu la faveur du roi Jean qu'il encourageait dans ses dispositions cruelles. Il prétend que Jean est l'outil de la fureur du Seigneur ; qu'il doit gouverner avec une verge de fer, briser ceux qui s'opposent à lui comme il ferait d'un vase de potier, qu'il doit entraver les pieds des puissants et attacher des fers aux mains de ses nobles[1].

» Jean l'a imposé comme chanoine métropolitain, puis lui a confié la verge d'argent de l'official malgré l'opposition de l'évêque. Procureur, il juge désormais

---

1. Ces affirmations sont réellement de Le Maçon.

qui Falcaise l'exige et il possède sa propre prison dans la tour de la Clérette. En même temps, Jean a couvert d'honneur Falcaise et ses frères, leur donnant tous les droits sur le peuple, le clergé et la noblesse. Par ses raisonnements tordus, ce Le Maçon s'est tellement attiré la faveur du roi que celui-ci a dépouillé plusieurs religieux de leurs bénéfices pour les lui donner. Il est désormais vicaire et même le bailli doit accepter ses décisions. Il a taxé les confréries, les abbayes et les guildes, et ceux qui ne payent pas sont émasculés, écorchés, aveuglés ou même enfouis vivants.

— Comment le trouver ?

— Il est tard ce soir, mais demain je te conduirai où il s'est installé. Après la porte Beauvoisine. Une maison forte à l'écart, où il loge avec ses hommes d'armes. Jusque-là, il vivait dans le camp de Falcaise, mais depuis qu'il est chanoine, il a exigé un logement correspondant à son état.

— S'il est haï, on pourrait facilement le meurtrir dans une maison isolée.

— Qui oserait ? À une demi-lieue se trouve le camp de Falcaise et Dieu sait ce que les Bréauté feraient si on touchait à leur clerc.

— Nous toucherons à lui et lui ferons bien pire, déclara Guilhem. Allons-y maintenant. Le temps se fait rare pour moi. Ferme ta boutique !

La Hure accepta d'un signe de tête, mais Guilhem avait autre chose à lui demander :

— L'hôtelier de l'auberge Saint-Maclou est toujours le même ?

— C'est son fils.

— On peut lui faire confiance ?

— Je t'ai appris à ne faire confiance à personne ! grommela La Hure.

— Tu as raison. (Guilhem lança un regard complice à Peyre.) J'ai dit à mes autres hommes que je logerais à Saint-Maclou, comme ça, s'ils se font prendre, ils ne pourront me dénoncer. Mais s'ils viennent, je veux être prévenu.

— Ils demanderont Guilhem ? s'inquiéta La Hure.

— Non ! Ils parleront d'un ménestrel avec une vielle à roue.

— Tu joues toujours ?

— Plus que jamais.

— J'irai voir l'hôtelier demain. Je lui dirai que j'attends un ménestrel à la viole et que si des gens demandent après lui, il envoie quelqu'un me chercher.

— Entendu.

Partis peu après, ils se trouvaient à la porte Beauvoisine quand Thomas de Furnais arriva au cabaret de La Hure et trouva porte close.

Le lendemain samedi, Furnais fut reçu par Raoul Le Gros peu après son lever. Leur réunion eut lieu dans la chambre de l'échevin, soigneusement close.

Le bourgeois, en épaisse robe lie-de-vin et calotte de fourrure avec aumônière brodée à la taille à laquelle pendait aussi un couteau à manche de nacre, parut soulagé de voir enfin Furnais arrivé à Rouen.

C'était un homme corpulent, aux sourcils noirs et épais, au regard vif et calculateur sous de lourdes paupières. Il émanait de lui une souriante bonhomie, mais Furnais savait combien il pouvait être rude en affaires.

— Je craignais que vous ayez renoncé, seigneur, dit-il. Cela fait bien trois mois que je vous ai écrit !

— Je sais, maître Le Gros, mais j'ai cherché de l'aide, et cela m'a pris du temps.

— Avez-vous trouvé d'autres chevaliers pour vous accompagner ?

— Nenni, grimaça Furnais. Je crois être le dernier fidèle à mon duc.

Guilhem lui avait fait promettre de ne pas parler de lui.

— Mais vous, qu'avez-vous appris sur le duc ? poursuivit-il.

— J'ai de bonnes nouvelles : le seigneur Arthur est prisonnier dans la forteresse et n'a pas été mutilé, contrairement à la rumeur qui court.

— Dieu tout-puissant ! Merci Seigneur ! s'exclama Furnais en se signant, mais comment cela se peut-il ? On m'avait affirmé que Jean lui avait fait trancher les parties viriles pour qu'il ne puisse jamais épouser la fille du roi de France…

— Quand le jeune duc a été enfermé à Falaise, les conseillers de Jean l'ont effectivement persuadé de lui faire crever les yeux et de le mutiler, puisqu'il ne voulait pas renoncer à son duché. Des sergents royaux furent chargés de la besogne, mais deux d'entre eux ne se rendirent même pas à Falaise. Ils prirent la fuite pour s'y soustraire. Le troisième, reçu par Hubert de Burgho[1], le chambellan du roi gouverneur du château, vint seulement transmettre l'ordre de Jean.

— Par les ossements de saint Thomas ! C'est déjà à Hubert de Burgho que Richard avait confié son testament en faveur d'Arthur. Il lui avait ensuite demandé de le détruire et Burgho avait juré l'avoir fait, mais il avait menti, ayant confié le précieux document à Guillaume de la Braye qui le conservait dans la Tour de Londres[2].

— Dans ce cas, le duc Arthur est doublement débiteur de Burgho, vous allez comprendre pourquoi. Le gouverneur a d'abord refusé d'agir en bourreau. L'envoyé de Jean s'est moqué de lui et de sa faiblesse et a décidé de mutiler lui-même le duc. Quand il est descendu dans le cachot avec ses

1. Burgho était l'arrière-petit-fils d'un frère utérin de Guillaume le Conquérant.
2. *Londres, 1200*, du même auteur.

hommes, accompagné de Burgho contraint d'assister à l'opération, notre prince les a accueillis sourire aux lèvres, croyant à sa délivrance. Mais il a vite compris leur sinistre dessein en voyant les outils qu'ils portaient. Épouvanté à l'idée de l'infamie dont on le menaçait, il a d'abord supplié qu'on le tue, plutôt que de le transformer en eunuque. Il a rappelé à Burgho les bienfaits dont son père Geoffroy l'avait comblé. Émus, puis terrifiés en songeant aux conséquences de l'exécrable mission dont on les chargeait, les bourreaux ont hésité. Arthur a mis à profit cette irrésolution. Comme on s'apprêtait à l'attacher, il s'est violemment débattu et a pris le banc sur lequel on devait le mutiler, l'utilisant comme une arme.

— Je reconnais bien là le courage de mon duc, sourit Furnais.

L'échevin approuva d'un signe de tête.

— Hubert de Burgho, craignant finalement d'endosser une responsabilité aussi grave, a décidé de suspendre l'exécution. Il a fait courir le bruit que l'ordre avait été exécuté et qu'Arthur était mort des suites de la mutilation.

— Ce serait donc lui qui l'aurait sauvé ?

— Oui. Il voulait sincèrement faire croire à son décès et il fit dire des prières pour le repos de l'âme du duc dont le corps fut soi-disant enseveli au monastère de Saint-André. Seulement, Jean découvrit qu'on l'avait trompé. Il est alors entré dans une colère noire et a ordonné à Burgho de conduire Arthur à Rouen, laissant cependant circuler la rumeur que son neveu avait bien été supplicié, ceci pour que le roi de France l'abandonne. Depuis, il l'a fait enfermer dans la tour du coin, au débouché du Robec et de la Seine.

— Vous êtes certain qu'il se trouve là ?

— Certain, et je vais vous dire pourquoi. Quand le duc Richard construisit le donjon, il fit aussi bâtir cette tour qui défendait le passage du Robec. Et entre tour et donjon, il fit creuser un souterrain.

— Dans quel dessein ?

— Pour fuir, bien sûr, en cas de siège ou d'attaque des Rouennais. Je n'ai appris son existence qu'il y a peu. Du donjon, le souterrain conduit à une salle basse de la tour. Un escalier permet d'accéder à une pièce voûtée qui n'a pas d'autre ouverture, sinon une meurtrière. C'est dans ce cachot que se trouve Arthur. Le pauvre garçon ne peut recevoir eau et nourriture que par le souterrain, et seulement une fois la semaine. Il vit comme une bête, dans ses déjections. Il n'est même pas nécessaire de l'enchaîner puisqu'il ne peut s'enfuir.

Furnais serrait les poings si fort à ce récit que ses ongles lui entraient dans les paumes. Était-ce ainsi qu'un oncle devait traiter son neveu ? Était-ce ainsi qu'on se conduisait avec le petit-fils d'Henri II ?

— Mais si cette tour a vocation de permettre la fuite des ducs, il existe forcément un autre passage que le souterrain ?

— En effet, et c'est ce que je voulais vous faire connaître. Il s'agit d'une porte de bronze située sous le niveau de la Seine à marée haute. Des infiltrations provoquent l'inondation de la salle, aussi Jean a-t-il fait entreprendre des travaux de maçonnerie. C'est par un maître maçon que j'ai appris tout cela.

— La porte pourrait être descellée de l'extérieur ?

— Peut-être, répondit l'échevin avec prudence.

— Il faut que je la voie, décida Furnais après un court instant de réflexion.

— Ce n'est possible qu'à marée basse.

— Croyez-vous que je puisse m'en approcher ?

— Difficile, grimaça l'échevin. La garde est vigilante sur les murailles du château. Vous serez vite remarqué.

Le bourgeois réprima un sourire gourmand avant d'ajouter :

— Mais il existe une solution.

— Je vous écoute.

— Les vilains sont autorisés à ramasser le bois flotté qui entrave la circulation des barques. Vous pourriez vous joindre à eux, avec l'accord du syndic de leur confrérie.

— Serait-ce possible aujourd'hui ? demanda Furnais, impatient.

Maître Le Gros hésita en balançant la tête.

— En cette veille de carême, les vilains ne ramassent pas de bois, mais bien sûr, contre une pièce d'argent, le syndic accepterait d'y aller. Vous pourriez le lui proposer. Mon secrétaire vous accompagnera chez lui. Mais même s'il accepte, la marée ne sera basse qu'à vêpres, et il fera nuit peu après. Vous ne verrez pas grand-chose.

— Ce sera suffisant. Mais... ma visite va éveiller sa méfiance...

— Des bourgeois achètent le bois flotté ramassé ainsi pour le revendre en fagots aux crocheteurs. Vous n'aurez qu'à vous présenter comme un nouvel acheteur, dire que vous voulez voir les quantités disponibles pour fournir une abbaye. Cela devrait suffire.

L'échevin sortit de sa chambre et appela son domestique qui accourut aussitôt.

# Chapitre 29

Ce même samedi, tandis qu'Alaric et Ferrière s'apprêtaient à assister à la pendaison du tonnelier et que Furnais allait chez l'échevin Raoul Le Gros, Guilhem et Peyre se rendirent aux étuves de la Planquette en passant par le pont de bois qui franchissait le Robec. L'établissement appartenait aux religieux de Saint-Ouen et rapportait beaucoup, étant le seul du quartier où l'on pouvait se laver complètement.

Une fois débarrassés de leur crasse et de leurs poux, ils sortirent à pied par la porte Beauvoisine. Après un nouvel examen de la maison forte de Le Maçon, ils contournèrent l'enceinte et les fossés pour se rendre au monastère bénédictin de la Très Sainte Trinité. C'est ce qu'ils expliquèrent à la garde de la porte, déclarant vouloir prier sur la relique de sainte Catherine.

Ils étaient bien chaussés avec des brodequins en cuir de buffle que cousait Thomas le cordonnier. Sous leur manteau, leur épée pendait à leur baudrier. Pour Guilhem, il s'agissait de celle offerte par le comte de Foix et, chez Peyre, d'une arme solide prise aux gens du seigneur Frangipani et ramenée de Rome. Ussel avait enfilé un camail sur son gambison de cuir rouge et son serviteur portait une broigne maclée.

En évitant de se salir sur le chemin boueux qui longeait la muraille, les deux hommes recherchaient un endroit favorable pour un guet-apens. Le plan de Guilhem était simple. La Hure lui procurerait des arbalètes. Quand Le Maçon et ses gens se rendraient au camp de Falcaise, ils les attendraient dans quelque taillis touffus, avec Ferrière, Alaric, Furnais et son sergent. En un instant, ils anéantiraient la troupe sous une pluie de flèches et de viretons. Ensuite, ils se saisiraient de Le Maçon.

Ayant longé la portion de l'enceinte entourant l'abbaye de Saint-Ouen, ils passèrent le Robec à gué. Là, entre le cours d'eau et l'Aubette s'étendait un petit bois, à un trait de flèche du chemin qui s'écartait de la muraille. Ils se dirigèrent vers ces futaies. On pouvait parfaitement s'y dissimuler et la distance était telle que les traits feraient mouche à coup sûr. Par précaution, Guilhem décida qu'ils se partageraient en deux groupes. Les meilleurs tireurs dans le bois, tandis que lui-même, Alaric et Furnais resteraient à cheval. Quand les premiers auraient abattu la plupart des gens de l'escorte, ils massacreraient les derniers à la masse et à la hache. Certes, on les verrait des murailles, mais avant qu'un sergent envoie des gardes et donne l'alerte, ils seraient loin, avec Le Maçon prisonnier.

Il expliqua son plan à Peyre et tous deux échafaudèrent quelques perfectionnements. Le plus difficile était d'être sur place quand Le Maçon quitterait sa maison. Ils convinrent de rester en observation plusieurs jours afin de découvrir dans quelles conditions le clerc se rendait au camp des Brabançons.

Ils poursuivirent ensuite jusqu'à l'abbaye, ce qui permit à Guilhem d'examiner le camp de Falcaise qu'on atteignait par le flanc nord du plateau. Ses palissades se dressaient à quelques centaines de pieds des murs du monastère. Il s'agissait d'une enceinte de pieux et de planches, avec un chemin de ronde et un fossé. Un donjon carré dominait l'édifice. Le camp devait abriter une centaine d'hommes, plus peut-être.

Quelques femmes aussi, car il en aperçut dans la cour. De la tour de guet du portail, il remarqua que les sentinelles ne les perdaient pas des yeux.

Le chemin se poursuivait jusqu'à l'abbaye de la Sainte-Trinité du Mont de Rouen, elle aussi protégée par un mur en pierres d'une toise. Le portail était encadré de deux tourelles. De là, l'œil embrassait un grandiose panorama : la Seine et ses détours, la ville, la citadelle, les églises, les tours et les remparts.

Après qu'ils eurent tiré la corde de la cloche du monastère, un frère tourier les fit entrer. Guilhem expliqua être ménestrel et atteint de fièvres intermittentes. On lui avait assuré que le doigt de la sainte le guérirait, aussi était-il prêt à offrir un denier d'argent pour prier devant la relique. Le moine acquiesça et conduisit les visiteurs à travers un verger au bout duquel se trouvaient l'église et un bâtiment conventuel à toit de chaume. Des convers travaillaient dans le verger et au potager attenant.

Le frère tourier les laissa à un autre père qui surveillait les moines. Ce dernier, alléché par la promesse du denier d'argent, conduisit ceux qu'il croyait être des pèlerins à l'intérieur de l'église, dans une chapelle latérale fermée par une grille dorée. Sur un meuble richement sculpté et peint de scènes religieuses était posée une châsse d'argent ciselée avec, à côté, une coupe en vermeil destinée à recevoir les dons.

Le moine s'assura que Guilhem mettait bien la pièce d'argent promise dans la coupe et resta présent tandis que les visiteurs s'agenouillaient. Leurs prières ne durèrent pas longtemps et, lorsqu'il se releva, Guilhem assura au père, d'un ton sincère, qu'il se sentait soulagé.

— Voulez-vous prier devant d'autres reliques, proposa le père, espérant une autre pièce.

— Le doigt de sainte Catherine est votre objet le plus saint, observa Guilhem.

— Jusqu'à présent, mais depuis peu un document encore plus sacré est entré dans cette maison de Dieu.

— Quoi donc ? demanda Guilhem, intrigué, bien qu'il n'envisageât pas de faire à nouveau semblant de prier.

Il songeait surtout au visage de Dieu mentionné par Thomas et à la sainte coiffe volée par Le Maçon.

— Une épître inconnue de Paul.

Comme les deux visiteurs le regardaient interloqués, le père expliqua, un sourire satisfait sur son gras visage.

— Un pauvre chevalier croisé, dépouillé dans la forêt de Pont-de-l'Arche, ne possédait plus que cette sainte épître qu'il ramenait de Terre sainte. Ne devions-nous pas l'aider ? Il nous l'a proposée contre une petite somme pour poursuivre son voyage.

Guilhem dissimula sa déception.

— Nous reviendrons, mon père, à notre retour de Flandre.

Ils sortirent de l'église, traversèrent le verger et rentrèrent à Rouen. None sonnait comme ils franchissaient la porte Beauvoisine.

Accompagné par l'intendant, Thomas de Furnais quitta le bourgeois le cœur plein d'espérance. Son seigneur le duc Arthur de Bretagne se trouvait à Rouen et n'avait pas été mutilé. Une fois libre, il pourrait toujours épouser la fille du roi de France. Il ne restait donc plus qu'à le faire sortir de son cachot. Mais comment ?

L'ancien gouverneur d'Angers ne voyait qu'une solution : passer par la porte de bronze, dans la tour où se trouvait le cachot. Mais d'autres avaient dû tenter de la forcer pour entrer dans la forteresse et, si personne n'y était parvenu, c'est qu'elle était infranchissable. Cependant, il devait quand même le vérifier.

Roland, le syndic, habitait rue de la Chaisne, une ruelle dont les maisons s'appuyaient sur les anciennes murailles de la ville. Du temps où la voie n'était qu'une lice de l'enceinte, elle était fermée par des chaînes et avait gardé ce nom.

La maison du ramasseur de bois était une vieille bicoque ayant échappé à plusieurs incendies, car sa façade noircie et les extrémités calcinées des sablières du pignon témoignaient des embrasements passés. Un ramasseur de bois flotté, fût-il syndic de confrérie, ne devait pas avoir les moyens de la réparer, songea Furnais en examinant l'endroit. La pièce d'argent qu'il lui donnerait allait rudement le soulager.

L'intendant frappa sur l'huis et, entendant une vague réponse, tira la chevillette, faisant tomber la bobinette de l'intérieur.

Poussant la porte, il s'effaça en déclarant :

— Entrez, seigneur.

Furnais fit un pas dans la pièce sombre quand, soudain, il trébucha, bousculé par un violent coup dans le dos. Tombant par terre, il roula sur lui-même et eut le temps de tirer sa dague.

Comme il se relevait, il distingua trois arbalétriers qui le menaçaient.

Persuadé qu'ils allaient tirer, il se figea.

— Jetez votre miséricorde, ordonna une voix dans son dos.

Il se tourna lentement, le cœur battant si fort qu'il l'entendait.

Deux autres arbalétriers étaient entrés, accompagnés d'un sergent d'armes brandissant son épée.

— Que voulez-vous ? lança Furnais. Je viens pour rencontrer Roland, le syndic.

Il remarqua alors que l'intendant de Le Gros avait disparu et comprit avoir été trahi.

— Il n'y a pas de Roland, ricana le sergent.
Déboucle ton ceinturon.

Furnais hésita à obéir. Désarmé, il serait à leur
merci. Malgré l'obscurité, il distinguait les trois lions
passant sur les tuniques des arbalétriers. C'étaient des
serviteurs de Jean.

— Si tu n'obéis pas, je t'abats ici.

— Ce sera mieux pour moi.

— Pas sûr, un vireton dans la cuisse ne te tuera pas,
et le duc veut seulement te parler...

Tenter le tout pour le tout ? songeait Furnais. Il
pouvait lancer sa dague sur le plus proche, sortir son
épée et se ruer sur eux. Auquel cas, il mourrait en
combattant.

Mais, après une ultime hésitation, le désir de vivre
l'emporta sur l'instinct de mort. Il lâcha sa dague, et
déboucla la ceinture qui tenait son épée.

— Attachez-le solidement ! lança le sergent à ses
hommes.

Entravé, il fut conduit à la citadelle. On leva la herse
sur leur passage et il songea avec dérision qu'il entrait
enfin, mais pas comme il le souhaitait, dans le château
où son duc était détenu. En même temps, il se demandait comment Guilhem apprendrait qu'il se trouvait
prisonnier. Il n'avait aucun espoir de sortir vivant
d'ici.

En traversant la basse-cour, il leva les yeux vers le
donjon. Des corps se balançaient toujours. Avec horreur, il reconnut Guillaume d'Issoudun, un de ses
amis. Un corbeau lui mangeait un œil. Le cadavre
n'avait plus ni mains, ni pieds.

On ouvrit une poterne et il passa dans une autre
cour conduisant aux tours rondes de l'enceinte. Des
échelles permettaient d'accéder aux portes, à deux

toises du sol. On le fit monter à l'une d'elles et il entra dans une salle voûtée. La pièce était éclairée par des meurtrières et par une ouverture dans une portion de la voûte. Un escalier, à peine plus large qu'une échelle, permettait d'y accéder. Sans doute l'étage communiquait-il avec le chemin de ronde de l'enceinte.

On l'attacha à des anneaux et ferma la porte. Deux gardes restèrent avec lui. Il remarqua la trappe de bois dans le carrelage et une seconde échelle, contre le mur.

Les heures s'écoulèrent. La soif commença à le faire souffrir.

None avait sonné quand la porte s'ouvrit. Quelqu'un entra et sourit d'un air stupide.

Peter Mauluc !

Furnais fut stupéfait.

Peter Mauluc avait été écuyer d'Étienne de Dinant, l'âme damnée de Jean qui avait tenté d'empêcher la libération de Richard Cœur de Lion quand le roi d'Angleterre se trouvait captif en Allemagne, osant même proposer une récompense à l'empereur et à Philippe Auguste pour que Richard meure en prison. C'est aussi Dinant qui avait conduit la révolte des barons et des Templiers contre le Cœur de Lion à son retour d'Angleterre. C'est encore Dinant qui avait fait tuer Richard et tenté un crime similaire sur le roi de France ; complot que Guilhem avait déjoué[1]. Et c'est toujours Dinant qui avait essayé d'empêcher Guilhem de se saisir du testament du Cœur de Lion en faveur de son neveu Arthur, mais, cette fois, la chance avait tourné contre lui et Guilhem l'avait pendu, laissant malheureusement Mauluc, son écuyer, s'échapper[2].

1. *Paris, 1199*, du même auteur.
2. *Londres, 1200*, du même auteur.

Trois ans plus tôt à Bordeaux, sur ordre de Dinant, Mauluc avait assassiné Mathilde, une jeune fille devant épouser un chevalier de Robert de Locksley. Et maintenant, il se trouvait donc au service de Jean.

Courtaud et trapu, l'ancien écuyer d'Étienne de Dinant affichait toujours une expression balourde qui le faisait passer pour un simple d'esprit. Mais ce n'était qu'un masque, car Furnais le savait d'une diabolique habileté, sans compter sa vigueur, hache et écu en main.

— On se retrouve, compaing, ricana-t-il. J'espérais te prendre plus tôt. J'étais à Mirebeau avec mon roi, et fort déçu de ne pas te compter dans les prisonniers. Tu sais que tu étais le seul baron de Touraine fidèle à Arthur qui me manquait ? De plus, j'avais un compte à régler avec toi. Dinant était un bon maître et je reste fidèle à sa mémoire.

— Finissons-en, dit Furnais, abattu par le destin qui s'acharnait.

Non seulement il se trouvait prisonnier, mais il était aux mains d'un homme qui prendrait plaisir à le torturer.

— Pas encore ! J'avoue avoir eu du mal à trouver un bourgeois qui propose de t'aider et de te trahir. Mais Le Gros avait tant envie d'être maire, comme son cousin. Tu sais que Jean le lui a promis ?

— Il découvrira ce que valent les promesses de ce félon.

— C'est vrai : promesse à pourceau est sans valeur ! plaisanta joyeusement Mauluc. Dis-moi, sais-tu ce qu'on va faire de toi ?

— Peu importe !

— Au contraire, laisse-moi te le dire. On va te descendre sous cette salle où tu retrouveras tes amis et tu pourras imaginer ainsi ce qui t'attend. Lundi, le bourreau t'interrogera pour connaître tes complices. Il aurait pu commencer tout de suite, mais tu as un sursis car demain est dimanche de carême.

Il se tourna vers le sergent d'armes qui l'avait accompagné.

— Mets-le avec les autres.

Sans un regard pour Furnais réduit à de la chair pour bourreaux, il quitta la salle.

Les gardes ouvrirent la trappe et un remugle abject de pourriture et d'excrément s'échappa. Le sergent alla chercher l'échelle et la fit descendre. Un garde avait tiré son épée, au cas où un des prisonniers se trouvant au fond tenterait de grimper. Le sergent alla défaire les liens de Furnais en lui laissant les poignets attachés.

— Descend dans le trou, l'ami.

— Détache-moi.

— Je trancherai tes liens quand tu seras sur l'échelle.

Furnais comprit. Il s'approcha de l'ouverture et entama la descente. Puis, il leva les bras, tendant ses poignets. Avec une dague, le sergent coupa les liens et abaissa la trappe, glissant une pièce de bois dessus et la coinçant dans des encoches du mur.

La puanteur était insupportable. Un aigre et puissant relent de chairs pourries et de moisissures. L'endroit sentait la mort, la douleur et l'effroi, mais Furnais n'avait pas peur. Il avait depuis longtemps réussi à dompter cette vieille ennemie. Avoir passé la nuit dans un cachot avec un cadavre lui avait appris que les morts et les mourants n'étaient pas redoutables[1]. Il craignait autrement plus Mauluc et Jean que les pauvres hères qu'il allait rencontrer.

La salle humide était éclairée et aérée par une unique et minuscule ouverture vers la cour. Ayant

---

1. *Londres, 1200*, du même auteur.

posé un pied sur la paille, Furnais balaya le cachot du regard. Six corps allongés, et un assis, le considéraient de leurs regards vides. Furnais découvrit avec horreur qu'ils n'avaient plus que des trous noirs dans leurs orbites.

— Qui es-tu ? demanda d'une voix pâteuse celui assis.

Furnais s'approcha, le cœur battant. Il avait reconnu le ton de son vieux compagnon Hugues de la Marche.

— Hugues ! Dieu tout-puissant ! Que Jean rôtisse en enfer pour l'éternité !

— Thomas ? C'est... toi, Thomas...

— Oui. Je suis venu tenter de délivrer notre duc, et je viens d'être pris, trahi par un félon.

— Dieu... est-il encore avec nous ? murmura une autre voix, tout aussi pâteuse.

Furnais se dirigea vers elle. Il reconnut l'épaisse barbe de Raoul de Thouars. Celui qui avait été l'un des plus fringants chevaliers du Poitou ressemblait à un vieillard au seuil de la mort.

Il s'avança vers les autres prisonniers, reconnaissant Aignan de Craon et Aimeri de Beaujeu. Quant aux deux derniers, ils se mouraient.

Malgré son désespoir, il leur donna des nouvelles du monde, raconta son audacieuse entreprise et comment il avait été trompé.

— Mon ami, tu as... toujours été trop téméraire, lui reprocha Hugues de la Marche. Ton dessein... était voué à l'échec. Même nous, ignorons... où se trouve Arthur.

— Il ne serait pas dans la citadelle ?

Il n'obtint aucune réponse. Les prisonniers n'avaient plus la force de parler. Thomas constata alors l'absence d'eau et de nourriture. Jean les laissait mourir de faim et de soif.

Bientôt, il serait dans le même état. Combien de temps lui restait-il à vivre ? Heureusement qu'il ne s'était jamais lié à une tendre épouse, songea-t-il. Personne ne le pleurerait.

La torture, c'était aussi d'attendre en restant seul avec soi-même.

De retour à Rouen, Guilhem se rendit à l'hôtellerie de Furnais pour lui faire part de son dessein. Il trouva seulement son sergent qui lui dit que son maître était parti chez un échevin et pas revenu.

Furnais, toujours d'une extrême prudence, n'avait pas donné le nom de celui chez qui il se rendait, mais en précisant sa qualité d'échevin, il pensait que Guilhem l'identifierait puisqu'il avait révélé à son ami ses relations avec Le Gros.

Guilhem fut évidemment mécontent de ne pas avoir été prévenu. De plus, il ignorait où Le Gros logeait. Il savait seulement qu'il était drapier, mais en ce samedi après-midi, la plupart des échoppes étaient fermées.

Laissant le sergent, il fila aussitôt dans le quartier où se rassemblaient les boutiques de drapiers et parvint, après moult questions, à obtenir la description de la maison de l'échevin Le Gros. Il s'y rendit avec Peyre et l'examina un moment depuis le cimetière du prieuré Saint-Lô[1] situé en face.

C'était le logis d'un riche marchand, observa-t-il. Furnais pouvait-il y être encore ? Peut-être était-il resté dîner, mais l'après-midi était déjà bien entamée et le repas terminé depuis longtemps. Guilhem songea à attendre qu'un domestique sorte pour l'interroger, mais cela revenait à faire connaître que Furnais avait des compagnons.

---

1. Ce monastère était habité par des religieux réguliers de Saint-Augustin.

Peyre restait près de son maître, attendant ses ordres comme un chien fidèle. Il ne comprenait pas ce qu'il se passait mais devinait l'inquiétude de son seigneur.

Ils demeurèrent dans le cimetière jusqu'au crépuscule, assis sur des poutres de bois entreposées en faisant semblant de jouer aux dés. La nuit tombant, ils retournèrent aux Trois-Moutons en silence. Guilhem devinait que son ami avait été pris. Mais il ne pouvait rien tenter ce soir.

Après avoir prévenu le sergent de se méfier de tout, même si Furnais ne parlerait jamais sous la torture, ils revinrent au cabaret de Médard La Hure. Les plans de Guilhem avaient changé. Il ne s'occuperait plus de Le Maçon tant qu'il n'aurait pas retrouvé son ami.

Il eut une nouvelle contrariété ce même soir en interrogeant Médard. Celui-ci avait oublié de se rendre à l'auberge Saint-Maclou dire à l'aubergiste de le prévenir si on demandait après un ménestrel. Il y fila aussitôt.

Mais c'était trop tard. Alaric et Ferrière étaient déjà passés.

# Chapitre 30

*Le premier dimanche de carême*

L e lendemain de la pendaison, Alaric et Ferrière allèrent à la messe de carême, à Saint-Léger. Ferrière, profondément religieux sous ses apparences de bon vivant, se rendait tous les matins à l'église du Temple de Lamaguère. Évidemment, durant le voyage, il avait manqué les offices divins, aussi écouta-t-il celui de Saint-Léger avec une sincère ferveur.

Ce n'était pas le cas d'Alaric. Sans être cathare, le Toulousain baignait trop dans un milieu qui rejetait l'Église de Rome pour se sentir fortifié durant le service divin. Il n'était venu à la cérémonie que pour accompagner l'arbalétrier et ne pas se faire remarquer en ce jour de carême.

Saint-Léger était l'église[1] de la confrérie des tonneliers. En ce dimanche qui suivit l'exécution d'un de leurs membres, tous les artisans, debout, priaient pour l'âme de Gérald. Seuls les chapelains et les chanoines se tenaient assis derrière le chœur.

Près du porche d'entrée, Alaric balayait du regard la foule des croyants, s'attardant sur les femmes dont il ne voyait que les coiffes. En même temps, son esprit vagabondait. Il avait hâte de retrouver son maître et de lui annoncer avoir trouvé Le Maçon.

---

1. Saint-Étienne-des-Tonneliers.

Après la célébration, ce fut l'eucharistie et Ferrière se joignit aux fidèles qui défilaient afin de recevoir l'Esprit Saint. Alaric le suivait des yeux quand il se figea brusquement : dans une robuste servante qui regagnait son rang en compagnie de deux autres domestiques et d'une maîtresse dame, il venait de reconnaître Flore.

La surprise le fit chanceler, mais il se reprit vite et chassa l'absurde vision. L'église était sombre, et, déjà la veille, il avait cru la voir sur le pilori. Pourtant son cœur battait le tambour et son regard ne quittait pas la servante. Elle avait baissé les yeux. Un voile, noué sous le menton, lui couvrant la tête, il ne distinguait que ses boucles grises. Corpulente, bien charpentée, sa stature correspondait pourtant à celle de Flore, peut-être plus en chair que dans ses souvenirs. La femme portait une chape grège entrouverte, sans manches. On apercevait dessous un bliaud olivâtre et sa poitrine plantureuse paraissait serrée par des bandes de toile sous sa chemise.

La ressemblance était tout de même étonnante. Alaric décida de l'approcher pour avoir la certitude qu'il se trompait.

Entièrement à son obsession, il oublia Ferrière, revenu près de lui et, comme la cérémonie se terminait, lui dit :

— Je te retrouverai au Lion-d'Argent.

Sur ces mots, il se précipita sur le petit parvis pour attendre la sortie des fidèles.

Par petits groupes, les paroissiens commencèrent à quitter l'église, la mine sombre, commentant l'injuste exécution de la veille.

Enfin, la servante à la chape beige apparut. Elle accompagnait sa dame, en manteau pourpre et guimpe serrée dans une couronne tressée, elle-même escortée par un gaillard robuste, bien droit dans son manteau feuille-morte à capuchon. Il portait le bonnet des marchands. Alaric s'avança. Pour ce jour de carême, il s'était revêtu d'un surcot de laine verte et de sa casaque.

Son épée pendait à son baudrier de cuir avec une escarcelle et une dague. Bonnet de feutre à plume de coq sur la tempe droite, il affichait fière allure.

Son regard étant posé sur la servante, elle ne put l'éviter quand elle leva les yeux. Ce fut un instant prodigieux. Elle resta pétrifiée et lui-même fut incapable de maîtriser son tremblement.

— Flore, vous dormez, ma mie ! lui dit gentiment la dame en lui prenant le bras.

C'était elle ! Flore ! Que faisait-elle à Rouen ? Elle voulait regagner l'abbaye de Tiron, or Tiron se trouvait à cinquante lieues d'ici, plus même !

La servante s'était ressaisie et avait repris sa marche avec ses maîtres et les autres domestiques. Mais, passant près d'Alaric, elle eut un triste sourire et se baissa comme pour ramasser un objet par terre. En se relevant, elle lui glissa :

— Après dîner, nous reviendrons pour la prédication à basses vêpres[1]. Attends-moi.

En cette période de carême, les fidèles retournaient à l'église dans l'après-midi afin d'écouter un prédicateur prêchant sur un sujet important.

Elle s'éloigna et il demeura figé, le cœur battant.

Ne s'intéressant plus à Ferrière, il la suivit jusqu'à la rue des Tailleurs. Cette ruelle se situait près de la rue du Grand-Pont. Parfois Flore se retournait, vérifiant sa présence et il lui adressait des signes. Le couple et ses domestiques s'arrêtèrent devant une maison de deux étages, toute neuve et aux colombages finement ciselés. Les bois étaient colorés lie-de-vin et les plâtres peints d'un motif en feuilles de lierre.

Ils entrèrent.

Alaric s'approcha. L'enseigne au-dessus de la boutique montrait une sainte gardant des moutons. Ceux qui habitaient les lieux avaient du bien. Le maître de

---

1. Vers quatre heures de l'après-midi.

maison était riche. À coup sûr un drapier et non un tailleur. Comment Flore était-elle arrivée là ?

Pour ne pas se faire remarquer, il s'éloigna jusqu'à la rue du Pont où il acheta des oublies à un marchand ambulant, les mangeant sur une borne d'angle, sans perdre des yeux la maison à l'enseigne de la bergère. En même temps, il ne cessait d'échafauder des suppositions sur la présence de Flore et sur ce qu'il ferait après qu'il l'aurait revue.

Il avait complètement oublié Ferrière.

Le temps s'écoula et le froid devint vif. Mais alors qu'il désespérait, la porte s'ouvrit. Un valet sortit, suivi du marchand, de sa dame et des servantes. Flore se trouvait parmi elles.

Le marchand regarda longuement de part et d'autre de la rue et le vit. Son regard resta un instant posé sur cet homme d'armes, visiblement ni garde ni chevalier. Il dit quelques mots à sa dame et ils se mirent en route vers l'église.

Toute une foule bigarrée s'approchait du parvis. Il se murmurait que la prédication, faite par un chanoine, concernerait un hérétique condamné à être brûlé dans les jours prochains. À bonne distance, Alaric escortait le groupe de Flore.

Devant le parvis, tout le monde entra sauf la servante et le marchand. Celui-ci fit signe à Alaric d'approcher.

— Flore vient de me parler de vous. Vous seriez écuyer d'un puissant seigneur, m'a-t-elle dit, venant du lieu d'où elle a fui. Elle nous a tout raconté. J'ignore ce que vous lui voulez, mais elle est à notre service et je la protégerai comme un maître doit s'occuper de ses gens.

— Maître drapier, j'ai deviné que vous étiez drapier – l'autre hocha du chef –, Flore n'a rien à craindre de moi. Mon seigneur viendra vous parler, quand il aura terminé ce qu'il est venu faire dans votre ville.

Le drapier parut hésitant, embarrassé.

— Je vous laisse avec elle le temps de la prédication, dit-il.

Lui tournant le dos, il entra dans l'église. Ne restaient sur le parvis que Flore et Alaric.

Des habitants demeurant dans les maisons environnantes et ayant leurs épais volets de fenêtres ouverts auraient alors pu voir un robuste homme d'armes prendre dans ses bras une vigoureuse servante et la serrer contre lui.

— Alaric, Alaric ! fit-elle en se dégageant, riant et pleurant à la fois, que fais-tu ici ? Le seigneur d'Ussel serait-il aussi à Rouen ?

— Avant tout, Flore, je veux savoir, que s'est-il passé à Lamaguère ? demanda l'écuyer, le cœur serré.

— J'ai fui, Alaric... J'ai vu la mort de si près...

— Explique-moi, j'ai besoin de tout connaître...

Il la prit par le bras et ils firent quelques pas, pénétrant dans le cimetière proche.

— Je dormais... Avec Thomas... J'ai été réveillée par le bruit... Des coups, des cris... C'était la nuit, on n'y voyait goutte... Thomas m'a mis une main sur la bouche et m'a tirée jusqu'au coffre, il m'a murmuré de ne pas sortir et m'a passé ce qu'il avait de plus précieux autour du cou. Puis il a sorti le contenu du coffre et m'a recouverte avec, après que je m'y fus allongée. J'étais terrorisée. J'ai entendu Jeanne mais son gémissement a été étouffé... puis l'enfantelet... Thomas a posé sur moi une pièce de tissu, des guêtres, des armes et d'autres équipements, puis a fermé le couvercle. J'étais écrasée, oppressée...

Alaric commençait à comprendre.

— Je n'entendais rien, j'étouffais... C'était comme une tombe. Soudain, on a ouvert le coffre. J'ai cru que Thomas revenait mais comme il ne disait rien, je n'ai pas bougé. « Personne ! » a grondé une voix. « Fouillez partout ! Il me faut l'étoffe ! » a ordonné un autre. Ils étaient plusieurs et parlaient dans des langues que je ne comprenais pas. Je priais pour mon âme, sachant que j'allais mourir, terrorisée par ce que ces soudards me feraient avant de me tuer.

» Quelqu'un a sorti les armes et ce qu'il y avait sur moi. J'ai senti une main et compris que tout était fini. À cet instant, des jappements ont retenti, la main a disparu et une voix a lancé : « Des chiens ! Filons ! » Un autre a dit : « Thomas n'a rien sur lui. »

» Il y eut encore du vacarme, puis le silence est revenu. Au bout d'un moment, je suis sortie. Je n'y voyais rien. À tâtons, j'ai descendu l'échelle, et, en bas j'ai heurté un corps... J'ai touché le visage, c'était Thomas... J'ai senti le sang... la mort. J'ai tâtonné autour de moi... J'ai découvert les cheveux de Jeanne, poisseux... des boyaux tout chauds... Le corps de l'enfant...

Pâle comme une trépassée, elle éclata en sanglots et Alaric la serra contre lui pour la réconforter.

— J'ai pensé à chercher de l'aide, reprit-elle dans ses larmes, mais je me suis dit que ceux qui nous avaient attaqués avaient sans doute pris d'assaut les autres maisons, et peut-être le château. J'étais certainement la seule survivante. Je suis remontée au grenier, j'ai saisi mon manteau, mis mes soliers, rassemblé le peu que je possédais. Soudain, je me suis souvenue où Thomas cachait sa bourse, dans une fente du mur, j'ai fouillé, elle y était, je l'ai emportée.

» J'ai marché dans le noir, vers le prieuré. Il y avait un peu de lune. Je me cachais au moindre bruit. La nuit a commencé à s'effacer. Passé le prieuré, j'ignorais où je me trouvais. J'ai suivi un chemin, au hasard... Plusieurs fois, j'ai entendu des chevaux, je me glissais alors dans les fourrés... J'ai évité les villages, les fermes. La nuit tombait quand j'ai aperçu les murailles d'une grande ville, j'étais épuisée, affamée, transie, mais c'était si loin, trop loin... Je me suis couchée au bord de la route, et j'ai entendu des voix. Cachée par des arbres, il y avait une maison tout près... un hôpital pour les pèlerins et les pauvres voyageurs. J'ai tiré la cloche et une sœur m'a ouvert. On m'a donné à boire, à manger, on m'a réconfortée et offert un lit.

» Je suis restée deux jours, je ne savais que faire jusqu'à ce qu'arrivent des pèlerins venant de Compostelle. Je me suis souvenue de ce qu'avait dit notre seigneur sur les pérégrins. Ceux-là se rendaient à Rouen. Tiron était sur leur route et ils ont accepté de me prendre avec eux. Mes maîtres – elle désigna la maison – étaient parmi eux. Ils furent bons avec moi et quand on est passé près de Tiron, je les ai suppliés qu'ils me gardent à leur service. Que serais-je devenue à l'abbaye ? C'est le Seigneur qui les avait mis sur ma route, et je ne l'ai jamais regretté... Je prie chaque jour pour Thomas, pour Jeanne, pour Godefroi et l'enfantelet.

Il lui caressa doucement les cheveux, et, comme elle ne disait plus rien, il expliqua à son tour :

— Le matin, on a été prévenu du massacre. Le seigneur nous a fait armer et on est partis sur la piste des meurtriers... Le seigneur pensait que c'était toi qui avais fait venir ces tueurs...

— Non ! Non ! cria-t-elle, horrifiée.

— Je ne l'ai jamais cru... On a suivi leur piste... Durant plusieurs jours... Ils étaient sept et je connais leur chef.

— Tu le connais ? Comment ?

— On nous a dit son nom. Il se trouve à Rouen pour l'heure. On est venu pour le punir.

— Quoi ?

Elle parut terrorisée.

— Il se nomme Le Maçon, c'est un clerc de Falcaise.

— J'ai entendu maudire ce nom de Le Maçon. C'est lui qui réclame tant d'impôts à mon maître... Quant à Falcaise ! Ses gens nous tyrannisent... Ils ont fait pendre un tonnelier...

— Je sais, j'y étais... Alors qu'on les suivait, on a découvert une abbaye ravagée... Le Maçon s'était acoquiné avec des bandits et ils avaient massacré les moines...

— Pourquoi ?

— Pour voler une relique...

Elle blêmit.

— Une relique... Thomas gardait une sainte relique, dit-elle, d'une voix sourde.

— Thomas a écrit par terre : XCS FACIES, « Le visage du Christ »... C'était pour la relique ?

— Oui... C'est cela qu'il m'avait passé autour du cou... Une divine relique qu'il ramenait de Terre sainte. Il me la montrait chaque soir et nous priions devant.

— Qu'est-ce que c'était ?

— Le saint suaire ayant enveloppé le corps de Jésus-Christ. Par un miracle du Seigneur, le corps et le visage de Son fils crucifié y avaient laissé leur trace.

— Comment cela ?

— Je ne sais, mais ce saint drap montrait le corps du Christ, comme s'il avait été peint, et surtout Son visage, Ses traits si bons, la couronne d'épines qui Le faisait souffrir et les marques des clous à Ses poignets.

Alaric fut médusé. Flore aurait vu le visage du Seigneur Dieu ? Ressentant un étrange mélange de bonheur et de crainte, il demanda :

— Où est ce saint drap ? Je veux le voir, moi aussi.

— Hélas, je ne l'ai plus, mon doux ami. Une nuit, l'hôpital où nous dormions a pris feu. Étouffée par la fumée, je fuyais comme les autres quand je me suis rendu compte que j'avais oublié la sacoche contenant le suaire. Je suis revenue, j'étais brûlée de partout mais je devais le retrouver...

Elle releva les manches de son bliaud, montrant la peau de ses bras aux cicatrices plissées.

— Les flammes m'ont entourée. Une poutre enflammée est tombée sur le sac comme je le saisissais. Je ne pouvais le reprendre... Je l'ai ouvert et j'ai tiré... Et seulement un morceau s'est détaché... À ce moment, mon maître, qui m'avait suivie m'a attrapée et emmenée... Je n'ai gardé qu'un fragment.

— L'as-tu toujours ?

Elle souleva son bliaud, lui laissant voir ses cuisses blanches et son ventre. D'une poche intérieure, elle tira une bande de lin déchirée qu'elle lui présenta. Un sceau de plomb marqué SB y était attaché ainsi qu'une médaille et un papyrus cousu dans la toile sur lequel on distinguait vaguement les mots IN NECEM ΝΑΖΑΡΕΝΟΣ.

— Je ne vois pas le visage de Notre-Seigneur, fit-il, déçu.

— Je sais, mais je sais aussi que ce tissu a enveloppé le corps du Christ, et cela me suffit.

Il prit la sainte étoffe et l'embrassa plusieurs fois avec une immense dévotion.

— Comment Thomas avait-il pu obtenir un objet aussi saint ? interrogea-t-il alors, pris d'une subite défiance.

— Thomas n'était pas celui qu'il disait être. Il m'avait révélé la vérité sur sa vie. Il était sergent du Temple et escortait un chevalier apportant cette relique à Acre. Ils ont été attaqués par des Sarrasins et Thomas fut le seul survivant. Son seigneur lui avait confié la relique, et comme il voulait abandonner le Temple depuis longtemps, il a décidé de prendre le bateau à Acre. C'est là que je l'ai rencontré.

Maintenant, tout était clair pour Alaric. Il comprenait mieux quel genre d'homme était son adversaire.

— Il faut que tu te justifies auprès de notre seigneur, dit-il. Tu dois lui révéler la vérité.

— Mais s'il croit que je suis une criminelle... Il me punira !

— Non, je te défendrai et il m'écoutera, je suis son écuyer. Je veux que tu reviennes avec nous à Lamaguère.

Elle garda le silence.

— Veux-tu qu'on aille le voir maintenant ?

— Non ! lâcha-t-elle, terrorisée. J'ai trop peur... Et mes maîtres m'attendent.

— Demain, alors. Je viendrai te chercher.

Elle marqua une hésitation avant de répondre :

— Demain, d'accord... Je vais leur parler à nouveau ce soir... Je les convaincrai de me laisser sortir.

— Ne leur dis rien sur Le Maçon. Ne donne pas le nom de notre seigneur. Personne ne doit savoir qu'il se trouve à Rouen.

— N'aie crainte. Je serai là au lever du soleil. Je t'attendrai.

Elle hocha la tête et s'éloigna de lui. Le cœur serré, il resta à la regarder jusqu'à ce qu'elle soit rentrée dans l'église.

Il n'avait pas senti le temps s'écouler et pourtant l'obscurité s'étendait. La prédication se terminait.

Brusquement, Alaric se souvint de Ferrière. Il se précipita au Lion-d'Argent, mais l'arbalétrier n'y était pas et personne ne l'avait vu. Le Toulousain partit aussitôt vers l'auberge Saint-Maclou. Mais en ce dimanche, la grande salle était fermée. Certes on entendait du bruit, car il y avait les voyageurs qui y logeaient, mais quand il frappa à l'huis, l'hôtelier ne lui ouvrit pas.

Alaric repartit donc, décidé à revenir le lendemain. Au Lion-d'Argent, il parvint à se faire servir un maigre repas de carême constitué d'une soupe aux pois et de bouillie d'orge arrosée d'eau. Ferrière n'avait toujours pas réapparu.

Il monta dans sa chambre, plein d'inquiétude. Après avoir retrouvé Flore, il avait éprouvé un immense bonheur, mais l'absence de son maître, puis de Ferrière, le faisaient revenir à la réalité. Un sombre pressentiment lui broyait le cœur. Sans maître pour lui donner des ordres, sans compagnon, dans une ville dont il comprenait mal la langue, Alaric avait l'impression de se retrouver enfermé dans une nasse hostile par un adversaire maléfique.

Il dormit mal, d'un sommeil entrecoupé des ronflements de ses voisins, des piqûres de punaises et de poux et surtout de cauchemars dans lesquels Le Maçon le faisait tirer sur une claie avec Flore, avant qu'ils ne soient tous deux pendus.

# Chapitre 31

Le dimanche au lever du soleil, Guilhem et Peyre, qui avaient emporté vielle à roue et tambourin en plus de leur épée, se rendirent aux Trois-Moutons et montèrent dans la chambre du sergent de Thomas de Furnais. Seul et désemparé après une nuit d'angoisse, car son maître n'était bien sûr pas revenu, l'homme d'armes ne savait que faire.

— Reste dans la salle en bas toute la journée, lui ordonna Guilhem. Je reviendrai ce soir avec du nouveau.

Puis, toujours avec Peyre, il fila jusqu'au cimetière du prieuré Saint-Lô.

Les façades des maisons à pans de bois étaient alors construites à plat, sur le sol. Avec des chevilles, les charpentiers assemblaient poteaux, sablières, allèges et écharpes des futurs murs pignons, puis déplaçaient cette armature à l'endroit où la maison serait construite. Ces cadres étaient dressés sur des soubassements de pierre, parfois en plusieurs parties quand les étages et le grenier s'étalaient en encorbellements. Ensuite, le hourdis, c'est-à-dire le remplissage entre les colombes, se faisait en torchis, ou plus généralement en plâtre.

Évidemment, il fallait de la place pour assembler ces armatures, et, dans une ville, cet espace n'était disponible que dans les cimetières entourant les églises.

C'était la raison pour laquelle un charpentier avait entreposé poteaux et sablières d'une maison en construction dans celui du prieuré de Saint-Lô.

La veille, Guilhem avait remarqué les travaux. Cette fois, il examina le chantier en cours, désert puisqu'on était dimanche, et s'assura qu'on pouvait aisément s'y dissimuler. Il y avait même une cabane servant au rangement des marteaux et chevilles. Pendant ce temps, Peyre, dans la rue, surveillait la maison de Le Gros.

Enfin, celui-ci sortit de chez lui, revêtu de sa robe rouge de cérémonie bordée d'hermine et entouré de plusieurs domestiques. L'un d'eux alla chercher un âne gris dans une étable, puis aida son maître à monter dessus. Ainsi l'échevin ne se crotterait pas dans les rues boueuses.

Guilhem et Peyre le suivirent à bonne distance, jusqu'à la cathédrale.

Notre-Dame de Rouen était un lieu de vie et de rencontre pour les Rouennais. Ouverte chaque jour à l'aurore pour les habitants du quartier qui venaient assister à la messe matinale avant d'aller travailler, les réunions et les services religieux se succédaient dans l'église toute la journée au gré des carillons. Après la première célébration suivait la réunion du chapitre, puis chanoines, chapelains et clercs, installés dans les stalles du chœur, entonnaient psaumes, antiennes et hymnes avant la grand-messe. Dans la soirée, il s'agissait plutôt des messes basses des confréries qui se déroulaient dans les chapelles latérales.

Si l'affluence était toujours importante en semaine, en ce dimanche de carême le parvis et les travées dégorgeaient de monde. De plus, toutes sortes de boutiques de bimbeloterie s'étaient installées le long des échafaudages de reconstruction de l'édifice. Véritable foire au petit pied, on y vendait des tambours, des sifflets, des épées de bois et même des arcs pour enfants, à l'imitation de ceux de leurs pères s'ils appartenaient à une compagnie d'archers.

Raoul Le Gros rejoignit les drapiers de sa confrérie qui attendaient sur le parvis pendant que Guilhem et Peyre recherchaient un endroit pour donner aubade. Jongleurs, ménestrels, dresseurs d'animaux, marionnettistes et joueurs de viole étaient nombreux. Bien sûr, les premiers arrivés obtenaient les meilleures places, mais Guilhem ne tenait surtout pas à se mettre au premier rang. Il s'installa donc devant l'église Saint-Herbland[1], située en face du parvis de la cathédrale, où se trouvaient déjà quelques ménétriers qui, de prime abord, le reçurent fort mal. Mais sa carrure et celle de Peyre, ainsi que les épées à leur taille, incitèrent les jongleurs aux concessions. D'ailleurs, Guilhem, qui ne voulait pas attirer l'attention par une querelle, leur proposa, étant nouveau à Rouen, de partager ses aumônes avec eux, ce qui les satisfit pleinement.

Accompagné d'un Peyre frappant sur son tambourin, il interpréta deux ballades sur Richard Cœur de Lion, attirant de nombreux badauds et obtenant des vivats. En même temps, il surveillait Raoul Le Gros et ses amis qui patientaient toujours sur le parvis ; les cloches n'avaient pas encore appelé à l'office.

Ensuite, ils cédèrent la place à un baladin aperçu le jour de leur arrivée, celui qui faisait jouer de la harpe à sa chèvre. Pendant ce temps, Guilhem s'assit sur une portion de l'ancien mur ruiné qui entourait jadis le

---

1. Cette église, la plus proche de la cathédrale, avait été choisie par le chapitre pour la cérémonie de réception de l'archevêque. Après son élection, celui-ci venait de l'abbaye de Saint-Ouen et, une fois à Saint-Herbland, se rendait nu-pieds dans sa cathédrale, où il reprenait ses chaussures.

parvis. Un vieillard et son fils s'installèrent près de lui. Après avoir échangé quelques remarques sur la chèvre savante, Ussel apprit d'eux qu'ils étaient savetiers et attendaient les autres membres de leur confrérie.

Avec les processions de moines qui affluaient, la foule était maintenant considérable. La place fut comble après l'arrivée du maire et des échevins en bliaud de laine doublé d'hermine, balandras ou chape par-dessus. Les deux savetiers s'impatientaient : leurs compagnons n'étaient toujours pas là. Guilhem en profitait pour se faire désigner tel ou tel qu'il ne connaissait pas.

Soudain retentit une cavalcade. Apparut un groupe de templiers avec servants, en grand manteau blanc, suivi de près par une troupe de chevaliers normands et d'écuyers venant du Grand-Pont. S'interpellant bruyamment, ces derniers laissèrent leurs montures à des gamins qui les conduisirent sous un auvent de bois.

Sous leurs manteaux, chevaliers et écuyers étaient revêtus de robes fendues, pour monter en selle, ou portaient des cottes de laine et des surcots brodés aux armes du roi Jean. Guilhem les examina sans les reconnaître. Pourtant, quand l'un d'eux tourna la tête pour s'adresser à un écuyer, son sang se figea et il sut Furnais perdu.

C'était Peter Mauluc ! Ainsi l'écuyer d'Étienne de Dinant avait été adoubé chevalier et faisait désormais partie des proches du roi Jean ! Cette découverte confirma les craintes qu'il avait éprouvées sur l'entreprise de Furnais. Tout n'était que falace et piperie depuis le début. Mauluc était l'instigateur de la disparition de son ami.

L'ancien écuyer de Dinant interpella plusieurs chevaliers avec assurance. Il affichait une expression de vanité suffisante insupportable : celle d'un homme venant de réussir une belle entreprise, se dit Guilhem.

En frissonnant, Ussel releva le capuchon de sa casaque, persuadé que si Mauluc le voyait il le reconnaîtrait sans peine. Prenant ensuite Peyre par l'épaule, il se leva pour se diriger vers la tour de l'église la plus éloignée, puis tous deux quittèrent le parvis.

— Que se passe-t-il, seigneur ? demanda Peyre, intrigué. On dirait que vous avez vu le diable...

— C'est cela, Peyre... Peut-être pas le diable mais certainement un de ses familiers... Je vais te raconter pendant que nous rejoindrons Alaric et Ferrière...

Mais au Lion-d'Argent, ils ne trouvèrent ni l'un ni l'autre.

Ils retournèrent aux Trois-Moutons. Le sergent de Furnais attendait. Guilhem lui dit de prendre le roussin et ils partirent au cabaret de La Hure. À la table de la taverne, l'ancien capitaine de Guilhem vidait des pots avec des clients déjà ivres. Il se leva en chancelant en les voyant entrer.

— Tu as besoin de moi, fils ? demanda-t-il d'une voix pâteuse.

Guilhem le prit par l'épaule pour l'entraîner vers la cour de la gargote.

— Tu n'aurais pas un surcot aux armes du roi Jean ou à celles de Falcaise ?

— Non, mais je peux t'en dénicher un d'ici demain.

— Trop long ! Je me servirai moi-même. Je trouverai bien un garde ivre dans un tripot...

Le Brabançon parvint à éloigner les brumes de l'alcool et se rappela :

— J'ai encore mon ancien surcot, celui que je portais avec Louchart...

— Peint au triple léopard d'or d'Angleterre sur gueule écarlate ?

— Oui.

— Ça devrait faire l'affaire. Montre-le-moi !

Derrière la salle du cabaret, qui servait aussi de cuisine, s'étendait une longue pièce faisant office d'entrepôt et de chambre. Contenant deux couchettes et un coffre, c'est là que Guilhem et Peyre passaient la nuit.

Ils s'y rendirent et le manchot tira du coffre une tunique de laine sans manches qui avait été rouge et sur laquelle étaient peints trois lions jaunis.

Guilhem la prit et la tendit à Peyre.

— Tu l'enfileras sur ta broigne. Changeons-nous et armons-nous. Nous devons inspirer la même peur que les gens de Falcaise.

Ils repartirent vers le cimetière du prieuré Saint-Lô. L'endroit était toujours désert. En chemin, Guilhem avait expliqué son rôle au sergent de Furnais : rester dans la rue et courir les prévenir à la sortie de Le Gros. Les prédications du carême se faisaient avant vêpres, l'échevin ne pouvait manquer de s'y rendre.

Quant à eux, ils s'installèrent sur les fermes de la maison en construction, à l'abri des regards.

C'est en milieu d'après-midi que l'échevin reparut, entouré du même équipage de domestiques.

Prévenus, Guilhem et Peyre quittèrent le cimetière pour se diriger martialement vers le groupe.

— Dieu vous bénisse, maître Le Gros, déclara Guilhem très froidement, la main sur sa lourde épée. C'est le noble seigneur Mauluc qui nous envoie.

— Sire Mauluc... Que me veut-il ? bredouilla l'échevin, particulièrement surpris, son regard s'attardant un instant sur le surcot de Peyre.

— Je l'ignore, maître Le Gros, j'ai seulement ordre de vous conduire près de lui, à la citadelle. J'ai cru comprendre qu'il s'agissait d'un chevalier nommé Thomas de Furnais.

— Mais... Je ne peux pas... On m'attend à la cathédrale.

— Sire Mauluc nous a ordonné de vous ramener, insista Guilhem d'un ton sans réplique.

Le Gros balaya les alentours, comme pour chercher de l'aide de la part de ses serviteurs. Mais ceux-ci restèrent impassibles, bien trop terrorisés.

— J'insiste, maître Le Gros, gronda Guilhem. À moins que vous ne vouliez fâcher messire Mauluc, et notre bien-aimé duc Jean...

— Non, non, Je vous suis. Mais... mes domestiques...

— Inutile de monter sur votre âne, dit Guilhem, nous passerons par le cimetière pour aller plus vite. Messire Mauluc est pressé.

— Hélier, ordonna Le Gros à un domestique, va prévenir le maire de mon absence. Vous autres, rentrez donc ! Je reviendrai seul, messire Mauluc me fera certainement raccompagner.

Guilhem et Peyre encadrèrent l'échevin et se dirigèrent vers le cimetière. Comme celui-ci était entouré d'un mur, ils échappèrent à tous regards et, passant près de la cabane du charpentier, Guilhem saisit le drapier par le col pour le bousculer à l'intérieur. Peyre resta devant la porte à monter la garde.

— Quoi... Vous êtes fou ! glapit le bourgeois.

Guilhem le gifla avec violence à plusieurs reprises avant de lui dire :

— Crie et je te saigne, compris ?

Hagard, le nez ensanglanté, les yeux exorbités, Le Gros s'urina dessus.

— Thomas de Furnais est venu te voir hier matin, lui dit Guilhem. Raconte...

L'autre secoua négativement la tête, terrorisé mais refusant d'avouer.

— Thomas à qui tu avais écrit !

Le drapier continuait à secouer le chef.

Guilhem tira sa dague, attrapa les cheveux de sa victime en faisant tomber son bonnet et, d'un coup sec, lui trancha l'oreille droite.

Le Gros ouvrit la bouche pour hurler mais, lâchant ses cheveux, Guilhem l'avait frappé à nouveau, lui brisant plusieurs dents et le faisant taire.

L'autre tomba à genoux en sanglotant.

— Maintenant, écoute-moi bien, damné pourceau ! Ou tu me dis ce qui s'est passé, ou tu perds ton autre oreille et ensuite tes doigts, tes génitoires, tes mains, tes pieds et le reste. Je n'ai pas le temps d'attendre. Parle !

— J'étais obligé... Seigneur... C'est messire Mauluc... Il savait que je connaissais le seigneur de Furnais.

Comme Guilhem se faisait silencieux, mais toujours menaçant, la dague ensanglantée à la main, Le Gros poursuivit, bafouillant de peur et incapable d'articuler correctement à cause de sa mâchoire disloquée :

— L'été dernier, après la capture du duc Arthur, j'ai dû écrire au seigneur de Furnais... Je lui proposais l'appui des bourgeois de la ville contre le roi Jean. Je lui ai envoyé plusieurs fois des messagers à la cour du roi Philippe pour le faire venir. Mauluc dirigeait ma main.

— Que s'est-il passé, hier ?

— Le seigneur de Furnais est venu vendredi, je n'étais pas là, mais mon intendant avait ordre de dire à tout visiteur de repasser le lendemain s'il donnait le mot : Richard et Geoffroy. Le seigneur de Furnais l'ayant prononcé, mon domestique lui a fait la commission. Messire de Furnais est donc revenu. Je lui ai annoncé que le duc Arthur se trouvait dans la citadelle, mais qu'il existait un moyen d'entrer dans la tour où on le gardait captif.

— C'était vrai ?

— Je l'ignore, seigneur, c'était juste un ordre de messire Mauluc, mais j'avais été instruit de détails véritables et convaincants sur l'emprisonnement du duc à Falaise. Furnais m'a donc cru. Je lui ai proposé de rencontrer quelqu'un qui lui montrerait l'endroit où Arthur était prisonnier et il s'est rendu chez lui... Je ne sais rien d'autre.

— Mauluc l'attendait ?

— Je l'ignore, seigneur. Je ne sais rien de plus, je le jure, pleurnicha le félon.

Sous l'émotion et la douleur, il se mit à sangloter en se traînant aux pieds de Guilhem.

Celui-ci lui asséna un violent coup de pied, l'écartant comme une vermine. Il était inutile de le tuer pour l'instant, jugea-t-il.

— Quitte Rouen pour toujours, l'ami, va te terrer au bout du monde. Quand Furnais reviendra, la première chose qu'il fera sera de s'occuper de toi...

Guilhem, Peyre et le sergent de Furnais quittèrent le cimetière pour retourner au cabaret de La Hure. Là-bas, Ussel s'installa dans la chambre avec eux et raconta tout.

— Parlons franc, Furnais est peut-être mort. En vérité, je le lui souhaite.

Devant l'air indigné du sergent, il ajouta :

— Mais connaissant Jean, je crains que non, auquel cas Thomas finira détranché, comme les autres chevaliers d'Arthur. Et nous ne pourrons rien faire !

Il s'adressa au sergent :

— Alaume, restes-tu à mon service ?

— Oui, seigneur. Je veux venger mon maître.

— Nous demeurons ici. La maison de La Hure est sûre. Peyre, tu es moins connu que moi, va au Lion-d'Argent et ramène Alaric et Ferrière. Ils doivent s'y trouver. Mais attention : ne dis rien de ce que nous avons fait ensemble aujourd'hui. Rien, tu as compris ?

— Oui seigneur, répondit tristement Peyre.

Mais à cette heure-là, Ferrière était absent et Alaric se trouvait justement devant l'auberge Saint-Maclou, close, où il était venu rencontrer son maître.

# Chapitre 32

À l'aube du lundi matin, le froid se faisait piquant quand Alaric se rendit à l'écurie où il avait laissé son cheval. La monture n'y était plus. Ferrière l'avait prise.

Donc il avait quitté Rouen, conclut le Toulousain avec dépit. Ferrière craignait l'entreprise que conduisait son maître, et plus encore celle de Furnais. Le lâche avait pris peur. Alaric s'avoua quand même attristé de ce départ. L'arbalétrier était un jovial compagnon qu'il regretterait.

Il partit alors pour la rue des Tailleurs. S'installant sous les colombages de la maison du drapier, il attendit patiemment. Prime avait sonné depuis longtemps et il redoutait que Flore ne sorte pas quand, finalement, la porte s'ouvrit. C'était elle.

— J'ai promis à mon maître de revenir rapidement, dit-elle en s'approchant de lui.

Alaric en eut le cœur serré. Flore avait-elle décidé de ne jamais repartir pour Lamaguère ? Il est vrai qu'elle craignait la confrontation avec son seigneur, mais le Toulousain était persuadé de parvenir à le convaincre.

À proximité de l'église Saint-Maclou, la domestique commença à traîner le pas avant finalement de s'arrêter à peu de distance de la porte de l'auberge.

— Alaric, vas-y seul, j'attendrai sur le parvis.

— Tu ne risques rien avec moi, Flore ! insista-t-il.

À cet instant une servante sortit de l'auberge avec deux seaux à remplir au Robec.

Devinant des amoureux, elle leur sourit d'un air narquois.

— Parle au seigneur, supplia Flore. S'il accepte de m'entendre, sors et fais-moi signe. Du parvis, je te verrai et j'accourrai aussitôt. Je te le promets.

Comprenant qu'il n'arriverait pas à vaincre la peur de la jeune femme, il se résigna. Elle l'enlaça et lui donna un long baiser de reconnaissance.

La servante de l'auberge s'étant éloignée, Flore tira un morceau de tissu de sa large ceinture et le glissa dans la partie lacée de sa broigne.

— Garde le saint linge avec toi, le seigneur Dieu veillera ainsi sur toi.

Ébranlé par cette preuve de confiance, Alaric entra dans la salle presque vide. À une table, il vit quatre moines bénédictins en habit noir. Capuchons rabattus sur leur tête, ils venaient sans doute de Saint-Ouen.

Il s'assit à une autre table. Son maître n'était pas là. Devait-il interroger l'hôtelier ? Il décida d'attendre un moment et fit signe à un valet qu'on lui porte soupe et vin.

Pendant qu'il observait le domestique emplir une écuelle d'une épaisse soupe versée sur une tranche de pain, les moines se levèrent. Tant mieux, se dit-il, il pourrait parler librement après leur départ.

Les frocards passaient derrière lui quand il sentit la pointe aiguisée d'une lame dans son dos.

— Bouge pas, compère !

Il tenta de protester mais la lame perça son manteau et sa broigne, lui déchirant la chair douloureusement. Il cessa donc de se débattre et ses agresseurs en profitèrent pour lui passer une corde au cou, que l'un d'eux serra avec dextérité. Il comprit qu'ils allaient le pendre, mais pourquoi ? Que lui voulaient ses moines qu'il ne connaissait pas ?

Jeté au sol d'une violente bourrade, il fut tiré sur la paille. Il attrapa à deux mains la corde qui l'étranglait et tenta de la desserrer mais il reçut des coups si douloureux qu'il dut lâcher prise. Il sentit qu'on attachait une autre corde à ses chevilles.

— Que faites-vous ? entendit-il.

C'était l'aubergiste.

— Ordres du seigneur Falcaise, répliqua l'un des moines en baissant son capuchon. Ce truand est un voleur qu'on suit depuis plusieurs jours. Il a rapiné l'abbaye de la Sainte-Trinité.

Falcaise ? C'était Falcaise qui le faisait saisir ! Mais pourquoi l'accusait-on de vol ?

Ces questions se bousculèrent dans l'esprit d'Alaric. Il tenta de parler, de se défendre mais le lien l'étranglait trop. La respiration lui déchirait les bronches. Comme on avait attaché une des cordes à un poteau soutenant le plafond de la salle et l'autre à un anneau, il tenta à nouveau de desserrer l'étreinte de son cou, mais les moines lui saisirent les poignets et les entravèrent. Il haleta dans des grondements étouffés, ligoté comme un lièvre à vendre au marché.

Il vit alors les moines, satisfaits, ôter leur robe de bure. Dessous, ils portaient un surcot sans manches arborant les cinq feuilles écarlates, mais ce qui atterra Alaric, ce fut le visage du quatrième moine.

Ferrière ! Il tenta à nouveau de parler mais on lui enfonça un tissu dans la bouche.

La veille, à la sortie de la messe, Ferrière s'aperçut qu'il était seul. Alaric était enfin parti, visiblement à la poursuite de quelque bagasse ! Une chance à ne pas laisser passer.

Il fila aussitôt vers la maison de Le Maçon.

Le nouveau chanoine n'était pas arrivé et Ferrière attendit longtemps quand, enfin, il l'aperçut franchir la porte Beauvoisine accompagné de cinq gardes armés.

Le Maçon, en robe et sans armes, montait une jument grise. S'approchant de sa maison, il reconnut Ferrière et plissa le front, marquant sa surprise ou son inquiétude.

— Que fais-tu là, maraud ? lui lança-t-il tandis que ses hommes, devinant un péril, tiraient leur épée ou détachaient leur hache.

Ferrière s'agenouilla avec humilité.

— Maître et seigneur Le Maçon, je reste votre serviteur, je suis venu vous prévenir d'un danger qui menace.

— Vous autres, prenez son épée et conduisez-le dans ma chambre, décida le chanoine.

Ferrière fut saisi sans ménagement tandis qu'un garde faisait ouvrir la porte ferrée. L'ancien clerc de Fontevrault entra, bousculant les serviteurs qui l'attendaient.

Dedans, Le Maçon interrogea son intendant pour savoir s'il avait observé quelque chose d'anormal et lui ordonna de faire monter des guetteurs dans la tour. Après quoi il se rendit dans sa chambre où les gardes avaient déjà entraîné l'intrus. L'arbalétrier était entravé sous la surveillance de deux hommes. Le clerc les fit sortir afin de rester seul avec lui.

— Maintenant, raconte ! ordonna-t-il.

— Je suis à Rouen avec le seigneur d'Ussel, maître. Il est à votre poursuite.

L'affirmation laissa Le Maçon interloqué. Il lui fallut un instant pour poursuivre :

— Pourquoi ?

— À cause des meurtres de Lamaguère. Il vous a poursuivi le matin même, durant huit jours. J'étais avec lui et il a retrouvé votre trace jusqu'à l'abbaye de Marcilhac.

— Tu m'as trahi ! rugit le clerc.

❧

Tout avait commencé à Marseille, lors du débarquement de la nef venant d'Acre.

Sur le quai, le clerc de Fontevrault surveillait Thomas après avoir écouté sa conversation avec un seigneur voulant engager des hommes d'armes. Quand il l'avait entendu accepter de l'accompagner, le dessein qu'il méditait – c'est-à-dire de le saisir en cours de route – s'était révélé irréalisable. Certes, il pouvait suivre ce Guilhem d'Ussel jusqu'à sa destination, mais il se ferait certainement remarquer.

Cependant, Le Maçon avait observé que ce seigneur proposait à plusieurs arbalétriers de les engager. Un calcul avait donc germé dans son esprit. Le soir, dans la taverne où logeaient les pèlerins et les arbalétriers, il avait réussi à en attirer un à l'écart. Ferrière.

— L'ami, avait-il dit, que dirais-tu de dix pièces d'or ?

— Qui n'en voudrait, messire ?

Il avait alors expliqué suivre un nommé Thomas qui lui avait fait du tort. Or, ce Thomas venait d'entrer au service d'un seigneur, le même qui voulait l'engager.

— Tu n'as qu'à aller trouver ce sire et lui expliquer que tu acceptes finalement sa proposition. Ensuite, tu ne perdras pas Thomas de vue et, une fois qu'il aura pris logis quelque part, tu viendras me prévenir à Toulouse.

— Je ne peux pas, messire, je dois ramener mes pèlerins à Rouen.

— Tant pis pour eux, ils ont d'autres hommes d'armes. J'irai jusqu'à vingt pièces pour te convaincre.

Pauvre, Ferrière n'avait pas plus hésité et, à Lamaguère, quand son maître avait décidé de se rendre à Toulouse, il s'était porté volontaire.

388

Là-bas, il avait quitté quelques heures l'auberge, prétextant aller prier. Il avait retrouvé Le Maçon à l'hôtellerie du Loup où le clerc l'attendait depuis plusieurs semaines avec ses hommes. Il avait raconté que Thomas vivait à Lamaguère avec Flore, dans la maison d'un archer gallois. Le Maçon, intrigué, lui avait demandé d'où venait ce Gallois et Ferrière avait répondu que son ancien maître était anglais et se nommait Robert de Locksley. Pour ces informations, il avait reçu dix pièces supplémentaires.

Le Maçon avait des Gallois dans sa troupe. Celle-ci était arrivée à Lamaguère quelques jours plus tard. La nuit tombée, l'un des Gallois avait frappé à la porte de Godefroi et déclaré venir de la part de Robert de Locksley. Godefroi avait ouvert sans suspicion, et le routier l'avait éventré.

Mais après avoir tué tout le monde, sauf Flore qui avait disparu, impossible de dénicher le linceul du Christ.

Depuis, Le Maçon était persuadé que Flore l'avait volé, sans doute quelques jours avant leur arrivée. Où pouvait-elle être ?

— Quand on vous poursuivait, on a rencontré quelqu'un qui avait entendu votre nom, seigneur...

La colère de Le Maçon s'éteignit aussi vite qu'elle avait surgi. Rassuré, son esprit méditait déjà une contre-offensive.

— Je te donnerai trente deniers pour être venu me prévenir, mais peu me chaut que ce Guilhem d'Ussel me cherche. Dis-moi où il loge et je le ferai saisir.

— Il y a une seconde raison à la venue du seigneur d'Ussel.

— Laquelle ?

— Je vous la révélerai contre cent pièces d'or, lâcha craintivement Ferrière.

La gifle le prit quand même par surprise.

— Vil pourceau ! Crois-tu faire de moi ce que tu veux ? Je vais te livrer au bourreau, et quand il t'aura tranché les génitoires, les oreilles et arraché les yeux, tu me diras bien où se trouve cet Ussel !

— Je résisterai, seigneur ! répliqua insolemment Ferrière, la bouche en sang. Peu vous coûtent ces cent pièces, car pour ce que je vous dirai, le roi Jean vous récompensera au centuple !

Le Maçon était d'un tempérament plus calculateur que coléreux. Il se calma.

— C'est Flore que je veux. Que sais-tu d'elle ?

— Rien, elle est morte, messire. Mais Ussel a plus de valeur que cette bagasse. Le roi Jean vous offrira une fortune quand il apprendra qu'il est venu à Rouen pour délivrer le duc Arthur.

— Quoi ?

— Oui, délivrer le duc ! s'exclama Ferrière, triomphant. On est ici avec Thomas de Furnais, l'ancien gouverneur d'Angers.

Sidéré, Le Maçon joignit l'extrémité de ses mains, comme pour réciter une prière. Si tout cela s'avérait, en le révélant au roi il deviendrait l'un de ses conseillers les plus appréciés, et en prime, saisirait ce Guilhem d'Ussel qui voulait lui porter tort. Ce Ferrière était adroit, indubitablement. Pourquoi ne pas en faire un serviteur ?

Il sortit la dague dissimulée dans sa robe, suscitant un cri de terreur de l'arbalétrier félon.

— Seigneur ! Je suis venu pour vous ! Pitié !

Sans répondre, Le Maçon se pencha vers lui et trancha ses liens.

— Lève-toi. Tu auras tes pièces d'or, je m'y engage. Je n'ai qu'une parole. Raconte-moi tout maintenant et je te garderai à mon service.

⚜

Après le récit détaillé de l'arbalétrier, Le Maçon l'interrogea :

— Si je t'ai bien compris, tu ignores où se trouve Furnais, tu loges avec cet Alaric, l'écuyer d'Ussel, et ton seigneur a pris logis à l'hôtellerie Saint-Maclou où il se fait passer pour un ménestrel. Mais quand tu y es allé, on ne le connaissait pas là-bas...

— Je crois que mon seigneur ne m'a pas révélé la vérité, sans doute n'a-t-il pas confiance en moi. Mais il n'aurait pas donné le nom de cette auberge pour rien. Soit il n'était pas encore là quand nous y sommes allés avec Alaric, soit quelqu'un devait guetter notre arrivée afin de le prévenir, et cette personne ne nous a pas vus.

Le Maçon se tritura le lobe d'une oreille. Si Furnais et Ussel ne se trouvaient pas au même endroit, difficile de les prendre ensemble. Ce Guilhem paraissait être un rude renard. C'est donc lui qu'il convenait de saisir en premier. Mais comment savoir où il se cachait ? De plus, il ne se laisserait pas faire, si on le dénichait. Or, lui-même ne disposait que de quelques hommes d'armes. Quant à faire appel aux gens de Falcaise, c'était courir le risque qu'une indiscrétion fasse échapper le gibier. Ces félons devaient avoir des complicités pour envisager une évasion du duc.

Certes, il pouvait aussi aller dénoncer le complot à Jean, mais le roi ne ferait pas mieux. Et les bénéfices pour lui seraient autrement importants s'il livrait la bande.

— As-tu une idée pour les prendre tous ? demanda-t-il, indécis.

— Je pourrais rester à l'hôtellerie avec vos hommes et dès que l'un de mes compagnons arrivera, le saisir, proposa Ferrière.

— Il filera dès qu'il t'aura vu !

— Il ne me reconnaîtra pas si je suis en froc avec un capuchon sur la tête.

— Admettons. Mais tes compagnons découvriront ce qui s'est passé, et ils changeront de cachette.

— Il suffit qu'ils ne l'apprennent pas, seigneur. Je ferai prisonnier le premier qui se présentera, sans attendre. S'ils sont deux, on en meurtrira un. Il suffit d'en garder un vivant pour l'interroger.

De nouveau Le Maçon réfléchit. Ce plan pouvait réussir. De surcroît, il n'en voyait pas d'autres.

— Entendu. Je te donnerai l'un de mes sergents. Sitôt l'arrestation réussie, il dira que vous venez de saisir un déserteur de Falcaise, ou un voleur. Ainsi, même si Ussel apprend l'arrestation, il ne pourra imaginer qu'il s'agit d'un de ses hommes.

L'Aubette était une rivière qui coulait aux pieds de la colline Sainte-Catherine et pénétrait dans Rouen par une voûte située sous les remparts. Elle alimentait ainsi les fossés. C'est entre le Robec et l'Aubette que se dressait la tour de la Clérette. Un édifice rond dont la partie basse servait de prison[1].

La Clérette avait d'abord été utilisée par l'official mais, située en face du Mont de Rouen, Falcaise se l'était fait attribuer pour enfermer les déserteurs, les ivrognes, les querelleurs, les fortes têtes, les félons et les espions. Ils n'y restaient que quelques jours, parfois quelques heures, dans l'attente de leur châtiment et, quand ce n'était pas une exécution capitale, de leur bannissement après avoir été essorillés.

C'est là que Ferrière et les gens de Le Maçon conduisirent Alaric. Lui ayant délié les jambes, on le fit monter sur le chemin de ronde, puis entrer dans la tour de défense.

---

1. Reconstruite plus tard, et de forme carrée, il s'agit peut-être de la tour de l'Aubette qui fut aussi une prison, à côté de la tour aux Normands.

En route, Alaric avait maudit Ferrière, lui lançant toutes les imprécations qu'il connaissait, ce qui avait entraîné de nouvelles violences.

— Depuis quand tu nous trahis ? demanda-t-il enfin, la face tuméfiée et n'ayant plus l'énergie de lutter.

— Tu n'as donc rien compris, pauvre sottard ? Le Maçon m'a pris à son service à Marseille pour tuer Thomas. C'est moi qui lui ai dit où il logeait à Lamaguère le jour où nous sommes allés à Toulouse !

— Pourquoi en voulait-il à Thomas ? s'enquit Alaric, désemparé.

Certes il savait désormais, grâce à Flore, que Le Maçon avait voulu s'approprier la relique, mais il se demandait ce que Ferrière connaissait de l'histoire.

Le traître haussa les épaules.

— Peu m'importe, mais ça m'a rapporté trente pièces d'or, et bien plus depuis que je t'ai livré !

— Le maître t'arrachera la peau du corps pour ta félonie.

Ferrière jugea inutile de répliquer. Sous peu Ussel se balancerait à une corde du donjon.

Du chemin de ronde, ils passèrent dans la tour de la Clérette. Une échelle permettait de descendre dans une salle voûtée, vide de tout meuble, sinon de chaînes. Là, les gardes ouvrirent une autre trappe, y placèrent l'échelle et, ayant détaché les mains d'Alaric, le firent descendre. Une fois qu'il fut en bas, ils remontèrent l'échelle et on ferma la trappe.

Comme dans la prison de Furnais, l'endroit puait la crasse et les excréments, mêlés aux odeurs de vase.

Encore sous l'emprise de la stupeur de sa capture, si soudaine et inexplicable, Alaric se tint un moment debout, parcourant le cachot du regard. En même temps, il passait la main dans sa broigne sous laquelle il sentait le précieux et rassurant linge ayant enveloppé le corps du Christ. Le Seigneur le protégerait.

Une poignée de prisonniers étaient allongés ou assis sur la paille. La lumière venait de minuscules ouvertures, près de la voûte.

— Alaric ! s'exclama quelqu'un.

L'homme d'armes de Guilhem d'Ussel se tourna dans la direction de la voix. Le ton ne lui était pas inconnu, mais ce n'était ni celui de son maître ni celui de Peyre. Il vit deux captifs à l'écart des autres. Qui pouvait le connaître ici ?

— Nous avons fait route ensemble jusqu'à Arles, intervint une seconde voix.

Qui étaient ces gens ? Intrigué, il s'approcha et les examina.

— Seigneur de Saint-Jean... Et vous, Gregorio ! Que faites-vous ici ? s'exclama-t-il.

# Chapitre 33

Saint-Jean répondit d'un ton ironique :

— Gregorio vous racontera cela mieux que moi, c'est lui qui m'a fait enfermer ici. Mais vous-même...

— J'ai été pris lors d'un combat.

— On livre bataille près de Rouen ? s'enquit Gregorio. Avec le roi de France ?

Alaric ne moufta pas et ils comprirent qu'il n'en révélerait pas plus.

— Gregorio, je crois qu'Alaric ne nous fait pas confiance. À juste raison, en ce qui te concerne.

Le Toulousain était déconcerté. Saint-Jean aurait-il été dénoncé par son comparse ? Pourtant, ces deux-là paraissaient s'entendre et même plaisanter.

— Je vais vous dire ce qui m'a conduit ici, poursuivit Saint-Jean à l'attention du Toulousain. Je suis resté avec le seigneur de Locksley et Gregorio jusqu'à notre arrivée à Paris. Dans cette ville, j'avais des affaires à régler avec un médecin, cela m'a pris deux mois et j'ai dû le suivre jusqu'à Rouen. Seulement, je ne m'étais pas rendu compte que Gregorio, ce petit scorpion, s'attachait à mes pas.

— Pourquoi ?

— J'avais quitté la Terre sainte avec une rare relique que l'on m'avait chargé de vendre : une épître écrite de la main de Paul.

— Saint-Paul ?

Alaric resta interloqué.

— Oui. Seulement, Gregorio le savait, car je l'avais montrée à son oncle Dodeo. Et ce Génois, voleur comme tous les Génois, avait chargé son neveu de me la rapiner.

Alaric regarda Gregorio non sans mépris.

— C'est la vérité, seigneur Alaric. Je suis un voleur, reconnut l'autre, pas particulièrement tourmenté par son état de coquin.

— À Rouen, Gregorio n'a rien trouvé de mieux que d'entrer au service d'un clerc qui se trouvait sur la nef nous ayant conduits à Marseille. Cet homme appartient à Falcaise, un capitaine d'armes au service du roi d'Angleterre dont vous avez dû entendre parler ici... Ces soudoyers sont à lui.

Il désigna les quatre hommes vautrés dans la paille devant eux.

— Falcaise de Bréauté ! Mon maître en a parlé. Ce clerc, ce serait Le Maçon ?

— Vous le connaissez ?

— Je l'ai seulement vu et on m'en a dit du mal.

— À juste raison ! Gregorio m'a saisi dans mon auberge avec des gens de Falcaise afin de voler ma relique, ignorant que, ayant été dépouillé par des gueux, je l'avais vendue à une abbaye pour obtenir quelque argent. Dès lors, ne sachant que faire de moi, il m'a enfermé ici.

— Ça s'est passé quand ?

— Voici quelques jours.

— Mais comment êtes-vous arrivé dans ce trou, Gregorio ?

— Lorsque Falcaise m'a pris à son service, il m'a placé sous les ordres d'un sergent nommé Béraire. Une sombre brute que je croyais pouvoir diriger. Je voulais la relique du seigneur de Saint-Jean, et rien de plus. J'ai raconté à ce sinistre sire que je connaissais un espion et que, si on le saisissait, le seigneur Falcaise nous récompenserait. De plus, je lui ai fait croire que cet espion était riche et qu'on pourrait le dépouiller. Comme je m'y attendais, Béraire a accepté. On a arrêté le seigneur de Saint-Jean, que je suivais depuis Paris, et pendant que Béraire fouillait ses affaires, j'ai tenté de récupérer la relique pour mon oncle. Mais elle n'était plus au cou de messire Saint-Jean.

Alaric observait que le chevalier souriait ironiquement.

— Ne sachant que faire, j'ai proposé à Béraire de l'emprisonner, poursuivit Gregorio. On l'a conduit ici, mais au moment de l'enfermer, Béraire m'a forcé aussi à descendre, la pointe de son épée sous la gorge.

— En bas, Gregorio a reçu la correction de sa vie, plaisanta Saint-Jean, et il m'a tout révélé.

Alaric remarqua alors les contusions que le Pisan portait sur le visage.

— Je l'aurais volontiers tué, ou au moins estropié à jamais, mais une remarque de ces gueux a retenu ma colère...

Il désigna les quatre estropiats couchés qui les considéraient sans aménité.

— J'ai compris qu'ils attendaient que j'en aie fini avec lui pour me dépouiller. De plus, je voulais savoir pourquoi il m'avait dénoncé alors que, sur la route de Paris, il avait sauvé la vie de mon cheval.

— J'ai révélé la vérité, fit Gregorio. Je ne suis qu'un voleur de relique et non un mauvais homme.

Il ajouta d'un ton indifférent :

— Le seigneur de Saint-Jean aurait pu me trucider. Il ne l'a pas fait et je suis désormais son serviteur.

Malgré cette affirmation, Alaric n'aurait pas parié sur la fidélité du coquin.

— Depuis, nous nous protégeons mutuellement contre ces truands, poursuivit Saint-Jean. Nous avons reçu deux pains comme nourriture. Un pour eux et un pour nous, plaisanta-t-il. Ce partage équitable nous contraint de sommeiller à tour de rôle.

— Nous serons trois, tant que je serai vivant, assura Alaric. Mais nous aurons besoin des deux pains. Je mange beaucoup !

Saint-Jean jeta un regard faussement peiné sur les quatre gredins.

— Le seigneur Le Maçon est venu peu après notre emprisonnement et nous a interrogés dans la salle du dessus, reprit Gregorio. Menacé du fouet, j'ai tout révélé. Le seigneur Le Maçon se méfiait de moi depuis le début et avait demandé à Béraire de ne pas me quitter des yeux. Je croyais les tromper et c'est moi qui étais berné.

— Mais vous, seigneur, on ne peut rien vous reprocher. Pourquoi ne vous a-t-on pas libéré ? demanda Alaric à Saint-Jean, peu intéressé par les confessions plus ou moins sincères du Pisan.

— Je l'ignore. Je pense que Le Maçon ne sait que faire de moi. Il envisage peut-être de demander une rançon à ma famille.

— Votre famille paiera, affirma Alaric.

— J'en doute.

Le silence s'installa. Alaric réfléchissait sur ce que lui-même devait révéler. Finalement, il raconta une histoire tronquée.

— Mon maître, le seigneur d'Ussel, dispose du fief de Lamaguère. En septembre dernier, Thomas, l'homme d'armes qu'il avait engagé à Marseille, a été tué ainsi que la famille chez qui il vivait. Nous avons poursuivi les meurtriers et découvert que c'étaient Le Maçon et sa bande de Brabançons. Ils se trouvaient sur la nef vous ramenant d'Acre…

Saint-Jean approuva du chef.

— Thomas possédait une relique que Le Maçon voulait s'approprier, mais il ne l'a pas obtenue, car Flore, la femme restée avec Thomas, l'avait gardée et était parvenue à se cacher durant la meurtrerie. Elle a fui avec.

— Mon oncle savait que Thomas possédait un objet précieux. Il voulait aussi que je le rapine, mais ayant appris, par vous-même, seigneur de Saint-Jean, l'existence de l'épître de Paul, il m'a chargé de vous voler vous, jugeant que ce serait plus facile.

— Tiens donc ! fit seulement Saint-Jean, le visage impénétrable.

— Ayant découvert que Le Maçon se trouvait à Rouen, nous sommes partis voici quelques semaines de Lamaguère pour venir le châtier, poursuivit Alaric. Ferrière, qui se trouvait avec vous sur la nef d'Acre et que mon maître avait engagé à Marseille, nous accompagnait. Or, Ferrière était un félon aux ordres de Le Maçon. C'est lui qui avait fait venir les bandouillers à Lamaguère. Mon maître devait s'en douter, car il m'avait dit de ne jamais le quitter. Hélas, je ne lui ai pas obéi. Tout est donc de ma faute. Ferrière m'a trahi et dénoncé. C'est lui qui vient de me livrer. Heureusement, il ignore où se trouve mon maître.

Alaric n'avait pas révélé la présence de Flore.

La conversation cessa. Saint-Jean méditait au concours de circonstances qui venait de les réunir. Tous les protagonistes de cette histoire se trouvaient sur la nef d'Acre. C'était un signe, une décision d'Allah le Miséricordieux. Mais comment interpréter cet augure ?

Deux ou trois heures avaient dû s'écouler quand la trappe s'ouvrit. Ferrière cria :

— Alaric, monte ou je viens te chercher avec un fouet.

Le Toulousain regarda Saint-Jean et Gregorio, s'attardant un instant sur le corps meurtri du Pisan, puis il se leva et escalada l'échelle, le cœur serré.

En haut, il découvrit l'arbalétrier, coutelas en main, deux gardes, dont un borgnat avec une balafre violette, et enfin Le Maçon, en robe.

Alaric fit comme s'il ignorait de qui il s'agissait.

L'ancien clerc fit signe aux gardes qui saisirent l'écuyer. Alaric n'essaya pas de se débattre, jugeant toute résistance inutile. On lui entrava les mains avant de le placer sous une corde accrochée par une poulie au sommet de la voûte. Les hommes lui attachèrent les poignets et le hissèrent lentement.

Dans une douleur indescriptible, Alaric eut l'impression que ses articulations se déchiraient et que ses os se déboîtaient. Il resta pendu à un pied du sol.

— Où est Guilhem d'Ussel ? demanda Le Maçon.

— À l'auberge Saint-Maclou, répondit Alaric dans un souffle. Ce pourceau de Ferrière a dû vous le dire... Je l'attendais.

Le Maçon adressa un signe à la brute à la cicatrice. Celui-ci tenait une chaîne. Son regard torve et ses yeux bleus enfoncés dans les orbites révélaient l'homme aimant faire souffrir.

Il en cingla les jambes d'Alaric qui sentit ses chairs éclater. Puis surgit la douleur, infernale et atroce. Il hurla sans se retenir.

— J'ai tout mon temps, dit Le Maçon. Pour ta gouverne, je suis celui que ton maître voulait punir. Alexandre Le Maçon, échevin et juge de l'official métropolitain.

Il se mit à rire et demanda.

— Où se trouve ce chien de Furnais ?

— Je sais pas, messire... Ferrière a dû vous le dire, on ne s'est pas quittés. Mon maître voulait que je reste avec lui.

— Pourquoi ?

— Il se méfiait.

— Il m'a dit pareil de toi, Alaric ! ironisa Ferrière. Tu savais qu'il doutait de toi ? Maintenant arrête de mentir ! Tu l'as quitté dimanche ! Où es-tu allé ?

— Avec une fille.

— Menteur, tu ne connais personne ici !

Le Maçon regarda l'homme à la chaîne qui fouetta derechef les jambes d'Alaric, lui arrachant un long hurlement.

— Où es-tu allé ? reprit durement Le Maçon.

— Je ne mens pas, elle m'a abordé pendant l'eucharistie...

— Une puterelle ?

— Oui... Oui... Que le Seigneur Dieu me pardonne mes péchés, sanglota Alaric qui souffrait le martyre.

Possible, se dit Le Maçon en regardant le sang couler des braies rougies du Toulousain. L'impudence des bougresses était sans limites et elles hantaient les abords des églises.

— Comment ton maître voulait-il libérer Arthur ? demanda-t-il.

— Je l'ignore... Pour moi, c'était impossible...

— Lui as-tu dit où je logeais ?

— Non... Je voulais le faire ce matin.

Le Maçon réfléchissait. Pouvait-il tirer plus de cet homme ? Il ne savait pas quelles autres questions lui poser. Et si Béraire le frappait encore, il mourrait dans la nuit, les chairs éclatées et les jambes brisées. Or, le roi Jean voudrait certainement l'interroger. Mieux valait ne pas poursuivre cet interrogatoire et parler plus longuement avec Ferrière avant de se rendre au château ducal.

— Renvoyez-le en bas, ordonna-t-il.

Malgré la douleur qui le torturait, Alaric ressentit un lâche soulagement. Il était prêt à tout avouer... Seulement, il ne savait rien.

Les deux gardes le détachèrent et, lui passant la corde sous les aisselles, le firent descendre dans le cachot.

Saint-Jean et Gregorio le rattrapèrent avant qu'il ne touche le sol. Ils l'allongèrent sur les manteaux qu'on leur avait laissés. Les autres prisonniers les regardaient avec indifférence.

Saint-Jean détacha doucement les lanières des braies de chanvre rouges et poisseuses. Il devina qu'Alaric était perdu s'il avait les jambes brisées. Après avoir dénoué le cordon qui liait les braies à la braye, cette ceinture sous la chemise, Ali-i Sabbah ôta les soliers d'un Alaric toujours sans conscience. Gregorio était allé chercher de l'eau dans le pot de terre leur servant pour boire.

La tour étant construite contre l'Aubette, laquelle était haute à cause des pluies, des infiltrations produisaient une sorte de source avec un filet d'eau s'écoulant entre deux pierres.

À l'aide d'un morceau de sa chemise humecté, Saint-Jean nettoya les blessures et palpa doucement les mollets, provoquant des gémissements de douleur. Les os ne paraissaient pas brisés, mais les chairs éclatées s'infecteraient rapidement.

Sous le regard surpris de Gregorio, il saisit une courte lame qu'il gardait dans ses chausses et l'utilisa pour découdre un morceau de galon de sa robe, faisant jaillir trois graines noires.

— Vous aviez un couteau, seigneur ? murmura le Pisan.

— Juste une petite lame. Difficile à trouver, tu vois, et tu étais trop pressé de saisir la relique pour me fouiller !

— Qu'est-ce que c'est ?

Le Pisan désigna les graines.

— En Terre sainte, on appelle ça du *khashkhash*. Ici vous dites du pavot.

Il mit les graines dans la bouche d'Alaric et le força à avaler. Puis il le fit boire.

Comme il avait laissé la lame sur le sol, un morceau de fer assez court, sans manche, mais très aiguisé, Gregorio s'en saisit.

— Donne-moi le vieux pain, ordonna Saint-Jean.

Il s'agissait d'un très vieux quignon.

— Il est moisi, immangeable.

— Justement, donne !

Gregorio alla chercher le croûton couvert d'une épaisse couche de moisissure bleu-vert.

— Passe-moi mon couteau.

Gregorio le rendit sans rien dire.

Saint-Jean gratta la moisissure, puis l'étala sur les plus grosses plaies, provoquant de nouveaux gémissements.

— Vous êtes fou, vous allez le tuer !

— Non, j'ai appris ça en Terre sainte. Cette moisissure verte, qu'on trouve aussi sur les fromages de chèvre, a le pouvoir de guérir. J'ignore comment, mais c'est ainsi[1].

Gregorio ne pouvait savoir qu'Ali-i Sabbah avait appris tout cela lors des cours de médecine qui lui étaient dispensés comme à tous les *rafiq*.

Lundi matin, Guilhem se rendit avec Peyre au Lion-d'Argent pour questionner le gargotier. Il ne trouva personne dans la salle : les ouvriers étaient partis travailler et les hommes d'armes pas encore arrivés. L'interrogatoire fut facile. Le cabaretier révéla que l'un des deux individus qu'il logeait avec les moines n'était pas revenu la veille et que l'autre était parti avant le lever du soleil. D'après la description qu'il en fit, il s'agissait d'Alaric.

Ussel fut soulagé. Alaric les cherchait. Sans doute s'était-il rendu à l'auberge Saint-Maclou où on le ferait attendre puisque La Hure avait donné des instructions

---

1. Il s'agit bien sûr de *Penicillium* que l'on retrouve sur le pain ou les fruits moisis ainsi que sur certains fromages.

en ce sens à l'hôtelier. Restait Ferrière. Pourquoi n'était-il pas rentré ?

Ils repartirent pour l'auberge Saint-Maclou. Guilhem avait hâte d'entendre Alaric.

Ils perdirent du temps dans les rues encombrées par les tombereaux aux roues de bois qui ramassaient les charognes et les excréments abandonnés depuis deux jours. Enfin, ils arrivèrent à l'auberge. Alaric ne s'y trouvait pas mais toute une badaudaille agglutinée autour de l'aubergiste écoutait l'incroyable arrestation qui venait d'avoir lieu.

Guilhem posa des questions à son tour. On lui dit qu'un voleur de l'abbaye de la Sainte-Trinité avait été arrêté par les gardes de Falcaise déguisés en moines de Saint-Ouen. Il fut d'abord rassuré mais, ayant demandé la description du coquin, il se rendit compte que ce pouvait bien être Alaric. Mais quelle certitude ?

Il s'assit avec Peyre à une table où chacun commentait l'événement. Les gens de Falcaise ne s'étaient jamais revêtus des saints habits de religieux. C'était un sacrilège assuraient certains. D'autres approuvaient, car le vaurien avait volé le saint monastère. Guilhem entendit alors une servante en cotte lacée expliquer à un habitué :

— Je crois pas que c'était un voleur, car je l'avais déjà vu samedi. Il demandait après un troubadour. De plus, ce matin il a embrassé une femme qui l'attendait. Pourquoi un larron serait-il revenu ici ?

— Il attendait ses complices ! rétorqua un marchand qui avait approuvé l'arrestation. Et la fille faisait partie de la bande !

La servante fit une moue de désaccord et s'éloigna pour chercher des pichets. Guilhem se leva pour la rattraper.

— Tu veux un denier d'argent ?

— Avec vous, seigneur ? badina-t-elle avec un joli sourire, persuadée qu'il voulait jouer à serre-croupière.

— Viens par là, dit-il en l'entraînant dans la cour.

404

Peyre les suivit.

— Ici, seigneur ? Mais on va nous voir ! Et avec lui aussi ?

Elle fit semblant d'être offusquée, mais ses yeux pétillaient.

Il haussa les épaules, n'ayant aucune envie de plaisanter.

— Parle-moi de cet homme qui a été arrêté et de cette fille que tu as vue.

Fouillant son escarcelle, il lui remit la pièce.

— Il portait épée et un manteau vert à capuchon, seigneur. Il était plus vieux que vous, pas très grand, barbu, un visage tanné avec un front très large. C'était un homme d'armes, un vrai guerrier, ajouta-t-elle avec admiration. Mais il ne portait ni écu ni bouclier, et n'avait pas de cheval, ni d'éperon ou de casque.

— La femme ?

— Elle n'allait pas avec lui. Ses cheveux étaient déjà gris et son nez énorme. Surtout elle était vigoureuse comme une jument. Peut-être aimait-il ses grosses mamelles ! En tout cas, ils se sont embrassés.

— Tu l'as dit tout à l'heure ! Il la connaissait bien, alors ?

— Pour sûr qu'il la connaissait bien ! Il lui a même dit : « Tu ne risques rien avec moi, Flore. »

Guilhem sentit un frisson glacé lui traverser l'échine. Flore ! Flore ici ? Impossible ! Et pourtant ! Flore avait été l'instrument de Le Maçon, sa complice ! Elle avait tué Thomas et maintenant elle venait de retrouver Alaric ! C'était elle qui l'avait fait prendre ! Avait-elle aussi joué un rôle avec Furnais ? Le Gros n'avait pourtant pas parlé d'elle.

Il resta un moment désemparé. Persuadé d'être chasseur, il devinait avoir été la proie. Pour la première fois de sa vie, il sentit le découragement le gagner. Pourtant, il se ressaisit vite. Alaric ne savait pas où lui et Peyre se cachaient, et même s'il parlait sous la torture, Le Maçon apprendrait seulement qu'il le pourchassait. Certes, il prendrait ses précautions, mais tout n'était pas perdu.

Guilhem tourna le dos à la servante.

— Partons ! ordonna-t-il à Peyre pétrifié par ce qu'il venait d'entendre.

En sortant de l'auberge, il vérifia que la rue ne présentait aucun péril, puis il tourna à la première venelle. S'enfonçant dans un lacis de chemins, entre des bicoques dont plusieurs portaient des traces d'incendie, il attira Peyre à lui sous un porche sombre conduisant à une cour.

— Ne bouge plus, lui souffla-t-il.

Ils attendirent un moment, Guilhem avait tiré son épée, mais personne ne passa.

— On ne nous suit pas. À partir de maintenant, prends toutes les précautions possibles. Le Maçon est sur nos traces...

— Oui, seigneur, mais comment fait-il ?

— Ferrière a trahi. Flore est sa complice. Ce sont eux qui ont préparé la mort de Godefroi et de Thomas. Si on le trouve, il faudra l'interroger puis s'en débarrasser.

— J'avais compris pour Flore. Elle a dû séduire mon pauvre oncle. Croyez-vous qu'ils l'ont tué ?

— Non. Le Maçon voudra l'interroger. Mais Alaric ne dira rien, d'ailleurs il ignore où nous sommes.

Ils reprirent le chemin de La Hure avec la même prudence et, une fois au cabaret, s'enfermèrent dans la chambre avec le sergent de Furnais à qui ils racontèrent ce qui était arrivé et surtout qui était Flore.

— Croyez-vous qu'Alaric soit emprisonné avec mon maître ? s'enquit le sergent.

— Comment savoir ?

— Qu'allons-nous faire, seigneur ? interrogea Peyre.

— Continuer. Rien n'a changé. Ce sera seulement plus dur. Si Alaric parle sous la torture, et je crois qu'il le fera, Le Maçon apprendra que nous ne sommes plus que trois. Il ne nous craindra pas. Aussi, à nous de le surprendre. Demain, Alaume, tu surveilleras sa maison. Pendant ce temps, avec Peyre, nous irons dans le bois que nous avons repéré, avec arc et arbalète.

— Croyez-vous possible de vaincre une troupe à trois seulement, seigneur ? interrogea le sergent, dubitatif.

— Si tu savais ce qu'on a déjà fait avec Peyre, sourit Guilhem.

# Chapitre 34

Devant le parvis de l'église Saint-Maclou, Flore attendait dans un mélange de crainte et d'impatience. Pourquoi était-ce si long ? Il ne pouvait y avoir qu'une explication : Alaric ne parvenait pas à convaincre son seigneur.

Soudain, la porte s'ouvrit. Elle entendit des cris et vit des gens en surcot, aux armes des Bréauté, sortir en malmenant un homme chancelant, mains entravées et encordé par le cou.

Terrifiée, elle reconnut Alaric. Et les regarda s'éloigner le long du Robec, vers l'enceinte.

Que s'était-il passé ? Hélas, l'évidence s'imposait. Ayant appris la présence d'Alaric et de son seigneur, Le Maçon avait pris les devants. Sans doute le sire d'Ussel était-il capturé lui aussi, mais cela importait peu à Flore. Seul comptait Alaric.

Elle resta sur le parvis, ne sachant que faire. Le passé lui revenait par vagues : Saint-Jean-d'Acre, où elle avait tant souffert ; Marseille, où elle avait débarqué ; Thomas, avec qui elle s'était prostituée afin de pouvoir retourner en Europe. Elle n'avait jamais aimé le sergent, bien qu'elle ait éprouvé de l'estime pour lui. Pourtant, lui l'aimait et elle aurait sans peine accepté la sécurité qu'il proposait. Seulement, il y avait eu Alaric.

Alaric, qui lui aussi s'intéressait à elle. Alaric, si prévenant durant le voyage. Alaric, qui s'était battu avec Thomas, pour la garder.

Certes le Toulousain était plus vieux qu'elle. Peut-être même avait-il le double de son âge, mais il ressemblait tant à son époux Foulques. Lui aussi était un guerrier qui voulait la protéger.

Durant sa fuite, après la fin de Thomas, elle avait cru mourir plusieurs fois, mais le Seigneur, pris de pitié pour elle, l'avait mise sur le chemin de ses nouveaux maîtres. Pourtant, elle n'avait jamais oublié Alaric. Elle priait même chaque jour pour lui. Et quand, la veille, elle l'avait découvert devant l'église, si beau et toujours aimant, Flore avait compris que le Seigneur, si bon, réalisait son vœu. Toute la nuit, elle avait pensé à son retour à Lamaguère, au bonheur à venir.

Seulement, ce matin, son rêve se brisait.

Qu'allait-il advenir de son amour ? Elle connaissait la sauvagerie de Le Maçon et de Falcaise. Ils tortureraient Alaric pour qu'il révèle chaque parcelle de la vérité. Ensuite l'homme qu'elle aimait serait démembré, comme tant d'autres condamnés qu'elle avait vu exécuter. On lui ouvrirait le ventre et on en sortirait les boyaux. Ses mains et ses pieds seraient cloués aux portes de la ville.

À cette idée, elle ne put se retenir et, sous les regards surpris des passants, se mit à sangloter. Pour ne pas montrer plus longtemps son désespoir, elle entra dans l'église et pria.

Peut-être le Seigneur l'entendrait-Il à nouveau et lui enverrait-Il l'aide du Saint-Esprit.

Le Maçon venait de rentrer chez lui et s'apprêtait à se rendre à la citadelle pour demander audience au roi Jean quand un de ses sergents vint lui dire qu'une femme attendait dehors, souhaitant lui parler. Il répondit ne pas avoir le temps, mais lorsque l'homme ajouta qu'elle se prénommait Flore, il la fit immédiatement monter dans sa chambre.

À son entrée, il la reconnut sans peine. C'était bien la robuste servante d'Acre qu'il avait jetée dans les bras de Thomas. Par quel coup du destin se trouvait-elle à Rouen ? Ferrière ne lui avait-il pas affirmé qu'elle était morte ? Et comment l'avait-elle découvert ? Sa présence avait forcément un rapport avec Alaric. Décidément, ce chien n'avait pas révélé tout ce qu'il savait ! Il se promit de l'interroger plus rudement.

— Flore, fit-il en affichant un sourire de circonstance pour dissimuler son état d'extrême agitation. Je ne m'attendais pas à vous voir ici. Ne deviez-vous pas revenir à Tiron ?

— Cessons ce jeu, seigneur, dit-elle tristement. Vous avez fait tuer Thomas, peut-être l'avez-vous navré vous-même. Tout ça pour lui voler une relique.

— Vous en savez des choses..., répondit-il chafouinement. Et pour vous dire le vrai, c'est moi en effet qui l'ai occis. Que voulez-vous ?

Sa voix était devenue cassante.

— Vous venez de prendre le seul homme qui m'ait donné un peu d'affection, Alaric. Je viens vous proposer un marché.

Le coup la prit par surprise. C'était une gifle d'une violence extrême qui lui ouvrit les lèvres. Mais elle ne tomba pas et resta droite, le regard plein de feu.

— On ne me propose pas de marché ! rugit-il.

Il la frappa à nouveau, à plusieurs reprises, mais elle demeura encore droite, endurant les coups. Finalement, l'ancien clerc s'arrêta de cogner, surpris, et secrètement admiratif de ce calme courage.

— Lâche ce que tu as à dire, mais si cela me déplaît je te livrerai à mes hommes.

Ce même lundi, Furnais fut remonté de son cachot dans la salle voûtée supérieure. Son cœur battait le tambour. Il savait devoir affronter une rude épreuve qui le laisserait meurtri et certainement infirme.

À peine avait-il passé la tête par la trappe qu'il reconnut le prince en manteau doublé d'hermine avec des bottes en maroquin aux éperons d'or. De son riche bonnet de fourrure, orné d'un cercle d'or serti de pierres précieuses, s'échappait une longue chevelure bouclée qui inondait ses épaules et se mêlait à une barbe bien taillée et parfaitement épouillée. Comment Furnais aurait-il pu oublier ce visage arrogant, aux traits fins et au regard perspicace, mêlé de hauteur et d'indifférence ? Celui du frère de Richard Cœur de Lion et de Geoffroy, le père d'Arthur.

Le roi Jean était venu assister à son supplice.

Près de lui se tenait Mauluc, toujours avec cet air stupide qu'il affectait.

Les deux gardes ayant sorti Furnais le tirèrent jusqu'aux anneaux où il avait déjà été attaché. Là, on lui mit des chaînes de sorte qu'il ne puisse bouger.

— Voici donc celui qui voulait me priver de la compagnie de mon neveu ! ricana Jean d'une voix aigrelette quand l'installation fut terminée.

Furnais resta silencieux.

— Que les choses soient claires, dit alors Mauluc : tu vas parler. Alors autant le faire sans souffrir. Réserve tes forces pour la fin.

Furnais approuva d'un signe de tête.

— Où sont tes complices ?

— Je n'ai trouvé que mon neveu Ruffec pour m'accompagner. Les chevaliers du Poitou qui auraient pu m'aider sont morts ou prisonniers. J'ai supplié le roi Philippe de me confier une troupe pour sauver le duc Arthur, mais il a refusé.

Jean eut un sourire satisfait et échangea un regard de connivence avec Mauluc.

Le coup prit Furnais par surprise. Il n'avait pas remarqué la cravache que tenait l'ancien écuyer. Le cuir lui cingla le visage, laissant une balafre sanglante.

411

— Tu mens !

— Non, Sire. Je jure que je dis la vérité.

— Comment comptais-tu délivrer Arthur... à deux ? s'enquit Jean de sa voix grinçante.

— À deux, à dix, qu'est-ce que cela aurait changé ? J'espérais que maître Le Gros me fournirait un moyen. J'y ai cru quand il m'a parlé de la porte de bronze.

— Où est ton neveu, maintenant ?

— Nous logions à l'auberge des Trois-Moutons, près de la porte Beauvoisine. Vous pouvez vérifier. Mais Ruffec devait quitter Rouen si je ne revenais pas. Il a dû partir.

— Dois-je faire chercher le bourreau, Sire ? demanda Mauluc au roi. Je crois qu'il a besoin qu'on lui rafraîchisse la mémoire.

Le roi balança de la tête en se mordillant les lèvres. Furnais n'avait pas résisté. Donc il avait certainement déclaré la vérité. L'important était de le tenir. Ses complices, s'il en avait eu, ne pouvaient être que des comparses. Il serait certainement agréable de le torturer à mort, mais aussi dommage qu'il passe trop vite.

— Il va l'abîmer, dit-il. J'hésite entre le faire étriper devant nos fidèles Rouennais, dimanche prochain... ou autre chose.

— Quoi donc, Sire ? interrogea Mauluc non sans un sourire gourmand.

— Mon cousin Philippe lui a refusé son aide, il serait bon qu'il paye le prix de cette forfaiture. Ses troupes s'avancent vers Andely. Il devrait y arriver dans une semaine.

Jean se tut en peignant sa barbe de sa main droite.

— Oui, une semaine... Dans une semaine, tu feras dépecer ce pourceau, vivant bien sûr, puis mettre les morceaux dans une caisse de sel que Falcaise fera parvenir à notre cher Philippe. Qu'en dis-tu, Mauluc ?

— C'est une idée magistrale, Sire !

— En attendant, fais lui administrer une douzaine de coups de fouet, pour m'avoir importuné.

Le mardi, dans la tour de la Clérette, les prisonniers n'avaient plus de pain depuis deux jours et attendaient avec angoisse que la trappe s'ouvre et qu'on leur jette leur ration.

Alaric ne souffrait presque plus, sans doute par l'effet du pavot, et peut-être aussi celui de la moisissure. Saint-Jean et Gregorio avaient dormi à tour de rôle, comme chaque nuit.

Un peu de luminosité passait par l'ouverture du sommet du cachot quand ils entendirent des bruits dans la pièce du dessus. La trappe s'ouvrit.

Enfin le pain ! pensèrent les prisonniers avec soulagement.

— Alaric, monte !

C'était la voix de Ferrière. Alaric se trouvait dans un demi-sommeil, mais les mots parvinrent à son esprit. Un autre interrogatoire ! Il sut qu'il n'y résisterait pas.

Déjà on faisait descendre l'échelle.

— Dépêche-toi ou on vient te chercher !

— Je lui attache ses braies ! cria Saint-Jean.

Aidé par ce dernier, Alaric enfila ses chausses assombries par le sang séché, puis il se leva avec difficulté et noua la braye. Contre toute attente, ses jambes le soutinrent et il parvint à monter l'échelle.

À peine eut-il passé la tête de la trappe que son sang se figea et que le désespoir étreignit son cœur. Flore était là, mains liées, à côté d'un Le Maçon triomphant.

Ainsi, il l'avait prise, aussi ! Ils allaient la torturer, comme lui.

Ferrière et un garde le hissèrent et nouèrent ses poignets. Pendant ce temps, il ne quittait pas Flore des yeux, mais le regard indifférent de celle qu'il aimait le troubla.

— Compère, tu as beaucoup de chance, lui déclara Le Maçon sur un ton d'ironie. Cette femme m'a proposé ce qu'elle détient contre ta liberté. Et comme,

413

finalement, tu m'es inutile, Ferrière en sachant autant que toi, j'ai accepté.

Cherchant quelque signe, il la dévisagea jusqu'à ce qu'elle prenne la parole, d'une voix calme et sans timbre.

— Tu sais ce que je garde, Alaric, ce que Thomas possédait et que j'ai emporté quand j'ai fui Lamaguère.

Il s'apprêtait à l'interrompre mais, d'une mimique, elle lui intima de se taire.

— Cette précieuse relique, maître Le Maçon la veut. Je la lui donnerai contre ta vie et ta liberté.

— Mais...

— Ne dis rien, je le fais par amour pour toi. Je resterai otage jusqu'à demain, le temps que tu aies pu quitter Rouen et la Normandie. Ensuite je donnerai la sainte étoffe et serai libérée à mon tour.

Cette fois, il venait de comprendre. Elle lui offrait sa vie ! Les larmes lui montèrent aux yeux. Il savait qu'il ne la reverrait jamais. Quand elle avouerait au clerc qu'elle ne possédait aucunement la relique, il la tuerait après d'effroyables tortures.

Non, il ne l'accepterait pas. Lui la sauverait ! Mais comment faire ?

— Un cheval t'attend en bas, je te l'offre, Alaric. Nous t'accompagnerons sur la route de Paris de façon à ce que dame Flore voie que je tiens parole. Mais ne reviens jamais à Rouen ! menaça Le Maçon.

La décision d'Alaric fut vite prise. Avec ses jambes, il n'irait pas loin... il avait besoin d'aide...

— Je refuse, dit-il.

— Non ! hurla-t-elle.

— Tu préfères que je te fasse pendre ? ironisa Le Maçon.

— Je ne peux pas partir seul, maître Le Maçon. Mes jambes me portent à peine. Dans le cachot se trouve un homme qui m'a soigné, que je respecte et qui m'aidera. Il ignore pourquoi il est prisonnier. Il n'est pas votre ennemi ni celui du roi Jean, au contraire, c'est un chevalier croisé. Libérez-le avec moi.

— Le nommé Saint-Jean ?

— Oui, seigneur.

Le Maçon détestait qu'on lui dicte sa conduite. Mais si ce sot refusait la liberté, la femme ne céderait pas la relique. Une relique de cent mille écus, au moins. Or, que valait Saint-Jean ? Rien ! C'est ce Gregorio, sorti d'on ne sait où, qui l'avait enfermé, et ni lui ni Falcaise ne savaient que faire du croisé. Autant s'en débarrasser ainsi.

— J'accepte, Alaric. Profite de mon jour de bonté et enfuis-toi au bout de la Chrétienté !

Il se tourna vers Ferrière.

— Fais venir Saint-Jean !

L'arbalétrier était contrarié par la décision de son nouveau maître. Libéré, Alaric chercherait à se venger. Mais après tout, pourquoi réapparaîtrait-il à Rouen ?

Il ouvrit la trappe.

— Seigneur de Saint-Jean, montez ! Maître Le Maçon vous libère, cria-t-il.

L'ordre surprit Ali si fort qu'il ne réagit pas d'emblée.

— On vous libère, seigneur, répéta Gregorio en lui touchant l'épaule.

— Pourquoi ? Pourquoi, maintenant ?

— Peut-être à cause de cet Alaric...

Saint-Jean se leva. Il s'apprêtait à grimper l'échelle quand il songea qu'il laissait Gregorio seul. Gregorio qui l'avait livré, Gregorio qui méritait largement la mort, mais aussi Gregorio qui avait été son seul compagnon durant ces quelques jours. Il allait l'abandonner à quatre Brabançons qui lui feraient à coup sûr un sinistre sort.

Il glissa sa main dans le bas de ses chausses et en tira la lame. Revenant vers le Pisan, il la lui donna en silence.

— Merci, seigneur, fit l'autre, ému.

Saint-Jean hocha la tête, puis monta l'échelle.

En haut, il découvrit Alaric, des gardes, Le Maçon et une femme, plutôt laide. Une servante d'après son bliaud.

— J'ai décidé de libérer ce pourceau, déclara Le Maçon. Tu pars avec lui. Il a besoin de quelqu'un pour le soigner.

Sans rien dire d'autre, il quitta la salle en prenant l'échelle montant au sommet de la tour.

Tous se retrouvèrent au pied de l'édifice. Des chevaux attendaient.

— Prenez celui-là, ordonna Le Maçon, désignant une vieille rosse.

La monture n'avait qu'une selle de bois et des brides usées. Saint-Jean aida Alaric à monter, puis s'installa derrière lui. L'animal était vieux mais robuste. Il les porterait quelques heures, pour autant qu'ils n'aient pas à galoper.

— La porte du Robec est par là, fit l'ancien clerc, désignant la lice le long de l'enceinte. Filez et suivez la route de Paris !

— Non ! intervint Flore. Je veux qu'ils partent par la route de Pont-de-l'Arche. Le long de la Seine, le chemin est droit et un traquenard impossible. Je tiens à les accompagner jusque-là pour être certaine qu'ils resteront libres.

Le Maçon tressaillit. Certes entre la relique et dénoncer le complot de Furnais, il aurait choisi la relique, mais en vérité il avait envoyé quelques hommes sur la route vers Paris, persuadé qu'Alaric l'emprunterait. Ceux-ci auraient alors repris le prisonnier pour le livrer à Jean. Ainsi il aurait gagné sur tous les tableaux. Mais s'il laissait Alaric s'en aller par Pont-de-l'Arche, il le perdrait et Ussel et Furnais pourraient poursuivre leur intrigue. De plus, s'il dénonçait ensuite le complot à Jean, celui-ci le punirait pour avoir libéré ce prisonnier.

Sauf si...

Flore le tira de ses supputations en ajoutant :

— Et je veux qu'ils aient des armes pour se défendre.

— Par le corps de saint Marc, tu m'échauffes les oreilles, sottarde ! Je vais te les faire couper ! menaça-t-il.

— Faites-le et vous n'obtiendrez rien de moi ! répliqua-t-elle sans crainte apparente.

Ils se mesurèrent du regard, mais Le Maçon céda. Flore avait vu juste, il aurait tout donné pour le saint linceul. Car ce linceul allait assurer la victoire de Jean et faire de lui son favori.

— Après tout, je t'ai promis leur liberté, peu m'importe par où ils partent, maugréa-t-il, se jurant quand même de faire payer cher à la donzelle son insolence.

Ils poursuivirent dans la lice pour gagner la porte. Une fois sortis de la ville, ils longèrent le fossé par le chemin qui rejoignait celui de Pont-de-l'Arche.

— Filez, maintenant ! ordonna Le Maçon.

— Donnez-leur des armes ! insista Flore.

— Ferrière, ta hache, et toi Béraire, passe-leur ta vieille miséricorde.

Les deux hommes obtempérèrent dans un silence hostile. Saint-Jean prit la hache et Alaric la dague avant d'accorder un triste sourire à Flore, espérant qu'elle comprendrait qu'il ne l'abandonnerait point.

Puis, d'un coup de talon, il mit la jument au trot.

Quand ils ne furent plus qu'une silhouette au bout de chemin, Le Maçon se tourna vers Flore :

— Satisfaite ? Maintenant, conduis-moi au saint linceul.

— Vous l'aurez demain, promit-elle d'une voix sans timbre.

Durant un moment, les deux hommes restèrent silencieux, surveillant ceux qu'ils croisaient : moines, colporteurs et laboureurs, et se retournant souvent pour vérifier que Le Maçon n'avait pas lancé ses gens à leurs trousses.

Alaric pensait à Flore, à ce qu'elle allait devenir. Quand elle révélerait ne pas posséder le linceul, Le Maçon la punirait sévèrement, sans doute la tuerait-il. Les larmes lui montèrent aux yeux. Si ce clerc touchait à elle, il consacrerait sa vie à le retrouver pour lui faire souffrir mille morts.

L'écuyer songeait aussi à son maître. Il était forcément toujours à Rouen. Mais où ? Son seigneur lui avait dit qu'il serait à l'hôtellerie Saint-Maclou, et pourtant il ne l'y avait jamais rencontré. L'aubergiste devait savoir où il se cachait.

Saint-Jean, lui, songeait à sa mission. Libre, il allait revenir à Rouen et retrouver le domestique du médecin. Il ne s'était écoulé qu'une dizaine de jours depuis son arrestation, l'autre devait toujours avoir besoin de la drogue. Il serait facile de lui faire ouvrir la maison une nuit prochaine. Ensuite il reprendrait les sceaux et les documents volés, puis repartirait dans son pays.

Cependant, il mesurait les difficultés qui l'attendaient. Il se trouvait sans argent, sans armes et sans monture.

Et pour l'heure, une question lui brûlait les lèvres :

— Qui était cette femme ?

— Flore, bien sûr, seigneur ! Celle qui a fui avec la relique. Je l'ai rencontrée à Rouen.

Saint-Jean commençait à comprendre.

— Elle a proposé la relique en échange de votre liberté, c'est cela ?

— Oui, seigneur, seulement, cette relique… Elle ne l'a plus, elle a brûlé dans un incendie.

— Comment va réagir Le Maçon lorsqu'il l'apprendra ?

— Il la tuera… sauf si je l'en empêche.

— Pas facile, dans votre état, observa le musulman.

Alaric soupira.

— Et vous, qu'allez-vous faire, seigneur de Saint-Jean ?

— Je ne sais trop. Tout cela est si soudain ! J'essaierai de gagner à pied l'endroit où je devais me rendre.

— Pourquoi ne pas rester avec moi quelque temps ? Je vais rejoindre mon seigneur. À Rouen, il dispose d'armes et d'argent. En vous mettant à son service, vous pourriez obtenir ce qui vous manque. Bien sûr, le péril d'être repris sera grand, surtout quand nous tenterons de délivrer Flore...

— Croyez-vous que cela m'inquiète ? Je dois la vie à cette femme et si je peux la sauver, je le ferai. Mais votre seigneur m'accordera-t-il sa confiance ?

— Confiance ? Je l'ignore. Mon maître fait rarement confiance. Mais vous étiez en prison avec moi, et je suis certain qu'il appréciera l'aide d'un guerrier supplémentaire.

— Quel genre de maître est-il ?

— Le meilleur qui soit. Voulez-vous que je vous raconte comment je l'ai connu ?

— Volontiers.

— J'avais été homme d'armes pour le comte d'Armagnac au château de Lamaguère, mais l'archevêque d'Auch l'ayant incendié, je demeurais sans maître. Pour vivre, je me fis laboureur jusqu'au jour où le seigneur d'Ussel est arrivé avec ses gens. On lui avait donné le fief de Lamaguère, que les Templiers occupaient. Je me suis rangé sous ses ordres, il a repris son bien et il a fait de moi son féal. Plus tard, je l'ai accompagné dans une rude quête à la recherche d'une pierre miraculeuse et je suis devenu son écuyer. Quand vous nous avez rencontrés à Marseille, nous revenions de Rome où il était parti au secours du seigneur Robert de Locksley, que vous connaissez. Il m'avait alors prêté à ce seigneur saxon et j'étais prisonnier dans un cachot d'où je ne serais sorti que démembré. C'est lui qui m'a délivré.

— Un rude gaillard !

— Il l'est vraiment, car il ne craint ni Dieu ni diable.

— Il a tort.

— Il répète qu'il sera damné pour les forfaits qu'il aurait commis, mais je ne l'ai vu accomplir que des actions bonnes et justes.

Saint-Jean commençait à s'intéresser au maître d'Alaric. Il avait approché – et estimé – le sire de Locksley et le sentiment que cet Ussel était de la même trempe le gagnait.

— De plus, c'est un homme indulgent, quant à la religion, ajouta Alaric.

— Comment cela ? s'enquit Saint-Jean, sur le qui-vive.

— Il prie peu, mais laisse chacun pratiquer son culte comme il lui convient.

— Il n'y a qu'un Dieu et qu'une façon d'honorer le Seigneur, observa sèchement Saint-Jean.

— Croyez-vous ? Pourquoi y a-t-il alors autant d'hérétiques ?

— Quel genre d'hérétiques ?

— Ignorez-vous que dans le Toulousain les cathares et les vaudois sont plus nombreux que les catholiques ?

— Dieu reconnaîtra les siens, répliqua évasivement Saint-Jean qui ignoraient ce qu'étaient cathares et vaudois, mais qui comprenait que les chrétiens se disputaient autant que les fidèles de Mahomet en ce qui concernait les dogmes. Alors que lui savait que seuls les ismaéliens détenaient la Vérité.

— Au château de Lamaguère, cathares et vaudois peuvent honorer Dieu à leur façon. Mon seigneur est même l'ami d'un infidèle.

À ces mots, Saint-Jean devint encore plus attentif.

— Un mahométan ?

— Oui.

— Qui donc ?

— À Rome, nous avons rencontré un Sarrasin très savant, un *engineor*, au service d'un armateur marseillais. Cet armateur nous a trahis et l'infidèle aimait sa femme. Tout autre que mon seigneur l'aurait puni pour cette affection contre nature. Il n'en a rien fait, et au contraire les a protégés.

— D'où venait cet infidèle ?

— Le cheikh Baghisain de Djeziré inventait des balistes pour le roi de Damas.

Saint-Jean avait entendu parler d'un ingénieur réputé de Djeziré qui s'appelait Baghisain. Se pourrait-il que ce soit le même ?

Il posa quelques autres questions qui confirmèrent son sentiment.

— Je reste avec toi, Alaric, car je souhaite connaître ton seigneur.

Alaric fut satisfait de cette décision et ils restèrent silencieux un moment.

— Il me vient à l'esprit que tu ne m'as rien révélé de la relique de Thomas. Celle que Flore a emportée... s'enquit soudain Saint-Jean.

— Le saint linceul, messire. Le drap dans lequel Notre-Seigneur a été enveloppé après sa mort. Par un miracle, le visage et le corps de Jésus apparaissaient sur ce saint drap. Je crois que cette sainte relique appartenait au Temple. Thomas était sergent et escortait un chevalier l'apportant à Acre. Ils ont été attaqués par des Sarrasins et Thomas, seul survivant, a gardé la relique avant de décider de revenir en Europe. Pour des raisons que j'ignore, Le Maçon, qui se trouvait à Acre, connaissait l'histoire.

À ses explications, Saint-Jean blêmit. Mais Alaric, devant lui, ne pouvait rien voir.

Il ajouta :

— Je sais que le saint drap me protège, désormais.

L'ismaélien garda le silence jusqu'à Pont-de-l'Arche. Où donc le conduisait Allah le Miséricordieux ?

# Chapitre 35

Ils atteignirent Pont-de-l'Arche à basses vêpres. Une pluie mêlée de neige tombait depuis plusieurs heures et Alaric, sans manteau, grelottait.

N'ayant pas d'argent pour le péage, ni le temps de remonter jusqu'au gué, Alaric paya en donnant sa miséricorde. Les gardes ne les interrogèrent pas et ils se rendirent immédiatement à l'auberge sous une neige de plus en plus lourde et tourbillonnante.

L'écuyer de Furnais se trouvait dans la grande salle. Quand il vit Alaric, dans ses vêtements détrempés et ensanglantés, il comprit que l'entreprise de son seigneur s'était mal passée. Il les fit immédiatement monter dans la chambre où il logeait seul, Guilhem ayant insisté pour qu'il dispose d'un endroit sûr. En les conduisant – Alaric lui ayant expliqué que Saint-Jean était un ami – il demanda à l'hôtelier de monter viande, soupe et vin.

À l'abri des oreilles indiscrètes, le Toulousain raconta ce qui lui était arrivé : la découverte de Flore, la trahison de Ferrière, son emprisonnement, les interrogatoires de Le Maçon. Il ignorait ce qu'étaient devenus les seigneurs de Furnais et d'Ussel, mais rien ne laissait supposer qu'ils aient été pris, au contraire même, puisque Le Maçon les recherchait. En ce qui concernait Saint-Jean, il expliqua seulement avoir été libéré en sa compagnie.

— Pas de temps à perdre, il faut gagner Rouen au plus vite. Partons maintenant, conclut-il en fouillant dans un coffre à la recherche de vêtements secs.

— Mais il neige ! objecta l'écuyer qui l'avait écouté avec une évidente réserve.

Bientôt chevalier, le jeune homme rejetait l'idée de se mettre sous les ordres d'un guerrier dont il ignorait tout.

— Et alors ? Il reste deux heures de jour, répliqua Alaric. Nous dormirons en route, n'importe où, et demain serons à Rouen avant none. Saint-Jean, voici des habits et des armes. Équipez-vous comme vous voulez, mais nous entrerons en ville en nous faisant passer pour des serfs, sans armes ni palefrois.

Voyant l'écuyer toujours immobile, il ajouta :

— Sire Ruffec, vous pouvez venir avec nous ou rester, peu me chaut, mais votre devoir est de servir votre oncle et seigneur.

L'hôtelier gratta à la porte. Il était accompagné d'une servante qui portait du pain et du vin. Ruffec les fit entrer et déclara à l'aubergiste, pendant que celui-ci déposait une soupière et trois écuelles :

— Nous partons chasser avec mes serviteurs...

— Avec la neige ? s'enquit l'autre, les yeux écarquillés.

— Oui, le sanglier laisse ainsi de belles traces. Je serai peut-être absent quelques jours. Voici dix deniers d'argent. Gardez la chambre et mes affaires. Occupez-vous aussi de mes chevaux.

— Ce sera fait seigneur, que Dieu vous protège ! promit l'hôtelier en s'abîmant dans une révérence. La porte sera fermée à clef.

Il sortit en les saluant encore plus bas. Personne ne lui avait jamais donné autant pour conserver une chambre vide !

Affamés, Alaric et Saint-Jean vidèrent la soupe sur leur pain posé dans l'écuelle et dévorèrent cette pitance en quelques instants, puis s'en prirent aux viandes pendant que Ruffec leur emplissait des pots de vin.

Entre deux bouchées, Le Toulousain expliqua :

— Mettez ce qui reste dans une sacoche, nous mangerons en chemin. Emportons aussi les couvertures des lits.

— Vous n'avez ni manteau ni casaque, observa Ruffec.

— J'achèterai une pèlerine au tailleur près du pont. Vous avez de l'argent ?

Ruffec hocha la tête.

Ils se vêtirent rapidement de chainses épaisses, de braies longues, de cottes et de tuniques, Ruffec se couvrant de sa casaque à capuchon et Saint-Jean de son manteau. Chacun glissa un couteau sous sa cotte. Après quoi ils partirent après s'être chaussés de bons soliers.

Alaric avait décidé de conserver la vieille jument. Elle les porterait à tour de rôle jusqu'à Rouen, et ils l'abandonneraient à proximité de la ville. Comme il l'avait dit, il acheta une pèlerine et ils traversèrent à nouveau le pont.

La neige ne cessait pas et la couche fut telle qu'ils durent monter plusieurs fois tous les trois sur le dos du cheval. Ils chevauchèrent ainsi jusqu'à retrouver une grande boucle de la Seine. À cet endroit se dressaient quelques baraques autour d'une chapelle. C'était une sorte de port où les haleurs pouvaient trouver un abri. Ils dormirent dans une grange glaciale.

Le lendemain, ils levèrent le camp avant le lever du soleil. La neige avait cessé mais la couche restait épaisse. Malgré les difficultés du voyage, ils arrivèrent à Rouen à basse none, comme Alaric l'avait voulu.

Il ne cessait de penser à Flore. Était-elle encore vivante ?

Le mercredi matin, Le Maçon fit chercher la femme qu'il avait fait enfermer dans un cachot à l'intérieur duquel elle pouvait à peine bouger. Sans nourriture ni chaleur, elle avait grelotté toute la nuit.

Pourtant, c'est droite et digne qu'elle se présenta devant l'ancien clerc de Fontevrault.

— Alaric est libre, mais j'espère que le diable s'occupe de lui ! Maintenant, je veux la relique !

— Je ne l'ai pas, seigneur clerc, avoua-t-elle dans un souffle.

Refusant de la croire, il la gifla jusqu'à ce qu'elle tombe.

— Où est-elle ? répéta-t-il.

— Elle a brûlé... sanglota-t-elle... Durant mon voyage depuis Lamaguère... C'était une nuit dans l'hôpital des Jacquets... Tout a flambé. Je l'avais déposée près de moi, il faisait nuit... Je ne la retrouvais pas... Les autres pèlerins m'ont forcée à fuir mais je suis parvenue à revenir dans le dortoir... Tout était en flammes. J'ai quand même aperçu la sacoche qui la contenait. Malgré la fumée qui m'étouffait, j'ai voulu la prendre, mais une poutre est tombée dessus. J'ai essayé de tirer le linceul de la sacoche... Ma robe a pris feu. J'ai cru brûler vive mais des pèlerins, qui m'avaient vue, m'ont sortie du brasier.

Le Maçon resta hébété. Le saint linceul avait brûlé ? Il ne verrait donc jamais le visage du Christ ? Peu à peu, une rage folle l'envahit contre la sottarde qui avait perdu un tel trésor. Brusquement, il se déchaîna contre le corps devant lui, le roua de coups de pied jusqu'à ce qu'elle perde conscience.

Ayant calmé sa rage, il appela Ferrière :

— Mets-la sur une charrette et jette-la dans la tour de la Clérette. Les prisonniers ont besoin d'une ribaude. Ensuite, j'instruirai son procès et je la ferai enfouir vivante.

Il réfléchit ensuite à ce qu'il devait faire.

Plus question maintenant de dénoncer à Jean le complot de Furnais ! Quand le roi apprendrait qu'il avait libéré le seul renégat qu'il détenait, et qu'en plus il s'était fait rouler par une femme, il le ferait pendre au donjon ! Le plus habile serait d'étouffer l'affaire. Seul Ferrière la connaissait, et Béraire se chargerait de faire disparaître ce maraud. Quant aux gardes ayant assisté aux interrogatoires, ils ne comptaient pas. Le Maçon décida cependant d'attendre encore un jour ou deux avant de prendre une décision. Peut-être d'ici là Ferrière aurait-il trouvé un moyen d'identifier les autres conjurés.

À la porte du Grand-Pont, la garde n'était pas la même que celle de la semaine précédente. Les Brabançons de Falcaise et les gens du bailli contrôlaient cette fois les passages. Ceux qui voulaient entrer étaient fouillés et les hommes en armes refoulés ou emmenés. Seuls les marchands connus et les pauvres serfs pouvaient accéder à la ville.

Alaric et ses compagnons, qui avaient abandonné le cheval, s'approchèrent, se mêlant à d'autres vilains qui patientaient en parlant entre eux. Leur accent était si marqué que seul l'écuyer comprit ce qui se disait. Il le répéta plus bas à ses compagnons : l'armée de Philippe Auguste se préparait à mettre le siège devant le château Gaillard, le verrou de la Normandie anglaise que Richard Cœur de Lion avait fait construire, quelques années plus tôt, pour défendre son domaine des appétits du roi de France[1]. Jean craignait les espions et, déjà, plusieurs d'entre eux avaient été arrêtés.

---

1. Les travaux avaient débuté en 1197 et duré à peine plus d'un an. À sa première visite du château terminé Richard s'était exclamé : « Qu'elle est belle, ma fille d'un an ! Que voilà un château gaillard ! »

Quand vint leur tour de passer, l'écuyer expliqua à un sergent d'armes qu'ils avaient fui devant l'arrivée des troupes du roi de France. Ils montrèrent leurs couteaux, seule possession, et on les laissa entrer. Pour le roi Jean, les réfugiés représentaient une aubaine puisqu'on aurait besoin d'eux pour défendre la ville.

Ils traversèrent les enceintes, les herses et les ponts dormants. Les Brabançons étaient partout.

Une fois dans la rue du Grand-Pont, ils se dirigèrent vers l'auberge Saint-Maclou, sans même s'arrêter à un marchand ambulant pour se sustenter. Pourtant leur ventre criait de malefaim. Ils gardaient leur capuchon sur la tête, non seulement à cause du froid vif, mais surtout pour ne point être reconnus si, par malchance, ils croisaient Le Maçon ou ses gens.

L'écuyer fut envoyé en éclaireur dans l'hôtellerie puisque personne ne le connaissait. Il repéra les lieux et observa l'aubergiste après s'être assis et avoir demandé une soupe. Quand il vit le cabaretier se rendre dans la cour, il sortit de l'auberge et fit signe à ses compagnons qui attendaient non loin de là.

Comme souvent, un passage entre les maisons permettait de rejoindre les cours intérieures. Ils s'y engagèrent. L'hôtelier se trouvait dans un cellier où il chargeait du bois avec un valet. Tous deux restèrent figés et terrorisés en voyant trois coquins se précipiter sur eux, couteaux à la main.

Ils s'apprêtaient à appeler à l'aide quand l'écuyer les menaça :

— Un cri et on vous égorge !

— Que... Que voulez-vous ? bredouilla l'aubergiste.

— Le jongleur qui joue de la vielle à roue, où se cache-t-il ?

L'hôtelier ne s'attendait pas à ça, il resta sans voix jusqu'à ce qu'Alaric le prenne par le cou et le secoue.

— Parle !

— Il est pas ici... Mais je peux vous conduire, croassa le cabaretier.

— Loin ?

— Non...

L'écuyer se tourna vers le valet :

— Donne l'alerte et ton maître est mort, ensuite, je reviendrai t'ouvrir le ventre !

— Pitié... Je ne dirai rien, je le jure ! sanglota le serviteur, s'agenouillant.

— Passe devant ! ordonna Alaric à l'aubergiste, en le bousculant vers le passage pour sortir de la cour.

Le malheureux hôtelier les conduisit dans une ruelle, à quelques pas de là. Sous leurs soliers, boue, neige et déjections se mélangeaient dans une épaisse et puante gadoue. Dans la ruelle, le cabaretier désigna l'enseigne : la hure d'un sanglier.

— Le troubadour loge là !

Trois hommes en casaque et manteau arrivaient par l'autre bout de la ruelle. Le cœur d'Alaric se mit à battre plus fort. Il avait reconnu la pèlerine de son neveu Peyre et les heuses rouges de son maître, même couvertes de boue.

Il baissa son capuchon et se mit à courir vers eux, malgré les douleurs de ses jambes meurtries.

Quelques instants plus tard, tous se trouvaient rassemblés dans le cabaret de La Hure. Guilhem avait demandé à son ancien compagnon de fermer pour le reste de l'après-midi de manière à ce qu'ils puissent se réchauffer et se sécher devant le feu, en parlant librement.

Après force amicales étreintes et chaleureuses accolades, le sergent de Furnais expliqua à l'écuyer, quasiment en larmes, que leur maître avait été trahi par l'échevin qu'il croyait être son ami. Il était depuis prisonnier de Mauluc, auteur de cet infâme stratagème, mais ils ignoraient où.

Ne pouvant dominer son impatience, Guilhem interrompit cette discussion pour interroger Alaric. Arrêté la veille, comment pouvait-il être libre ?

Le Toulousain lui raconta de façon confuse sa rencontre avec Flore, le dimanche à l'église Saint-Léger. Ce qu'elle lui avait révélé de l'agression de Lamaguère et de la relique que Thomas possédait. Puis il parla de la disparition de Ferrière le dimanche soir et de la matinée du lundi ; comment il avait été saisi par son propre compagnon et les gens de Le Maçon qui l'avaient conduit en prison où il avait retrouvé Saint-Jean.

Guilhem écouta en silence, dubitatif.

— Cette relique, Flore te l'a montrée ? demanda-t-il enfin.

— Elle a brûlé, seigneur. L'hôpital où elle passait la nuit a pris feu.

Alaric se rendit compte que son maître ne le croyait pas. Pour lui, Flore était toujours une criminelle.

Il passa donc la main dans l'échancrure de sa broigne et sortit le précieux tissu qu'elle lui avait donné.

— Dans l'incendie, elle a juste pu sauver ce morceau. Le reste était écrasé sous une poutre enflammée.

Il déplia la bande de lin. La pièce paraissait extrêmement vieille. Un sceau de plomb y était attaché ainsi qu'une médaille et un papyrus cousu. Saint-Jean prit l'étoffe et examina le papyrus et les sceaux, dissimulant mal un sourire. Puis il la passa à Guilhem qui la considéra dans un mélange de crainte, de doute et de respect.

Le silence s'était abattu dans la pièce. Soudain, le sergent de Thomas de Furnais se signa et, joignant les mains, il entama un Pater noster. L'écuyer, Peyre et même La Hure l'imitèrent. Puis Alaric. Seuls Saint-Jean et Guilhem ne bougèrent pas.

Pourtant, Ussel était maintenant convaincu et se reprochait ses erreurs. Il s'était trompé sur Flore, et même sur Thomas, ne s'étant pas douté qu'il possédait un tel trésor. Il comprenait enfin le sens de l'inscription tracée sur le sol de la maison de Godefroi. Quant à Ferrière, il l'avait toujours soupçonné, mais tout autant qu'Alaric. C'était la deuxième fois qu'il se trompait sur le Toulousain et il se jura de lui accorder désormais toute sa confiance.

Négligeant la relique, Saint-Jean prit la parole pour raconter en quelques mots comment il avait été emprisonné, mais cela n'intéressa pas Guilhem.

— Pourquoi vous a-t-on libérés ? demanda-t-il.

— C'est Flore ! répondit Alaric, les larmes aux yeux. Elle s'est livrée à Le Maçon, hier. Sachant qu'il voulait la sainte relique de Thomas, elle la lui a promise contre ma liberté. La veille, j'avais été battu quand il m'a interrogé, j'ai même cru que je ne pourrais plus marcher. Saint-Jean m'a soigné, aussi ai-je demandé qu'il soit libéré avec moi.

— Comment pouvait-elle promettre cette relique puisqu'elle avait brûlé ? s'enquit Peyre.

— À cette heure, elle a dû révéler qu'elle ne l'avait pas, et je prie le Seigneur et Sa Sainte Mère de la protéger.

Guilhem comprit les angoisses de son homme lige.

— Je vais m'occuper d'elle, Alaric, je te le promets, dit-il, prenant le morceau de drap brûlé pour en éprouver la consistance. Quand vous nous avez vus tout à l'heure, nous revenions du chemin conduisant au camp des Brabançons. Nous y guettions le passage de Le Maçon qui s'y rend de temps en temps. Je l'aurais tué, s'il était tombé entre mes mains. Par chance pour lui, et pour Flore, il n'est pas passé. Mais puisque nous sommes maintenant suffisamment nombreux, nous allons attaquer sa maison ce soir et délivrer Flore.

— Seigneur d'Ussel, intervint Saint-Jean, pourrais-je vous parler un instant, seul à seul.

Guilhem observa le chevalier avec surprise. Il l'avait jusqu'à présent considéré comme un homme en fuite qu'il acceptait de prendre dans sa troupe. Que voulait-il ?

Il se leva et rendit l'étoffe à Alaric.

— Allons dans la chambre à côté.

Après avoir fermé la porte, Guilhem s'assit sur une banquette, intrigué.

— Seigneur d'Ussel, je dois ma liberté à votre écuyer et je veux payer ma dette. Hier, entre Rouen et Pont-de-l'Arche, il m'a parlé de vous. Il vous aime et vous admire.

Guilhem hocha la tête, attendant la suite.

— Il m'a dit que vous aviez connu un Sarrasin à Rome...

— C'est vrai, le cheikh Baghisain de Djeziré.

— Pourtant, les chrétiens n'aiment guère les Sarrasins.

L'utilisation du mot chrétien mit Guilhem en alerte.

— Je n'ai rien contre eux s'ils se conduisent à mon gré. Voici quelques années, j'ai connu le meilleur homme du monde, pourtant il se nommait Ibn Rushd. Un fort savant médecin...

— Ibn Rushd, l'ancien cadi de Marrakech ?

— Vous l'avez connu ?

— Oui... fit Saint-Jean, surpris qu'ils aient tous deux rencontré l'illustre personnage.

Il passa sa main sur la barbe pouilleuse qui le grattait.

— Seigneur d'Ussel, que savez-vous de la religion des Sarrasins ?

— Rien, sinon qu'ils honorent un prophète qu'ils nomment Mahomet et que leur dieu serait le même que le nôtre.

— Jésus est aussi un prophète chez nous...

— Chez nous ? le coupa Guilhem.

Se reprochant son lapsus, Saint-Jean grimaça mais ne répondit pas.

— Après la mort de Mahomet, les musulmans se sont divisés sur le choix de l'iman qui les guiderait, poursuivit-il. Il y a désormais plusieurs dogmes chez eux, mais un seul détient la vérité.

— Les Églises croient toutes détenir la vérité, mon ami, ironisa Guilhem.

— Il n'existe pourtant qu'une Vérité, et c'est celle-là qu'honorent les ismaéliens, affirma Saint-Jean, sévèrement.

— J'ignorais leur existence, plaisanta Guilhem. Mais est-ce important ?

— Ça l'est, seigneur Guilhem. Les ismaéliens ne sont malheureusement pas les plus nombreux en Orient, car les règles de leur ordre sont difficiles à respecter. Ils sont donc persécutés et se sont longtemps réfugiés dans une forteresse de Perse, un endroit inaccessible et imprenable, construit dans une haute montagne qu'on appelle Alamut. Depuis quelques années, ils sont revenus près de Damas en s'installant dans plusieurs châteaux. Le plus important est Masyaf, sur la route d'Antioche, à vingt lieues de Tripoli.

— Vous avez dit que vous veniez de Tripoli, observa Guilhem. C'est ainsi que vous les avez connus ?

— J'ai menti, seigneur d'Ussel, fit Saint-Jean, la main posée sur son couteau. Je ne viens pas de Tripoli. Je viens de Masyaf.

Même si l'idée que Saint-Jean n'était pas celui qu'il prétendait être avait effleuré Guilhem, il resta pourtant interdit, jusqu'à ce qu'il demande la confirmation :

— Vous seriez un Sarrasin ?

— Vous autres chrétiens appelez sarrasins ou maures tous ceux qui viennent de l'autre côté de la mer, mais nous ne formons pas le même peuple.

— Pourquoi ce nom de Saint-Jean ? s'enquit Guilhem, finalement plus amusé qu'inquiet par ce qu'il venait d'apprendre.

— Mon nom est Ali-i Sabbah, je suis *rafiq*... Vous diriez chevalier, dans la Chrétienté. Mais Saint-Jean est plus facile à porter ici. Marc de Saint-Jean était un chevalier retrouvé mort, non loin de Tripoli.

— Vous parlez bien notre langue pour un Sarrasin.

— Ma mère était franque.

— Que faites-vous à Rouen ?

— Laissez-moi d'abord vous en dire plus sur nous, les ismaéliens. Notre premier grand maître se nommait Hassan Ibn al-Sabbah. C'est lui qui a rassemblé notre peuple installé à Alamut. Il a pris comme nom Chayr al-Jabal, que vous autres chrétiens avez traduit par le Vieux de la Montagne. Nous, ses fidèles, nous nous appelons les heyssessini.

Cette fois Guilhem se raidit.

— J'ai entendu parler de vous à la cour du roi de France. Un frère hospitalier et le capitaine de la garde du roi Philippe m'ont expliqué que celui-ci craignait les assassins du Vieux de la Montagne. C'est pour cela que le roi a toujours autour de lui une garde d'hommes munis de masses d'armes. Êtes-vous venu tenter de le meurtrir ? Si c'est le cas, vous allez me trouver sur votre route.

— Non, rassurez-vous. Le roi de France ne risque rien de moi, ni des heyssessini. Je suis ici pour un tout autre motif et celui-ci est on ne peut plus honorable. Mais les rois ont de bonnes raisons de craindre les heyssessini. Avez-vous entendu parler de Conrad de Montferrat ?

— Le roi de Jérusalem meurtri par des infidèles ?

— Oui. Mais ce n'étaient pas des infidèles, comme vous dites. Il s'agissait d'heyssessini de Masyaf. Saladin, qui avait unifié les armées des disciples de Mahomet, nous craignait car nous avions tenté à plusieurs reprises de le navrer. Finalement un traité s'était conclu entre notre maître et lui. Or, il y a une dizaine d'années, Conrad de Montferrat, en guerre contre Richard au Cœur de Lion pour la possession de Ptolémaïs[1], avait conclu un accord avec Saladin. Mais une fois roi de Jérusalem, ce perfide avait oublié ses engagements. Saladin rencontra alors mon oncle Rachid ad-Din Sinan, guide suprême des ismaéliens, et lui offrit dix mille pièces d'or pour punir le félon. Étant en paix avec le roi Richard et les Templiers qui s'opposaient à Conrad, mon oncle accepta. Il envoya deux chevaliers de Masyaf qui se firent passer pour des esclaves en fuite. Ils reçurent votre baptême et Conrad les prit près de lui, comme s'ils étaient ses enfants, jusqu'au jour où ils lui plantèrent un poignard dans le ventre. Nous pouvons ainsi frapper partout car nous ne craignons pas la mort.

Guilhem l'avait écouté, ébranlé par l'audace prodigieuse de ces infidèles capables, comme Saint-Jean, de traverser le monde pour éliminer un adversaire sans craindre une fin atroce.

— Vous ne m'avez toujours pas expliqué pourquoi vous êtes ici, fit-il.

— J'y viens. À Masyaf, nous n'apprenons pas seulement le métier des armes. Arithmétique, *al-kimiyah*, connaissance des langues et science religieuse sont inculquées aux chevaliers et aux disciples. Notre bibliothèque d'ouvrages persans, grecs, arabes, hébreux et égyptiens est la plus réputée d'Orient et bien des savants, comme Ibn Rushd, viennent s'y instruire. Nous acceptons même des chrétiens, souvent des gens du Temple ou des Hospitaliers. Ce fut le cas, voici quelques mois. Cette fois il s'agissait de templiers accompagnés d'un apothicaire cherchant à s'instruire sur des philtres. Il disait s'appeler Simon de Bernay. Mais après son départ, le *daïs*, qui dirige la bibliothèque, s'aperçut qu'il nous avait volés, emportant de

---

1. Saint-Jean-d'Acre.

rares sceaux et de précieux papyrus. Le Chayr al-Jabal me fit donc appeler, car je parle bien vos langues, et me demanda de partir en pays franc retrouver cet homme, reprendre nos biens et le punir. C'est ainsi que j'ai débarqué à Marseille et fait la route avec votre ami, Robert de Locksley.

Guilhem hocha la tête. Les explications de Saint-Jean apportaient un éclairage nouveau sur les faits qui s'étaient déroulés depuis son retour de Rome.

— À Paris, je découvris que cet homme n'était pas apothicaire mais médecin, et qu'il se nommait en réalité Albéric de Rouen. Malheureusement, il me reconnut, car j'avais parlé avec lui à Masyaf. Le choc fut si violent qu'il perdit conscience. Son fils le conduisit à Rouen où son frère est aussi médecin. Mais n'ayant aucune raison d'imaginer être suivi, je n'ai jamais remarqué Gregorio attaché à mes pas. J'avais quitté Masyaf avec une relique, pour la vendre si je manquais d'argent, et eu le tort de la montrer à l'oncle du Pisan pour lui en demander la valeur. La suite, je vous l'ai dite. Gregorio était entré au service de Le Maçon et du seigneur Falcaise de Bréauté. Il m'a arrêté pour me voler cette relique, que je n'avais plus car je l'avais vendue, avant d'être lui-même emprisonné par Le Maçon qui se méfiait de lui.

— Je comprends maintenant votre présence dans cette ville et votre emprisonnement avec Alaric. Je devine aussi que vous souhaitez retrouver votre complète liberté afin d'accomplir votre mission. Sachez que je ne vous gênerai pas, ni ne vous dénoncerai. Vous êtes libre, seigneur de Saint-Jean. Laissez-moi vous appeler ainsi, même si ce n'est pas votre nom. Vous avez sauvé Alaric, et je vous dois beaucoup. Ma bourse est aussi à votre disposition et soyez assuré qu'elle est bien garnie. Il n'y a pas beaucoup d'armes ici, mais je vous équiperai suivant vos besoins.

— Je ne demande rien, seigneur d'Ussel, ou plus exactement je vous propose un échange. Laissez-moi encore vous parler de Masyaf. Je vous l'ai dit, là-bas sont les maîtres les plus savants de nos contrées. C'est à Masyaf que j'ai rencontré Ibn Rushd, venu consulter les livres de notre bibliothèque. J'étais enfant, alors.

Il chassa ce souvenir avant de poursuivre :

— Un de mes amis, orfèvre de talent, possède l'aptitude de reproduire n'importe quel objet ancien, sans qu'il soit possible de distinguer le vrai du faux. Avant de partir, il m'a remis une épître écrite de sa main. Mais cette épître paraissait être de l'homme que vous appelez saint Paul. C'est la relique dont je vous ai parlé, celle que voulait Gregorio. Mon ami m'a assuré que je pourrais aisément la vendre si j'avais besoin de pécunes. Ce fut le cas quand j'arrivai à Rouen où, après avoir été volé de toutes mes possessions, je la cédai à un monastère, celui qu'on appelle Sainte-Catherine.

— C'était vous ? s'exclama Guilhem.

— Vous le saviez ?

— J'y suis allé voilà quelques jours, tandis que je cherchais un lieu favorable où tendre une embuscade à Le Maçon. Un moine m'a parlé de cette épître, objet saint d'une immense valeur qu'il venait d'acheter.

— D'une immense valeur qu'il m'a payée seulement dix pièces d'argent, heureusement qu'il était faux, ironisa Ali-i Sabbah. Or, peu avant, mon ami avait fabriqué une autre fausse relique, et c'est d'elle dont je veux vous parler. Voici deux ans, la duchesse Aliénor, dont on m'a rapporté qu'elle est la mère de Richard Cœur de Lion...

— Et aussi une rude femme.

— La duchesse, donc, avait entendu parler d'un linceul qui aurait enveloppé le corps du prophète que vous appelez le Christ, et qui aurait été imprégné de son image. Elle avait chargé le Temple de lui trouver ce saint objet. Notre maître, le Chayr al-Jabal, devinant la fortune à gagner aisément, a demandé à mon ami de confectionner un faux linceul. Il y est parvenu et nous l'avons vendu aux Templiers de Tripoli.

— Celui de Thomas ? s'enquit Guilhem, éberlué.

— Certainement.

— Vous voulez dire que Thomas ne possédait qu'une fausse relique ? Ce serait cette contrefaçon que rechercherait Le Maçon ?

— Exactement.

Guilhem secoua lentement la tête, mi-incrédule mi-amusé par les ironies de la Providence.

— Mais en quoi cela nous avance-t-il ?

— Votre ennemi, ce Le Maçon, veut le linceul. Or, il détient dame Flore à qui je dois la vie. Je peux reproduire cette relique et vous permettre de l'échanger contre cette gente dame.

— Vraiment ?

— Il me faudra des ingrédients, et du temps, mais dans une ville comme Rouen, je peux trouver tout ce dont j'ai besoin sauf...

— Sauf ?

— Que savez-vous des reliques, seigneur d'Ussel ?

— Que les gens les vénèrent pour les miracles qu'elles provoquent, ou plutôt qu'ils croient qu'elles produisent.

— Ce n'était pas ma question, sourit le Sarrasin. Voyez-vous, pour les idolâtres une relique peut-être véridique ou fausse.

— C'est évident, mais celles qui occasionnent des miracles sont véritables, non ?

— Pas toujours ! Ce qui distingue la falsifiée de la vraie, c'est uniquement la preuve de son authenticité, seigneur d'Ussel. Du moins selon les règles de votre Église. Donc une vraie fausse relique doit posséder de vraies fausses preuves.

— Je sais cela ! Jeune, j'ai connu un moine de Cluny ayant fabriqué une fausse charte pour certifier qu'un fer de lance rouillé était la sainte lance[1].

---

1. *De taille et d'estoc*, du même auteur.

— Cela ne m'étonne pas, on trouve beaucoup de saintes lances à Antioche. Mais, en effet, les preuves de la réalité d'une relique se résument à des textes authentifiés par des sceaux ou des marques. Il en reste quelques-uns sur le fragment d'Alaric. Mais ici, je ne dispose pas de tels sceaux. Cependant le médecin Simon de Bernay, c'est-à-dire Albéric de Rouen, que je poursuis, doit en posséder. Aidez-moi à les lui reprendre et je les utiliserai pour fabriquer ce linceul.

— Et vous aurez ainsi accompli votre mission...

— Oui.

— Où vit cet homme ?

— Je connais sa maison, qui n'est pas très loin de la cathédrale, et je pense pouvoir m'introduire chez lui. Avec vous, ce sera encore plus facile.

— Entendu, mais pour le reste, de quoi avez-vous besoin ?

Saint-Jean énuméra sur ses doigts :

— Des parchemins, un drap de lin venant d'Orient, et toutes sortes d'ingrédients : de la poudre de fer, de la gélatine, une huile que vous nommez vedriol, de la graisse, diverses herbes et pigments, du plomb, de la cire d'abeille, de la résine, de la poix, de la craie, de l'os de seiche pilé, du vinaigre et du cuivre.

— Et avec tout cela vous obtiendrez un faux linceul ? En combien de temps ?

— Quatre, cinq jours... au moins.

— Trop long ! Imaginez-vous ce que peut subir dame Flore en cinq jours ?

# Chapitre 36

Ils revinrent dans la salle où leurs compagnons chuchotaient en se passant pieusement la précieuse étoffe que chacun voulait toucher. Guilhem les observa un instant, réfléchissant à ce qu'il allait leur révéler. Puis il désigna le linge.

— Le seigneur de Saint-Jean m'a appris que ce drap, qu'ont possédé Thomas et Flore, est en vérité une fausse relique.

— Impossible ! s'exclama Alaric, reprenant le morceau de tissu comme pour le protéger, tandis que les autres affichaient leur stupéfaction.

— Le seigneur de Saint-Jean est formel. Il connaît même celui qui fabrique ces faussetés...

— En Terre sainte ? demanda l'écuyer, écarquillant les yeux.

— Oui, et par un incroyable concours de circonstances, il sait la manière dont il procède...

Les regards se tournèrent vers Saint-Jean. Même Alaric, qui le connaissait un peu, s'interrogea : comment un bon chrétien pouvait-il savoir fabriquer de faux objets saints ?

Surtout, ils s'inquiétaient. N'allaient-ils point commettre un péché qui les conduirait en enfer pour l'éternité, leur fermant à jamais le royaume de Dieu, en ne réfutant pas de telles affirmations sacrilèges ? Et s'il se trompait ? Pouvait-on même dénigrer le saint drap ayant enveloppé le Seigneur Christ ? Après tout, ils en avaient touché un morceau.

— Vous en serez témoins, ajouta Guilhem. Le seigneur de Saint-Jean s'est engagé à fabriquer un faux linceul identique à celui que possédait Thomas et au morceau d'Alaric. Thomas tenait ce drap du Temple de Tripoli, et les Templiers l'avaient tout simplement acheté à celui qui les confectionne. Cet homme, un infidèle, réalise de fausses reliques pour tromper les chrétiens crédules et s'enrichir.

Tous se signèrent pour condamner une telle duperie, tandis que l'écuyer demandait à Saint-Jean :

— Comment le connaissiez-vous, seigneur ?

— C'est un artisan habile, aussi nous lui pardonnons ses péchés. Après tout il ne fait qu'exploiter les superstitions des crédules. Les vrais croyants savent reconnaître les authentiques reliques de celles qui n'en ont que l'apparence.

Les hommes d'armes restèrent décontenancés. Saint-Jean les rassurait et les embarrassait tout à la fois. Eux-mêmes, certains du fond de leur cœur d'être de sincères croyants, avaient été incapables de distinguer le vrai du faux.

— Alaric, jusqu'où es-tu prêt à aller pour sauver Flore ? s'enquit alors Guilhem, souhaitant changer de sujet.

— Jusqu'où ? Mais je donnerais ma vie pour elle, seigneur !

— Façonner un linceul avec une fausse image de Notre-Seigneur prendra plusieurs jours, or, il faut sauver Flore maintenant...

— Je suis prêt.

— Alors, voici ce que tu vas faire...

Les échoppes étant encore ouvertes pour deux belles heures, Saint-Jean, accompagné de l'écuyer de Furnais qui connaissait la ville, partit acheter quelques-uns des ingrédients dont il avait besoin. Avec le sergent et

Peyre, Guilhem se chargea des produits les plus faciles à trouver.

Le musulman visita d'abord différents drapiers. Plusieurs lui proposèrent des draps de lin qu'ils certifiaient venir de Terre sainte. Mais après avoir vérifié la trame et les sceaux du tisserand, Saint-Jean les rejetait. Il en trouva finalement un de bonne taille, de huit coudées de long sur deux de large, à origine incontestable. Blanchies avant leur tissage, les fibres de lin, tramées en chevrons, étaient par endroits entrelacées de coton.

Ils se rendirent ensuite chez des libraires et des parcheminiers où il acquit du papyrus et du vélin en peau de chèvre.

Pendant ce temps, Peyre visitait couteliers et fourbisseurs, proposant d'acheter toute la limaille de fer ramassée dans leurs ateliers, préférant même celle déjà rouillée.

Guilhem, lui, rapporta de la gélatine récupérée chez des tanneurs et bouchers. Il y en avait de plusieurs consistances et couleurs. Les bouchers l'obtenaient en faisant tremper des os, des cartilages et des peaux dans de l'eau bouillante. Il acheta aussi de la graisse en grande quantité, ainsi que du soufre trouvé chez un épicier.

Saint-Jean rassembla tous les récipients disponibles de la maison. Il commença par dissoudre du soufre dans de l'eau[1] et mélangea aussi la limaille de fer avec de l'eau afin de bien l'oxyder.

Ces réactions devant durer toute la nuit, il commença à préparer le drap de lin, le lavant à plusieurs reprises avec des cendres avant de le suspendre autour du foyer.

— Demain, j'aurais besoin d'autres produits. Si je les récupère, nous ferons le linceul.

— Ce drap portait la forme et le visage du Christ, observa Guilhem, comment les représenterez-vous ?

---

1. Pour produire un acide sulfurique médiocre.

— Il portait bien plus : les traces des clous de la Crucifixion, les saignements de la couronne d'épines, une plaie portée par une lance. Quant au visage, c'était celui d'un homme souffrant, doté d'une épaisse barbe et de longs cheveux.

— Allez-vous peindre tout cela, seigneur ? s'enquit l'écuyer.

— Non.

Il désigna Guilhem.

— J'ai là le modèle. C'est votre corps qui imprégnera le saint drap.

— Moi ! blêmit Ussel.

— Vous !

Quand ils étaient sortis acheter les ingrédients nécessaires, Alaric était parti avec eux. Guilhem l'avait accompagné jusqu'à la porte Beauvoisine, puis l'avait accolé avec une sincère émotion. Il lui avait promis de venir le libérer ou de payer une rançon, quoi qu'il en coûte, si leur plan échouait.

Alaric avait ensuite passé la porte de la ville et s'était approché de la maison forte de Le Maçon.

Isolée, sa partie basse était construite en pierre blanche, sans aucune ouverture sinon une herse devant un porche fermé par une porte de chêne ferrée. L'étage, en colombages, possédait juste de minuscules ouvertures sous un toit en chaume. La herse étant levée, il pénétra sous le porche et tira la chaîne d'une cloche.

— Que veux-tu ? demanda une rude voix par l'ouverture d'une meurtrière située sur un côté.

— Je me nomme Alaric. Le seigneur clerc, maître Le Maçon, me connaît. Je viens lui proposer ce qu'il recherche.

Il n'y eut pas de réponse ; Alaric attendit.

Au bout d'un moment, il entendit les verrous qu'on tirait, puis l'huis s'ouvrit. C'était Ferrière. Le menaçant d'un épieu, le félon lui fit signe d'avancer.

Venu sans armes, Alaric pénétra dans une salle sombre et encrassée, éclairée par un flambeau de cire et des braises qui crépitaient dans un foyer carré. Voyant des nuages de fumée s'évacuer en volutes par un grand trou traversant l'étage et la toiture, le Toulousain songea qu'on pouvait passer par là quand le feu n'était pas trop violent.

La salle était divisée en deux par une barrière de branches tressées. D'un côté se trouvaient des chevaux, devant leur mangeoire, de l'autre, des hommes d'armes. Assis autour du foyer, ils parlaient aux servantes qui faisaient cuire la soupe. Sur les murs, vases et pots de toutes tailles s'alignaient sur des étagères. Haches, rondaches et écus pendaient sur les murs, attachés à des chevilles. Quelques coffres servaient de sièges ou supportaient arbalètes, épées et trousseaux de carreaux. Une porte, fermée, permettait d'accéder à la tour.

Alaric n'eut pas le temps d'examiner plus longuement l'endroit car Ferrière le poussa vers deux gardes qui le fouillèrent. Ensuite il fut bousculé vers une échelle, qu'il gravit. En haut, il découvrit une grande salle séparée par une cloison de bois. La partie dans laquelle il déboucha était meublée de coffres et de couchettes. Il franchit une porte dans la cloison et entra dans une autre chambre, celle-là plus luxueuse. Des tapisseries de laine étaient tendues sur les murs. Une épaisse couette couvrait le lit sur une estrade. Un grand lutrin, avec des cornes d'encre colorées suspendues autour, supportait un manuscrit. D'autres parchemins étaient roulés dans des casiers, le long du mur.

Le Maçon, en robe noire, une courte épée à la taille, l'attendait, l'air sombre mais intrigué. Tout n'était peut-être pas perdu, se disait-il, puisqu'il tenait à nouveau ce sot.

Ils se défièrent du regard durant un instant. Les deux gardes du corps étaient restés dans la pièce.

— Tu sais ce qui t'attend ? ironisa le chanoine.

— Je suis venu vous proposer un marché, seigneur clerc, fit Alaric sans ciller.

— Il ne m'intéresse pas. Je vais te conduire au roi Jean qui t'interrogera en personne.

— C'est mon maître qui m'envoie. Il vous propose ce que vous cherchez.

— Ton maître est encore à Rouen ?

— Il y était mais vient de partir.

— Pourquoi ?

— Pour chercher ce que vous désirez.

— Cesse de parler par énigme ou je te donne le fouet !

— Le très saint linceul de Notre-Seigneur Christ.

Le Maçon éclata de rire :

— Ignores-tu que Flore m'a révélé la vérité ? Il a brûlé, et il n'en reste rien !

— C'est ce qu'elle croit. L'hôpital où elle se trouvait a brûlé, c'est vrai, mais une grosse poutre était tombée sur la gibecière contenant le suaire. Quand l'incendie a été éteint, les moines de l'hôpital ont retrouvé le sac. L'intérieur était roussi par endroits, mais le drap sauf. D'ailleurs, pourquoi le Seigneur Dieu l'aurait-Il fait disparaître puisqu'Il l'a donné aux hommes afin qu'ils connaissent le visage de Son fils bien-aimé ?

— Et ton maître l'a trouvé ? ironisa Le Maçon, malgré tout ébranlé.

— En venant à Rouen, nous nous sommes arrêtés au prieuré qui possédait l'hôpital. Face à ces pauvres moines démunis de tout, mon maître, riche et pieux, leur a laissé de quoi reconstruire leur édifice. Pour le remercier, le prieur lui a montré le sac et son contenu. Il ignorait de quoi il retournait, pensant qu'il s'agissait d'une peinture. Mais ayant appris que la sacoche avait été perdue par des pèlerins parmi lesquels se trouvait une femme ressemblant à Flore, mon maître a deviné que c'était le bien de Thomas.

444

— Comment aurait-il pu l'apprendre ? grinça Le Maçon, dans un rire forcé.

— Thomas avait tracé des lettres sur le sol avant de mourir.

— Quoi ?

— XCS FACIES, seigneur. Le visage du Christ. Demandez à Ferrière, si vous ne me croyez pas.

Cette fois, Le Maçon ne put dissimuler son désarroi. Était-ce possible ?

— Où se trouve ce linceul ? gronda-t-il, la gorge nouée.

— Mon maître l'a acheté au prieur, mais il craignait de le perdre en venant à Rouen vous châtier. Il l'a donc laissé à la garde du prieuré. À ce moment, il croyait Flore votre créature et l'aurait aussi punie, s'il l'avait trouvée. C'est elle qui m'a appris la vérité, et ayant retrouvé mon maître, ce matin, je lui ai tout révélé à mon tour. Il juge de son honneur de la sauver, donc il est prêt à l'échanger contre le saint drap.

— Pourquoi pas, murmura Le Maçon.

— Mais Flore n'a pas autant de valeur que cette relique. Mon seigneur exige donc une autre personne.

— Je n'ai que Flore à lui vendre.

— Vous, oui, mais pas le roi Jean.

— Que vient faire le roi ici ?

— Vous lui proposerez le saint suaire. S'il le veut, il devra libérer un de ses prisonniers. Le seigneur Thomas de Furnais.

— Je ne comprends pas.

— Le seigneur de Furnais est venu à Rouen avec mon maître. Ferrière a dû vous le dire : il voulait délivrer le duc Arthur, mais il a été pris voici trois jours.

Tout devenait clair pour Le Maçon : l'expédition de ces espions avait tourné à la déroute ! Furnais devait être entre les mains de Jean mais n'avait pas livré ses complices.

Il s'abîma un moment dans le silence, calculant les avantages qu'il obtiendrait en se saisissant du saint drap pour l'offrir à son roi. Une telle relique, la plus précieuse de la Chrétienté, permettrait sans nul doute de vaincre Philippe Auguste. Et lors de l'échange, il serait aisé de tromper cet Ussel et de le capturer.

L'ancien clerc se réjouissait déjà à l'idée de l'exécution de la bande de félons sur le parvis de la cathédrale. Après un tel succès, Jean le garderait près de lui et le récompenserait royalement. Pourquoi ne deviendrait-il pas évêque, plus peut-être, il en avait le talent.

— Avant tout, je veux voir le linceul, décida-t-il.

— Je vous l'ai dit, mon maître est parti le chercher. Son voyage prendra quatre jours. Vous le verrez donc lundi. Cela vous laissera le temps de convaincre le roi Jean et de soigner dame Flore, au cas où vous l'auriez battue. Car, si elle est morte ou mutilée, non seulement on ne pratiquera aucun échange, mais mon maître vous poursuivra jusqu'en enfer !

— Crois-tu m'effrayer ? Dis-moi plutôt où je verrai cette prétendue relique.

— Lundi à midi, descendez la Seine en barque. Quand vous apercevrez une bannière rouge sur une île, accostez. Mon seigneur sera là avec le linceul. Vous pouvez être accompagné d'un clerc, mais de personne d'autre.

— Il serait bien trop facile à Ussel de me prendre ! Mes gens m'escorteront !

— Si vous avez peur, vous n'avez qu'à confier cette mission à un clerc. Mais rassurez-vous, vous ne risquerez rien. Mon seigneur veut libérer Furnais. Vous ne comptez pas... pour l'instant.

— Je viendrai, car vois-tu, je connais exactement les marques prouvant que la relique est authentique. Les Templiers me les ont révélées à Acre. S'il s'agit d'un faux, je ferai enfouir Flore et tu seras écorché, décida Le Maçon avant de s'adresser aux gardes : Enfermez-le dans le cachot de la tour et appelez Ferrière.

L'arbalétrier félon arriva aussitôt.

— Thomas avait-il écrit quelque chose sur le sol, à sa mort ?

— Oui, seigneur... Des lettres signifiant « le visage du Christ », d'après le seigneur d'Ussel.

Ainsi, Alaric n'avait pas menti ! conclut Le Maçon.

— File sur l'heure à la tour de la Clérette avec Béraire. Je vais échanger dame Flore. Vérifie qu'elle n'a pas été trop meurtrie, sinon transporte-la à l'hôpital de l'abbaye pour qu'on la soigne. Tu la surveilleras.

Après son départ, l'ancien clerc s'apprêtait à se changer pour se rendre au camp des Brabançons afin de tout raconter à Édouard de Bréauté. Ils se rendraient ensuite ensemble au château solliciter une audience du roi Jean.

Mais, en ôtant sa robe, Le Maçon fut pris d'un doute : cette intrigue n'était-elle pas un piège ? Et si ce diable d'Ussel l'attendait en chemin ? Or, il ne disposait que d'une poignée d'homme d'armes.

Il avait donc besoin de renfort. Il choisit d'envoyer un messager au camp des mercenaires, avec une lettre dans laquelle, en s'excusant de son audace, il suppliait le seigneur de Bréauté de venir chez lui entendre de graves révélations. Il ajoutait ne pouvoir se déplacer, tant il craignait d'être attaqué en route, demandant même qu'on lui prête quelques hommes d'armes supplémentaires.

Le Maçon savait qu'il n'aurait pas de réponse avant la nuit. En attendant, il se fit porter un pichet de vin chaud additionné de muscade et une portion du ragoût de veau bouilli aux épices.

C'est durant son repas que Ferrière revint, le visage décomposé.

— Que s'est-il passé ? s'enquit Le Maçon, brusquement inquiet. Dame Flore... Est-elle morte ?

— Non, seigneur... Au contraire, elle a tué les autres prisonniers !

Terrorisée, Flore descendait lentement l'échelle. Elle n'était qu'à mi-chemin quand elle entendit une voix venant du cachot.

— C'est une drôlesse, compère !

Il y avait des hommes, des prisonniers. Elle comprit quel allait être son sort. Aussi hurla-t-elle, épouvantée :

— Je ne veux pas !

En haut, Ferrière et un garde tirèrent l'échelle et la secouèrent jusqu'à ce qu'elle perde l'équilibre et tombe des barreaux. Ils refermèrent ensuite la trappe en riant à gueule bec.

La proie roula sur la paille. Une main l'attrapa au poignet et elle tenta de se dégager. En se débattant, elle distingua un visage édenté. L'homme riait en déchirant sa robe. Un autre saisit ses jambes en criant :

— Le four de la garce est chaud !

Le visage édenté se rapprocha mais elle parvint à libérer sa main. Alors, horrifiée, elle planta son index dans l'œil devant elle.

Le sang gicla à sa figure et l'agresseur se mit à hurler, la libérant. D'un violent coup de pied, elle dégagea ses jambes et roula sur elle-même. D'autres mains l'agrippèrent, mais sa victoire avait d'un coup chassé sa peur. Elle saisit le cou de celui qui tentait de l'immobiliser et en frappa la tête contre le mur. Plusieurs fois. Quand le sang jaillit par la bouche du violeur, elle le lâcha. Plus personne ne la tenait. L'estourmie semblait terminée.

Essoufflée, tremblante, elle haleta en rampant dans un coin, murmurant inconsciemment :

— Que le diable les crève tous !

Pour la première fois, elle plongea son regard dans les profondeurs du cachot et distingua un homme debout, une lame ensanglantée à la main. Noir comme un diable, avec des cheveux frisés, elle crut que le démon qu'elle venait d'invoquer surgissait du néant et son cœur battit à briser sa poitrine. Puis, ses yeux s'habituant à l'obscurité, elle comprit qu'il s'agissait seulement d'un autre prisonnier.

Devant lui, un corps couché restait immobile. Deux autres se débattaient faiblement en râlant. Ceux qu'elle avait meurtris. L'homme se pencha et, attrapant les cheveux de celui qu'elle avait énucléé, lui coupa la gorge en laissant tomber cette parole incompréhensible :

— *Poverino* !

Le sang jaillit dans un obscène gargouillement. L'homme au couteau reproduisit son geste avec sa seconde victime, puis se tourna et s'adressa à un quatrième individu, terré dans un coin, qu'elle n'avait pas vu malgré sa stature de barrique.

— Tu veux pareil ?

— Pitié ! sanglota l'autre.

— C'est vous qui l'avez tué ? demanda Flore en désignant l'un des trois corps. Celui à qui elle n'avait rien fait.

— Oui. Cette canaille le méritait.

— Grand merci, répondit-elle en un sourire de connivence.

Il s'approcha et, avec stupéfaction, elle reconnut son visage. C'était le neveu du capitaine Dodeo ! Celui qui avait sauté de la nef et fait le voyage avec les seigneurs d'Ussel et de Locksley !

— Gregorio ! s'exclama-t-elle, ébahie.

— Vous me connaissez ?

— Je suis Flore ! Nous étions ensemble sur la nef de maître Dodeo.

— Flore ?

Aussi interloqué qu'elle, il se rapprocha, tenant toujours le couteau, mais cette fois elle n'avait plus peur.

— Bien sûr ! Je me souviens de vous maintenant ! Nous avons fait route ensemble jusqu'à Arles. Puis vous avez poursuivi avec Alaric et Thomas. Savez-vous qu'Alaric était prisonnier ici, hier, avec le seigneur de Saint-Jean ? Ils ont été relâchés.

— Je le sais, je me suis livrée pour obtenir leur libération.

Il s'assit près d'elle.

— Vous ? Mais comment ?

— Peu importe, fit-elle, subitement lasse. Que va-t-il se passer quand on découvrira ceux-là ?

Il haussa les épaules.

— Je dirai la vérité. Ils vous ont agressée et je vous ai défendue. Cela n'intéressera personne. Ces canailles devaient être pendues ou suppliciées. Quand on nous portera du pain, demain ou après-demain, les gardes emporteront les corps.

— Ils vont puer pendant ce temps...

— J'ai l'habitude... Vous vous y ferez aussi.

Vaincue par un flot d'émotions confuses, elle ferma les yeux et tenta de faire le vide dans son esprit.

Édouard de Bréauté se présenta le soir avec une douzaine de Brabançons solidement équipés. Le Maçon lui raconta tout et le frère de Falcaise décida de passer la nuit sur place de manière à ce qu'ils se rendent ensemble chez le roi Jean au lever du soleil.

Le lendemain matin, dès l'ouverture des échoppes, Guilhem et ses amis furent les premiers clients. Chez un copiste, Saint-Jean parvint à trouver du vedriol, qu'on appelait aussi *vitri oleum* ou *vitriolum*. Le marchand fabriquait lui-même l'huile corrosive avec du soufre, de la limaille et d'autres ingrédients, car elle lui servait à confectionner des encres. Saint-Jean acquit aussi de la poudre de marbre, de la cire d'abeille, des encres et des plumes.

De son côté, Guilhem se procura du soufre en quantité, de la graisse animale et du charbon de bois, tandis que le sergent de Furnais achetait de la gomme d'acacia et de cerisier, de la colle de peau de lapin et de poisson, du plomb et de la résine. Quant à La Hure, il ramena de la poix, de la craie, des pigments de fleur, de la cochenille, des pierres colorées, du vinaigre et du cuivre.

Vers none, ils se retrouvèrent au cabaret avec leurs emplettes.

Saint-Jean leur expliqua alors comment il procéderait. Il fit dresser la table sur les tonneaux et demanda à Guilhem de se mettre nu et de se frotter de graisse, car les produits qu'il allait étaler sur son corps pouvaient le brûler.

Il déposa ensuite le drap mouillé sur la table puis, avec un chiffon imprégné du liquide ferreux obtenu par la limaille de fer dans lequel il avait mélangé l'eau soufrée et le vitriol, ainsi que la gélatine et quelques autres ingrédients, il tamponna le dos et les cheveux de Guilhem. Ensuite, ses compagnons soulevèrent Ussel pour le déposer sur le drap. Suivant les ordres de Saint-Jean, il croisa les bras sur son ventre.

À nouveau, à l'aide du chiffon rougeâtre imprégné, il tamponna longuement le visage et le reste du corps de son modèle. Après quoi, à l'aide d'un mélange plus épais, il dessina l'empreinte d'une couronne d'épines sur le front de Guilhem, puis les stigmates de la Crucifixion aux poignets et aux chevilles ainsi que la trace de la lance[1].

Les hommes observaient en silence, se signant parfois, certains murmurant sans bruit les paroles d'un Notre Père.

---

1. Cette description est inspirée des travaux de Luigi Garlaschelli, de l'université de Padoue.

Quand Saint-Jean jugea son travail abouti, il recouvrit le corps avec le reste du drap, pressant sur toutes les parties pour imprégner l'étoffe de la coloration.

Une fois ce travail achevé, il expliqua :

— La gélatine mélangée au liquide ferreux et soufré fixera la teinte dans le drap, seulement il faut attendre un moment, ami Guilhem. C'est certainement désagréable, mais je pense que le résultat sera satisfaisant.

Une heure passa, peut-être plus, et Guilhem n'en pouvait plus, ayant l'impression d'être réduit à un cadavre. Enfin, Saint-Jean souleva le drap. L'image du visage de Guilhem y était reproduite, avec sa chevelure et les traces d'épines. Chacun s'approcha, stupéfait et désemparé devant ce résultat miraculeux.

Guilhem put enfin se lever et l'étoffe fut étendue sur un cadre préparé à l'avance, près du feu. On distinguait parfaitement la silhouette fantomatique d'un corps crucifié, au flanc percé par une lance, et qui avait été coiffé d'une couronne d'épines.

— Il séchera ici durant les quatre prochains jours, expliqua Saint-Jean, mais, dès demain, je le laverai avec de la cendre et du savon pour qu'il paraisse ancien.

Pendant ce temps, utilisant un baril d'eau que La Hure avait préparé, Guilhem se nettoyait de la graisse et de la couleur ocre qui le faisaient ressembler à une créature infernale.

Cette partie du travail terminée, Saint-Jean partit avec Guilhem et Peyre, tous trois revêtus de leur manteau à capuchon.

Sous une faible neige, ils se rendirent à l'Asne-Royé, près de la cathédrale, où Saint-Jean avait plusieurs fois rencontré le domestique du médecin. Faisant semblant de ne pas se connaître, ils l'attendirent. Saint-

Jean était certain qu'il viendrait et, effectivement, le crédule arriva peu avant la tombée de la nuit.

Saint-Jean ayant abaissé son capuchon, le serviteur des médecins le vit dès son entrée, malgré les fumées et les faibles lumières des chandelles de suif et du foyer.

— Seigneur ! Vous êtes de retour ! s'exclama-t-il, s'asseyant près de lui.

Saint-Jean avait pris la précaution de garder une place et de commander du cidre.

— Je n'espérais plus vous revoir ! Je vous ai attendu ! ajouta le Normand à voix basse, d'un ton de reproche.

— Si tu savais ce qui m'est arrivé, l'ami ! fit Saint-Jean en emplissant son pot et le lui donnant.

— Quoi donc, seigneur ?

— J'ai rencontré deux frères, d'une famille qui hait notre mesnie. Nous avons dû régler notre différend par les armes.

— Vous vous êtes battu, seigneur ? demanda le domestique après avoir vidé entièrement le pot.

— Oui. Je les ai quand même vaincus, mais j'ai été blessé. (Il montra sa cuisse.) Je ne marche que depuis aujourd'hui ! Mais tu ne m'as pas dit comment va le frère de ton maître...

En parlant, il remplissait à nouveau le pot avec le cruchon de cidre.

— Vous l'ignorez, seigneur ? Maître Albéric est mort voici trois jours ! Dieu ait son âme. C'est le premier soir où je peux sortir !

— Dieu ait son âme ! répéta lugubrement Ali.

Il ajouta, un ton plus bas :

— Et ses parchemins ?

— Tout est rangé dans un coffre, seigneur... J'y ai veillé... J'ai... J'ai hâte d'avoir à nouveau votre philtre... Je n'en dors plus, geignit le domestique.

— Ne t'inquiète pas... Ouvre-moi, ce soir. Si je peux consulter ses formules, dès demain je te ferai préparer une provision de confiture pour plusieurs mois !

— Venez cette nuit, seigneur. Je dors très mal. J'ouvrirai avant vigile.

À l'abri de la neige, Guilhem, Peyre, Saint-Jean et l'écuyer de Furnais attendirent une partie de la nuit sous les encorbellements de la maison du frère d'Albéric. Vigile ne devait plus être très loin quand ils entendirent l'huis bouger. Saint-Jean se précipita. C'était le domestique tenant un bougeoir.

Immédiatement, il le tira à lui et Guilhem et Peyre le bâillonnèrent d'une étoffe, puis lui entravèrent les poignets en récupérant la chandelle. Tout s'était déroulé dans le plus grand silence.

— Fais le moindre bruit et je te coupe la gorge, lui souffla Guilhem dans l'oreille. Maintenant, conduis-nous au coffre d'Albéric.

Épouvanté, le serviteur les guida, à moitié porté par Peyre, car il tremblait trop pour marcher, persuadé que sa dernière heure était arrivée. Pendant ce temps, l'écuyer restait en bas, prêt à donner l'alerte.

La chambre d'Albéric se situait au deuxième étage. L'escalier était raide et quelques marches craquèrent sous leur pas. En haut, leur prisonnier désigna le coffre dans la pièce. Un coffre de fer posé sur une grande huche en bois ciselé.

Il était fermé à clef mais Guilhem força la serrure à l'aide de sa miséricorde. Saint-Jean le fouilla aussitôt.

La boîte contenait des sceaux et des médailles ainsi que des manuscrits, certains cousus en livres. Ne pouvant trier, il préféra tout emporter.

Ils attachèrent le domestique au lit, vérifièrent le bâillon et partirent, portant le coffre à deux tant il était lourd.

# Chapitre 37

Jeudi matin, Alexandre Le Maçon et Édouard de Bréauté se rendirent à la citadelle. Le roi Jean se levait tard, passant ses nuits en banquets et beuveries ; aussi durent-ils attendre dans la grande salle pendant que les serviteurs faisaient disparaître les reliefs des réjouissances de la nuit.

Ils rongeaient leur frein depuis un long moment quand quelques chevaliers et écuyers arrivèrent pour rencontrer, eux aussi, le roi Jean.

Parmi eux se trouvaient deux de ses favoris : Peter Mauluc et Guillaume de Briouse, descendant d'un compagnon de Guillaume le Conquérant. Briouse avait remplacé Philippe de Malvoisin, puis Étienne de Dinant dans le rôle de premier conseiller du roi.

Le Maçon, n'ignorant pas leur proximité avec Jean, les supplia d'obtenir qu'ils soient reçus au plus vite, ayant d'importantes révélations à faire.

— Lesquelles ? demanda Guillaume de Briouse.

— Des espions de Philippe se trouvent en ce moment même à Rouen. Ils préparent l'évasion du duc de Bretagne. J'en tiens deux, mais il est possible de tous les saisir, avec en prime une relique unique, la plus extraordinaire de la Chrétienté, qu'ils gardent avec eux et qui donnera la victoire à notre noble roi.

À ces paroles, Mauluc changea de visage. Le masque stupide qu'il affichait fit place à un brusque intérêt. Il avait envoyé quelqu'un à l'auberge des Trois-Moutons.

L'aubergiste avait confirmé qu'un marchand correspondant à la description de Furnais avait quitté sa chambre samedi. Son compagnon était parti dimanche avec leur roussin. Il avait laissé leur mule dans l'écurie ainsi que des pièces de chaudronnerie, leurs marchandises. L'aubergiste ne se souvenait pas si le second était parti seul mais, à l'écurie, un garçon d'étable avait vu deux hommes d'armes en sa compagnie. Étaient-ils des complices ? Mauluc avait fait à nouveau administrer le fouet à Furnais pour l'apprendre mais celui-ci s'était évanoui sous la douleur. Craignant que le félon ne meure sous les coups, il avait écourté la séance et restait frustré de ne point connaître toute la vérité.

— Le chef de la conspiration est emprisonné ici, déclara-t-il. Ces gueux n'ont aucune chance de réussir !

En quelques mots, il raconta comment il avait piégé Furnais, ce félon gouverneur d'Angers que le roi voulait châtier.

— Notre vénéré prince l'a interrogé, mais je n'ai pas réussi à identifier ses complices. Il semble que le sort vous ait été plus favorable. Racontez-moi ce que vous savez, ensuite nous irons voir notre noble suzerain.

— Excusez-moi, seigneurs, si je commence à vous parler de la sainte relique, mais vous allez comprendre en quoi cet enjeu est important.

Mauluc et Guillaume de Briouse hochèrent la tête.

Le Maçon dit quelques mots du saint linceul et du dessein de la mère de Jean de l'obtenir. Il poursuivit par son voyage à Saint-Jean-d'Acre, narra la perte de la relique, mais aussi comment il avait découvert qu'un templier infidèle l'avait conservée, et comment il avait tenté de la reprendre avec la complicité d'un nommé Ferrière, dans un fief du Toulousain dont le seigneur se nommait Guilhem d'Ussel...

— Quel nom venez-vous de lâcher ? l'interrompit Mauluc.

— Guilhem d'Ussel, seigneur.

— Par la peste d'Égypte ! Encore lui ! ragea Mauluc avec une effroyable grimace.

— Le connaissez-vous, seigneur ? Cet homme se trouve à Rouen et me pourchasse. Il semble être l'âme du complot que je viens dénoncer !

— Pas de temps à perdre ! s'exclama Mauluc, il faut parler au roi tout de suite.

Il se tourna vers son compagnon :

— C'est cet Ussel, homme lige du roi de France, qui a volé le testament d'Arthur, à Londres ; je vous ai raconté l'histoire. C'est lui aussi le meurtrier de Dinant, mon vénéré maître et seigneur.

— Suivez-moi ! décida Guillaume de Briouse.

Faisant écarter la garde de Jean, ils montèrent à l'étage, après avoir dit quelques mots à l'intendant du roi.

Dans sa chambre, Jean venait de se réveiller. Voyant les quatre hommes entrer, il chassa la femme se trouvant dans sa couche et interpella les visiteurs quant aux raisons de leur venue si matinale.

— C'est au sujet du complot, Sire roi, annonça Guillaume de Briouse, s'agenouillant. De l'infâme complot du roi Philippe.

Jean se dressa comme un diable.

— Quoi ?

— Les complices de Furnais, très haut et gracieux Sire ! fanfaronna Mauluc. Maître Le Maçon semble les avoir identifiés. L'un d'eux est Ussel, celui qui a volé le testament de votre frère à Londres. L'affaire apparaît plus vaste que la libération d'Arthur car elle est liée à une relique chère à votre mère.

— Dame Aliénor ? Quelle relique ?

Le Maçon prit la parole et ne cacha rien de la vérité. Il raconta l'histoire du linceul depuis son voyage à Saint-Jean-d'Acre jusqu'à la capture d'Alaric et sa libération en échange de la promesse de Flore de lui remettre le suaire. Promesse mensongère, le saint drap ayant brûlé.

À mesure qu'il parlait, il voyait les sentiments du roi et de Mauluc se succéder sur leur visage : la curiosité, l'intérêt, la surprise, la contrariété et enfin la colère en apprenant qu'il avait libéré Alaric contre du vent.

— Par le cul de Dieu ! Tu es un maître sot, Le Maçon ! intervint alors le roi, les poings serrés. Qu'on le mette à la giguedouille !

Terrorisé, l'ancien clerc tomba à genoux et se prosterna.

— Alaric est revenu hier, Votre Grâce, je le tiens !

— Revenu ?

— Envoyé par son maître, Ussel. Ce chien aurait retrouvé le saint linceul qui n'aurait pas brûlé.

— Et tu as cru à pareille piperie ? ricana Jean. Mauluc, fais mettre à la hart cette Flore, cet Alaric et ce maroufle.

Il désigna le clerc de Fontevrault avant de se tourner vers Briouse et d'ordonner :

— Quant à Ussel, fait fermer la ville et fouiller toutes les maisons. Une fois pris, il sera étripé avec Furnais.

— Et si c'était vrai, noble roi ? intervint Édouard. Le Maçon a fauté, certes, mais il n'a agi que pour votre gloire. Imaginez que vous brandissiez le saint linceul comme étendard dans la bataille contre Philippe ! Qui oserait s'opposer à vous ? Qui se battrait contre l'image du Seigneur Christ ? Les armées de Philippe fuiraient en déroute ou vous rejoindraient. La route de Paris vous serait ouverte ! Pourquoi ne pas vérifier s'il ne s'agit pas de la véritable relique avant de prendre une décision irréversible ?

Le Maçon approuva d'un minuscule signe de tête. L'idée de recourir au linceul comme bannière était sienne, mais Jean ne lui avait pas laissé le temps de la proposer.

Ébranlé, le Plantagenêt garda le silence, interrogeant du regard Mauluc et Guillaume. Quand il s'agissait des relations avec le roi de France, lequel venait de le déchoir de ses droits féodaux, il ne parvenait jamais à prendre une décision.

— Le seigneur de Bréauté parle avec justesse, approuva Guillaume de Briouse. C'est une opportunité à saisir.

— Je pense comme lui, approuva Mauluc. Qu'un clerc ou un religieux aille examiner le linceul. S'il se révèle véritable, que Votre noble Sire accepte l'échange. Une fois en possession du saint drap, nous saisirons Ussel sans peine. De combien d'hommes doit-il disposer ? Une poignée ? Avec les gens de la citadelle et ceux de Bréauté, nous pouvons rassembler une vingtaine de lances. Comment parviendrait-il à nous échapper ?

— Il est inutile de mêler l'évêque ou l'abbé à l'affaire, intervint Édouard. Pour distinguer fausses et véritables reliques, personne à Rouen ne possède la science de maître Le Maçon.

Interrogatif, Jean se tourna vers le clerc, toujours sur les genoux.

— Vraiment ?

— Je peux reconnaître sans peine la relique, très haut et gracieux Sire.

Sa voix tremblait, car si c'était un piège, Ussel le capturerait et lui ferait souffrir mille morts.

— C'est donc décidé. Le Maçon, tu as une chance de sauver ta misérable vie, et même de rentrer en grâce auprès de moi... si tu réussis. Maintenant, laissez-moi avec ma donzelle, mes bons amis.

L'ancien clerc rentra chez lui préoccupé, mais soulagé. En jouant adroitement, il montrerait au roi combien il pouvait se montrer utile. En chemin, il s'arrêta à la tour de la Clérette et demanda à ses hommes de faire monter Flore.

Celle-ci refusa avant de céder devant d'abominables menaces.

— Je viens d'apprendre que vous avez occis trois des prisonniers, fit Le Maçon sévèrement.

— Ils méritaient plus que la mort, répliqua-t-elle. De surcroît, je n'ai fait que me défendre.

— Peu importe, ma fille ! s'efforça-t-il de plaisanter. Cela m'évitera de les pendre. Car, je ne viens pas pour cela mais pour te demander s'il serait possible que le saint linceul ait échappé à l'incendie dont tu m'as parlé.

Elle écarquilla les yeux de stupéfaction et resta sans voix un instant.

— Pourquoi ? bredouilla-t-elle, enfin.

— Le linceul se trouvait sous une poutre, as-tu dit... Que s'est-il passé ensuite ? Tout a vraiment brûlé ? La poutre n'aurait-elle pas protégé le drap ?

Flore se révéla plus fine que belle. Ce n'était pas pour rien si elle avait survécu à tant de malaventures. À Lamaguère, elle avait entendu à plusieurs reprises Jehan le Flamand raconter comment leur maître avait fait croire aux seigneurs anglais de la Tour de Londres que l'écuyer du comte de Huntington était un félon qui trahissait messire Furnais, ce qui avait permis la saisie du testament de Richard Cœur de Lion. Elle savait donc Guilhem d'Ussel capable d'être plus rusé qu'un renard. Avait-il laissé entendre à Le Maçon que le saint linceul existait encore, alors qu'elle avait parfaitement vu ses cendres le lendemain ? Elle se rattacha à cette idée.

— C'est possible, maître, reprit-elle prudemment. J'y ai souvent pensé. Pourquoi le Seigneur Dieu aurait-Il choisi de détruire ce saint drap portant l'image de Son fils bien-aimé ? Peut-être voulait-Il seulement me le reprendre, me jugeant indigne de le posséder. Le feu a en effet été éteint, mais l'hôpital n'était qu'un tas de gravats et de poutres quand je suis partie. J'ignore ce qui a été trouvé après le déblaiement.

Le saint suaire avait donc pu être épargné par les flammes ! songea Le Maçon.

Il donna ordre de la faire redescendre et nourrir correctement. Ensuite, il se préoccupa de préparer la journée du lundi.

Pendant ce temps, sur la table du cabaret, Saint-Jean se livrait à de savants et minutieux mélanges, utilisant différents fourneaux et quantité de coupelles et petits récipients.

Le morceau d'étoffe sauvé par Flore lui était très utile, car sinon il n'aurait pas su quels sceaux ni inscriptions copier. De plus, il lui permettrait de vérifier que le vieillissement du linceul fabriqué allait être identique à celui fait par Mahmoud. Malgré tout, il était contraint de placer certaines marques sans savoir s'il s'agissait de celles mises par Mahmoud. Mais ce n'était pas important, pensait-il. Comment Le Maçon aurait-il pu connaître les sceaux, les médailles et les inscriptions du premier faux linceul ?

À l'aide de lancettes de métal, il détacha avec précaution le vieux sceau de Baudouin de Jérusalem, la médaille de plomb et décousu le papyrus sur lequel les mots IN NECEM NAZAPENOΣ étaient de plus en plus effacés.

Ensuite, avec les pigments qu'il possédait, il fabriqua des pâtes de différentes teintes, faisant des mélanges de cire d'abeille, de résine de pin, de poix et d'os de seiche réduits en poudre, parfois de craie ou de marbre coloré. Puis, il confectionna des moules en plâtre pour réaliser des empreintes à partir de sceaux d'évêques du début du christianisme. La cire chauffée fut adroitement coulée dedans en saisissant en même temps des fils de lin et de soie, préalablement colorés et salis. Ceux-ci se virent attachés au linceul puis l'ensemble vieilli avec des vapeurs de vinaigre et à la chaleur du foyer.

Ces opérations, alternées par des lavages du suaire, durèrent jusqu'au dimanche.

Fin prêts, Alaric, Peyre et les hommes de Furnais se rendirent le dimanche à la messe, tandis que Guilhem et Saint-Jean se faisaient conduire en barque, par un ami de La Hure, en aval de la Seine. Avec l'aide du marinier, Guilhem trouva un îlot de sable favorable à son dessein. Ensuite, ils gagnèrent la berge où ils dissimulèrent, au milieu de souches, un sac de toile graissée contenant des sayons.

Revenu à Rouen, Guilhem fit raser sa barbe, sa moustache et couper ses cheveux chez un barbier. Il aurait été dommage que Le Maçon remarque sa ressemblance avec le visage du suaire !

Le lendemain, la neige ayant cessé de tomber, Guilhem, Saint-Jean et Peyre reprirent la même barque, étant sortis de la ville à l'ouverture des portes. Ils transportaient le précieux linceul et une lance sur laquelle ils attacheraient la bannière rouge, signe de reconnaissance. Apparemment, ils n'étaient pas armés, mais La Hure leur avait donné de courtes épées qu'ils gardaient sous leur manteau. De plus Guilhem portait plusieurs sacs attachés à sa taille.

Un peu plus tard, l'écuyer et le sergent de Furnais sortirent à leur tour avec La Hure qui, seul, portait une hache et un arc. Certes, arborer des armes était interdit, sauf pour les serviteurs de chevaliers ou de seigneurs, mais le cabaretier manchot étant connu des miliciens de la porte, quand il leur expliqua aller chasser avec des amis personne ne lui chercha noise. Seul un garde se moqua de lui en demandant comment il tirerait avec une seule main.

— Veux-tu que j'essaye sur toi ? répliqua La Hure. Mets-toi là-bas et laisse-moi faire. Avant que ma flèche te rentre dans la gorge, tu verras comme je tiens la corde avec mes dents.

La réplique fit rire tout le monde et le moqueur déclina la proposition. La troupe passa.

Ayant emprunté le pont Mathilde, les trois hommes longèrent la rive gauche jusqu'au niveau de l'île. En cas de traquenard, il faudrait peu de temps à Guilhem, Saint-Jean et Peyre pour passer de l'île à la berge avec leur barque et, de là, se cacher en la forêt.

Comme Alaric l'avait exigé, l'embarcation portant Le Maçon apparut vers midi. Il s'y trouvait seul avec deux rameurs.

Guilhem les attendait devant la bannière. Saint-Jean un peu plus loin. Le pêcheur qui les avait conduits s'était éloigné avec Peyre. L'îlot possédait seulement quelques saules dépouillés et des hérons gris observaient ces intrus au milieu des touffes de joncs.

Ils accostèrent et Le Maçon descendit de la barque, mouillant sa robe aux genoux.

Guilhem l'examina avec attention, reconnaissant sans peine le jeune homme vu lors du débarquement de la nef d'Acre à Marseille. À l'époque, il portait un haubert et une coiffure non tonsurée. Maintenant, il arborait une robe mais il gardait l'expression à la fois perspicace et dédaigneuse qui l'avait alerté.

Le Maçon le considéra sans aménité. Rien ne laissait voir dans son comportement qu'il se souvenait de lui. Puis le clerc détourna les yeux et lança un regard sombre à Saint-Jean. Guilhem devina qu'il cherchait surtout à dissimuler ses appréhensions. L'ancien clerc n'était pas aussi sûr de lui qu'il voulait le paraître.

— Ainsi, vous avez rejoint ces félons au lieu de quitter Rouen ? lança-t-il à Saint-Jean. Vous partagerez donc leur sort, quand tout sera terminé.

— Êtes-vous venu pour menacer, tueur d'enfantelet ? interrogea Guilhem d'une voix sans timbre. Ou pour examiner le saint suaire ?

— Où est-il ? demanda le clerc, s'efforçant de contenir sa rage.

Saint-Jean s'approcha d'un saule et détacha des branches une sacoche. Il l'ouvrit et déplia le drap de lin, le suspendant aux ramures.

L'étoffe flottait légèrement à la brise, dévoilant la forme d'un corps, de face et de dos, de couleur ocre. Le visage représenté avait les yeux fermés et respirait la majesté, l'humilité, la noblesse et la paix. Les cheveux longs entouraient un front sur lequel on distinguait parfaitement des traces d'épines.

Apparemment indifférent, mais en réalité sur le qui-vive, Guilhem observait le clerc, balayant en même temps les alentours du regard.

Découvrant le grand drap, Le Maçon déglutit, s'efforçant de maîtriser son tremblement. Il s'avança vers le linceul, remarquant les traces des stigmates. Il se souvenait de ce que lui avait dit le grand maître à Acre : Il a les bras croisés sur la poitrine et on voit distinctement la trace des clous, tout comme celles de la couronne d'épines...

C'était le cas. Son esprit lui criait : C'est Lui ! C'est Son visage !

Le saint drap se tenait enfin à sa portée ! L'objet d'une quête de plus d'un an ! Il le toucha avec une extrême douceur, un immense respect. Du lin, très vieux et brûlé par places. Il découvrit les sceaux, à une extrémité, en effleura un et reconnut celui de Baudouin de Jérusalem.

Une bande d'oiseaux s'envolant en rangs serrés le fit sursauter et il se tourna vers Guilhem, craignant une traîtrise. Mais tant lui que Saint-Jean le considéraient sans rien laisser paraître.

Le Maçon revint aux sceaux, les examinant l'un après l'autre. Celui d'un évêque de Jérusalem, personne n'aurait pu le contrefaire. Une médaille en plomb marquée de caractères ne pouvait être que celle de Jacques. Les autres, très anciens, lui étaient inconnus. En revanche, il ne trouva aucun morceau de parchemin du saint martyr Alexandre ni la marque de Siméon.

Qu'en penser ?

Le doute l'envahit. Le grand maître d'Acre n'avait-il pas précisément cité la marque de Siméon ? Il ne pouvait s'être trompé. Contrarié, l'ancien clerc examina l'inscription du papyrus cousu : IN NECEM NAZAPENOΣ : le Nazaréen !

Cette mention balaya ses doutes. Le visage devant lui se trouvait bien être celui du Christ. Les marques manquantes avaient dû être perdues ou arrachées par Flore ou, qui sait, par Thomas.

Submergé par l'émotion, il resta un instant indécis. Il aurait voulu emmener le suaire sur-le-champ, mais il savait qu'il ne le pouvait.

Il se tourna à nouveau vers Guilhem d'Ussel au visage toujours impénétrable. Il remarqua combien la figure de cet homme ressemblait à celle du Christ, mais chassa aussitôt cette absurde comparaison. Il haïssait cet Ussel et aimait le Christ sauveur. Deux êtres aussi dissemblables que l'eau et le feu.

— Je ferai part au roi Jean de ce que j'ai vu, conclut-il finalement.

— Voici mes conditions, déclara Guilhem. L'échange se fera dans une forêt, mercredi à haute none. Dame Flore, le seigneur de Furnais et mon écuyer Alaric seront chacun sur un cheval, leurs visages bien visibles. Des guetteurs me préviendront. Pas plus d'une douzaine d'hommes en armes les accompagneront, et aucun muni d'arc ou d'arbalète. Quand vous me verrez sur le chemin, je tiendrai le saint drap. Vous vous arrêterez à cent toises. Un seul de vos hommes s'approchera. Je lui montrerai le linceul qu'il aura loisir d'examiner. Quand je le lui aurai remis, il vous fera signe et reviendra vers vous. À ce moment, vous ferez avancer les otages. Mes gens seront dans la forêt et tout sera annulé en cas de traîtrise.

— Je veux savoir où !

— Au dernier moment.

Le Maçon se raidit.

— Sur ma vie, croyez-vous pouvoir imposer votre volonté ? Ici en Normandie !

— Peu me chaut votre sentiment, il s'agit de mes conditions. Maintenant filez comme le rat que vous êtes. Et n'oubliez pas : l'échange terminé, je saurai vous retrouver et vous châtier ! Toute chose à son heure.

Le Maçon n'insista pas. La barque attendait. Il pataugea à nouveau dans l'eau et remonta à bord. Les rameurs l'éloignèrent rapidement de l'île.

Guilhem n'entendit pas Le Maçon proférer :

— Que le diable t'arrache le foie.

Déjà Saint-Jean avait replié le suaire.

— Querpissons aussi ! ordonna Guilhem.

Ils embarquèrent à leur tour et le marinier les conduisit sur la berge, où les autres attendaient. Ensuite, il repartit seul vers Rouen.

Les six compères récupérèrent le sac en toile graissée et filèrent dans le bois, empruntant un chemin connu de La Hure. Une lieue plus loin, ils débouchèrent sur une belle étendue de sable qui convint à Guilhem pour les essais qu'il voulait entamer.

Peyre et Saint-Jean allaient pouvoir s'entraîner avec l'arc de La Hure.

# Chapitre 38

Le soir même, Le Maçon fut reçu par un roi Jean attendant avec impatience le résultat de l'entretien. Dans la chambre se tenaient aussi Édouard de Bréauté, Guillaume de Briouse et Peter Mauluc.

— Grand roi, et nobles seigneurs, fit l'ancien clerc en s'agenouillant, je viens de voir le visage de Notre-Seigneur Dieu.

Sa voix portait une telle émotion que chacun se signa.

— Certain ? interrogea Mauluc.

— Aucun doute.

— Je veux ce linceul ! exigea Jean.

— Avez-vous parlé de l'échange ? demanda Mauluc.

— Oui, messire.

Le Maçon expliqua les conditions.

— Nous ferons comme cet Ussel l'a choisi, décida le roi d'Angleterre lorsque le clerc eut terminé. Je ne veux aucune perfidie. Mais une fois le suaire en ma possession, rattrapez-les, ils ne pourront s'être éloignés beaucoup. Édouard, tu emmèneras tous les Brabançons que tu peux rassembler dans le camp de ton frère. Mauluc, je te laisse les gens d'armes de la citadelle. Briouse, tu prendras le commandement de cette troupe. Le Maçon, c'est vous qui irez chercher le linceul. Vous l'avez vu et je veux être certain qu'il n'y aura aucune tromperie lors de l'échange.

Celui-ci achevé, Briouse lancera l'attaque contre Ussel et ses marauds.

Il s'adressa au clerc :

— Qu'a-t-il dit sur le lieu de l'échange ?

— Rien, noble roi, mais il sera bien contraint de me le faire savoir assez tôt.

— Vous enverrez alors des messagers au sire de Briouse, à mon ami Mauluc et à mes fidèles frères Bréauté. Et dès que vous posséderez ma relique, vous galoperez jusqu'à Rouen avec.

— Ces scélérats ne nous échapperont pas, mon roi ! jura Guillaume de Briouse.

L'entretien terminé, Le Maçon, Mauluc et Guillaume de Briouse se réunirent avec Édouard afin de préparer les détails de l'entreprise. Le frère de Falcaise disposait seulement d'une cinquantaine d'hommes, ses deux aînés étant partis à Andely avec le gros des troupes de Brabançons pour se mettre aux ordres du gouverneur du château Gaillard, Roger de Lascy. Cinq ans plus tôt, Richard Cœur de Lion avait surpris Philippe Auguste dans une embuscade près de ce bourg, l'obligeant à fuir jusqu'à Gisors. Jean comptait sur Falcaise pour réitérer l'exploit et mettre ainsi fin à la conquête de la Normandie par les Français.

Comme il fallait aussi laisser quelques soldats au camp du Mont de Rouen, il fut convenu qu'Édouard emmènerait trois douzaines d'hommes. Guillaume de Briouse en rassemblerait autant. Ils suivraient Le Maçon et les otages à une demi-lieue de distance. Après l'échange, ils rattraperaient les espions et les extermineraient. Mauluc voulait seulement qu'Ussel et Furnais ne soient pas tués pour être dépecés plus tard et servir d'exemple.

Après l'entrevue avec Le Maçon sur l'île de la Seine, Saint-Jean avait pris le cheval de La Hure pour gagner Pont-de-l'Arche. Le Maçon pouvant avoir donné son signalement, il ne reviendrait pas à Rouen. L'écuyer de Furnais l'accompagna.

Quant à Guilhem, Peyre et Alaume, ayant rangé armes et vêtements dans la toile graissée, puis dissimulé ce paquet au mieux dans des fourrés, ils rentrèrent en ville revêtus des sayons portés la veille et jusque-là entreposés dans la même toile. Mêlés aux serfs qui franchissaient les portes, personne ne les interrogea.

Ensuite, ils se séparèrent. Le sergent de Furnais partit acheter des chevaux, des armes et des équipements, tandis que Guilhem et son serviteur, revenus chez La Hure, préparèrent des sacs remplis du mélange soufré que Bartolomeo avait mis au point à Lamaguère.

Un dernier souper les réunit avec Médard La Hure et ils quittèrent Rouen le lendemain. Le cabaretier manchot porterait le message indiquant le lieu où se déroulerait l'échange.

Le mercredi matin, la servante de Le Maçon, sortie la première pour aller prendre de l'eau à la fontaine, découvrit un parchemin glissé dans la grille. On le porta immédiatement au maître. Écrit en latin, il contenait ces mots :

*Haute none, dans la forêt, sur le chemin entre Pont-de-l'Arche et Louviers.*

La Maçon, qui se tenait prêt, envoya immédiatement Ferrière au camp de Falcaise et Béraire au château du roi Jean pour les prévenir. Puis il fit entraver Alaric et, ayant rassemblé et équipé ses hommes, se rendit avec eux à la tour de la Clérette.

Convoquée, Flore monta l'échelle, résignée et frissonnante, après avoir fait ses adieux à Gregorio.

— Dame Flore, lui dit Le Maçon, vous allez être échangée avec Alaric et une autre personne contre le saint linceul.

Quelle imposture avait donc montée Guilhem d'Ussel ? Elle s'efforça de demeurer impassible mais ne put retenir ses tremblements. Elle ne souffrirait pas, ne serait pas navrée après d'horribles tortures et, surtout, retrouverait Alaric. Flore eut alors une pensée pour Gregorio, qu'elle laissait et qui n'aurait pas sa chance. Bien qu'il lui ait raconté le mal qu'il avait causé, elle éprouva une sincère pitié pour lui.

Évidemment, ces réflexions traversèrent son esprit en un éclair. En même temps, elle se souvint des exigences invoquées par Alaric lorsque Le Maçon lui avait annoncé sa libération.

— Je refuse de partir sans Gregorio ! déclara-t-elle, agissant comme le Toulousain l'avait fait avec Saint-Jean.

Le Maçon resta interloqué.

— Il m'a sauvé la vie, je ne l'abandonnerai pas, ajouta-t-elle pour se justifier.

— Par Dieu, crois-tu que j'aie le temps de discuter, ma fille !

— Je ne m'en irai pas sans lui.

L'ancien clerc s'adressa aux gardes qui l'avaient accompagné :

— Vous deux, attachez-la !

— Je ne me laisserai pas faire ! menaça-t-elle en reculant.

D'un geste elle saisit une chaîne pendue à un crochet, précisément celle ayant servi à supplicier Alaric.

Le Maçon n'avait pas prévu ce refus. Il pouvait maîtriser cette folle, mais elle était vigoureuse, et s'il ne voulait pas la blesser, elle serait capable de navrer ses hommes. Voire lui-même.

— D'accord ! déglutit-il, furieux, jurant de se venger quand tout serait terminé.

Libérer Gregorio n'avait d'ailleurs aucune importance. Une fois en possession du suaire, tous les gens se trouvant avec Ussel seraient massacrés et cet Italien regretterait alors la liberté.

— Faites-le monter, ordonna-t-il à ses hommes.

Hors de la tour, Flore aperçut Alaric attaché sur un cheval. Hirsute, affaibli, émacié (il n'avait pas mangé depuis quatre jours, n'ayant reçu que de l'eau), elle se précipita vers lui pour le réconforter, mais un garde l'arrêta :

— Prenez cette jument ! ordonna-t-il rudement.

Aucun cheval n'étant prévu pour Gregorio, Le Maçon le fit monter derrière Flore après lui avoir entravé les mains.

— On va être échangés, lança-t-elle joyeusement au Toulousain en se calant sur la selle de bois.

— Je sais, mais pourquoi lui ? s'enquit-il avec une pointe d'inquiétude.

— Il m'a sauvée dans le cachot. J'ai exigé qu'il vienne avec nous.

Alaric hocha la tête et, malgré son épuisement, parut rassuré.

Le convoi prit la direction de la porte de Robec.

Après qu'ils l'eurent franchie, Alaric interpella Le Maçon.

— Le seigneur de Furnais ne se trouve pas avec nous. L'échange ne se fera pas !

— Furnais nous rejoindra plus loin, répliqua le clerc. Maintenant, taisez-vous !

Furnais étant au château royal, s'ils étaient allés le chercher Alaric aurait aperçu le rassemblement des chevaliers et des sergents d'armes. Il aurait alors compris la traîtrise et prévenu Ussel lors de l'échange.

Sur la route de Pont-de-l'Arche, Alaric ne cessait de se retourner. Le plan de son maître semblait se déroulait à merveille. Le suaire fabriqué par Saint-Jean avait dû abuser Le Maçon. Pour autant, plusieurs détails l'inquiétaient. D'abord, les absences de Ferrière et de Béraire. Où étaient ces deux coquins ? Ensuite, le roi Jean aurait dû les faire accompagner de quelques nobles chevaliers de sa cour pour prendre possession de la relique. Peut-être même de religieux de l'évêché. Or, il n'y avait autour d'eux que les hommes de Le Maçon. Une autre troupe se nichait forcément quelque part.

Le Toulousain s'interrogeait aussi sur l'aide que lui-même pourrait apporter à son maître. Pour l'instant, entravé et affaibli, il se sentait incapable de se battre.

Ils longeaient la Seine, en avançant au trot, quand Alaric entendit une lointaine galopade derrière eux. Il se retourna et vit apparaître une troupe arborant une bannière aux armes de Jean. Le Maçon fit arrêter ses hommes et attendit. Ces poursuivants les rattrapèrent vite. Six cavaliers en broigne et casque à nasal armés de haches et d'épées. Le septième, attaché par les jambes, sur sa selle, était Thomas de Furnais, en tunique, sans manteau ni gants malgré le froid. Il paraissait encore plus épuisé qu'Alaric.

Il adressa pourtant un sourire au Toulousain, mais haussa les sourcils devant Gregorio.

Les gardes qui l'accompagnaient se joignirent à la troupe et on laissa les quatre otages chevaucher ensemble. Le Maçon restait près d'eux pour surprendre leurs conversations, mais il n'apprit rien.

Alaric expliqua seulement à Furnais s'être livré pour proposer son échange contre la sainte relique découverte en venant à Rouen. Ayant l'habitude des ruses de Guilhem d'Ussel, Furnais se montra impavide. Alaric ajouta que son seigneur était allé chercher le saint linceul du Christ, au prieuré où ils l'avaient laissé. Ce suaire, Le Maçon avait tenté de se l'approprier à Lamaguère, mais Flore le gardait, jusqu'à ce qu'elle ait cru à sa perte. Furnais n'osa aucune question, comprenant que tout n'était que falace. Ainsi, lorsque la vérité serait découverte, inévitablement la bataille éclaterait. Il s'en inquiétait, tant il se sentait faible.

Trois heures plus tard, la troupe franchit le fleuve et traversa Pont-de-l'Arche sans s'arrêter. Elle pénétra ensuite dans la forêt. Très vite, les chênes formèrent un long tunnel sombre d'où tombaient des gouttes d'eau, séquelles de neige fondante. De part et d'autre, les futaies de bruyères paraissaient impénétrables.

Ils s'enfoncèrent profondément dans le bois, au milieu de taillis de houx. Le lierre envahissait les chênes. Parfois, ils croisaient des voyageurs : moines, colporteurs, hommes d'armes ou marchands qui s'écartaient prudemment en entendant leurs chevaux.

Vers haute none, les bois s'ouvrirent sur une clairière. Alors qu'ils approchaient d'un carrefour, ils virent un cavalier, seul sur le chemin. En haubert, avec cervelière sous son casque conique à nasal, l'individu portait une cotte rouge, sans manches. On apercevait ses heuses rouges et ses hauts soliers de cuir dans les étriers de son destrier.

Le Maçon ne douta pas que ce fût Ussel et fit arrêter ses gens.

Guilhem saisit une sacoche attachée à l'arçon de sa selle et la brandit à bout de bras.

— Le saint linceul ! cria-t-il.

Le Maçon n'hésita pas et fit avancer son cheval après avoir dit à un sergent :

— Quand j'aurai vérifié, et que je vous ferai signe, faites avancer les quatre otages. S'ils tentent de partir au galop, tuez-les !

Le silence était tombé dans la sombre forêt, même les oiseaux ne chantaient plus. Les voyageurs de passage avaient aussi disparu. Sans doute les hommes d'Ussel les retenaient-ils quelque part.

Le Maçon arriva devant ce dernier qui lui tendit le sac de cuir. Le clerc l'ouvrit et en sortit le drap. Il reconnut les sceaux et remit tout à l'intérieur. Faisant signe au sergent, il cria :

— Faites-les venir !

Puis il s'adressa à Ussel :

— Vous aurez un quatrième homme. Dame Flore a exigé qu'un prisonnier l'accompagne.

Sans saluer, il fit faire demi-tour à son cheval et s'éloigna lentement.

Déjà Furnais, Alaric, Flore et Gregorio s'avançaient.

Ussel les observait, intrigué par l'inconnu dont Le Maçon n'avait pas dit le nom et concentré sur ce qui allait suivre.

Le clerc et les otages se croisèrent. C'était le moment de vérité mais il ne se passa rien. Le Maçon revint près de ses hommes et les otages continuèrent jusqu'à Guilhem qui reconnut alors le Pisan.

Ayant salué dame Flore d'un signe de tête chaleureux, il sortit sa dague et trancha les liens des prisonniers avec un sourire de satisfaction.

— Comment as-tu fait ? demanda Furnais, ému aux larmes.

— Plus tard, mon ami ! Mets-toi à l'abri avec eux, buvez et mangez, l'affaire ne fait que commencer.

— Nous ne partons pas ensemble, seigneur ? s'étonna Alaric.

Il aperçut alors l'écuyer de Furnais qui sortait du bois, suivi par un second destrier chargé d'un écu et de tout un équipement.

— Pas pour l'instant. Je te l'ai dit : l'affaire débute à peine. Mais, vous, vous n'êtes pas en état de vous battre.

— Quoi ! s'insurgea Furnais. Ruffec ! Mes armes, mon harnois ! hurla-t-il à l'attention de l'écuyer.

— Seigneur, laissez-moi me racheter, supplia Gregorio, donnez-moi une hache, une épée, n'importe quoi !

Gregorio paraissant peu affecté par son emprisonnement, Guilhem détacha la seconde hache à sa selle et la lui tendit.

— Et moi, seigneur ? protesta Alaric.

— Te sens-tu capable de batailler ? Tu n'en as pas l'air !

— C'est seulement la faim, seigneur. Ils ne m'ont rien donné durant quatre jours ! plaisanta le Toulousain.

Sans quitter des yeux le chemin et les gens de Le Maçon, Guilhem désigna l'arrière de sa selle. Une besace y était attachée, avec une outre et une masse d'armes.

— Regarde dans cette sacoche, tu trouveras dedans du pain et de la viande séchée. Prend aussi mon outre de vin et la masse.

C'était un bâton gros comme le bras, avec à une extrémité une forte courroie pour le tenir et, à l'autre, trois chaînons de fer auxquels pendaient des boulets de huit livres. Alaric s'en saisit, puis attrapa avidement le sac, fouilla dedans, saisit la viande et la porta à sa bouche.

Pendant ce temps, Furnais et son neveu s'étaient accolés avec une sincère affection. L'écuyer ouvrit lui aussi un sac et sortit pour son maître tout un assortiment de nourriture acheté à Pont-de-l'Arche en prévision de son retour : des beignets, des viandes, des fromages et même un pain blanc. Comme Alaric, Furnais était affamé, car Jean aimait laisser souffrir ses prisonniers de la faim. Il but aussi abondamment, mais demanda une outre d'eau, craignant que le vin ne lui fasse tourner la tête. Après quelques bouchées et gorgées, il s'enquit :

— Mon haubert ?

— Sur votre cheval, seigneur.

— Aide-moi !

Furnais descendit de selle, alla à son destrier et détacha la cotte de mailles roulée dans une toile. L'écuyer l'aida à l'enfiler par la tête, puis le ceignit de son baudrier. Durant ces opérations, le chevalier serrait les dents, ayant le dos déchiré par les séances de fouet subies. Mais le désir de se venger était plus fort que la douleur.

Il se saisit ensuite de son épée et monta sur le destrier. Un écu triangulaire peint à ses armes était attaché derrière la selle, ainsi qu'une hache. Se sentant prêt à navrer les gens d'en face, saisissant le sac que lui tendit son neveu, il se remit à manger en regardant la troupe ennemie, à deux cents toises, toujours immobile. Pendant ce temps, Ruffec lui racontait ce qui était arrivé depuis sa capture.

Le Maçon observait cette activité avec une surprise mêlée d'inquiétude. Il avait la certitude que, l'échange fait, Guilhem et ses gens détaleraient. Guillaume de Briouse les aurait alors rattrapés et taillés en pièces. Or, ils ne fuyaient pas. À l'évidence, ils se préparaient à combattre. Envisageaient-ils de reprendre la relique ?

L'ancien clerc de Fontevrault hésitait donc à quitter les lieux, car il serait poursuivi et facilement rattrapé

avant l'arrivée des hommes de Guillaume de Briouse.
D'ailleurs, pourquoi ceux-là n'apparaissaient-ils pas ?

Il dit à l'un de ses serviteurs de faire demi-tour pour
leur demander de se presser. Ensuite, il donna ordre
aux archers de préparer leurs flèches. Ceux parmi ses
hommes ayant des arbalètes avaient déjà tendu les
cordes. En cas de charge de Guilhem d'Ussel, ils abattraient au moins la moitié de la troupe avant le corps
à corps, et comme leurs adversaires étaient peu nombreux, la victoire se révèlerait facile.

— Dame Flore, dit Guilhem, tandis que Furnais
s'équipait, prenez ce cheval et gagnez la forêt. La bataille
ne saurait tarder.

Aidée par Gregorio, elle descendit de selle et, une
fois au sol, s'approcha du cheval d'Alaric et caressa
affectueusement la jambe du Toulousain. Celui-ci
passa sa main libre dans les cheveux de Flore et, se
penchant, lui dit quelques mots que personne ne songea à écouter, car Furnais parlait avec son neveu et
Gregorio s'adressait à Ussel.

Le Pisan s'inquiétait de l'absence de Saint-Jean.

— Il est occupé, tu le verras quand tout sera fini,
répliqua rudement Guilhem sans quitter des yeux les
Brabançons.

— Vous a-t-il dit, seigneur, comment je me suis
comporté avec lui ?

— Il me l'a dit.

— Je veux me racheter, seigneur.

— Tu as une hache, utilise-la, répondit Ussel avec
froideur.

Flore et Alaric poursuivaient leur conciliabule à voix
basse, mais la femme venait d'entendre les paroles de
son maître, aussi intervint-elle :

— Seigneur, Gregorio m'a sauvé la vie et bien plus dans le cachot où nous étions ensemble.

Ussel cessa un instant d'observer Le Maçon et sa troupe pour s'adresser au Pisan avec un peu de chaleur.

— Dans ce cas, tu t'es déjà racheté, Gregorio.

— Je veux être votre homme, seigneur, puisque c'est à vous que Flore et moi devons notre liberté.

— Voilà une rude décision, Gregorio, et surtout inutile. Car la bataille finie, je te laisserai rentrer en Italie. Tu pourras même garder le cheval et les armes.

— Pour retrouver mon oncle et demeurer un larron ? Je refuse, seigneur ! Prenez-moi avec vous, je vous en prie au nom de Notre Père Dieu tout-puissant. Je vous serai fidèle, je m'y engage devant Jésus et tous les saints.

Quelle confiance devait-il lui accorder ? s'interrogea Guilhem. Puis il se souvint que lui aussi avait été larron, et que, depuis, il avait donné sa foi à un comte et à un roi.

— Thomas, tu as entendu ? demanda-t-il. Sois témoin, je le veux.

Furnais se rapprocha. Gregorio descendit de cheval et s'agenouilla. Guilhem ôta un de ses gants de mailles et abaissa sa main vers lui. Le Pisan baisa le pouce en déclarant :

— Seigneur, je me donne à vous. Je vous serai loyal. Je l'affirme devant le Tout-Puissant.

La cérémonie d'allégeance ne fut pas plus formelle. Craignant une attaque à tout moment, Ussel ne voulait pas descendre de selle et savait, par expérience, que les serments les plus solennels n'étaient pas les mieux observés.

Alaric n'avait pas assisté à l'hommage, s'étant éloigné dans un taillis avec Flore qui venait d'ôter sa robe devant lui.

Le Toulousain nageait dans le bonheur et voulait marquer son amour à sa dame. Il avait plusieurs fois entendu une histoire que son maître aimait à chanter : celle d'une noble dame qui, lors d'un tournoi, avait fait porter par un écuyer une de ses chemises à trois chevaliers qui tous disaient l'aimer.

Elle leur avait fait savoir que son cœur serait acquis à celui qui descendrait dans la lice couvert de son vêtement : « Je vous prie de vêtir cette chemise pour l'amour de moi, et de vous présenter ainsi au combat sans autres armes que votre épée, vos chausses de mailles, votre heaume et votre écu. »

Deux avaient refusé, jugeant indigne et ridicule de se battre en chemise, exposés à tous les coups. Le troisième avait combattu avec la chemise de sa dame, l'inondant de son sang par trente blessures, pour ne quitter la lice que vainqueur.

Comme il était épuisé par ses plaies, on avait voulu lui ôter cette chainse épaissie par son sang mais il avait refusé, déclarant préférer perdre la vie. En récompense de tant d'amour la dame lui avait accordé un doux baiser qui l'avait rétabli. Après avoir repris sa chemise teintée de rouge, elle s'en était vêtue lors du banquet suivant le tournoi, expliquant trouver les taches du sang de son amant plus belles que les broderies d'or et les pierreries[1].

C'est ce qu'Alaric avait raconté à voix basse à Flore, la suppliant de lui donner sa chainse.

La jeune femme était restée indécise. Si Alaric connaissait les romans de chevalerie, elle les ignorait. Mais comme il paraissait sincère et comprenant qu'il se battrait pour elle, elle avait accepté.

---

1. La lectrice, ou le lecteur curieux, lira l'histoire complète dans *Fabliaux ou contes, fables et romans du XIIᵉ et du XIIIᵉ siècles*, Legrand, Renouard, 1829 (*Les Trois Chevaliers et la Chemise*, de Jakes de Basin).

Seulement pour enlever sa chemise, elle devait retirer sa robe et se mettre nue, voilà pourquoi elle s'était éloignée.

À l'abri des regards, elle avait donné son manteau à Alaric, défait sa longue ceinture et, malgré le froid, ôté, en le soulevant, son bliaud de laine à grands plis et manches longues. Ensuite elle avait passé sa longue chemise au-dessus de ses épaules, dévoilant sa nudité, sa poitrine étant seulement couverte de bandes de toile. Puis, ayant tendu la chainse à Alaric, elle s'était rhabillée, toute grelottante.

Alaric avait alors passé l'ample vêtement au-dessus de la broigne gardée durant tout le temps de son emprisonnement.

Après l'hommage, Furnais remercia à nouveau Guilhem, assurant qu'il resterait sa vie durant son débiteur. Il demanda aussi comment il avait appris son emprisonnement, son écuyer ne connaissant que des bribes de l'histoire.

— Cet échevin qui te laissait croire à la possibilité de faire évader Arthur de la citadelle ne me causait que de la défiance. S'il ne s'était agi de ton duc bienaimé, tu n'aurais jamais été aveuglé ainsi, car il est impossible de sortir un prisonnier du château de Rouen. Je le savais, le roi de France aussi, et tous tes amis. Pourtant, ce bourgeois, qui connaissait mieux les lieux que nous, assurait la chose réalisable.

» Je craignais aussi la félonie de Ferrière, à moins qu'Alaric n'ait été aveuglé par son amour pour Flore. J'étais certain que l'un des deux était coupable de la mort de Godefroi le Saxon. Mais cela, je t'en avais parlé. Outre la punition de Le Maçon pour les meurtres commis chez moi, j'avais donc deux autres affaires à régler. Seulement la destinée a modifié mes desseins : tu ne m'as pas prévenu en allant chez l'échevin ; l'ancien compagnon chez qui je logeais a oublié d'avertir l'hôtelier de l'auberge Saint-Maclou ; et enfin la présence imprévue de Flore a égaré Alaric. Heureusement, celle-ci a tout sauvé et Saint-Jean s'est révélé un allié irremplaçable.

Les deux chevaliers et l'écuyer virent alors arriver Alaric revêtu de la chemise. Guilhem comprit et réprima un sourire. Il ouvrit la bouche pour parler quand le sol se mit à trembler.

Le martèlement de centaines de sabots.

# Chapitre 39

Ce tonnerre devint assourdissant tandis que vociférations et hurlements emplissaient l'air : des cris de meurtre, de tuerie et de vengeance. Sous les frondaisons, les gens de Le Maçon s'écartèrent pour laisser passer la horde.

Guilhem, aussi figé qu'une statue, avait juste saisi sa lourde masse à boules de fer. À côté de lui, Gregorio tenait fermement sa hache.

Le sire de Furnais, lui aussi hache en main, hésitait à s'élancer en constatant son compagnon si calme. Il n'ignorait pas que, dans les batailles, l'élan apporté par la vitesse du coursier se révélait déterminant pour vaincre l'adversaire, que celui qui ne bougeait pas se faisait à coup sûr massacrer. Inquiet, il se tourna vers son écuyer, mais, d'un signe de tête, celui-ci lui fit comprendre de ne pas bouger.

Quant à Alaric, il n'éprouvait aucune peur puisque la chemise de sa dame le protégerait. Il s'interrogeait seulement sur l'absence de Peyre, de Saint-Jean et du sergent de Furnais, subodorant quand même qu'ils interviendraient sous peu.

Ils aperçurent en premier les couleurs des robes des chevaux et les écus multicolores, puis distinguèrent les chevaliers en surcot et cottes de mailles. Tous chargeaient en une seule ligne, au galop, lance en avant, protégés par leur bouclier, tous cherchant à acquérir l'honneur en détruisant les rebelles à leur roi.

Derrière suivaient les écuyers brandissant épées et bannières, puis les sergents et hommes d'armes dont la plupart tenaient de longues haches normandes ou des marteaux.

Au moins une centaine ! frémit Alaric. Impossible de les vaincre. Il sut alors que débutait sa dernière bataille.

Soudain, la forêt s'illumina. Éclairs et lueurs terrifiants, aussi brillants que le soleil, jaillirent de toutes parts. Un fossé de flammes s'embrasa devant les cavaliers, brisant d'un coup leur charge. Du ciel – en vérité des arbres –, s'écoula une pluie de feu. Une fumée noire, âcre et sulfureuse, se répandit en un instant, empêchant toute vision. La panique s'empara des animaux puis des hommes, tandis que l'incendie embrasait les taillis.

Les cottes des chevaliers s'enflammèrent à leur tour. Des flèches volaient, venues de nulle part, et quand elles atteignaient un corps, même couvert de mailles de fer, celui-ci prenait feu ! Les écus de bois brûlaient les premiers.

L'enfer s'abattait sur terre. Dans une confusion et un fracas épouvantable, les chevaux hennissaient, s'emballaient, ruaient, s'écroulaient. Pris au piège, incapables de maîtriser leurs montures, les cavaliers chutaient sur le sol où ils étaient piétinés par les sabots. Un torrent de soufre emportait tout sur son passage. Clameurs, hurlements d'effroi, cris de douleur et ordres confus retentissaient.

À deux cents toises de ce désordre de fin du monde, Alaric venait de comprendre où se trouvaient Peyre, Saint-Jean et le sergent de Furnais. À Lamaguère, il avait assisté aux essais conduits par le seigneur Bartolomeo Ubaldi avec la mystérieuse poudre élaborée à partir de soufre. Son seigneur connaissait le mélange et avait dû en fabriquer de grandes quantités, puis le disposer autour de la clairière. C'est pour cette raison qu'il attendait la charge. Avec des flèches enflammées, Peyre, Saint-Jean et le sergent de Furnais avaient allumé ces brasiers.

Quelques jours plus tôt en effet, pendant que Saint-Jean travaillait sur le faux linceul, Guilhem avait rassemblé du charbon de bois et demandé à La Hure de racler les murs de l'étable du cabaret afin de récupérer la fleur de roche.

Après quoi, ayant soigneusement broyé le charbon de bois et préparé un mélange de six parts de soufre et de sel de roche contre une de charbon, proportions idéales pour une poudre incendiaire, il avait malaxé l'amalgame avec de l'esprit-de-vin, puis laissé reposer la pâte obtenue.

Saint-Jean avait assisté aux préparations avec un immense intérêt, le Sarrasin ignorant tout de cette composition venue de Perse. Guilhem l'assura qu'elle brûlerait avec beaucoup plus de force que du feu grégeois.

Des essais avaient été pratiqués après l'entrevue avec Le Maçon sur l'île de la Seine. Dans la clairière où La Hure les avait conduits, Guilhem avait placé les petits sacs de poudre qu'il transportait à différents endroits. Puis Peyre et Saint-Jean les avaient embrasés à tour de rôle à l'aide des flèches enflammées. Quant au sergent, il s'était entraîné à allumer des feux avec la même poudre.

Découvrant les flammes sulfureuses s'élevant autour de lui et les éclairs tombant du ciel, Le Maçon était resté pétrifié, pris d'une terreur sans nom. La charge des chevaliers s'étant brisée devant le mur de feu, il devina que Dieu venait de déchaîner contre lui Sa colère. Tout était dit dans le livre de Job : « Le feu de Dieu est tombé du ciel, a embrasé les brebis et les serviteurs, et les a consumés ! »

Au milieu du désordre et des tourbillons de fumée, il vit Mauluc tenter de fuir, mais tomber de son cheval dont la toile de la robe blasonnée s'embrasait. Titubant, le favori de Jean s'efforçait de se mettre à l'abri sous des branches. Devant lui, les sergents jetaient leurs boucliers enflammés, d'autres hurlaient, grillés vifs. Une vision d'apocalypse. Hommes d'armes et sergents, terrorisés, se bousculaient, cherchant à s'abriter du feu du ciel, mais le brasier n'en épargnait aucun.

Le Maçon balbutiait un implorant « Notre Père » quand un choc l'atteignit à l'épaule. Immédiatement sa robe s'enflamma et il sut qu'il allait mourir. Il tomba de selle, laissant la sacoche, contenant le précieux linceul, accrochée à l'arçon, puis roula sur lui-même pour tenter d'éteindre les flammes.

Malgré ses propres brûlures, Mauluc se précipita à son secours et parvint à étouffer les flammes à l'aide de son manteau. Apercevant alors un passage sans fumée dans le bois, il lui ordonna de le suivre.

Le Maçon hésita, cherchant des yeux son cheval. Mais la monture avait disparu emportant la précieuse sacoche. Affolée par les cris déchirants et les crépitements des flammes, la bête s'était enfuie. Ne pouvant rester sur place, le clerc partit donc à la suite de Mauluc, qui avait déjà filé. Derrière, le brasier s'étendait. Les odeurs de chair grillée participaient désormais à l'infernale horreur. Partout, des corps défigurés jonchaient le sol. Il parvint à se faufiler au milieu de ceux qui, à genoux, imploraient la grâce du Seigneur, persuadés que les portes de l'enfer venaient de s'ouvrir.

Courant à perdre haleine, il déboucha dans un endroit protégé de la fournaise. Nombre de cavaliers s'y étaient réfugiés, tentant de calmer leur monture. Mauluc s'entretenait avec Guillaume de Briouse. Le chef de l'expédition, sans casque, chevelure et joue en partie brûlées, avait le visage couvert de larmes.

Le Maçon s'approcha en tremblant. Autour de lui, ce n'était que pleurs et gémissements. La fumée de soufre les enveloppait, provoquant des toux douloureuses qui leur arrachaient la gorge.

— Pourquoi le Seigneur nous a-t-il punis ? sanglotat-il.

— Ce n'est pas le Seigneur ! hurla Mauluc, c'est ce diable d'Ussel !

— Quoi ?

— Dieu me damne, n'avez-vous pas vu les flèches ? C'étaient des flèches enflammées, certaines portaient de petits sacs de soufre qui s'embrasaient dès qu'ils touchaient une étoffe.

— Mais le soufre ne s'enflamme pas facilement, objecta Le Maçon.

— Le feu grégeois, oui ! Ussel nous a envoyé dessus une sorte de feu grégeois !

— Par le cul de Dieu ! Cet homme est donc un démon ! s'exclama Guillaume de Briouse.

— Où est Édouard ? Il faut prévenir ses frères, décida Mauluc.

— Lui et quelques chevaliers sont passés de l'autre côté du torrent de soufre ! répondit Guillaume de Briouse.

— Ils ont dû écraser Ussel ! se réjouit Le Maçon.

— Pas sûr ! fit Mauluc, sombrement. La flambée semble se calmer. Allons voir !

Il saisit un cheval qu'un écuyer approchait et monta en selle malgré la douleur de ses brûlures.

Quelques chevaliers avaient en effet réussi à franchir le mur de flammes. Une grosse douzaine, avec leurs écuyers. Ceux-là se précipitèrent vers Ussel et ses compagnons.

Au galop, lance sous le bras, pointe de fer en avant, ils se sentaient invincibles dans leur charge impétueuse et voulaient tous acquérir l'honneur.

— Dans la forêt ! cria Ussel à ses hommes.

Faisant demi-tour, ils se réfugièrent dans de hautes futaies, provoquant les sarcasmes de leurs poursuivants qui les traitaient de lâches.

Mais au milieu des chênes, les lances, inutiles, devinrent des entraves. Or, seuls quelques assaillants tenaient une hache. Ussel revint sur eux et, à lui seul, brisa deux hommes avec sa masse. Ce fut un désordre et une confusion incroyables. Emmêlés dans les taillis, des cavaliers, tête rompue sans même avoir combattu, s'écroulaient assommés à grands coups de maillets de fer et de fléaux.

Avec sa longue hache, Alaric provoquait de son côté un sanglant carnage. La chemise de Flore était rouge de sang et blanche de cervelles. Gregorio tua un écuyer et Furnais se retrouva en tête à tête avec un chevalier pour un duel à l'épée.

Hélas, son écuyer reçut un mauvais coup de lance qui lui perça la cuisse et tomba de cheval. Guilhem, lui-même, ne fut pas épargné. Tandis qu'il broyait un autre chevalier d'un coup de masse, un colosse lui abattit le fer de sa hache sur le crâne, tranchant le métal du casque. La lame glissa ensuite jusqu'à l'épaule, entaillant sa chair malgré le camail et la cotte de mailles. Sous la violente douleur, Ussel lâcha sa masse mais heureusement Gregorio le sauva en plantant sa propre hache dans le dos de l'agresseur.

Malgré sa blessure, Guilhem tira sa lourde épée et la brandit de la main gauche, venant en aide à l'écuyer sur le point de périr.

Quant à Furnais, son duel se poursuivait. Son adversaire était jeune, adroit et vigoureux, et l'ancien gouverneur d'Angers très affaibli. Rapidement, il eut le dessous et en vint seulement à parer les coups. Mais, alors que le jeune chevalier levait son épée pour une fatale frappe, Guilhem arriva derrière lui et, d'un revers de lame, lui trancha le cou malgré son bonnet de mailles.

La tête roula, le casque se détacha et finit sa course sous les pieds du cheval d'Alaric. Tous leurs adversaires étant morts ou mourants, Alaric se pencha pour regarder le visage du mort et le reconnut.

— C'est Édouard ! s'exclama-t-il.

— Édouard de Bréauté ? s'enquit Furnais.

— Oui, je l'ai vu à Rouen.

— Un de moins ! lança Guilhem comme seule oraison funèbre.

Il se retourna en entendant Saint-Jean et Peyre qui accouraient, arc en main, le sergent à leur suite.

Les attaquants vaincus, les autres incapables de les poursuivre, ils pouvaient détaler sans crainte. Les chevaux des archers étaient cachés non loin de là, tout comme Flore qu'Alaric alla chercher. Une fois réunie, la troupe partit au galop vers Louviers. Une dizaine de lieues la séparait du château de Gaillon, avant-garde du roi de France en Normandie.

Sur la même rive de la Seine, cette forteresse, longtemps anglaise, avait été cédée par Jean à Philippe Auguste pendant que son frère Richard était prisonnier, mais le roi de France avait dû batailler pour la reprendre à celui qui la tenait. Il l'avait ensuite confiée à Lambert de Cadoc, le chef de ses routiers ayant eu le premier rôle dans l'entreprise.

Après sa libération et son retour en terre normande, le roi d'Angleterre avait voulu récupérer Gaillon en y mettant le siège, Cadoc l'avait alors blessé d'un carreau d'arbalète tirée du haut de la forteresse, le forçant à partir. Depuis cet exploit, le mercenaire routier était devenu un des capitaines préférés du roi de France. Or Guilhem ayant été sous ses ordres, il savait qu'il trouverait facilement refuge chez lui.

Cependant pour ménager leurs montures, ils ne devaient pas les forcer. Gagner Gaillon prendrait trois bonnes heures de trot rapide. De plus, si la plaie de Guilhem n'était pas profonde, elle saignait abondamment, lui faisant perdre des forces. Furnais avait aussi un bras entaillé et son écuyer la cuisse meurtrie. Mais ils ne pouvaient s'arrêter pour se soigner.

Après deux heures de chevauchée, souillés de sang et de poussière, les fuyards s'arrêtèrent quand même à une source pour faire boire les chevaux et panser leurs plaies. Une fois leurs blessures bandées, ils reprirent la route, soulagés, échangeant même des plaisanteries sur le combat, sans pourtant se moquer de la chemise sanglante d'Alaric qui faisait la route en arrière-garde, avec Flore.

Guilhem craignait que l'affaire ne soit pas terminée tant dans ce Vexin normand, en principe acquis à Philippe Auguste, les troupes anglaises rôdaient. Plus grave, de l'autre côté de la Seine, au nord, se trouvait le château Gaillard. Non seulement cette forteresse disposait d'une importante garnison, mais Falcaise et son frère Guillaume patrouillaient aux alentours.

Ils s'approchaient du fleuve quand les craintes de Guilhem se vérifièrent. En haut d'une éminence, ils aperçurent une dizaine d'hommes d'armes. Leur bannière aux cinq feuilles écarlates ne laissait planer aucun doute quant au parti auquel ils appartenaient.

C'était une patrouille de Falcaise de Bréauté.

Les fuyards mirent leurs montures au galop, Guilhem montrant le chemin.

Curieusement, les sentinelles ne les poursuivirent pas. Mais nul doute qu'elles formaient une avant-garde et que, sous peu, une troupe d'une tout autre importance se mettrait à leur trousse.

Cela ne manqua pas. À peine avaient-ils parcouru une demi-lieue qu'ils entendirent les galops de poursuivants. Or, leurs chevaux étaient fatigués. Guilhem savait qu'il restait encore deux lieues pour arriver en vue du château de Gaillon. Trop loin ! Et quand bien même ils y parviendraient, rien n'indiquait que les gens de la forteresse se porteraient à leur secours immédiatement, ignorant qui ils étaient et si leur arrivée n'était pas un piège.

La troupe de Falcaise n'était pas là par hasard. Revenons un moment sur les lieux de la bataille et de l'incendie.

Les flammes du champ de bataille presque éteintes, à part les bois secs des taillis qui se consumaient encore, deux douzaines de survivants du massacre, la plupart gravement brûlés, se rassemblèrent. Hommes et chevaux calcinés jonchaient le sol. Le Maçon ressentait les douleurs de ses blessures. Son épaule était entièrement paralysée. À pied, chancelant, il suivait péniblement Mauluc et Guillaume de Briouse.

Les favoris du roi Jean ne se trouvaient pas en meilleur état. Mauluc, profondément brûlé à la cuisse gauche, paraissait sur le point de perdre connaissance. Quant à Briouse, il était en partie défiguré. Mais plus que la douleur, ce qui affectait Le Maçon c'était la perte du saint suaire. Il regardait donc autour de lui, essayant d'apercevoir son cheval, mais la stupide bête avait détalé. Jusqu'où pouvait-elle être allée ?

Béraire ayant fui dès le début de l'incendie, il n'était pas blessé. Le Maçon voulut donc qu'il parte à la recherche de sa monture, mais le seigneur de Briouse s'y opposa, désirant garder le seul homme valide à ses côtés.

Là où se tenait le diabolique Guilhem d'Ussel, les survivants aperçurent enfin les chevaux des chevaliers et écuyers qui avaient franchi le torrent de feu. Autour d'eux, le sol était couvert de corps ensanglantés et déjà raidis dans la mort.

Le cœur étreint de douleur, ils s'approchèrent, reconnaissant les cadavres avec épouvante. La fine fleur de la chevalerie de Jean reposait là, navrée. Briouse descendit de selle, espérant trouver un souffle de vie chez l'un d'eux. Apercevant une tête tranchée ayant roulé à l'écart, il s'approcha et découvrit Édouard de Bréauté.

Il se redressa et son cœur cria vengeance.

— Béraire ! cria-t-il.

Resté en arrière, l'homme d'armes venait de son côté de découvrir Ferrière parmi les corps. L'arbalé-trier n'était pas mort mais ses brûlures telles qu'il ne pouvait survivre. Pour l'heure, il souffrait autant qu'en enfer.

Béraire sortit sa dague et abrégea ses souffrances, puis répondit à l'appel du seigneur de Briouse.

— Prends mon cheval, ordonna le favori du roi Jean, et galope jusqu'à château Gaillard et Andely. Trouve Falcaise et Guillaume de Bréauté, annonce-leur la mort de leur frère Édouard, tué par Guilhem d'Ussel. Ces marauds tentent certainement de gagner Vernon ou Gaillon. Si tu fais vite, ils parviendront à leur couper la route.

Béraire avait filé immédiatement. Connaissant par-faitement les chemins, il avait gagné la Seine en un lieu où on pouvait la traverser sur un bac. Une fois de l'autre côté, tout près d'Andely et du château Gaillard, il avait rencontré des patrouilleurs de Falcaise qui l'avaient conduit à leur seigneur.

Celui-ci, d'abord incrédule, puis atterré par la perte de son jeune frère, et enfin pris d'une rage mortelle contre Ussel, Furnais et ses gens, avait rassemblé son armée et, avec Guillaume, était parti à leur rencontre.

L'immense troupe, qui comprenait plus de deux cents chevaliers, écuyers et sergents, avait traversé la Seine à gué. Falcaise et Guillaume avaient alors envoyé des patrouilles sur tous les chemins et c'est l'une d'elles qui avait découvert les fuyards. Rapidement prévenus, les Bréauté avaient lancé leurs hommes à leurs trousses. Les meurtriers de leur frère ne pouvaient s'échapper.

— Thomas, reste en arrière ! cria Guilhem à Furnais. Il faut savoir combien ils sont. On va devoir se battre encore.

Furnais arrêta son cheval. L'attente fut courte. Une immense marée de cavaliers déferlait depuis un monticule proche. Plus de cent. Deux cents peut-être ! Quelques écuyers sonnaient du cor, annonçant l'hallali.

Le cœur battant, il rejoignit ses compagnons au galop.

— Ils sont trop nombreux, Guilhem ! Un contre dix.

— Alors, ce sera la dernière bataille, fit sombrement Ussel. Vois cette butte, là-bas. Grimpons au sommet et mourons noblement !

Quittant le chemin, les fugitifs filèrent vers l'éminence. Guilhem songeait déjà à cette fin si proche. Il ne fallait pas que Flore tombe entre les mains des Brabançons, donc il demanderait à Alaric de l'emmener.

Ils resteraient moins nombreux pour la bataille, mais quelle importance cela avait-il ?

En haut, il cria à son écuyer.

— Poursuis par là-bas avec Flore. Tu seras à Gaillon sous peu !

— Seigneur... Je ne peux vous abandonner !

— Obéis ! ordonna Guilhem d'un ton sans réplique.

Alaric fit signe à Flore et partit sur la crête de la butte. Pourtant, à peine s'était-il éloigné d'une centaine de toises, et alors que la horde infernale approchait, qu'il s'arrêta et se mit à sonner du cor.

Guilhem se tourna dans sa direction.

Au loin, on apercevait des bannières à la fleur de lys. L'armée du roi de France !

L'avant-garde les avait aperçus car un détachement se dirigea vers eux, faisant sonner trompettes et olifants. Les poursuivis virent alors la horde de Falcaise ralentir, puis s'arrêter.

Les trompes des gens du roi de France se faisaient entendre, de plus en plus bruyamment. Falcaise envoya quelques hommes pour apprendre combien ils étaient, mais cette avant-garde découvrit une troupe deux ou trois fois plus nombreuse que la leur.

Rester, c'était livrer bataille. Un bref conciliabule se déroula entre les capitaines. Si Guillaume voulait se battre, Falcaise s'y refusa. S'ils étaient vaincus, Philippe aurait route ouverte vers le château Gaillard et ils failliraient à la mission confiée par le roi Jean. La rage au cœur, il ordonna la retraite tandis qu'éclataient les hourras, en haut de la butte.

Quelques instants plus tard, les gens du roi de France arrivaient, conduits par le cousin du roi, Philippe de Dreux, évêque de Beauvais et rude combattant.

— Qui vive ! cria une enseigne qui se tenait en tête.

— Guilhem d'Ussel.

Après ces paroles, il perdit connaissance.

# Chapitre 40

L'évêque de Beauvais conduisit Guilhem au château de Gaillon, où se trouvait justement Philippe Auguste qui lui laissa la plus belle
chambre de la forteresse. Si Saint-Jean prodigua à
Ussel ses premiers soins, le roi envoya ensuite chercher à Paris Gilles de Corbeil, son médecin personnel.

Heureusement, la plaie à l'épaule n'était pas profonde
et Guilhem reprit connaissance le lendemain. Bien
pansé, sa blessure soigneusement lavée chaque jour, il
fut rapidement sur pied et put raconter lui-même ses
aventures au roi, qui avait déjà entendu Furnais.

Mais Philippe de France ne sut jamais la complète
vérité. En chemin vers Gaillon, Guilhem avait exigé de
ses serviteurs comme de ses amis le silence total sur
le faux saint suaire fabriqué par Saint-Jean. Ils
diraient seulement avoir dupé Le Maçon, homme trop
crédule, par un banal drap de lin peint.

Ils restèrent cinq semaines au château. L'ost royal
s'assemblait. Chaque jour, de nouveaux seigneurs
arrivaient de toutes les parties du royaume de France :
du Parisis et de l'Orléanais, bien sûr, mais aussi de
Flandre, de Bourgogne, et surtout du Poitou, de Touraine, de Bretagne et du Limousin.

Parfois, il s'agissait seulement de chevaliers ban-
nerets, mais plus souvent de comtes et de barons
accompagnés d'importantes troupes de chevaliers, de
sergents et d'arbalétriers. Le roi de France avait promis

de payer sans barguigner les hommes d'armes. Son trésor était riche et, cette fois, il mettrait les moyens nécessaires pour prendre la Normandie.

Il en parla à plusieurs reprises avec Guilhem, mais sans lui faire part de son souhait de le voir se joindre à l'ost. La conquête de la province passait par le château Gaillard et il se doutait que le siège de la forteresse serait long. Il ne pouvait demander à son homme lige, qui avait déjà quitté son fief depuis deux mois, de rester encore des semaines et des semaines en Normandie. De surcroît, Ussel lui avait rendu Furnais, qui s'activait à rassembler une armée de Tourangeaux et de Bretons.

Les trois hommes abordèrent aussi le sujet d'Arthur. L'héritier du trône anglais resterait donc aux mains de Jean, bien que Philippe Auguste promît à Furnais de tenter de le racheter.

Pendant ce temps, Alaric et Flore filaient le parfait amour. Le roi de France ayant appris leur histoire promit de doter cette dernière pour son futur mariage et lui offrit une belle robe de laine brodée d'or ayant appartenu à une dame d'honneur d'Agnès de Méranie, sa chère épouse répudiée et, depuis, décédée.

C'est à Gaillon qu'ils apprirent, par des espions arrivés de Rouen, que Le Maçon n'était pas mort mais avait perdu l'usage d'un bras. Mauluc aussi avait été terriblement brûlé. Quant au linceul, certainement consumé par les flammes, personne n'en parlait.

Guilhem passa aussi beaucoup de temps avec Robert de Locksley qui l'avait rejoint depuis son château de Houdan, lui révélant, cette fois, l'entière vérité sur le suaire et Saint-Jean. Le Sarrasin et l'ancien croisé devinrent même de bons compagnons, échangeant des souvenirs de la Terre sainte.

Puis vint le temps de songer au départ. Il fut convenu que Saint-Jean ferait route avec Guilhem, Alaric et Peyre avant de prendre un navire à Narbonne pour rentrer à Acre. Sa mission était terminée.

C'est alors qu'ils faisaient leurs adieux qu'ils apprirent l'effroyable nouvelle. On était le 8 avril. Quelques jours plus tôt, le roi Jean avait tué de sa main son neveu Arthur.

Après l'échec de Mauluc et de Briouse, et la perte du saint suaire, Jean comprit qu'il ne pourrait contenir l'avancée du roi de France. Même si l'entreprise de Furnais avait échoué, il craignait d'autres tentatives de libération de son neveu. Ne disait-on pas que les chevaliers bretons allaient tenter l'impossible pour sauver leur duc ?

Il décida donc de le faire occire par son intendant, Hubert de Burgho, celui qui avait pourtant déjà refusé de le châtrer. Mais ce dernier s'obstina, déclarant même fièrement : « Je suis un chevalier, et non un bourreau. »

Le roi Jean donna alors ordre au gardien du prisonnier, Guillaume de Brauce, d'exécuter l'ordre. Celui-ci préféra quitter Rouen sur ces mots : « Je ne sais ce que la fortune réserve à l'avenir de ton neveu, dont j'ai été jusqu'à présent le gardien fidèle. Je te le remets en parfaite santé, jouissant de la vie, et intact de tous ses membres. Remplace-moi dans le soin de cette garde. »

Éclatant de colère, Jean comprit qu'il devrait accomplir la sinistre besogne lui-même.

Au début d'avril, il appela près de lui Peter Mauluc et Guillaume de Briouse. Il leur promit force présents pour qu'ils l'accompagnent durant quelques jours hors de Rouen.

La nuit du 3 avril, au milieu des ténèbres, dans une petite barque, tous trois traversèrent le fleuve pour aborder devant une des tours souvent inondée par la marée. Jean ayant donné des ordres, un valet ouvrit la porte de fer dont Raoul Le Gros avait parlé à Furnais. Mauluc et Briouse allèrent chercher le jeune duc. Comprenant ce qui se tramait, celui-ci se débattit, mais en vain tant il était affaibli par la détention. Bâillonné, il fut conduit à la barque et emporté dans le bateau qui s'éloigna.

Beaucoup plus bas sur la Seine, en un lieu isolé, on retira le bâillon d'Arthur. Le malheureux enfant, devinant sa dernière heure arrivée, supplia :

— Mon oncle, aie pitié de ton jeune neveu ! Mon oncle, mon bon oncle, épargne-moi, épargne ton neveu, épargne ton sang, épargne le fils de ton frère !

Vaines lamentations. Jean le saisit par les cheveux et enfonça une épée dans son ventre jusqu'à la garde.

Arthur, les boyaux sortis, se traîna aux genoux de son oncle, lui cria merci, et promit de lui céder tout ce qu'il lui demanderait ; mais le roi d'Angleterre répondit seulement :

— Tout est à moi ! Voilà le royaume que je t'ai promis.

Il plongea cette fois l'épée dans la bouche de sa victime, puis saisit Arthur par un pied et s'efforça de le précipiter dans les flots.

Mais le mourant se débattit avec l'énergie du désespoir, poussant des cris lamentables. Craignant que Mauluc et Briouse, qui regardaient la scène avec horreur, n'interviennent en faveur de son neveu, Jean chercha à en finir. Il le prit par les cheveux, enfonça son épée dans le cœur, traîna le cadavre dans la barque et le jeta dans les flots, lesquels s'ouvrirent et se refermèrent à jamais sur le prince de Bretagne.

Certains prétendent que le cadavre fut plus tard retrouvé par un pêcheur et enseveli au prieuré du Bec.

Durant le voyage de retour, de l'Orléanais au Limousin, puis à travers le Périgord et le Toulousain, Guilhem d'Ussel resta souvent pensif au milieu de ses hommes et de ses amis. S'il songeait beaucoup à San-celine, il estimait surtout que son expédition n'avait guère été un succès. Le Maçon avait échappé au châtiment, même s'il avait été gravement brûlé, Mauluc s'était une nouvelle fois sauvé et le jeune duc Arthur était mort. Encore qu'à son sujet, Guilhem n'eût jamais cru sa libération possible.

Pourtant ce voyage n'avait pas été infructueux. Sans cette expédition à Rouen, Thomas de Furnais aurait trépassé ; Alaric n'aurait pas trouvé femme ; chacun aurait cru Flore coupable et lui-même n'aurait pas rencontré Saint-Jean. Un chevalier bien singulier, si différent de lui, mais dont il appréciait la compagnie. De plus, s'il avait perdu Godefroi, il avait gagné Gregorio. S'il avait perdu Jeanne et son enfantelet, il avait gagné Flore qui ferait de solides enfants. Comme souvent les parties de jeu du Destin s'équilibraient lorsqu'on savait attraper la balle.

En songeant à cela, et comme leurs montures trottaient, il se mit à chantonner ce couplet de la chanson de Garin le Lorrain :

> *N'est pas richesse ni de vair ni de gris,*
> *D'or ni d'argent, de murs ni de roncins,*
> *Mais est richesse de parents et d'amis,*
> *Le cœur d'un homme vaut tout l'or d'un pays[1].*

Peyre et Gregorio chevauchaient devant lui. Reprendrait-il la route avec eux ?

Un mois après la mort d'Arthur, Philippe mit le siège devant le château Gaillard. Son armée était au complet et la mort du jeune duc lui avait donné un nouveau prétexte pour condamner Jean et lui reprendre ce qu'il tenait de la couronne de France.

---

1. Garin le Lorrain, chanson de geste du XIIᵉ siècle.

Il ne fallut pas longtemps à ses troupes pour se rendre maîtresses des défenses avancées du château et des deux bourgs d'Andely, leurs habitants s'étant réfugiés au château.

Jugeant l'assaut impossible, Philippe Auguste décida d'un siège, domaine dans lequel il était fort savant. Il installa ses troupes autour de la forteresse, fit creuser des fossés et élever des talus surmontés par des tours de bois. Des machines envoyaient sans cesse des quartiers de roc sur les remparts.

Durant tout ce temps, Jean sans Terre ne réagit pas.

Dans la forteresse, le gouverneur Roger de Lascy disposait de suffisamment de vivres pour nourrir sa garnison un an, mais pas pour entretenir les réfugiés entassés dans les cours. Il décida donc de les expulser. Les Français en acceptèrent seulement quelques-uns, laissant les autres entre les deux camps. L'hiver arriva et femmes, vieillards et enfants déguenillés errèrent jusqu'à mourir de faim et de froid. Ému par cette détresse, le roi de France laissa finalement passer les derniers survivants.

À la fin de l'hiver, Philippe jugea les défenseurs suffisamment affaiblis. Après un premier assaut, il se rendit maître de la première enceinte dont il avait comblé les fossés. C'est dans celle-ci qu'un homme d'armes remarqua une petite fenêtre située à deux toises de hauteur. Celle des latrines. Le 6 mars 1204, quelques soldats de Philippe passèrent par là et boutèrent le feu à la forteresse.

En même temps, le roi de France utilisa ses catapultes. D'énormes blocs s'abattirent sur les murailles et y firent une brèche. Les défenseurs n'eurent pas le temps de se réfugier dans le donjon et succombèrent sous le nombre des assiégeants.

Roger de Lascy et ses chevaliers furent faits prisonniers, puis libérés contre rançon quelque temps plus tard.

La route de Rouen était ouverte.

# Chapitre 41

*Le vrai, le faux et la fin de l'histoire*

Après la prise du château Gaillard, l'armée française déferla sur la Normandie anglaise. Caen fut conquis et Philippe Auguste se présenta devant Rouen.

Il prit d'abord la barbacane qui défendait la tête du pont Mathilde. Mais les bourgeois rompirent plusieurs arches et les Français se virent arrêtés par le fleuve. La triple enceinte de murailles et de fossés protégeait efficacement la ville.

Chaque jour, les Rouennais espéraient le secours du roi Jean, retourné en Angleterre. Certes les bourgeois ne l'aimaient pas, mais ils craignaient encore plus le roi de France qui ferait disparaître leurs privilèges et leurs libertés.

Seulement, Jean restait indifférent à l'héroïque défense de sa ville.

La poursuite des affrontements risquant de provoquer la colère du roi de France, qui parlait de livrer la cité au pillage de ses hommes, les Rouennais décidèrent de négocier. Suivant les règles coutumières, les assiégés avaient le droit de sommer leur suzerain de venir à leur aide dans un délai de quarante jours. S'il y manquait, le lien féodal était rompu et ils pouvaient, sans félonie, se soumettre à un nouveau seigneur.

Philippe Auguste accepta cette solution en échange d'otages. L'acte signé par la commune de Rouen précisait que si, dans le délai, « Jean, roi d'Angleterre, n'a pas conclu la paix avec le roi de France ou ne l'a pas chassé, par la force et la guerre, du lieu qu'il occupe, nous livrerons au roi de France la ville entière avec toutes les forteresses ».

De plus, si la ville se rendait, Philippe accordait de restituer leurs fiefs aux chevaliers rouennais et de laisser aux bourgeois leurs libertés et coutumes. Après cet accord qui donna lieu à une trêve, les Rouennais envoyèrent une députation sommant Jean de se porter à leur secours.

Au moment où les ambassadeurs se présentèrent devant lui, le roi d'Angleterre jouait aux échecs et ne voulut pas interrompre sa partie pour les écouter, déclarant seulement : « Impossible de vous secourir dans le délai voulu, faites pour le mieux. »

De retour, les émissaires firent part de la réponse du duc de Normandie. L'assemblée des bourgeois, profondément indignée, se livra alors au roi de France sans attendre la fin de la trêve.

Le 24 juin 1204, Philippe Auguste pénétra dans Rouen par une brèche dans l'enceinte. Il fit combler les fossés, renverser les remparts et détruire le vieux château des ducs. Mais il respecta les franchises de la ville, telles qu'elle les avait possédées du temps de Richard.

La Normandie revenait dans le domaine des rois de France.

Si, dès le mois d'avril 1203 circula la rumeur de la mort d'Arthur, il n'y en eut, bien sûr, aucune certitude, Jean ayant fui en Angleterre et n'ayant pas reconnu les faits. Aussi, jusqu'en 1206, certains gardèrent-ils encore espoir que le duc, emprisonné quelque part, soit libéré. Mais Guillaume de Briouse, tombé en disgrâce, fit des révélations sur le meurtre. Dès lors, la cour de France abandonna tout espoir et, en août 1206, Marie, jadis fiancée à Arthur, fut fiancée au comte de Namur.

Briouse était pourtant devenu l'un des hommes les plus puissants et les plus riches d'Angleterre. Seulement, comme il avait laissé entendre, auprès de moines, qu'il avait assisté au meurtre d'Arthur, le roi perdit confiance en lui et décida de s'en débarrasser. Sa femme et son fils furent emprisonnés dans un cachot où Jean les laissa mourir de faim. Guillaume trouva refuge en France.

Alexandre Le Maçon se rapprocha encore du roi Jean et devint l'un de ses conseillers. Par ses encouragements, il incita le roi d'Angleterre à agir avec la plus grande cruauté, principalement durant la révolte des barons, après l'acceptation de la Grande Charte[1] lui assurant qu'un prince était fait pour gouverner ses peuples et ses autres sujets avec une verge de fer, et pour les briser comme un vase de potier. Le pape, finalement informé de sa perversité, ordonna qu'on le dépouillât de tous ses biens et bénéfices. Le Maçon, abandonné, fut réduit à la misère et forcé de mendier son pain de porte en porte.

Les paroles de Le Maçon et son comportement, dans ce roman, sont inspirés de ce qu'en a rapporté Matthieu Paris.

---

1. En 1215.

Falcaise de Bréauté resta aussi près du roi Jean. Son frère et lui, appuyés par les discours de Le Maçon, servirent d'instruments à la férocité du roi d'Angleterre durant la révolte des barons. On rapporte que Falcaise dépassait toujours en cruauté les ordres qu'il avait reçus. Ce trait de caractère le rendit cher au roi d'Angleterre qui le combla de bienfaits.

Mais à la mort de Jean, il encourut la disgrâce d'Henri III. Condamné l'année suivante à un exil perpétuel, il revint en Normandie, son pays natal, et faillit y être pendu pour ses crimes. Il ne dut son salut qu'en prouvant qu'il avait pris la croix. On le laissa partir pour Rome où il mourut empoisonné vers la fin de 1226.

Son frère Édouard de Bréauté est une invention de l'auteur.

Peter Mauluc reçut le château de Mulgrave comme récompense de ses crimes.

Le marin et armateur Dodeo Fornari s'était bien spécialisé dans le recel de reliques. Jacques de Voragine signale qu'il s'enrichit particulièrement en conservant une partie des reliques saisies aux Vénitiens en 1203, lors de la prise de Constantinople, durant la quatrième croisade. Il offrit ses plus belles reliques à Gênes.

Les nizârites ne survécurent pas longtemps à notre histoire. Comme ils avaient tenté d'assassiner le petit-fils de Gengis Khan, celui-ci assiégea et prit Alamut. Ayant capturé en 1257 leur grand maître, il l'écorcha vif et ravagea les forteresses ismaélites, détruisant leurs précieuses bibliothèques. À cette occasion, le

Mongol conquit aussi Bagdad, qu'il mit à feu et à sang et liquida la dynastie des Abbassides.

Sur la fabrication du suaire par Saint-Jean, nous nous sommes inspirés des travaux de Luigi Garlaschelli, cités dans la bibliographie.

Un saint suaire représentant le visage et le corps du Christ apparut en Champagne en 1357, présenté par la veuve du chevalier Geoffroy Ier de Charny. Était-ce celui fabriqué par Saint-Jean et Guilhem d'Ussel ? Rien ne permet de l'affirmer.

# Bibliographie

BERNAGE Georges, *La Vie quotidienne au XI<sup>e</sup> siècle*, Heimdal, 2010.

BERTRAND Paul, « Authentiques de reliques : authentiques ou reliques ? », *Le Moyen Âge*, n° 2, 2006.

CAPEFIGUE Jean-Baptiste Honoré Raymond, *Histoire de Philippe Auguste*, Duféy, 1829.

CHÉRUEL Adolphe, *Histoire de Rouen pendant l'époque communale, 1150-1382*, Rouen, Nicétas Périaux, 1844.

CLAVERIE Pierre-Vincent, « Les acteurs du commerce des reliques à la fin des croisades », *Le Moyen Âge*, n° 3, 2008, pp. 589-602.

DELSALLE Lucien René, *Rouen et les Rouennais au temps de Jeanne d'Arc (1400-1470)*, Rouen, PTC, 2006.

FÉGHALI Élisabeth, *Autour des reliques et de leur commerce*, (http://www.citadelle.org/magazine-1-16).

FLAMBARD HÉRICHER Anne-Marie, GAZEAU Véronique, *1204 La Normandie entre Capétiens et Plantagenets*, publications du CRAHM, 2007.

GEREMEK Bronisław, *Les Marginaux parisiens aux XIV<sup>e</sup> et XV<sup>e</sup> siècles*, Flammarion, 1976.

GONTHIER Nicole, *Le Châtiment du crime au Moyen Âge*, PU Rennes, 1998.

GONTHIER Nicole, *Sanglant Coupaul ! Orde Ribaude ! Les injures au Moyen Âge*, PU Rennes, 2007.

GRISEL Hercule, BOUQUET François-Valentin, *Les Fastes de Rouen*, H. Boissel, 1643.

HUBERT Silvestre, « Commerce et vol de reliques au Moyen Âge », *Revue belge de philologie et d'histoire*, vol. 30, n° 3-4, 1952, pp. 721-739.

HURTER Friedrich Emmanuel von, *Histoire du pape Innocent III et de son siècle*, Debécourt, 1838.

LUCHAIRE Achille, *Philippe Auguste et son temps*, Tallandier, 1980.

LUIGI Garlaschelli, *Il Mistero del Telo Sindonico, La Chimica e l'Industria*, https://sites.google.com/site/luigigarlaschelli/sindonecheind, 1998.

MOURGUE Alain, *Hassan Ibn Sabbah et la secte des assassins d'Alamut*, Alain Mourgue, 2006.

PANOUILLÉ Jean-Pierre, *Les Châteaux forts en France, XIe-XIVe siècles*, Ouest France, 2011.

PARIS Matthieu, *La Grande Chronique d'Angleterre*, tome IV, *Jean sans Terre 1199-1216*, Paleo Éditions, « Sources de l'histoire d'Angleterre », 2004.

PÉRIAUX Nicétas, *Dictionnaire des rues et places de Rouen*, Page de Garde, 1997.

PETIT-DUTAILLIS Charles, *Le Déshéritement de Jean sans Terre et le meurtre d'Arthur de Bretagne. Étude critique sur la formation et la fortune d'une légende*, Félix Alcan, 1925.

PETIT-DUTAILLIS Charles, « La monarchie féodale en France et en Angleterre, Xe-XIIIe siècle », *Revue d'histoire de l'Église de France*, n° 89, 1934.

RIGORD, *Vie de Philippe Auguste*, J.-L.-J. Brière, 1825.

SPALART Robert von, JAUBERT Louis de, LA MARTINIÈRE Jean-Baptiste Joseph Breton de, *Tableau historique des costumes, des mœurs et des usages des principaux peuples de l'antiquité et du Moyen Âge*, vol. 5, Collignon, 1806.

Sites internet :
www.citadelle.org
www.rotomagus.net
www.rouen-histoire.com

# Remerciements

Un grand remerciement à Bertrand Rio pour la visite du château à motte de la Haie-Joulin qui m'a inspiré pour le camp de Falcaise.

Jacques Tanguy et Frédéric Philippart m'ont donné des informations uniques sur Rouen ainsi que de précieuses cartes.

J'ai toujours beaucoup de gratitude envers Jeannine Gréco qui accepte si volontiers de relire et de corriger le premier manuscrit.

Sans les pertinentes remarques et les talentueuses suggestions de Thierry Billard et Claire Le Menn, mes éditeurs aux éditions Flammarion, ce livre aurait présenté bien des défauts. Mille mercis à eux.

Enfin, je dois remercier mon épouse, mes filles et maintenant ma petite-fille Juliette qui restent les plus sévères juges... sans oublier mes lectrices et mes lecteurs auxquels rien n'échappe !

Aix, octobre 2013

Vous pouvez joindre l'auteur :
aillon@laposte.net
http://www.grand-chatelet.net

# Table